À tous ceux
qui ont la sagesse de croire
que si la vie vaut la peine d'être vécue,
elle vaut aussi le plaisir qu'on en rie.

Données de catalogage avant publication (Canada)

Lussier, Doris, 1918-1993
    Tout Doris

    ISBN 2-7604-0471-4
    1. Humour canadien-français - Québec (Province) I. Titre.

PN6178.C3L87 1994   C848'.5402   C94-941176-0

Photos de la couverture: Jean-Marie Bioteau
Conception graphique et montage: Olivier Lasser

Les photos publiées dans Le Père Gédéon *proviennent des archives de l'auteur.*

Les éditions internationales Alain Stanké bénéficient du soutien financier du Conseil des Arts du Canada pour leur programme de publication.

ISBN 2-7604-0471-4

Dépôt légal: troisième trimestre 1994

IMPRIMÉ AU QUÉBEC (CANADA)

TOUT DORIS

Doris Lussier
TOUT DORIS

PRÉFACE

Il était une voix... Doris.

C'était la voix d'un homme disert et lumineux. La voix d'une pensée originale, d'une grande rigueur intellectuelle. Une voix bien reconnaissable à cause de l'accent de la Beauce et surtout celui de la sincérité.

C'était la voix d'un diable d'homme bougrement sympathique, honnête, joyeux avec un sens inné de l'écoute, au tutoiement et à l'accolade faciles.

C'était la voix de Doris Lussier.

Doué d'une grande puissance imaginaire, d'une mémoire sûre et d'une gentillesse proverbiale, Doris, alias le père Gédéon, savait observer comme personne — à l'heure des satellites, des télécopieurs, des déficits sociaux et des préservatifs gratuits — «son» peuple *mcdonaldisé*, avec humour et amour.

«Pour moi, avait-il coutume de dire, les deux plus grandes valeurs humaines sont: premièrement l'amour universel et inconditionnel des êtres, et deuxièmement, l'humour. L'amour qui nous justifie d'exister... et l'humour qui nous en console.»

C'est cela TOUT DORIS. L'homme et son œuvre se résument dans ces deux phrases.

Tous ceux qui ont eu le bonheur, comme nous des Éditions Stanké, de l'approcher de près et d'apprécier la noblesse de son cœur savent qu'il disait toujours ce qu'il croyait et faisait ce qu'il disait. Doris a vécu et il est mort

7

fidèle à ses convictions, à ses certitudes et à ses... incertitudes.

Les grandes questions de la vie le préoccupaient sans cesse mais, même dans les moments les plus sombres de son existence, il ne s'est jamais laissé abattre par la fatalité. L'humour était sa bouée de sauvetage:

«Qui suis-je? D'où viens-je? Où vais-je? Et au fait, à quelle heure qu'on mange?» avait-il l'habitude de me dire lorsque nos conversations dérivaient parfois sur les pentes mystérieuses de l'existentiel.

Doué d'une présence remarquable, passionnément épris du métier de la scène et de la plume, Doris était notre phare. Notre garde-fou à tous.

Lorsqu'il m'a appris (en riant, bien sûr!) que son cancer était irréversible, j'ai éprouvé révolte, doute et découragement. Lui, si fort, si dynamique, si drôle, si heureux de vivre. Au début, je ne l'ai pas cru. Je pensais qu'il me faisait une blague, lui qui en faisait tant. Pourtant, j'aurais dû comprendre que l'idée de la mort l'habitait depuis longtemps. N'avait-il pas entrepris de nous écrire *Pourquoi?* un ouvrage qui devait traiter de la vie, de l'amour et de... la mort. Des pages inédites de ce manuscrit inachevé, son dernier, sont reproduites ici ainsi que sa touchante allocution traitant du même thème. J'aurais dû me douter qu'en parlant de la mort des autres avec autant d'émotion et de la sienne avec autant de légèreté et d'humour il nous répétait une dernière fois, à nous, ses survivants:

«La vie est un drame comique; nous ne sommes justifiés de continuer à la vivre que si nous oublions le drame pour en boire la joie...»

Le souvenir de Doris Lussier sera impérissable dans le cœur de tous les Québécois. Tant qu'ils vivront, ses livres, qui lui furent si chers et que nous avons réunis ici, garderont et honoreront sa mémoire. Sa voix continuera à résonner en nous.

ALAIN STANKÉ

Philosofolies

PRÉFACE

Si vous aimez rigoler, si vous aimez les blagues qui provoquent le fou rire, prenez et lisez, ce petit bouquin d'esprit gaulois vous comblera.

Si vous aimez parler, ou entendre parler des femmes... et de la chose, oh! alors, vous serez plus que comblés. Les femmes y découvriront de nouvelles preuves de leur incontestable supériorité sur cette fruste espèce qu'on appelle les mâles.

Enfin, si vous aimez les bons mots, les traits d'esprit, allez, servez-vous, l'auteur en a fait systématiquement la chasse. Sans doute, vous en connaissez déjà plusieurs, mais vous les retrouverez avec plaisir.

Ce cher Doris! Quel curieux homme! Il y a du Rabelais et du Alphonse Allais dans cet incorrigible gouailleur. Au fait, qui était-il au juste? Doué d'une triple personnalité, on peut le comparer à un gâteau à trois étages: le comédien, l'humoriste et le philosophe.

Comédien, il a créé un père Gédéon haut en couleur, un personnage quasi fabuleux dont le verbe haut et vert évoquait la parlure des anciens de sa Beauce natale.

Humoriste, que de billets parus dans maints journaux et revues! Des textes toujours optimistes et sereins, des propos de salon et d'homme du monde. Oh! on y découvre bien, çà et là, quelques polissonneries (le père Gédéon n'est jamais très loin), mais aucune méchanceté ni grossièreté, chose souvent rare en ce genre de prose.

11

Enfin, philosophe... oui, philosophe comme en dépit de lui-même. La vie, la mort, Dieu... sujets redoutables traités avec une respectueuse désinvolture, doublée d'une discrète émotion. À travers de courtes pièces rédigées dans le style des grands échotiers d'antan, Doris, ce diable d'homme, parvient, mine de rien, à transmettre un message de joie et de sérénité.

Philosofolies: un titre qui résume bien cette petite anthologie du rire et de la bonne humeur.

JEAN PELLERIN
AVRIL 1994

(SÉVÈRE) AVERTISSEMENT AU LECTEUR

«Le plus sage ici-bas
est peut-être le plus fou.»
Victor Hugo

Hédoniste impénitent, j'ai le bonheur facile.

Dont celui de ne jamais bouder mon plaisir.

Mieux, je n'en ai jamais autant que quand je le partage.

C'est la raison d'être de ce livre, qui n'a de sérieux que l'intention de ne pas l'être.

Omnivorace, gourmand des choses, j'ai, sur les routes de mon aventure humaine, trouvé des fleurs partout. Je les ai butinées, j'en ai fait mon miel, je m'en suis régalé et je l'ai trouvé si bon que j'ai eu envie de vous en donner.

J'avais le goût d'écrire des folleries. Alors, pour leur donner un petit air de respectabilité qui les dédouanerait auprès de ceux qui, me connaissant bien, savent que je suis un homme sérieux qui aime rire, je les ai appelées «philosofolies».

La vie est trop courte, l'éternité est trop longue, le bon Dieu est trop loin et les femmes sont trop proches pour que je me retienne d'en parler sans vergogne.

Endimanchée de philosophie, la folie est plus sortable. Même que, quand elle est douce, consciente et rieuse, on dirait la raison en goguette qui valse, ivre du vin de l'absurde et de la poésie, sur le plancher de l'existence. Alors elle est belle comme la liberté d'être légère et de sortir court-vêtue.

Je crois raisonnable d'être un peu fou. C'est une prophylaxie contre la constipation intellectuelle, maladie congénitale des empêcheurs de déconner en rond qui empoisonnent le monde avec leur orgueilleuse et sotte gravité. Parler légèrement des choses sérieuses et sérieusement des choses légères m'est toujours apparu comme une délicieuse fantaisie de la sagesse. L'humour, cet état de grâce de l'intelligence, est une thérapie contre le malheur des hommes.

Voici donc une folle sauterie de propos olé olé que je jette en vrac dans le beau désordre de la joie naïve et impudique de rire de la belle chienne de vie, qui nous est donnée pour si peu de temps qu'on serait bien bêtes de n'en point faire un petit bonheur des sens et de l'esprit.

Convenable ou loufoque, pertinent ou incongru, exemplaire ou scandaleux, ce livre sera-t-il «dieu, table ou cuvette»?

Je m'en fous... Moi, je m'amuse.

D. L.

Plaisir, mon beau souci

> «Le plaisir pour tous les vivants
> est le souverain bien.»
> Aristote

On s'est tellement fait dire, quand on était jeunes, que le plaisir, c'était péché, qu'on a bien failli passer à côté du bonheur qu'il nous donne.

J'aime le plaisir. Pour moi, il est le sel de nos nourritures terrestres. Je veux faire des bouquets avec les heures qui passent, car, comme disait feu mon camarade Molière:

«On ne meurt qu'une fois, et c'est pour si longtemps.»

La vie et trop courte pour que je ne goûte pas, avec une passion raisonnable et lucide, tout ce qu'elle m'offre d'heureux. Je voudrais que ma vieillesse soit pleine du souvenir de mes joies. Le souvenir de nos plaisirs n'est-il pas le clair de lune de nos solitudes...

Je veux aussi faire de mon plaisir un des beaux-arts. L'art et la morale me paraissent d'accord là-dessus. Car la morale n'est pas faite pour supprimer le plaisir, elle sert à prévenir les indigestions. D'ailleurs, la honte du corps est une faiblesse de l'esprit. Je veux, je dois assumer ma personne dans toutes ses dimensions. Je ne renierai jamais le bonheur de mon corps au nom de celui de mon âme; les deux sont parties l'une de l'autre.

Et puis, il y a Dieu. S'il n'existe pas — ce qui me paraît impossible —, il n'y a rien qui puisse empêcher l'homme de ne penser qu'à remplir sa vie au maximum et à l'optimum de toutes les joies terrestres. S'il existe — ce que je crois —, ce serait blasphémer son intelligence et sa justice que de le croire assez bête pour condamner des êtres qu'il a créés par amour sous prétexte qu'ils auraient goûté avec ferveur aux biens que sa bonne nature a mis à leur portée.

La réhabilitation du plaisir est relativement récente au pays du Québec. Avant d'accéder à la liberté d'être heureux sans complexe de culpabilité, les Québécois ont dû endurer quelques siècles d'un puritanisme passablement étouffant. Mais c'est bien fini tout cela; rendons grâce à la Révolution tranquille et n'en parlons plus. Au lieu d'évoquer nos mauvais souvenirs, fabriquons-nous-en de beaux.

La Bruyère disait:

«Le plaisir le plus délicat est de faire celui d'autrui.»

Toute la valeur du plaisir est dans son altruisme. Faire du plaisir des autres le sien, c'est donner au plaisir des lettres de noblesse que plus rien ne peut lui enlever. C'est tellement vrai qu'on a pu dire, non sans poésie, qu'il est «la seule chose que les anges nous envient». Sa seule tristesse, c'est qu'il soit tellement à la portée des imbéciles. De ces sombres caves qui, au lieu de faire du plaisir une source de grâce, en font une armoire à poisons. De ces analphabètes du bonheur qui, confondant la saine griserie des voluptés naturelles avec les délires malades de la défonce, ont fait de la drogue le sacrement de leur destruction physique et de leur déchéance morale. Trop bêtes pour s'apercevoir que leurs paradis artificiels ne sont que des enfers...

Qu'à cela ne tienne, nous ferons du plaisir un des piliers de notre bonheur. N'attendons pas demain pour être heureux. Cueillons les roses du jour qui nous est donné. Comme disait le vieux poète latin:

«Celui qui ajourne le moment de bien vivre est comme le paysan qui attend que la rivière ait fini de couler.»

Il n'y a, paraît-il, qu'un seul remède contre la naissance et contre la mort, c'est de profiter de la période de temps qui les sépare.

Je me sens frère de Pascal:

«L'homme est né pour le plaisir; il le sent, il n'en faut pas d'autre preuve.»

Je souris à Maxence van der Mersh:

«La vie est un beau fruit plein de saveur qu'il faut croquer à belles dents sans se demander à chaque bouchée s'il ne recèle pas un ver.»

J'applaudis Théodore de Banville:

«Cherchez les effets et les causes,

Nous disent les rêveurs moroses.

Des mots! Des mots! Cueillons les roses!»

Et je me résigne avec un stoïcisme aussi souriant que possible au mot joliment cruel d'un autre «philosofou»:

«À 20 ans, on dévore le plaisir;

à 30 ans, on le goûte;

à 40 ans, on le ménage;

à 50 ans, on le cherche;

à 60 ans, on le regrette;

à 70 ans, on l'oublie;

et à 80, on n'y pense même plus.»

Je n'en suis pas si sûr.

«*Scinduntur doctores*» (Les opinions sont fendues), disait mon professeur de latin au séminaire.

La preuve: Victor Hugo, Gratien Gélinas et Roger Baulu.

Le siège de l'honneur

On met son honneur où on peut. Il y en a qui le font fleurir en vertus, les vaniteux le confondent avec les honneurs, les avares n'y voient qu'une sordide histoire d'argent, les ambitieux croient le trouver dans le pouvoir, les arrivistes dans l'effort maladif pour trouver une place, les parasites pensent l'avoir atteint quand ils ont décroché une sinécure et les simples imbéciles le poursuivent dans la notoriété à tout prix.

Mais quand il s'agit de l'honneur des autres, c'est une autre affaire. Si d'aventure il arrive, par exemple, à quelqu'un de valable de voir son mérite reconnu par une récompense un peu voyante, il se trouve toujours des envieux pour pisser du vinaigre sur sa réussite.

La discrétion avec laquelle les femmes savent être honorables — et Dieu sait si, en général, elles le sont bien plus que nous — n'a pas empêché que des hommes dépités trouvent assez d'acidité d'âme pour la leur reprocher. Mais la plupart du temps, en fait, c'est de leur faute à eux si le comportement de nos consœurs fait question. Ce qui faisait dire un jour au peintre humoriste Jean-Gabriel Doumergue:

«Quand on voit où les hommes placent traditionnellement l'honneur des femmes, il ne faut pas s'étonner que celles-ci s'assoient dessus!»

Poitrine, as-tu du cœur?

Comment célébrer les charmes doux et pervers de mes contemporaines sans blesser leur légendaire pudeur?

«La pudeur est une chose qui convient si bien aux femmes, quand elles en ont, et si bien encore quand elles n'en ont plus, que je ne considère guère de femmes qui ne désirent pas en avoir!»

Mais les fruits sont trop beaux, je me laisse tenter.

Avant de faire la joie gourmande de votre premier bébé, mesdames, votre tendre poitrine, veinée de sang chaud, qui précède votre beauté de quelques centimètres partout où vous la promenez dans le monde, a été justement célébrée par les poètes, les peintres, les sculpteurs, les romanciers...

Tartuffe a eu beau dire:

«Cachez ce sein que je ne saurais voir

Par de pareils objets les âmes sont blessées

Et cela fait venir de coupables pensées»

je rends chaque jour grâce à Dieu d'avoir inventé la ligne courbe car, comme les coureurs de formule 1, j'aime les virages dangereux...

Les hommes sont justement sensibles à cet attribut féminin qui les a nourris... qui les inspire... qui les excite divinement... qui les hante de rêves et de désirs délirants... et qui remplit la main des plus honnêtes d'entre eux. Joséphine Boulay l'a finement dit:

«Tout bonheur que la main n'atteint pas n'est qu'un rêve.»

Une amie à moi, que j'appelle ma Joconde parce qu'elle est belle à ne pas s'en relever de la nuit, est une créature dont le sourire est une prière et dont l'autorité pectorale est carrément — que dis-je, rondement — indiscutable. En effet, elle a des richesses naturelles qui sautent aux yeux, deux petits frères de lait à faire loucher de bonheur, une anatomie proprement dévastatrice...

Prenant mon courage à deux mains — je n'osais pas prendre autre chose, vous pensez bien —, je lui ai fait remarquer qu'elle se trouvait, sans le vouloir, en flagrant délit d'injustice. En effet, lui ai-je dit, les femmes portent sur elles des armes offensives directement pointées contre nous, les hommes, et si nous osons y mettre la main pour nous défendre... nous passons pour les agresseurs. Elle a souri et j'ai pris son sourire pour une absolution!

Pierre Brasseur s'est déjà trouvé dans une situation analogue. Ce beau ténébreux, dont un critique a dit un jour qu'il avait une voix aphrodisiaque à faire cailler le lait dans la poitrine des nourrices, avouait à sa partenaire de film — je crois que c'était la belle Michèle Morgan qui, en plus, avait des yeux de panthère amoureuse —:

«Quand je vois tes beaux seins libres danser un ballet discret derrière le voile transparent de ta robe, mon cœur fait des pirouettes et le désir m'allume par tous les bouts!»

Quelle délicieuse impudeur peut se cacher sous l'enveloppe des mots qui disent si bien les choses!

Vous voyez, mesdames, vous inspirez la poésie partout. C'est pas aux hommes que ça arriverait, ça! Ils sont bien trop rustres pour tenter la muse des poètes. Comment pourrait-il en être autrement d'ailleurs quand on n'a pour poitrine qu'un désert plat et poilu?

La chair neigeuse de la plus délicate et la plus frémissante de vos extrémités m'émeut. J'ai l'impression de communier à une œuvre d'art chaque fois que je contemple les colombes blanches qui semblent jaillir de votre poitrine comme deux somptueux jets de chair. Qu'elles aient des mouvements de mer furieuse ou qu'elles se reposent dans leur calme jamais plat, toujours elles quêtent insolemment mon regard. Elles ont un charme tendre... à séduire les loups.

Les femmes avancent avec audace et soutiennent avec fermeté des arguments *ad hominem* d'une éloquence irrésistible qui fait fondre toutes nos hésitations et raffermit les intentions de ceux qui, sans elles, se laisseraient peut-être aller à la débandade. Avant-postes de votre deuxième front, dissimulés à peine derrière un soutien-gorge lourd de sous-entendus, vos petits frères de lait trônent comme des roitelets. Leur vue réveille toujours mon impénitente gourmandise et je me demande ce qu'ils me donnent le plus: soif ou faim? C'est à vous saouler le regard. Ils sont un de ces cas exceptionnels où c'est le flacon qui fait l'ivresse. Je les vois toujours avec les yeux d'un enfant devant un cornet de crème glacée à deux boules et je rêve, et dans mon rêve passent des vers:

«Sur vos seins blancs et ronds, fontaines de plaisir,
Ô femmes que j'aimais, regrettables maîtresses,
Vous avez abreuvé du lait de vos tendresses;
J'en ai tari la source et l'âge va venir.»

Henri Cantal

Ah! que vous méritez bien, mesdames, tous les élans lyriques et romantiques. Quand je pense que vous avez inspiré à l'Esprit saint lui-même le *Cantique des Cantiques* où Il chante vos

«deux seins semblables à deux jeunes faons jumeaux
gambadant parmi les lys»

je ne m'étonne plus que tant d'artistes aient par la suite célébré avec ferveur ces

«Fruits d'amour arrondis par une main divine,
Qui tous deux à la fois vibrent sur la poitrine
Qu'on prend à pleines mains»

Musset

Je comprends la reine Marie-Antoinette, si fière de ses charmes, d'avoir confié sa majestueuse poitrine à de savants artistes pour qu'ils modelassent sur ses nénés parfaits des tasses de Sèvres et d'adorables coupes de fruits... On en mangerait!

Mais il faut tout dire. Il n'y pas que les poitrines somptueuses, opulentes, superbes, agressives, provocantes, spirituelles et insolentes de beauté et qui savent se tenir dans le monde. Il y a aussi, hélas, les pauvres poitrines découragées, qui promettaient mais qui n'ont pas tenu. Celles-là aussi, Dieu merci, ont eu leur chantre: Louis Bouilhet.

«Qu'importe ton sein maigre, ô mon objet aimé,
On est plus près du cœur quand la poitrine est plate.
Et je vois comme un merle en sa cage enfermé,
L'amour, entre deux os, rêvant sur une patte.»

Je passe sous silence, pour ne rien ajouter à votre mauvaise conscience, mesdames, l'odieuse fraude à laquelle les rares malhonnêtes d'entre vous se sont tristement prêtées et qui les a fait céder à la tentation de recourir aux produits de remplacement (seins... thétiques) de la technologie moderne. Inutile de vous dire que de tomber dans un tel coupe-gorge constitue pour nous la pire des déceptions et nous donne l'impression d'être volés. Depuis l'avènement de ces artifices mensongers nombreux sont les hommes qui ne savent plus à quels seins se vouer.

Cela dit, un problème reste posé, grave entre tous, le même depuis des temps immémoriaux, toujours débattu et jamais résolu: En faut-il peu... un peu plus... ou beaucoup? Pourtant sollicités dans ce but depuis des siècles par les plus fins juges de la forme, les canons de l'esthétique n'ont jamais pu définir l'idéal de vos mensurations pectorales, mesdames. Le problème des dimensions parfaites de votre balcon reste entier. Irrésolu malgré les efforts inlassables d'authentiques spécialistes et des chercheurs les plus calés en matière de formes, il risque de rester encore longtemps ce qu'on pourrait appeler, empruntant le vocabulaire du prétoire, une affaire pendante. Ah! s'il n'en tenait qu'à moi, et si mes contemporains voulaient bien appuyer mon projet, nous mettrions tous ensemble la main à l'affaire et nous tournerions le problème en solution.

Qu'en ont pensé nos devanciers? Ninon de Lenclos assurait qu'une femme a toujours assez de poitrine quand elle possède de quoi remplir la main d'un honnête homme. Diane de Poitiers, pour sa part, soutenait que pour être beaux les seins ne devaient pas être plus gros que deux œufs de tourterelle. De nos jours, nos charmantes amies en ont — Dieu merci — davantage et s'en font gloire, justifiant ainsi l'opinion d'Henri IV, qui déclarait:

«Oncques ne vit si belles tétonnières qu'au royaume de France!»

Mais quelles sont donc les formes idéales de ceux qu'on a appelés avec raison «le plus bel apanage de la femme» et que la célèbre opérette *Phi-Phi* a rendus populaires sous le vocable charmant de «petits païens»? Quelles conditions doivent-ils remplir pour tenir le rôle à la fois pratique et esthétique que la nature leur a départi, pour n'être ni trop frêles ni trop encombrants et pour dresser fièrement sous le corsage, sans l'aide du soutien-gorge menteur, leurs pointes arrogantes et victorieuses? Comment les souhaiter: larges, charnus, en pommes bien rondes, fermement attachés ou ayant un léger ballant? Les controverses n'ont pas fini d'entourer ce troublant mystère.

Vos deux globes d'albâtre, mesdames, resteront toujours pour nous les messagers de votre beauté. Nous y tenons autant que vous. De grâce, ne laissez rien tomber, que se réalise le vœu éternel de toute la masculinité reconnaissante:

«Aux innocents les mains pleines!»

Les fleurs du mâle

Il y a des femmes dont le génie tient lieu de talent. La célèbre tragédienne française Rachel était de celles-là. Elle était fragile de corps mais forte d'âme. Des hommes de son temps l'ont appris à leurs dépens.

Au début de sa fabuleuse carrière théâtrale, la dame se présente un jour chez Provost, alors sociétaire de la *Comédie-Française*, dans l'espoir de s'y faire engager. La toisant de la tête aux pieds et la voyant si maigrelette, il lui dit, vaguement méprisant:

«Vous n'êtes pas taillée pour la scène, ma chère. Je vous engage... mais à aller vendre des bouquets sur les boulevards.»

Malgré cette réception malveillante, Rachel persévéra et devint vite la plus éblouissante artiste de son temps. Un soir de gloire particulièrement triomphale, au milieu d'une tempête d'applaudissements spontanés, elle fut inondée d'une pluie de fleurs. Elle prit parmi les bouquets 10 des plus gros et les emporta dans le pan de sa tunique de tragédienne. Puis elle alla frapper à la porte de Provost:

— Entrez, fit le comédien.

Et Rachel de lui dire, avec un sourire doucement vengeur:

— Vous qui m'avez conseillé jadis de vendre des bouquets, voulez-vous m'acheter ceux-ci?

Les marginaux

On devrait toujours faire attention à ce qu'on dit quand par politesse on s'informe de la famille des amis qu'on n'a pas vus depuis longtemps. Je l'ai appris à mes dépens.

L'autre jour, je rencontre par hasard en ville un camarade de collège dont la vie m'avait séparé depuis 20 ans. Heureux de le retrouver après une si longue absence, je lui demande tout bonnement:

— Et ta femme? Et les enfants, ça va?

— Je ne suis pas marié, qu'il me répond, je suis homosexuel...

Surpris, et même un peu gêné, j'ai tout de suite voulu changer de sujet:

— Et ton frère Roméo, qui était en droit à l'université, qu'est-ce qu'il devient?

— Roméo, il est pédé lui aussi.

J'étais estomaqué. Voulant sortir de l'impasse par une blague, je lui demandai en riant:

— Dis donc, y en a-t-il dans votre famille qui sont aux femmes?

Il m'a répondu:

— Oui, mes deux sœurs!

Brièveté et concision

Un professeur de français de cégep dit un jour à ses étudiants:

«Une des plus belles qualités de la langue française est la clarté. Rivarol disait que si c'est pas clair, c'est pas français. Il avait raison. Le génie de notre langue est tout entier dans son aptitude à dire les choses de façon nette, brève et concise.»

Le lendemain, jour d'examen écrit, il donna comme sujet de composition rien moins que: «La religion, la noblesse, l'amour et le mystère». Et il demanda à ses élèves d'écrire là-dessus de la façon la plus succincte possible. Ils avaient trois heures pour ce faire.

Au bout de cinq minutes, le prof remarque que, alors que la plupart des élèves ont l'air de se torturer les méninges, le jeune Juvénal a déjà terminé sa rédaction et posé son stylo.

— Alors, Juvénal, vous ne travaillez pas?

— J'ai terminé, monsieur.

— Comment! Déjà? Faites voir.

Et le professeur de lire sur la feuille de son élève ce raccourci saisissant de brièveté et de concision:

«Mon DIEU! s'écria la DUCHESSE, je suis ENCEINTE et je ne SAIS PAS DE QUI.»

Les Anglais et les oiseaux

Les Anglais sont un peuple attachant. Je les aime beaucoup, à cause surtout de leur respect des traditions. Ils les vénèrent avec une constance qui m'émeut toujours.

Ainsi, par exemple, pour ce qui est de l'éducation sexuelle de leurs enfants, ils ont gardé une pudeur victorienne qui leur sied à merveille. Les mères surtout sont à ce sujet d'une inquiétude et d'une prévenance touchantes.

L'une d'elles, Mary, prenait un jour le traditionnel *five o'clock tea* avec son mari John. En silence, comme tout ce qui est sérieux en Angleterre. Tout à coup, entre deux petites lampées du breuvage des dieux saxons, elle dit à son mari:

— John, notre fils a eu 20 ans le mois passé. Je crois que le temps est arrivé pour vous de lui expliquer certains faits de la vie et, en particulier, en quoi consiste l'amour.

— Je suis très embarrassé, dit John, comment lui enseigner honnêtement ces choses si délicates?

— Parlez-lui d'abord de ce que font les oiseaux, et de là...

Le père prit bientôt son fils à part et lui tint à peu près ce langage:

— Vous savez, ce que nous avons fait tous les deux, l'autre soir, à Hyde Park, avec les filles... eh bien! votre mère tient à ce que vous sachiez que les petits oiseaux font la même chose...

Le conjungo

Les jeunesses d'aujourd'hui ne se marient plus, elles cohabitent.

L'autre jour, j'ai demandé à un couple d'étudiants pourquoi ils avaient choisi ce régime. Je me suis fait répondre: «C'est parce qu'on est contre le divorce!» Boutade, pensezvous. Sagesse, croient-ils. Qui a raison? Allez donc savoir. En tout cas, même si, depuis 20 ou 30 ans, la révolution culturelle occidentale a laissé du plomb dans l'aile de l'institution matrimoniale, je doute fort que celle-ci en meure jamais. Je crois que le mariage durera aussi longtemps que la nature humaine. Mais il sera de plus en plus un contrat fragile susceptible de recevoir de nombreux coups de couteau.

— Il doit pourtant y avoir encore des gens qui s'aiment, faisait-on remarquer devant maître Maurice Garçon, grand spécialiste en droit matrimonial.

— Oui, répondit-il, mais ceux-là ne se marient pas! Voulez-vous que je vous explique pourquoi il est plus difficile de réussir un mariage qu'un divorce? C'est parce qu'il faut être deux pour faire du mariage un succès, et il suffit d'un seul pour en faire un échec.»

Il avait raison, le Garçon. C'est à croire que ce sont les célibataires qui comprennent le mieux le mariage...

Surprenons-nous après ça que l'adultère ait de si nombreux pratiquants! Ce n'est plus de la morale, c'est du sport. Ce n'est plus une affaire de principes, c'est une affaire d'hygiène. Et allez donc! C'est ainsi qu'il y a des femmes que l'infidélité tente si fort qu'elles y succombent joyeusement. «Ce qui ne les empêche pas d'avoir des remords», prétend le romancier Maurice Dekobra, qui s'est fait répondre par Christiane Rochefort:

«Si les femmes infidèles ont des remords, les femmes fidèles, elles, ont des regrets. J'aime mieux me repentir d'un plaisir que j'ai pris que de regretter toute ma vie de ne pas avoir osé le faire!»

En être ou ne pas en être, voilà la question!

Moi qui n'en suis pas, je n'éprouve que de la sympathie pour le tiers monde de la sexualité. S'il y a des gens dans la société qui ont besoin de notre compassion, ce sont bien les membres du «ghetto rose». Outre qu'ils sont victimes des grosses farces plates qu'on fait à leur sujet, tout le monde les attaque par derrière et finalement ils ont toujours quelqu'un sur le dos. Ah! c'est pas drôle d'être «gai».

Malgré toutes les chartes des droits de l'homme qui leur garantissent le droit à la différence, ils sont plus ou moins persécutés et condamnés à être une éternelle minorité dans une société humaine où, selon le mot de Jean Cocteau, «le pluriel persécute le singulier». Voilà où mène le goût des «sens interdits»...

Pourtant, de grands noms forment leur lignée. Songez que Nabuchodonosor en était — c'est le prophète Daniel qui en parle dans l'Écriture sainte —, de même que Socrate et Platon ainsi que Sophocle — pour ne nommer que les Grecs les plus célèbres. Le divin Virgile aussi était pédé. Et même Shakespeare, le croiriez-vous? Et je ne parle pas de Verlaine, de Rimbaud, d'Oscar Wilde et d'André Gide, dont les cas sont notoires, ni de Michel-Ange et de Léonard de Vinci, qui étaient tapettes eux aussi, de même que le grand Jules César et l'empereur Marc-Aurèle. J'ajoute, ce qui risque de faire sursauter les bonnes sœurs, que Sa Sainteté le pape Jules II était, lui aussi, de la «jaquette flottante». Alexandre VI passe pour avoir eu des mœurs... enfin bref! Et avec ses enfants César et Lucrèce en plus! Après une pareille nomenclature, vous ne me direz pas que nos grandes n'ont pas de lettres de noblesse.

Parmi les célébrités qui ont porté haut le flambeau de la pédale, il n'y en a qu'une qui a résisté spectaculairement à la tentation du plaisir à l'envers. C'est l'écrivain Barbey d'Aurevilly. Il disait:

«Mes goûts me portaient à la chose, mes principes ne s'y opposaient point... mais la laideur de mes contemporains m'a dégoûté de la pratique.»

C'était un esthète. Différent d'Oscar Wilde, pédé et humoriste (vous voyez que ce n'est pas incompatible) qui répondit à un journaliste qui lui demandait s'il couchait quand même quelquefois avec des dames : «Si... par vice!»

Non mais! c'est incroyable quand même. Ça me paraît incompréhensible. Leur nombre augmente sans cesse alors qu'ils ne se reproduisent pas... Certains affirment que les progrès fulgurants du mouvement féministe sont susceptibles, à la limite, de diviser le monde en deux: les pédérastes et les lesbiennes. Ce serait — *horresco referens* — la fin de l'humanité. Effrayante perspective qu'avait prévue le poète Alfred de Vigny dans ses vers célèbres:

«Demain, se retirant dans un affreux royaume,
La femme aura Lesbos et l'homme aura Sodome,
Et se jetant de loin un regard irrité,
Les deux sexes mourront chacun de son côté.»

Montage

Jacques Normand — qu'on voyait partout et même ailleurs — s'est trouvé invité un jour à un grand banquet donné par les autorités de *Blue Bonnets* pour célébrer la fin de la saison des courses.

Jacques n'est pas plus coureur qu'un autre, mais il a de l'esprit. C'est sans doute pour cela qu'on lui demanda de porter un toast. Il faut dire que la qualité des agapes était rehaussée par la présence d'une tablée de jolies femmes portant des robes aux décolletés vertigineux retenant délicatement juste en deçà du danger de chute des seins capables d'inspirer des fantasmes érotiques délirants aux anachorètes les plus mystiques.

Jacques se leva, olympien, et porta le toast suivant:
«À nos femmes, à nos chevaux... et à ceux qui les montent!»

Hilarité générale, qui rappelle au souvenir de Jacques l'histoire suivante qu'il ne peut se retenir de narrer:

Le propriétaire d'une écurie rentre chez lui à l'improviste et trouve sa femme en galante compagnie avec Hector, son meilleur jockey.

— Hector, hurle-t-il, je vous en préviens solennellement. C'est la dernière fois que vous montez pour moi!

L'esprit de la chair

Si vous pensez, vous autres hommes, que vous êtes les seuls à pouvoir vous sortir des situations délicates dans lesquelles vous a tant de fois plongés votre légendaire infidélité, j'ai des nouvelles pour vous. Il y a des femmes qui pourraient vous en remontrer sur ce chapitre.

Un gars rentre chez lui juste au moment où le téléphone sonne. Évidemment, il ne peut pas se douter que c'est l'amant de sa femme qui appelle. Tranquillement, comme si de rien n'était, la femme va décrocher, écoute un moment puis, se tournant vers son mari en mettant la main sur l'appareil, elle déclare en pouffant de rire:

— Tu te rends compte, chéri, c'est un gars qui me demande un rendez-vous!

— Pas possible, fait le mari, que vas-tu lui répondre?

— Attends, dit-elle, on va bien rigoler...

Reprenant l'écouteur, elle déclare alors d'une voix douce un tantinet théâtrale:

— C'est entendu, mon trésor. À demain, 17 h 00, comme d'habitude!

«Féminisme intégral»

En ce moment, mes sœurs, j'ai la conscience troublée. Je m'en remets à vous pour juger du texte de Prosper Larminat que je viens de lire dans une revue française et qui m'a plongé dans une réflexion profonde où j'ai failli me noyer et dont je ne suis d'ailleurs pas encore sorti tout à fait tant il m'a remué l'homme.

«Féminisme intégral

Ah! si les femmes avaient autant d'agressivité érotique qu'elles ont d'attraits, comme nous serions, elles et nous, plus heureux!

Mais non. On dirait toujours qu'elles ont peur du plaisir. Pourquoi faut-il toujours nous morfondre à les convaincre de cette vérité pourtant première que l'œuvre de chair est le mystère glorieux de la jouissance humaine? Sont-elles érotiquement si arriérées qu'il faille constamment les persuader que la qualité de leur plaisir comme du nôtre passe par l'enthousiasme à le vouloir et à le goûter? Pourquoi leur concupiscence n'est-elle pas aussi ardente que la nôtre? Pourquoi faut-il toujours rester en deçà de nos désirs pour ne jamais dépasser les leurs? Pourquoi faut-il tant de cour, de baratinage, de menteries, de tourmenteries, de parlementeries, de fadaises, de bavardage préalable et d'oiseux prolégomènes avant qu'elles n'osent consentir à l'échange radieux? Qu'est-ce qu'elles ont donc toutes à renâcler devant les promesses de l'extase? Quel frustrant blocage les empêche de franchir le seuil de notre seul vrai paradis terrestre? Quelle pudeur pathologique les retient en deçà des consentements libérateurs? Pourquoi ne se ruent-elles pas sur le bonheur avec autant de ferveur que nous? Qu'est-ce qui leur manque pour que leur désir du plaisir soit aussi fort que le nôtre, pour que leurs audaces mentales, leurs fantasmes et leur imaginaire érotique rejoignent les nôtres? Que de temps perdu, grands dieux, que de précieux temps perdu en niaiseries et qui est ainsi retranché à l'essentiel du plaisir! Que ne bondissent-elles pas sur nous avec leur belle libido de panthères déchaînées! Nous serions ravis.

Pour être intégral, pour que les femmes accèdent non seulement à l'égalité politique, juridique et économique mais aussi à l'égalité érotique, le féminisme doit aller jusque-là. L'ultime libération des femmes ne sera un fait accompli que le jour où n'importe quelle d'entre elles pourra, en plein été, sur les Champs-Élysées, aborder n'importe quel homme qu'elle trouverait désirable et lui dire: ‹Monsieur, je vous ai dans les hormones; vous me plaisez, venez tout de suite faire l'amour avec moi!› Et si le gars dit NON sans une raison valable, elle aura le droit d'appeler la police et de le traduire en justice pour refus de porter secours à une citoyenne en état d'urgence.»

Woo... les moteurs! a été ma première réaction à cette cataracte d'arguments flambants.

Mais une fois passée ma surprise et dissipé mon estomaquement devant ce délirant sermon sur la rage égalitaire poussée jusqu'à ses derniers cris, je me suis tranquillisé et mis à réfléchir froidement à cette chaude dialectique.

Je dois avouer que même si je me sens un peu mal à l'aise devant le sans-gêne phraséologique de ces propos et la hardiesse évidente de la morale qui les sous-tend, il ne me déplaît pas de penser que s'il arrivait que les femmes, allant jusqu'au bout de leurs convictions, nous agressassent, mais avec toute la fine grâce qu'elles savent d'instinct apporter à leur gestuelle amoureuse, je m'estimerais privilégié de compter au nombre de leurs proies.

L'humour et Dieu

Pourquoi la vérité serait-elle toujours grave? Pourquoi ne s'accommoderait-elle pas, elle aussi, du sourire des hommes? Pourquoi l'humour n'y ajouterait-il pas son grain de sel pour en relever la saveur? Si, comme le prétendent les croyants, Dieu est le bonheur personnifié, je conçois mal qu'il n'ait pas, lui aussi, de temps en temps, le goût de rire. Supposer que Dieu n'a pas le sens de l'humour, n'est-ce pas commettre un péché contre l'esprit?

Je pense à la délicieuse prière du poète américain Robert Frost:

«Forgive O Lord, my little jokes on Thee, and I'll forgive Thy great big one on me!»

Je ne peux m'empêcher de m'imaginer qu'en entendant cela, Dieu le Père, assis sur un nuage, a dû rire dans sa barbe éternelle en se disant:

«Je n'ai pas complètement raté ma création puisque, à côté des sombres théologiens qui me font suer avec leurs querelles byzantines et leurs polémiques sur mon dos, il y a quand même de mes enfants qui me parlent avec esprit.»

La prière peut être un sourire.

Un humoriste a écrit:

«La plus belle preuve que Dieu a le sens de l'humour, c'est qu'il a créé les hommes et qu'il les laisse faire de la politique.»

* * *

J'ai trouvé, sous la plume légère d'Alexandre Breffort, ineffable journaliste du *Canard enchaîné*, ce mot:

«Dieu est un vieux monsieur qui adore se faire prier!»

* * *

Jean-Jacques Rousseau surprit un jour Voltaire s'inclinant devant l'ostensoir lors d'une procession de la Fête-Dieu.

Il lui demanda sournoisement :

— Que vous arrive-t-il? Vous seriez-vous par hasard réconcilié avec Dieu?

Et le patriarche de répondre:

— Nous ne nous parlons pas, mais nous nous saluons!

* * *

On demandait à Chaval s'il croyait en l'au-delà:

«Un au-delà? Pourquoi pas? Pourquoi les morts ne vivraient-ils pas? Les vivants meurent bien, eux!»

* * *

À la même question, Tristan Bernard a répondu:
«Je n'ai pas d'opinion là-dessus, m'étant surtout spécialisé dans l'en-deçà!»

* * *

Woody Allen, plus incarné, a répondu:
«Je n'ai pas d'objection à ce qu'il y ait un paradis... à condition qu'il s'y trouve des filles!»

* * *

Voici une preuve de l'existence de Dieu à laquelle n'avait pas pensé saint Thomas d'Aquin et qu'Aurélien Scholl a apportée gratuitement à l'arsenal de la théologie scolastique:
«Voyons donc! Si Dieu n'existait pas, comment aurait-il eu un fils?»

* * *

Le divin Sacha Guitry, qui voulait toujours avoir le dernier mot, eut celui-ci:
«Nier Dieu, c'est se priver de la plus belle hypothèse et du seul intérêt que peut avoir la mort.»
Comme il avait quand même ses doutes, il ajouta, pour les dissiper:
«Toutefois, la moindre apparition serait bienvenue.»

* * *

Samuel Beckett se demandait:
«Mais que diable Dieu foutait-il avant la Création?»

* * *

Se portant à la défense du diable, qui a si mauvaise presse dans les milieux bien-pensants, Fontenelle suggéra:
«Ne disons pas trop de mal du diable. C'est peut-être ici-bas l'homme d'affaires du bon Dieu!»

* * *

Miguel de Unamuno résuma à la fois son problème et sa solution:
«Je suis athée, Dieu merci!»

* * *

Malraux, toujours politique, affirma:
«Le Christ est le seul anarchiste qui ait réussi.»

* * *

«Hérésie, maladie de foi», diagnostiqua Georges Elgozy.

* * *

À la fameuse boutade de Voltaire: «Si Dieu n'existait pas, il faudrait l'inventer», Diderot répliqua: «C'est ce qu'on a fait.»

* * *

Et Bakounine d'ajouter:
«Et même si Dieu existait, il faudrait s'en débarrasser.»

* * *

«De quel papillon cette vie terrestre est-elle donc la chenille?» s'est demandé Victor Hugo.

* * *

Témoignage d'un homme de la nuit:
«Il faut aimer Dieu comme on aime la lumière: en croyant qu'elle existe sans l'avoir jamais vue.»

* * *

Parlant d'un de ses personnages de *La danse de la mort*, Auguste Strindberg dit:
«Il était tellement orgueilleux qu'il pensait: ‹Je suis, donc Dieu existe.»

* * *

— Qu'est-ce que l'éternité? demandait un philosophe à un homme de théâtre.
— Une surprise!

* * *

Spinoza, que Heine appelait «mon coreligionnaire en incroyance», est décrit comme suit par Voltaire dans *Les systèmes*:
«Alors un petit juif, au long nez, au teint blême,
Caché sous le manteau de Descartes, son maître,
Marchant à pas comptés, s'approchant du grand Être:
‹Pardonnez-moi, dit-il en parlant tout bas,
Mais je pense, entre nous, que vous n'existez pas.»

* * *

Tristan Bernard explique ainsi le silence de Dieu:
«Très attaqué, Dieu se défend par le mépris... en ne répondant pas.»

* * *

34

Les chercheurs de vérité dont la soif de certitude est trop grande sont destinés à la frustration. J'en ai connu un qui disait:

«Quand vous discutez avec un théologien et que vous l'avez acculé au mur des derniers arguments de sa logique, il répond infailliblement à votre dernière question: ‹Ah! ça c'est un mystère›. En somme, vous lui demandez: ‹Qu'est-ce que la lumière?›, et il vous répond: ‹C'est la noirceur.»

* * *

Louis XIV, après la bataille de Ramillies dont il venait d'apprendre que son armée l'avait perdue, eut ce mot charmant:

«Dieu a-t-il donc oublié tout ce que j'ai fait pour lui?»

* * *

On cueille aussi la vérité sur les lèvres des gens simples. D'un interlocuteur réputé très savant qui lui avouait ne croire en rien, un paysan disait avec son gros bon sens en souliers de bœufs:

«Non mais! faut-il être instruit, un peu, pour être aussi ignorant!»

* * *

Quand Laplace présenta son *Exposition du système du monde* à Napoléon, l'empereur s'étonna de n'y voir à aucun endroit figurer le nom de Dieu, objection à laquelle l'astronome répondit, olympien:

«Dieu est une hypothèse dont je n'ai pas eu besoin.»

* * *

Dieu peut se consoler, il a eu des substituts. Las Cases a dit:
«On n'a jamais cru à autant de choses que depuis qu'on ne croit à rien!»

* * *

Un loustic a osé affirmer:
«Ceux qui se disent incroyants sont justement ceux qui sont prêts à croire n'importe quoi... à condition que ce ne soit pas Dieu. Il y a entre l'incroyance et la crédulité un lien qui tient, lui aussi, du mystère.»

* * *

Peut-être Dieu devrait-il s'occuper un peu plus de sa publicité sur la Terre? «Dieu gagnerait à être connu», prétend Thierry Maulnier.

*   *   *

Louis Veuillot, à qui Baudelaire avouait ne pas croire en Dieu, lui répondit: «Il en sera très contrarié!»

*   *   *

Ce n'est pas parce qu'ils font rire le monde qu'on doit croire que les chansonniers sont des êtres légers. Il y en a qui se sont élevés jusqu'à la hauteur de la profondeur. Léo Campion, qui était un poids lourd de la scène légère, a dit:
«Quand tu auras compris qu'il ne faut pas chercher à comprendre, tu auras compris tout ce qu'il importe de comprendre.»

*   *   *

«À force d'ignorer, on oublie; et à force d'oublier, on nie.»

Emmanuel Mounier

*   *   *

«Puisque tout est douteux, plaçons-nous dans la partie ensoleillée du doute.»

Gustave Thibon

*   *   *

«Dieu est mort, tout est permis, rien n'est certain.»

Nietzsche

*   *   *

Oui, mais «le cadavre de Dieu bouge encore», s'inquiète Georges Suffert.

*   *   *

«Pourquoi s'effrayer de l'après-mort, est-ce qu'on a peur de l'avant-vie?»

Louis-Paul Béguin

*   *   *

«Lénine ne sait pas qu'il croit; il croit qu'il sait.»

Alain Besançon

*   *   *

«Lorsque l'incroyance devient une foi, elle est moins raisonnable qu'une religion.»

Edmond de Goncourt

* * *

«Il me semble que, en créant l'homme, Dieu a surestimé ses possibilités.»

Oscar Wilde

* * *

«Ce qui excuse Dieu, c'est qu'il n'existe pas.»

Stendhal

* * *

«Si Dieu est partout, à quoi sert de le chercher quelque part?»

* * *

«Les religions sont des mythologies qui sont les fruits des épouvantes humaines.»

François Hertel

* * *

«Aux affamés, Dieu ne peut paraître que sous l'apparence d'un pain.»

Gândhi

* * *

«Je crois en Dieu parce que c'est absurde.»

Alfred Jarry

* * *

«Les athées sont des croyants qui croient qu'ils ne croient pas.»

* * *

«Dieu a donné trop de liberté aux hommes pour ce qu'il leur a donné d'intelligence.»

Doris Lussier

* * *

«Je ne sais pas très bien si Dieu existe, mais je l'ai toujours prié.»

Alfred Andresch

* * *

«Le Dieu auquel nous croyons n'est pas celui que
nient les athées.»

Le cardinal Seper

* * *

«Je sais qu'Il est, mais je ne sais pas qui Il est.»

Emmanuel Kant

* * *

«Comment Dieu, qui a si bien réussi la nature, a-t-il
si bêtement raté le cœur de l'homme?»

Anouilh

* * *

«Ténèbres, je ne vous crois pas!»

Victor Hugo

* * *

«Il y a un athéisme salubre qui nie ce que Dieu, effectivement, n'est pas.»

Henri Guillemin

* * *

«Pour qui est dans le désert, il y a une preuve que
l'eau existe: C'est qu'il a soif.»

* * *

«Après avoir lu tous ses théologiens, Dieu doit se
demander s'il valait vraiment la peine d'exister.»

* * *

«Je ne suis pas un mécréant; je ne suis qu'un mal-
croyant.»

* * *

Un vieux curé disait un jour à son jeune vicaire:
«Ne parle pas trop de Dieu, tu lui ferais tort!»

* * *

Répondant à une enquête sur Dieu, un citoyen suédois
affirma:
«Si Dieu existait, je le traduirais en justice!»

* * *

«Les hommes ont créé Dieu; l'inverse reste à prouver.»

Serge Gainsbourg

* * *

«Notre monde est en train de mourir de ce qu'il affirme, sans savoir qu'il pourrait vivre de ce qu'il nie.»

* * *

«Je ne crois à rien, mais j'y crois fermement.»

Un penseur

* * *

«Il n'y a qu'une façon d'atteindre le bonheur, c'est de cesser de se tourmenter au sujet des choses sur lesquelles notre volonté n'a pas d'influence.»

Épictète

* * *

«Les blasphèmes contre Dieu ne sont que des cris de l'amour déçu.»

* * *

«Après nous avoir foutus dans le noir, comment Dieu pourrait-il décemment exiger que nous voyions clair?»

* * *

«Le bonheur de l'âme est dans la sérénité de l'incertitude.»

* * *

«Je prie Dieu d'exister.»

Albert Brie

* * *

«Les choses ne sont pas encore faites.
Nous ne sommes pas encore au monde.
La raison d'être n'est pas trouvée.»

Antonin Artaud

* * *

«J'en arrive à me définir Dieu simplement: ce qui me manque pour comprendre ce que je ne comprends pas.»

Sully Prudhomme

* * *

«Pour parler clairement et sans paraboles.
Nous sommes les pièces du jeu que joue le ciel.
On s'amuse avec nous sur l'échiquier de l'Être.
Et puis nous retournons, un par un, dans la boîte du néant.»

Omar Khayyâm

«Moi, si j'étais le bon Dieu, je pense que j'aurais des remords», chante Jacques Brel dans *Fernand*.

* * *

Einstein, qui reçut à l'école primaire une éducation catholique mais à qui la lecture de l'*Ancien Testament* fit abandonner toute religion, gardait quand même l'obsession de Dieu:
«Je suis le plus religieux des incroyants!»

* * *

Parlant des géraniums et des giroflées qui embaumaient le jardin de son enfance charentaise, François Mitterrand disait:
«Ils plaident pour l'existence de Dieu mieux qu'on ne fait à Notre-Dame.»

* * *

Mon docteur m'a dit:
«Faut pas trop penser, on devient fou.»

* * *

«Les valeurs ne sont qu'une monnaie d'échange. La véritable marchandise est l'absolu.»

André Moreau

* * *

«Si la religion est nécessaire au peuple, c'est moins pour le rendre heureux que pour lui faire supporter son malheur. Quand on a rendu le monde insupportable aux hommes, il faut bien lui en promettre un autre.»

Rivarol

* * *

«Les brèches que l'athéisme fait à l'infini ressemblent aux blessures qu'une bombe ferait à la mer. Tout se referme et continue.»

Victor Hugo

* * *

«Dieu ne peut pas nous en vouloir; nous lui avons tant pardonné.»

Extrait du film *Clair de femme*

* * *

«Pourquoi chercher Dieu? Est-il perdu?»

Un loustic

*   *   *

«L'agnosticisme est la sagesse de l'incertitude. Le doux scepticisme est une des formes de l'humanisme. La seule certitude est que rien n'est certain», disait Pline l'Ancien.

Plus près de nous, l'avocat américain Clarence Darrow: «Je suis agnostique. Je ne prétends pas savoir ce dont tant d'ignorants sont certains.»

*   *   *

Sourire en coin, Albert Brie nous prévient: «Si Dieu n'existait pas, il nous l'aurait dit!»

*   *   *

Pour les matérialistes, toute la littérature spirituelle qui chante depuis des millénaires l'indéracinable aspiration de l'homme à son immortalité n'est que le long poème de l'ignorance.

Mao Tsê-Tung est allé jusqu'à dire: «Une bouse de vache est plus utile que les dogmes. On peut en faire de l'engrais. Mais pour les spiritualistes, c'est autre chose. Chassez le surnaturel, il revient au galop, pourrait-on dire devant la persistance universelle de l'idée de Dieu dans l'âme des hommes à la recherche d'une explication valable du monde.»

Lamartine avait-il raison: «Borné dans sa nature, infini dans ses vœux, L'homme est un dieu tombé qui se souvient des cieux.»

*   *   *

«Que vous soyez athées ou croyants, peu importe; si vous vous sentez frères, c'est que vous avez le même père.»

Mgr Camara

*   *   *

Pièce maîtresse et classique de toute discussion sur Dieu, il y a, inévitable parce que nécessaire, le célèbre pari de Pascal: «Pesons le gain et la perte en prenant choix que Dieu est. Estimons ces deux cas: Si vous gagnez, vous gagnez tout; si vous perdez, vous perdez rien. Gagnez donc qu'il est sans hésiter.»

* * *

Devant le pari de Pascal, le croyant dit: «Je gage que Dieu existe», l'incroyant dit: «Je gage qu'il n'existe pas», et l'agnostique: «Moi, je ne gage pas.»

* * *

Au casino de la foi, il y a de moins en moins de joueurs, ce qui a inspiré à Pascal cette réflexion:
«Dieu? Les uns craignent de le perdre et les autres de le trouver.»

* * *

Devant le phénomène humain de la croyance, il existe une autre pensée qui sert à clore toute discussion sur Dieu lorsqu'elle devient inutile:
«Si tu as la foi, il n'y a pas d'explication nécessaire; et si tu ne l'as pas, il n'y a pas d'explication possible.»

* * *

N'empêche qu'on va en discuter quand même jusqu'à la fin de la parole parce que, comme le disait si bien Jules Simon:
«L'idée de Dieu est le carrefour où toutes les aventures de la pensée humaine se rencontrent.»

* * *

Ce qui montre le mieux à quel point le surnaturel est naturel à l'homme, ce sont les tourments, avoués ou non, qui ont torturé l'intelligence des plus grands libres penseurs de l'histoire. «J'ai mal à Dieu!» s'écriait Jean Cocteau. Et le vieil Hugo:
«Si l'âme n'est pas immortelle, Dieu n'est pas un honnête homme.»

Le divorce

Tout à coup, c'est la panne conjugale. Monsieur a perdu son appétit et Madame a encore le diable au corps. Les enfants sont partis; donc, rien ne s'oppose plus à la reprise de leur liberté. De part et d'autre, on s'est dit que, pour sauver l'amitié, on devait sacrifier la cohabitation. Et c'était vrai: Depuis qu'ils ne s'aiment plus d'amour, ils ne se sont jamais autant aimés d'amitié.

Quand l'amour flanche, c'est l'humour qui doit prendre la relève car, en quelque matière que ce soit, l'humour est toujours gagnant. Il est le meilleur médecin de l'âme humaine. Il jette du baume sur les plaies que la vie a ouvertes dans l'amour-propre des conjoints. Il peut seul permettre d'achever dans le sourire ce qui sans lui se dégrade dans la hargne et l'amertume quand ce n'est pas dans la haine.

* * *

On connaît les célèbres démêlés et les secousses spectaculaires qu'a connus le mariage tumultueux — mais quand même durable — des époux Jouhandeau, Marcel et Élise, tous deux écrivains. Ils ont fait la joie de nombreux lecteurs.

Marcel disait avec une sagesse toute philosophique:

«Les hommes naissent libres et égaux en droit. Seulement, voilà, après, il y en qui se marient!»

On lui demanda un jour ce qu'il faisait avant de se marier:

«Avant? Je faisais tout ce que je voulais!»

* * *

Labiche, le célèbre auteur dramatique, était marié à une femme extrêmement tyrannique. Pendant qu'il faisait des pièces, elle lui faisait des scènes. Il resta quand même étrangement soumis à cette femme, jusqu'à la résignation. Six mois avant de mourir, il rédigea son testament, qui commence par ces mots:

«Voici mes PREMIÈRES volontés...»

* * *

L'unique et incomparable Sacha Guitry a aimé les femmes au point d'en épouser cinq. Instruit par une expérience personnelle quantitativement éloquente, un jour il écrivit à peu près ceci, que je cite de mémoire:

«Il y a devant l'amour trois sortes de femmes: celles qu'on épouse, celles qu'on aime et celles que l'on paie. Ça peut très bien d'ailleurs être la même. On commence par l'aimer, on finit par l'épouser et ensuite on la paie pour s'en débarrasser!»

* * *

Henri Jeanson fut probablement le meilleur dialoguiste de toute l'histoire du cinéma français. Il était tellement bon que certains comédiens, parmi les plus grands, n'acceptaient de jouer dans un film qu'à condition que ce fût Henri Jeanson qui fît les dialogues. Il eut un jour ce mot à la fois joyeux et un brin désabusé:

«Pourquoi faut-il que les noces durent un jour et le mariage toute la vie?»

* * *

Autre riante adultère. Surpris en flagrant délit dans le lit par sa femme rentrée à l'improviste d'un voyage éclair chez sa mère, le directeur artistique d'une grande maison de disques tente maladroitement de se disculper:

— Ne m'en veux pas trop, Rolande, c'est pas de la méchanceté de ma part. Tu comprends... il y a 20 ans qu'on est mariés tous les deux; j'ai seulement eu un peu envie de changer de disque.

— Très bien, répond l'épouse. En ce cas, ne t'étonne pas si moi je décide de changer d'aiguille!

* * *

Le jour de son mariage, une amie de Françoise Sagan disait à la romancière:

— J'espère que mon mariage sera heureux.

— Tous les mariages sont heureux, fit l'auteure de *Bonjour tristesse*. Les ennuis ne commencent qu'avec la vie en commun!

* * *

À la belle époque, à Paris, le cinq à sept était devenu une véritable institution. Si bien que Paul Bourget, l'auteur de *Cruelle énigme*, a pu écrire:

«De nos jours, les femmes amoureuses sont comme les journaux quotidiens: Elles tombent à 17 h 00.»

* * *

«Les femmes sont comme les pommes: C'est le jour où elles tombent d'elles-mêmes qu'elles sont les meilleures à consommer.»

* * *

On ne sait jamais, si le divorce se faisait à l'église, avec un curé, des cierges et des enfants de chœur... il serait peut-être un sacrement.

* * *

«Quand on croit avoir épuisé toutes les joies du mariage, il en reste une: le divorce.»

* * *

«L'avantage d'avoir un mari, c'est qu'on peut s'en séparer.»

Catherine Deneuve

* * *

«Si les femmes savaient combien on les regrette, elles s'en iraient plus vite.»

Sacha Guitry

* * *

«Le jour où le divorce est devenu illégal, l'adultère est devenu légitime.»

Victor Hugo

* * *

«Ne vous mariez pas si vous n'avez pas les moyens de divorcer.»

Albert Brie

* * *

— Pourquoi divorcent-ils? demandait une dame à sa voisine.

— Parce que le mari s'est épris d'une actrice de cinéma, et la femme d'un officier spirituel et très beau garçon.

— Alors, reprit la première, c'est un divorce d'amour!

* * *

La meilleure. Un vieux couple, pour être à la mode, a décidé de divorcer... puis de vivre en concubinage!

* * *

Le divorce est devenu tellement populaire au Québec depuis qu'il y est permis que bientôt il y aura plus de divorces que de mariages!

Écrase!

Je ne me rappelle plus si c'est Boileau ou Molière — en tout cas c'est un classique — qui a écrit:

«Quoi qu'en dise Aristote et sa docte cabale,
Le tabac est divin; il n'est rien qui l'égale.»

Ce que je sais, par contre, c'est que ces propos ne seraient plus très bienvenus dans une société où il est depuis longtemps démontré scientifiquement que les ravages du pétun ne se comptent plus, qu'il est directement responsable de nos cancers, de nos malaises cardiaques, de nos paresses de mémoire, de notre piètre condition nerveuse, voire de nos pannes sexuelles. Ce qui n'empêche pas les gens de s'empoisonner allégrement et de prendre leurs poumons pour des cheminées d'usine. Pourtant, comme le disait joliment Lise Payette, si fumer était naturel, la nature nous aurait fait une cheminée quelque part!

Il faut croire que les délices du tabac l'emportent sur la conscience de ses dangers puisque ses adeptes y tiennent tant. De nombreux Anglais, et des plus grands, ne cachent pas qu'entre un moelleux cigare et la plus appétissante des personnes du sexe, leur préférence va, sans discussion, au premier. Je ne citerai ici que l'immortel Rudyard Kipling:

«Une femme n'est qu'une femme, mais un bon cigare est un régal!»

Mon voisin me confiait l'autre jour:

«Les enfants sont bien ingrats de nos jours. Exemple: mon fils. J'ai fait les plus grands sacrifices pour lui permettre de devenir médecin. Eh bien, savez-vous quelle est ma récompense? Il vient de m'interdire de fumer!»

Le sexe et la diplomatie

Quand un gouvernement a à choisir un ambassadeur pour le représenter auprès d'un autre pays, il cherche le citoyen le plus représentatif et le plus sortable possible. Le diplomate doit être l'image vivante de sa nation. C'est ainsi, par exemple, qu'un ambassadeur français se doit toujours d'avoir de la culture et de l'esprit et de pouvoir parler longtemps sans dire la moindre chose. Par contre, un diplomate anglais est celui qui peut dire les mêmes menteries... mais en se taisant.

C'est bien connu, le silence est la langue maternelle des Anglais, sauf en certaines circonstances qui provoquent naturellement les épanchements verbaux, que vous soyez britannique ou pas, les banquets officiels, par exemple. Tout le monde sait que les règles universellement acceptées dans le monde de la diplomatie exigent qu'au cours des grands gueuletons auxquels sont toujours conviés leurs excellences les ambassadeurs, ceux-ci portent ce qu'ils appellent des toasts.

Or donc, un jour, à la cour d'Angleterre, Sa Majesté Bébette II décide d'inviter des *foreigners* dans sa salle à dîner. Somptueux repas, il va sans dire: vins capiteux, femmes éblouissantes, hommes célèbres, artistes renommés, bref le gratin de la société, ce que Phirin Després, chez nous, appelait la *high crass*! Au dessert, les convives, déjà un peu gris après les libations royales qui accompagnaient la bouffe, étaient mûrs pour entendre des discours.

Le ministre des Affaires extérieures d'Angleterre, que le bon vin et la pulpeuse beauté des poitrines féminines avaient mis en verve et en verbe, se lève et, dans un effort rhétorique admirable, dit:

«Je bois au beau sexe des deux hémisphères.»

L'ambassadeur de France, ne voulant pas être en reste, enchaîne tout de suite après:

«Je lève mon verre et je bois... aux deux hémisphères
du beau sexe!»

Comment et où tout ça a-t-il fini? Cela reste un secret d'État.

Verte vieillesse

Mes chers vieux, non seulement le passé mais aussi l'avenir sont à vous! Le passé est fini. Il n'y a pas à y revenir, on ne peut le refaire. Le présent passe tellement vite qu'on ne le voit pas. Seul l'avenir est intéressant, justement parce qu'on ne sait pas ce qu'il contient...

L'homme est comme le blé. Quand il est vert, on trouve beau de le voir pousser. Mais c'est quand il est mûr qu'il est vraiment lui-même, c'est-à-dire un froment. Les vieux, c'est pareil. C'est parce qu'ils ont la richesse de la maturité qu'ils sont plus humains. La sagesse du soir est une clarté, elle aussi, et le soleil couchant est aussi beau que le levant. J'entends le poète de *La légende des siècles* ramasser en deux vers cette vérité:

«Et l'on voit de la flamme aux yeux des jeunes gens,
Mais dans l'œil du vieillard on voit de la lumière.»

La vie, la vraie vie, la belle vie, ça ne se mesure pas en années, ça se mesure en bonheurs. Moi, je ne veux pas savoir quel âge a mon corps, il me suffit de contempler sur le mur de ma mémoire les souvenirs de choix que la vie y a épinglés depuis mon enfance. Il me suffit de me souvenir que j'ai souvent été heureux et que je peux encore l'être. S'il faut savoir le prix des années, il ne faut jamais en savoir le nombre. Goûtez le délicieux petit poème dédié à William

Gladstone, le *grand old man* de l'histoire politique anglaise, le jour de son quatre-vingtième anniversaire:

«Grand vieillard, de l'année entière
Vous n'avez pris que le printemps.
Vous n'êtes pas octogénaire,
Vous avez quatre fois vingt ans!»

J'ai connu un vieux dans la Beauce qui portait ses 80 ans comme une fleur à sa boutonnière. À l'occasion de sa visite annuelle chez son médecin, celui-ci le grondait affectueusement de ne pas suivre tous ses conseils:

— Vous avez beau me dire qu'au lieu d'ajouter des années à votre vie, vous ajoutez de la vie à vos années, l'âge, c'est l'âge. Je ne peux pas vous rajeunir.

— Mais je ne veux pas rajeunir, lui répliqua le vieux, je veux vieillir longtemps!

Sur les entrefaites, une jeune infirmière entra dans le bureau du médecin et, reconnaissant le visage familier du sympathique et toujours enjoué vieillard, elle lui demanda, espiègle:

— Quel âge ça vous fait donc, monsieur Grondin?

— Ça dépend de tes intentions, ma petite fille, lui répondit le vieux avec un regard pétillant.

Je vous l'ai déjà dit: L'âge est un état d'âme.

Les abus de la presse

On trouve de tout dans les gazettes. Moi qui les lis toutes, j'éprouve un plaisir voluptueux à noter les coquilles qui y pullulent. En voici que j'ai religieusement recueillies pour vous.

* * *

Vous avez entendu parler des fameux OVNI (objets volants non identifiés). À leur sujet, un journal écrivait:

«Deux sœurs norvégiennes affirment avoir vu un homme étrange et son engin en forme de toupie.»

* * *

Jusqu'où peut aller la jalousie?
«En poursuivant son épouse par les sens interdits, un automobiliste jaloux blessa à mort un inoffensif piéton.»

* * *

À Québec, où les clubs de hockey portent fièrement le nom de la paroisse qu'ils représentent, on a pu lire un matin, dans les pages du sport de *L'Action catholique*, ce bijou de reportage:
«Le Saint-Esprit enfonce l'Immaculée-Conception huit à zéro.»

* * *

Accoucher l'hiver, en pleine campagne, c'est pas une sinécure pour une femme. Témoin, ce fait «d'hiver» noté dans un journal rural:
«Une opération césarienne étant nécessaire, un chasse-neige a dû être envoyé pour ouvrir un passage.»

* * *

«La foire du 16 mai tombant un dimanche, elle est reportée au lundi. C'est la foire des veaux et des cochons. Venez nombreux.»
Vous êtes aussi invités que moi!

* * *

En France, il y a un village du nom de Poil où il se passe des choses marrantes:
«Le feu s'étant déclaré dans un bâtiment agricole du village, les pompiers arrivèrent à Poil en un temps record.»

* * *

Extrait d'un ouvrage scientifique sur la biologie animale:
«La nature a tout prévu. Elle a voulu que la forme des choses soit adaptée à leur fonction. Ainsi, elle a voulu que les œufs aient une forme ovale. En effet, des œufs cubiques, par exemple, rendraient la vie des poules impossible.»

* * *

Mais la coquille championne toutes catégories revient à un grand journal catholique. En 1959, les journaux suivirent d'heure en heure l'agonie interminable de Sa Sainteté le pape Pie XI. Le lendemain d'une nuit particulièrement inquiétante, un journal publia, sur huit colonnes en première page, une nouvelle sacrilègement titrée:

«Le pape a baisé toute la nuit.»

Un malheureux *s* avait sauté. Ce fut au tour du typographe dès le lendemain!

«Le pet»

Pardonnez-moi, mais je ne peux résister au plaisir de faire profiter le peuple d'une pièce de littérature qui se situe dans la ligne de notre tradition française. La pudeur est une belle chose, mais la poésie est plus belle encore. Voici donc un poème qui a du souffle:

«Le pet
Le pet, c'est le bonheur! Le pet, c'est la nature
Qui des sucs végétaux arrache un doux murmure.
Prélude instrumental, harmonique factum
Qui module ses airs au tube du rectum.
Ainsi qu'un Rossini dont le cerveau s'embrase
Quand il jette au papier sa mélodique phrase,
Le grand boyau culier fait gronder en son flanc,
Pétrit, module et pond la gamme qui descend.
C'est d'abord un soupir plein d'amère tristesse
Qui s'étend de l'anus aux rives des deux fesses,
S'étale et puis descend, s'échappe de prison
Et sort des plis étroits d'un pudique pantalon…

La vesse… aux vils détours, c'est la diplomatie
Traquant un Bonaparte expulsé d'Helvétie,
Écrasant la Pologne, étouffant ses clameurs,
Disant au Luxembourg: ‹Prends ton linceul et meurs!›
La vesse est un poison comme ces diplomates
Que les peuples devraient marquer aux omoplates.

Mais le pet!... c'est César, conquérant des Gaulois,
Qui traînait à son char les dépouilles des rois!
Le pet, contrarié dans ses élans fertiles,
C'est un Léonidas mourant aux Thermopyles.
Le pet, c'est l'empereur et son petit chapeau
Qui faisait frissonner les princes dans leur peau;
Qui, lorsqu'il les battait avec tant de largesse,
Pouvait se dire enfin: ‹Tous les rois ont la vesse!›

Hourra! Vive le pet! À bas les vents coulis!
Frictionnez-vous les reins... et pétez dans vos lits!»

Le culte du lit

Dans son fameux *Portrait de Dorian Gray*, qui a fait les délices des amateurs de littérature en même temps que le scandale des puritains britanniques, le virtuose du paradoxe qu'était Oscar Wilde a beaucoup parlé de l'amour, ce qui revient à dire des femmes puisqu'elles en sont sur terre les messagères et les plus pures incarnations.

Oscar Wilde s'est toujours élevé contre la tendance des femmes à vouloir éterniser sur terre ce qui ne peut y être que temporel:

«Toujours! voilà un mot terrible. Je ne l'entends jamais sans un frisson. Les femmes ont la rage de l'employer. Elles gâtent toutes les aventures à vouloir qu'elles durent toujours. C'est d'ailleurs un mot vide de sens. La seule différence entre un simple caprice et une passion éternelle, c'est que le caprice dure un peu plus longtemps.»

Vous allez me dire que le bel Oscar Wilde exagérait et qu'un paradoxe n'est pas nécessairement une vérité. Vous avez peut-être raison. N'empêche que plusieurs grands esprits ont pensé comme lui, dont notre ami Molière, en particulier, qui y est allé de certaines phrases non équivoques sur la psychologie de l'amour. J'entends encore son don Juan proclamer:

«La constance n'est bonne que pour les ridicules. Toutes les belles ont droit de nous charmer, et l'avantage d'être rencontrée la première ne doit point dérober aux autres les justes prétentions qu'elles ont toutes sur nos cœurs... J'ai beau être engagé, l'amour que j'ai pour une belle n'engage point mon âme à faire injustice aux autres... Le plaisir de l'amour est dans le changement.»

Comme disait l'autre, avec non moins de cynisme:

«La fidélité à un homme, c'est l'infidélité à tous les autres! C'est d'autant plus inconvenant qu'il n'y a pas un homme sur terre qui mérite la fidélité d'une femme...»

Je n'approuve pas cette philosophie, vous pensez bien. Ma religion ne me le permet pas... bien que ma nature m'y porterait plutôt. De plus, je crois à la fidélité... au moins comme chose possible. Mais je ne puis m'empêcher de constater que les faits sont là, et qu'il faut bien accepter leur vérité, même si elle blesse nos principes ou nos préjugés.

Ah! et puis il y a de la pathologie dans tout ça. Pour rester dans la perspective du divin Molière, je dirai que l'amour a besoin de médecin. Ce n'est pas pour rien qu'on dit couramment «tomber en amour». C'est une chute, et souvent une chute qui peut faire mal. Quelquefois même, on ne s'en relève pas. Ceux qui sont «fous d'amour» me convainquent mieux que personne qu'il s'agit bien là d'une maladie caractérisée.

Le dernier mot là-dessus appartient à ma femme — c'est d'ailleurs toujours elle qui a le dernier mot — qui disait:

«La preuve que l'amour est une maladie, c'est qu'il finit toujours dans un lit.»

Vanitas vanitatum

Vanité des vanités, tout n'est que vanité», s'écrie *L'Ecclésiaste* pour signifier aux hommes le vide et le néant des êtres d'ici-bas, incluant les humains, ces monstres d'orgueil. Avouons-le, nous sommes tous des vaniteux et des m'as-tu-vu. Nous voulons être admirés et, à la limite, nous préférerions être méprisés avec éclat que simplement ignorés.

Bouffi d'une suffisance à la mesure de son insignifiance, infatué de lui-même, le vaniteux parade comme un paon sur le tapis de son orgueil. Il a une dévotion transie pour sa personne et une complaisance béate et confite pour lui-même. Un narcissisme touchant le porte à une autoadmiration si grande qu'il risque même de se manquer de respect devant quelque glace! Pourtant, saint François de Sales nous prévient:

«Quand le paon fait la roue pour se voir lui-même en levant ses belles plumes, il se hérisse de tout le reste... et montre ce qu'il a de plus laid.»

* * *

Pour paraître, les vaniteux font flèche de tout, même de leurs défauts.

André Maurois constatait :

«Les hommes aiment tant entendre parler d'eux qu'une discussion sur leurs défauts les enchante.»

* * *

On disait d'un faux humble qu'il parlait de lui-même avec la plus extrême modestie... mais sans cesse!

* * *

Voulez-vous des exemples historiques? Robert de Flers, dans sa pièce *L'habit vert*, met dans la bouche d'un personnage qui incarne la fatuité cette réplique superbe:

«Je ne vais jamais à la plage. Mon nom et ma situation ne me permettent pas de fréquenter les endroits où je suis exposé à être salué par le premier venu!»

* * *

Lamartine, le pourtant grand Lamartine, était imbu de lui-même. Il disait d'un monsieur qui lui avait été présenté et qui était resté sobre de paroles devant le grand homme:

«Il s'agit là d'un garçon sans avenir car il n'a pas été ému en ma présence.»

* * *

Les comédiens, c'était à prévoir, sont des candidats naturels à la vanité. Steve Passeur les a stigmatisés d'un seul coup de plume quand il a écrit:

«Il y a des comédiens qui s'imaginent que, s'ils n'étaient pas nés, tout le monde se demanderait pourquoi!»

* * *

On peut dire la même chose des écrivains. Talleyrand, qui n'aimait guère Châteaubriand, a dit de lui à une époque où sa notoriété fléchissait:

«Il se croit sourd parce qu'il n'entend plus parler de lui!»

* * *

Mais il y en a que leur humour sauve du ridicule parce qu'ils sont les premiers à rire d'eux-mêmes, tel Jules Renard:

«Mon nom imprimé dans un journal m'attire comme une odeur. Et quand le mot *Jules* n'est pas suivi du mot *Renard*, j'en ai du chagrin.»

* * *

Salvador Dali se plaisait à faire parade ostentatoire de sa notoriété. Un journaliste lui demanda un jour:

— Êtes-vous content qu'on parle tant de vous dans les journaux?

— Je ne vois pas la nécessité qu'on parle d'autre chose, répondit-il, olympien!

Un jour sur sept

Il y a des avant-gardistes partout et il ne faut pas les écarter trop vite du revers de la main car on pourrait le regretter plus tard. Il est bien connu — l'histoire des idées dans le monde le démontre abondamment — que les utopies d'hier sont les vérités d'aujourd'hui. Plusieurs esprits que l'on traitait d'illuminés parce qu'ils étaient en avance sur leur temps se sont avérés par la suite des sages authentiques dont la pensée inspire les institutions les plus valables. C'est peut-être le cas, me suis-je dit, de cet écrivain dont les propos m'ont d'abord intrigué, pour ensuite me faire sourire et enfin me faire réfléchir.

Vous connaissez mon respect révérencieux pour l'institution du mariage. Loin de croire, comme certains esprits légers voire farfelus, qu'il est un mal nécessaire, je pense qu'il est une valeur de base de la civilisation. À condition cependant, me semble-t-il, qu'on apporte quelques améliorations aux modalités de son fonctionnement. Or, c'est justement sur ce sujet que portent les propos audacieux de l'écrivain innovateur dont je vous parlais à l'instant. Pour de l'audace, c'est de l'audace. Je vous laisse en décider, chers lecteurs, car je n'oserais jamais reprendre à mon compte les jugements qu'il porte ni les changements qu'il propose... car je risquerais des coups de rouleau à pâte. Voici ce qu'il dit:

«De quelque côté que je me retourne, depuis que j'ai connaissance des choses, que ce soit sur la scène, dans les journaux, au cinéma ou dans la vie, j'entends dire partout qu'il n'y a à peu près pas de mariages heureux. La plupart des maris mènent une vie de célibataire, les épouses gueulent parce que, prétendent-elles, elles sont prisonnières de la maison, du ménage et des moutards, et parce que en plus elles sont victimes d'un monde phallocrate.

Je comprends tout ça, mais là n'est pas le vice essentiel du mariage tel que nous le connaissons. Il est ailleurs et je vais vous dire où. Il est dans le manque de liberté des époux à l'intérieur de la structure matrimoniale. Car c'est bien beau rester ensemble et avoir toutes sortes de bonnes choses en commun, mais ce n'est pas assez. La nature humaine exige plus que ça et la loi devrait le reconnaître dans ses textes. La cohabitation, c'est fatal, engendre la lassitude. Et quand on s'est assez vus, on n'est pas loin de s'être trop vus. Et alors on a le goût de voir autre chose. Et autre chose, c'est la plupart du temps quelqu'un d'autre.

Comme le disait une femme à son mari, qui lui demandait quel remède lui avait suggéré le médecin qu'elle était allée consulter au sujet de sa nervosité:

‹Le docteur m'a dit qu'il fallait que je change d'atmosphère... et mon atmosphère, c'est toi!›

Tout ça, c'est humain. Je dirai plus, c'est normal!

Pour sauver le mariage de tous les mensonges et de toutes les hypocrisies auxquels le condamne une morale dépassée, pour le sortir de la banalité où l'habitude l'enlise, bref, pour empêcher définitivement que les gens mariés s'ennuient, s'engueulent, se déchirent et finalement se séparent, il faut y introduire un élément de liberté qui serve de soupape et d'exutoire naturel à toutes les frustrations courantes de n'importe quelle vie de ménage, même la meilleure. Mon truc, le voici.

Dans tout contrat de mariage il devrait y avoir une clause obligatoire stipulant que chaque conjoint a droit à une journée par semaine de liberté absolue en dehors du foyer. Une journée dont il ferait ce que bon lui semble, où il veut, comme il veut, avec qui il veut, sans que l'autre ait le droit de s'opposer de quelque façon que ce soit. Comme ça, tout le monde serait content. Les maris seraient aux anges parce que ça leur éviterait d'inventer des tas de menteries pour expliquer leurs escapades, et les femmes seraient également ravies car elles pourraient enfin jouir de ce que tous les autres métiers humains ont et qu'elles n'ont jamais: un congé de ménage. Congé qu'elles sauraient utiliser, j'en suis sûr, d'une façon sage et agréable, à la satisfaction des fantaisies auxquelles elles ont droit elles aussi. Finies les engueulades, les prises de bec, les crises de jalousie, les ruptures inutiles... et vive les mariés libres! Ne trouvez-vous pas que ce serait autrement plus vivable comme régime que l'espèce de prison actuelle définie par l'Église, l'État, la contrainte sociale, etc.? L'Église et l'État s'en foutent; eux, ils ne se marient pas.

Une autre clause corollaire serait obligatoire dans tout contrat de mariage: Tous ceux qui refuseraient cette clause dite du ‹un jour sur sept› n'auraient pas le droit de se marier.»

J'avoue que cet article m'a secoué. J'en ai parlé à ma tante Rosanna et elle a failli déchirer ses vêtements au cours d'une crise d'indignation religieuse auprès de laquelle celle du grand-prêtre du Sanhédrin lors du procès du Christ était une timidité. Voyant cela, je n'ai pas osé en parler à ma femme de peur qu'elle ne me soupçonnât — à tort, vous pensez bien — d'être secrètement favorable à cette proposition incongrue. Ne sachant vers qui me tourner pour obtenir un avis objectif et désintéressé, je m'avisai de questionner la première personne que je rencontrerais sur ma route. Le hasard a voulu que je tombasse sur un étudiant en sciences physiques. Je lui montrai le document, il le lut, et savez-vous ce qu'il m'a répondu?

«Moi, voyez-vous, ça ne me concerne pas. Je reste avec ma blonde depuis trois ans et on n'a jamais senti le besoin de se marier. Ça fait que...»

Depuis, comme jadis Diogène avec son fanal, je cherche l'homme ou la femme qui m'éclairera sur les troublants dessous de ce problème.

Dénatalité

Un cynique a dit un jour:

«Les hommes aiment naturellement toutes les femmes... y compris la leur!»

Vous allez me dire qu'il n'y a rien d'anormal là-dedans et
vous aurez raison. Mais c'est quand même surprenant à
entendre dans un contexte québécois où il faut ajouter la
nuance suivante, à savoir:

«Les hommes y aiment traditionnellement et léga-
lement d'abord leur femme... et ensuite les autres.»

Même nuancée, je ne puis accepter une proposition
pareille, vous pensez bien. Elle pourrait être considérée par
certains esprits — faibles comme la chair — comme une
norme. Mes convictions personnelles rejettent pareille décadence morale.

Mais même après que l'homme moral eut pris position
sur le fond... du problème, l'homme de science qui vit en
moi — même s'il y dort souvent — trouve toujours intéressant, du point de vue de la recherche, de se demander une
question grave: Pourquoi, malgré les mises en garde répétées
des prédicateurs, malgré les lois qui veillent jalousement sur
le maintien des structures séculaires sur lesquelles repose le
mariage occidental, pourquoi, malgré tout cela, le cocuage
tend-il à se généraliser de façon si inquiétante qu'on se
demande avec angoisse si les fameuses exceptions qui con-
firment la règle dont nous ont parlé les grammairiens ne
seraient pas en train de la remplacer insidieusement?

Je ne risque cette hypothèse que pour l'avancement du
savoir et dans le seul but de contribuer à l'éclairage d'un
point noir de la sociologie matrimoniale en Amérique du
Nord. Autant il me répugne de penser que la race glisse en
masse vers les abîmes sans fond de l'amour libre, autant il
me paraît important de saisir le problème par les cornes
(même au risque de faire rougir les fronts sur lesquels elles
poussent) et de le définir face à notre passé et à notre avenir
nationaux, ne serait-ce que pour alerter l'opinion publique et

la conscience collective afin qu'elles ne s'endorment pas dans une sournoise indifférence devant ce qui ne peut que mener la nation à l'échec et mat.

Vous allez me dire qu'il n'y a pas de danger pour la perpétuation de la race et que, la nature étant toujours là «qui invite et qui aime», notre avenir démographique est promis à des phalanges de bébés roses et joufflus qui vont affluer chez nous, remplissant les promesses de notre prolifique passé. Mais ce sont là des sophismes empoisonnés que tous les démographes professionnels québécois sont en train de dégonfler à coup de statistiques affolantes nous prédisant des lendemains qui déchantent.

Comment donc expliquer ce phénomène de dénatalité galopante qui affole les consciences nationalistes et les jette dans la plus profonde désespérance? Un vieux paysan de chez nous dont l'âge annonçait la sagesse m'a répondu, avec un sexisme que je lui pardonne parce qu'il est inconscient:

«Mon garçon, c'est pas de notre faute à nous autres.

C'est pas les hommes qui ne veulent plus semer...

c'est les créatures qui ne veulent plus récolter!»

Vive les vieux!

Je ne sais pas pourquoi le préjugé courant associe toujours l'amour à la jeunesse. Comme si les autres âges ne le connaissaient pas!

Il ne faut pas confondre la fougue de l'amour avec sa qualité. Je n'hésite pas à dire, avec les auteurs les plus calés en amourologie, que l'usage — et par conséquent l'expérience — donne à l'amour des subtilités et des saveurs inconnues des éphèbes les plus énervés.

D'après les spécialistes et même les simples usagers, il semblerait que les femmes soient un peu lentes à entrer dans l'enflammement amoureux. Mais ne soyons pas trop fiers, messieurs, de cette illusoire supériorité. Car s'il est vrai que nous sommes particulièrement rapides à prendre feu à la moindre étincelle des sens, il n'est pas moins certain que nos incendies sont de courte durée. Tandis que nos partenaires féminines, qui ont reçu des dieux le don de pouvoir goûter à loisir des délices que sa gloutonnerie empêche l'homme de savourer comme il le devrait, sont des expertes naturelles en plaisir raffiné. Elles ont des patiences que la volupté récompense au centuple. Elles ont, en amour, un art de perdre le temps qui le transforme en temps gagné. Et nos «fureurs mâles», si chères à Verlaine, ne sont que d'éphémères flambées à côté des lenteurs subtiles que savent les femmes.

Elles ont un autre avantage sur nous: Pour elles, la passion n'a pas d'âge. Pour une raison très simple, c'est que, comme le dit André Suarès:

«Le chapitre des femmes est infini; c'est celui du désir.»

L'âme de la femme est un enfer de désir. Elle désire toujours, même si c'est souvent à feu doux. Elle est corps jusqu'en son âme. Et si la contrainte sociale — et sa naturelle pudeur — l'obligent à cacher ses ardeurs profondes sous le masque d'une élégante réserve et de retraits calculés, elle n'en est pas moins, au fond d'elle-même, une amoureuse passionnée à tous les âges.

Si les médecins n'étaient pas des anges de pudeur, ils raconteraient quelles fureurs amoureuses ils ont apaisées — ou dirigées — chez des femmes que le préjugé condamne au calme de la neige. «C'est pas parce qu'il y a de la neige sur la couverture qu'il n'a pas de feu dans le poêle», disait un vert galant de mes connaissances. Comme l'a écrit le divin Platon: «L'amour se niche dans les rides.»

Il faut dire que Platon vivait à une époque où l'amour revêtait des formes différentes de celles que lui a données notre démocratie occidentale. Selon le Dr Besançon:

«Les Grecs, plus voluptueux que nous, distinguaient 22 espèces de courtisanes, chacune spécialisée dans une branche de l'art des caresses. Aujourd'hui, chacune de nos courtisanes est un orchestre qui joue tous les airs!»

Le plus drôle, c'est que les courtisanes, que la société antique reléguait à une fonction purement ancillaire, ont fini par compter une reine parmi elles. Si je vous racontais, par exemple, l'histoire de la grande Catherine de Russie, mes écrits seraient censurés. En effet, selon un chroniqueur de son temps, il faudrait un professeur de mathématiques pour calculer à un bataillon près le nombre des sujets de l'impératrice qui entrèrent dans son histoire et eurent l'honneur de servir dans le corps de Sa Majesté!

On a l'âge de son cœur et, dans quelque coin de ce cœur, on a toujours 20 ans.

Les gaietés des planches

Au théâtre, il n'y a pas que vous qui vous amusiez. Les comédiens aussi s'en paient de joyeuses et même parfois des vertes et des pas mûres.

Un jour, un comédien jouait dans une pièce où il n'avait qu'une réplique à dire. Ça arrive et ce n'est pas ce qui est le plus gratifiant dans le métier. En tout cas, c'est pas avec les «Madame est servie» qu'on décroche des trophées! Alors, comme notre homme était un peu cabotin — nous le sommes tous, de la plus grande vedette au plus obscur tâcheron — et comme il était frustré d'avoir un si petit rôle, il s'arrangea pour en tirer le maximum d'effet.

Sa scène était la suivante. Une comtesse à la beauté dévastatrice et arborant une poitrine de paradis perdu capable de mettre des fourmis dans les mains du plus sévère des rédemptoristes se pavanait parmi d'autres personnages dans un décor de richissime salon. Entre tout à coup un vague marquis — c'était notre homme — qui, se précipitant vers elle avec une galanterie empressée, lui prenait la main en disant: «Comtesse, votre main, il faut que je la baise!»

Le jeune cabot, désireux de tirer un gros effet de son petit brin de texte, arrive en trombe dans le salon huppé de l'héroïne, et, lui secouant la main, il s'écrie, à la manière d'un amoureux transi:

— Comtesse, votre main...

Puis, se dirigeant vers l'avant-scène et s'adressant au public, il continua, se rengorgeant:

— ... Il faut que je la baise!

Cela fit beaucoup d'effet, mais ce fut son dernier rôle.

La guerre... sans dentelles

Parmi les quatre horribles cavaliers de l'Apocalypse dont l'image peinte par Pierre de Cornélius orne le portique du Campo santo de Berlin, il y a la guerre, ce fléau maudit qui s'abat régulièrement sur la pauvre humanité comme un malheur sauvage dont celle-ci n'a pu encore s'affranchir.

La pire, la plus cruelle, dit-on, est la guerre civile. Il n'y a qu'entre concitoyens qu'on s'égorge bien... Nos voisins du Sud ont connu les affres de ce phénomène dans ce que l'histoire a appelé la guerre de Sécession. C'est à cette époque que se situe l'anecdote que voici.

Nous sommes en 1900. Trois vieilles demoiselles de la Caroline du Nord, assises au coin du feu, évoquent leurs souvenirs de la guerre de Sécession:

— Un jour, dit l'une d'elles, un de ces affreux Yankees fait irruption chez moi. Il ne dit pas un mot. Il enlève son ceinturon, sa tunique et tout le reste. Une demi-heure après, il se rhabille et repart sans que j'aie entendu le son de sa voix.

Petit silence, puis une autre des vieilles demoiselles demande, d'une voix anxieuse:

— Mais enfin, Jane, qu'est-ce qu'il te voulait?

Picasso... de face

Oui, je sais, les tableaux, c'est comme les femmes: On peut les comprendre sans les aimer, mais on doit les aimer sans les comprendre.

Pour ce qui est de porter un jugement de valeur sur l'œuvre d'un peintre, ne comptez pas sur moi. Je suis, je l'avoue à ma courte honte, d'une ignorance encyclopédique en matière d'art pictural. C'est pourquoi, du fond de ma Béotie, je me tais. Je ne sais que béer devant les chefs-d'œuvre. Le fameux proverbe scolastique *De gustibus et coloribus non disputandum* (Les goûts et les couleurs, ça ne se discute pas) m'a appris au moins une chose: fermer ma grande gueule devant la peinture.

Ça ne m'empêche pas tout de même de voir la bêtise là où elle s'exhibe. Et elle se montre surtout dans les vernissages, rendez-vous privilégiés des snobs autant que des vrais amateurs d'art.

Une dame du monde — et du meilleur — aussi snobinarde qu'ignorante s'extasiait spectaculairement devant les toiles d'une grande exposition de Montréal et éructait des jugements pâmés: «Ah! quelle écriture! Mais quel style!» ou «Oh! il y a de la pâte là-dedans!» ou encore: «Période bleue... Admirâââble!»

Puis soudain, elle s'écrie:

— Oh! quelle horreur! Un Picasso ici?

Et un voisin de lui répondre:

— Mais non, madame, c'est seulement un miroir!

Histoire sainte

Sans doute à cause de mon enfance très religieuse, j'ai toujours eu une respectueuse affection pour tout ce qui concerne, de près ou de loin, les choses de Dieu. Je ne suis pas théologien — je ne me permettrais jamais de prétendre à une si haute science — mais j'ai toujours été passionnément intéressé par l'histoire des religions.

Quand on dit l'histoire, on dit forcément aussi les histoires. À ce sujet, justement, s'il m'était permis de faire un reproche à ceux de mes maîtres du vieux et si cher Séminaire de Québec qui m'ont enseigné l'Histoire sainte, je dirais qu'ils ne m'ont pas tout dit de ce qui s'est passé dans les temps qui ont vu la naissance du christianisme. J'ai lu des tas de livres sur les origines de notre sainte religion, j'ai étudié l'apologétique, et jamais je n'ai relevé la moindre anecdote sur la vie de Jésus adolescent.

Jamais jusqu'à tout récemment, où j'ai rencontré, de retour de Rome où il venait de décrocher *summa cum laude* son doctorat à l'université Grégorienne, un spécialiste chevronné en histoire de l'Église. Ce savant de renom se double d'un ecclésiastique d'avant-garde. La preuve, c'est qu'il n'a pas craint, malgré la délicatesse du sujet (dont une époque encore récente au Québec aurait certainement fait un tabou), d'évoquer un fait dont des découvertes récentes dans les Saintes Écritures attestent la troublante certitude. Je vous le rapporte comme il m'a été raconté par l'historien lui-même, sans y ajouter un seul mot. Ce mot, d'ailleurs, vous l'ajouterez vous-même si vous l'osez.

Saint Joseph était en train de travailler à son établi de charpentier. Tout à coup, Jésus arrive en courant:

— Vous m'avez appelé, papa?

— Non, je me suis seulement donné un coup de marteau sur les doigts!

Le Vert-Galant

Si le bonheur des grands hommes passe par leurs bonnes fortunes sentimentales, le plus heureux d'entre eux a sans doute été Sa Majesté Henri IV, le plus populaire des rois de France.

Il a été célèbre, l'histoire en témoigne abondamment, non seulement à cause de l'Édit de Nantes ou de la sagesse légendaire de son fidèle ministre Sully, mais aussi parce qu'il était aux yeux de ses sujets «le Vert-Galant». Les Français, traditionnellement empressés auprès des dames, sont fiers des prouesses amoureuses de leur «bon roi Henri» et estiment volontiers que, mieux qu'aucun autre souverain, il a su représenter le génie de sa race. L'authentique «coq gaulois», ce fut lui, un coq qui, s'il promettait au menu peuple la poule au pot le dimanche, s'arrangeait pour en avoir une dans son lit tous les soirs.

Il avait commencé très jeune. À 13 ans, il avait déjà ses entrées, grandes et petites, dans les chambres des dames d'honneur de sa mère, Jeanne d'Albret, reine de Navarre, sans parler des innombrables bergères et filles d'aubergistes qu'il culbutait allégrement au hasard des meules de foin, dans un rayon de quatre lieues autour du château. C'était déjà l'amour buissonnier!

Autre fait historique au sujet du Vert-Galant: Au dire de ses contemporains et contemporaines, il sentait le bouc. Il ne se lavait pas, de peur, disait-il joliment, de perdre son fumet. Il faut dire à sa décharge qu'il n'exigeait pas de ses partenaires qu'elles fussent moins odorantes que lui. Bien au contraire! Un jour que les domestiques du château, croyant bien faire, avaient fait prendre un bain à sa partenaire de lit de ce soir-là, il s'écria, furieux: «On me l'a abîmée!»

Dès qu'il eut 18 ans, on le maria à Marguerite de Valois, qui resta célèbre dans l'histoire sous le nom de «la reine Margot». Ce n'était pas une garce ordinaire. Dans la fameuse tour de Nesle, elle avait pris la mauvaise habitude de faire venir chaque soir un nouveau puceau avec qui elle tirait une partie de jambes en l'air pour ensuite le noyer dans l'eau du donjon. Charmante époque où grands seigneurs et nobles dames consacraient à l'amour tout le temps qu'ils ne passaient pas à conspirer!

Je ne peux parler du Vert-Galant sans évoquer le souvenir que j'ai gardé avec admiration d'un bon vieux jarret-noir particulièrement vigoureux sous le rapport de la chose, et dont on fêtait le 90ᵉ anniversaire de naissance dans son village natal. Au journaliste éphèbe qui lui demandait quel était, à 90 ans, son plus cher désir, le vieux répondit avec une petite flamme dans ses yeux pointus:

«Moi, mon jeune, mon plus cher désir, ça serait de mourir jeune à 100 ans, tué par un mari jaloux!»

Poète, prends ton luth

Le passage de Jean Marais dans notre village m'a rappelé l'immortel souvenir de son ami de cœur Jean Cocteau, qui fut, pour sûr, une des gloires de son temps et dont l'esprit fusait comme un feu d'artifice chaque fois que l'occasion lui en était fournie par sa vie, aussi brillante que tumultueuse.

Le grand homme était à la fois poète, dessinateur, critique, polémiste, académicien, dramaturge, romancier... Il ne faisait jamais rien comme les autres et son imprévisible humour nous a laissé des perles qui brilleront jusqu'au commencement de l'éternité et peut-être même au-delà puisqu'il n'est pas interdit de penser qu'au ciel on retrouvera une société de gens d'esprit suffisamment nombreuse pour qu'on ne s'y embête pas.

Jean Cocteau a été pendant un demi-siècle la coqueluche des gens du monde. Aucun homme — si on excepte Sacha Guitry et Tristan Bernard — n'a fourni autant de bons mots aux échotiers. À 71 ans, il disait:

«Je connais le secret de la jeunesse. Pour être jeune, il faut toujours débuter.»

Et il débutait éternellement. Un jour, il lançait un nouveau procédé de peinture, un autre, une nouvelle forme d'écriture, un autre, un nouveau romancier (Radiguet, Jean Genet) ou un nouveau boxeur — eh oui! — (Al Brown), un nouvel acteur (Jean Marais), un nouveau danseur (Georges Reich). Il avait choisi comme devise:

«Il faut faire aujourd'hui ce que tout le monde fera demain.»

Il adorait faire scandale. Comme il était vaguement pédé, c'était déjà suffisant. Mais il n'abusait pas:

«Le tact de l'audace consiste à savoir jusqu'où on peut aller trop loin.»

Inutile de dire qu'il s'est acquis quelques solides ennemis parmi la faune littéraire de l'époque. On l'a lapidé copieusement. À ses détracteurs, il répondit, superbe:

«Les statues des grands hommes sont faites avec les pierres qu'on leur a lancées quand ils étaient vivants.»

Il s'était sévèrement brouillé avec François Mauriac, le romancier des âmes tourmentées par le péché de la chair. Un journaliste lui demandant un jour: «Craignez-vous l'enfer?», il répondit: «Oui, parce que j'y rencontrerais Mauriac!»

Cocteau frayait volontiers avec les milliardaires. On sait que de tout temps les rupins ont aimé s'afficher à côté du génie. Dans leur esprit, ça les dédouane de n'avoir, eux, que de l'argent. À ceux qui lui reprochaient cette promiscuité avec les fils de Mammon, Cocteau a répondu une fois pour toutes:

«Aujourd'hui, les poètes ne peuvent plus se payer le luxe d'être pauvres.»

Cet homme pétri d'esprit, d'orgueil et de bonté n'a peut-être pas laissé une œuvre littéraire impérissable. Il aura cependant eu une très belle épitaphe: la phrase d'Anne de Noailles:

«Le chef-d'œuvre de Jean Cocteau, c'est sa vie.»

Femmes d'amour, femmes d'humour

J'ai toujours cru que l'humour est le bonheur de l'intelligence, cet état de grâce de l'esprit qui vous fait voir le monde dans une perspective de sourire et la vérité sous un éclairage léger. C'est pourquoi j'ai été si surpris de lire sous la plume de Jules Renard cette phrase mystérieuse:

«J'ai connu le bonheur, mais il ne m'a pas rendu heureux.»

Non mais! faut-il avoir l'optimisme triste un peu! Ah! et puis pourquoi pas? Il faut de tout pour faire un monde. Baudelaire disait bien, lui:

«Faut-il qu'un homme soit tombé bas pour se croire heureux!»

Les femmes, elles, pratiquent la vie d'une manière différente. Elles ne la voient pas comme les hommes. C'est pourquoi leur humour a des couleurs si attrayantes. En voici des exemples.

Le cœur féminin a ceci de singulier qu'il est pluriel, à son insu d'ailleurs, c'est-à-dire que si une femme est monogame c'est parce que la contrainte sociale l'y oblige. Si elle s'écoutait, elle serait polygame... au moins de désir. C'est cette vérité qu'exprimait d'une façon charmante, l'autre jour, une épouse qui déclarait avec un irrésistible sourire aux lèvres:

«Mon mari est le meilleur mari du monde. J'aimerais en avoir au moins trois comme lui!»

D'autres femmes ont le cœur ostensiblement polyvalent. Loin d'en avoir honte, elles s'en félicitent. Pourquoi pas? Elles ne font qu'admettre en public ce que la plupart désirent en secret et n'avoueront jamais, préférant la délectation morose de leurs rêves éveillés. J'ai connu une dame du monde qui avait le vin gai et qui, allégrement poussée par lui à la confidence, proclamait devant une audience aussi partie qu'elle:

«J'ai tellement trompé mon mari que je ne sais même pas si mes enfants sont de moi!»

J'adore que les femmes nous secouent l'orgueil, comme ça, de temps en temps. D'abord parce que nous le méritons bien et puis parce qu'une femme qui ne nous fait plus de reproches ne nous aime plus. L'une d'elles, qui confiait à une amie qu'en 10 ans de mariage elle ne s'était pas disputée une fois avec son mari, s'est fait répondre:

«Vous n'étiez sans doute pas faits l'un pour l'autre!»

Oscar

C'est improprement qu'on parle de l'humour anglais. L'humour est un produit typiquement irlandais. La preuve, c'est que les deux plus grands humoristes «anglais» sont nés à Dublin: George Bernard Shaw et Oscar Wilde.

Ils y sont nés la même année: 1856. Mais tandis que Shaw devait finir dans la peau d'un patriarche vénéré et presque centenaire, Oscar Wilde, lui, disparut prématurément à l'âge de 44 ans dans des circonstances tragiques. La carrière de cet amuseur avait brusquement tourné au drame. Accusé d'homosexualité par le marquis de Queensbury dont il avait détourné le fils, lord Alfred Douglas, le pauvre Oscar fut condamné à deux ans de travaux forcés, les fit, puis s'exila à Paris, où il mourut seul, pauvre et oublié, en 1900.

Il avait pourtant été pendant 20 ans l'idole de la haute société londonienne. Les duchesses, qui se l'arrachaient, écrivaient en *post-scriptum* sur leurs cartons d'invitation: «Monsieur Wilde sera là et a promis de raconter une histoire.» Un jour, l'une d'elles, le rencontrant dans un salon, lui dit sur un ton d'amical reproche:

— Oh! monsieur Wilde, vous ne me reconnaissez pas? Voyons, je suis Lady Smith.

— N'ayez crainte, madame, je me souviens parfaitement de votre nom. C'est de votre visage que je ne me souviens plus!

Au faîte de sa gloire, il fut invité à faire une tournée de conférences aux États-Unis. Les journalistes new-yorkais se bousculaient au débarcadère:

— Quels sont, d'après vous, les 10 chefs-d'œuvre de l'art dramatique de tous les temps? lui demande l'un d'eux.

— Je ne peux vous répondre sur ce point, répliqua-t-il, superbe, n'ayant encore écrit que 6 comédies!

Et quand le douanier lui demanda s'il avait quelque chose à déclarer, il laissa tomber, imperturbable:

— Si, mon génie!

On lui doit plusieurs aphorismes célèbres, dont les suivants:

«Les hommes se marient parce qu'ils sont fatigués, les femmes parce qu'elles sont curieuses, et tous les deux sont désappointés.»

«Je puis résister à tout... sauf à une tentation!»

«J'adore les plaisirs simples. Ils sont le dernier refuge des gens compliqués.»

«Quand son troisième mari est mort, elle est devenue blonde de chagrin.»

«J'aime les hommes qui ont un avenir et les femmes qui ont un passé!»

Son dernier mot fut tragiquement comique. On sait qu'il était très pauvre. Au cours de la maladie qui allait l'emporter, recevant la note de son médecin, il soupira:

«Je meurs vraiment au-dessus de mes moyens!»

Néo-mathusalémisme

L'âge n'existe plus. On dirait que la culture contemporaine a aboli les barrières qui jadis séparaient les générations. Si bien qu'aujourd'hui on voit fréquemment une fille de 25 ans faire dodo avec un vert sexagénaire sans que cela ne surprenne qui que ce soit... sauf peut-être le sexagénaire. Les jeunes tutoient couramment leurs ancêtres. Tout le monde est sur la même longueur d'ondes sociale, bref, dans la société contemporaine, non seulement il n'y a plus d'enfants, mais il n'y a plus de vieux. L'âge mûr disparaît. Comme disait Alfred Camus:

«On reste jeune très longtemps... puis on devient gâteux!»

Vice, vertu, tout ça ce ne sont que des mots qui recouvrent une réalité de plus en plus floue. Réalité d'ailleurs que les moralistes ne s'entendent plus à définir car les critères changent à chaque génération. Hier, notre vie se déroulait sous le signe des valeurs judéo-chrétiennes; aujourd'hui, c'est à l'étalon marxiste qu'on mesure la moralité des choses. Mais quelle que soit l'idéologie à laquelle se réfèrent les gens, une chose reste certaine — c'est un grave penseur qui l'a dit — :

«Les hommes appellent ‹vices› les plaisirs qui leur échappent, et ‹vertus› les infirmités qui leur restent!»

Mais tous les vieux ne sont pas infirmes. En tout cas, ce vert patriarche de 90 ans ne l'était pas, dont la petite-fille, dans la trentaine, parlant de lui à une amie, disait:

— Mon grand-père est sensationnel. Il fait du jogging, il monte à cheval, il joue au tennis, il fait de la pêche sous-marine... et en plus il va se marier le mois prochain avec une fille de 30 ans.

— À son âge, il a encore envie de se marier? s'étonne l'autre.

— À vrai dire, il n'en a pas tellement envie mais... il est obligé!

Le trac

C'est une chose effrayante.

Vous ne savez pas, vous autres qui êtes confortablement assis dans un fauteuil de théâtre ou douillettement installés devant votre écran de télévision, les affres par lesquelles passent les pauvres comédiens qui s'apprêtent nerveusement à entrer en scène. Vous croyez qu'ils s'amusent et qu'ils font tout par-dessous la jambe dans une joyeuse insouciance d'enfants gâtés par la vie et que les rayons de la gloire viennent caresser leur ego comme ça, gratuitement, comme une grâce. Quelle méprise!

Si vous saviez ce qui se passe au-dedans d'eux, comme vous seriez surpris! Ils sont là, nerveux, angoissés, les mains moites, oubliant leur talent, la gorge sèche et transis de peur devant la possibilité terrifiante, obsédante et presque paralysante du fameux blanc de mémoire qui peut foutre tout le spectacle par terre. D'ailleurs, je ne sais pas pourquoi on appelle ça un «blanc» de mémoire... C'est tellement noir quand ça se produit!

Pierre Brasseur est très certainement un des plus grands comédiens du XXe siècle. Il m'a raconté qu'un jour, après une représentation de *Cher menteur* de Bernard Shaw — qu'il jouait à *L'Athénée*, à Paris — un étudiant en art dramatique vint le voir dans sa loge. Il était enthousiaste, fringant, et il respirait même un peu la suffisance de son âge. Inconscient de l'énormité de ses propos, le jeune homme alla jusqu'à oser dire sans broncher devant l'immense acteur qui était devant lui:

— Moi, monsieur Brasseur, le trac, je ne connais pas ça!

— Patientez, jeune homme, lui répondit le maître, ça viendra avec le talent!

De la virginité

Marcel Pagnol disait d'elle qu'elle est comme les allumettes: Elle ne sert qu'une fois!

Même si elle ne se porte plus très bien ni très longtemps de nos jours, j'ai toujours gardé pour elle un respect inconditionnel. Elle évoque dans mon âme simple et naïve l'image romanesque des anciennes vestales romaines somptueusement drapées dans leur aube blanche et embaumant leur environnement humain du parfum de leur impénétrable vertu, et dont la vie était consacrée à l'entretien du feu sacré du foyer domestique.

La République romaine, qui les vénérait comme des déesses vivantes, leur avait donné de grands pouvoirs. Ainsi, par exemple, la seule présence d'une vestale croisant par hasard le chemin d'un criminel qu'on menait à son supplice sauvait la vie à ce dernier. Dans notre société moderne perdue de corruption morale et d'impénitente impureté, les vierges restent les exemplaires et rares témoins d'une vertu qui aujourd'hui, hélas! ne fait plus que sourire les dégénérés que la décadence contemporaine a faits de la plupart d'entre nous.

C'est pourquoi j'ai été si tristement surpris et, vous l'avouerai-je, scandalisé de lire qu'il est des lieux sur notre mappemonde où la virginité est devenue immorale. Oui, oui, vous avez bien lu… immorale. En effet, il paraît qu'en Indonésie, les médecins «pratiquent des interventions chirurgicales permettant aux femmes de retrouver leur virginité». Et le quotidien *Kompas de Kjakarta* raconte que devant une aussi sacrilège manipulation de la nature, les autorités politiques et religieuses se sont émues et se préparent à l'interdire au nom de Dieu et du bien commun de la société civile. La raison invoquée pour interdire aux médecins leur révolutionnaire chirurgie est, je cite:

«Elle donne aux femmes l'opportunité de tromper leur mari grâce à l'espèce de mensonge anatomique que constitue la reconstitution artificielle de leur précieux hymen.»

C'est ainsi, paradoxe inquiétant, que par une ruse de la chirurgie moderne, c'est par leur virginité même que les femmes vont aussi (car il existe d'autres moyens de le faire, me dit-on) pouvoir tromper les hommes. Eh bien, moi je crie bravo. C'est bien bon pour eux autres! Depuis le temps qu'ils sont si hypocritement et impunément infidèles, ils l'ont amplement mérité!

Elles

Quand je vous dis que les femmes sont la moitié la plus valable de notre espèce, je ne dis que la moitié de la vérité. La vérité, toute la vérité et rien que la vérité, c'est qu'elles sont aussi celle qui fait le plus parler d'elle. On pourrait monter des bibliothèques mastodontes rien qu'avec les livres qu'on ferait à même les propos et histoires qu'on a racontés et qu'on répétera jusqu'à la fin des temps sur nos sœurs humaines.

Comme elles d'ailleurs, ces histoires sont variées à l'infini. Il y en a des brillantes, des spirituelles, des rosses, des injustes, des salées, des vertes et des pas mûres. Ce qui donne aux amateurs de joyeusetés un choix immense qu'ils ne se privent pas de faire d'ailleurs, en préférant toujours, cela va de soi, celles qui font sourire.

Connaissez-vous ce charmant passage de la lettre qu'une paroissienne amoureuse adressait à celui qu'elle aimait? Elle écrivait, avec une sorte de subtile impénitence qui rendait son péché sympathique:

«Mon amour, je sors à l'instant du confessionnal. J'y suis restée trois quarts d'heure et j'ai eu le plaisir de n'y parler que de vous!»

Vous voyez, ce n'est pas pour rien que le grand Mao Tsê-Tung appelait les femmes «la moitié du ciel». Ce serait vraiment le paradis sur terre si les hommes n'étaient, eux, la moitié de l'enfer...

Restons à la sacristie, on y est plus près de Dieu. J'ai toujours admiré l'ingénu compliment que faisait à sa blonde un garçon plein du bonheur qu'elle lui donnait:

«Quand je te regarde, j'ai l'impression que mes yeux font leur prière. Au catéchisme, quand j'étais petit, on m'a dit qu'il ne faut jamais résister à la grâce. Ne me fais donc pas de reproches si je ne résiste pas à la tienne.»

Des goûts et couleurs

Les femmes aiment les couleurs, c'est bien connu.

La couleur, c'est leur rayon. Rien d'étonnant à cela, elles sont à elles seules la première splendeur de l'humanité. La beauté habite en elles comme en sa demeure. Chaque fois que j'en vois une, je le dis sans remords et même avec fierté, j'en fais le repas de mes yeux et la gourmandise de mon âme. Ceux qui ne savent pas encore que la féminité est la plus grande richesse du monde sont des eunuques de l'esprit et ne méritent pas d'avoir des yeux puisqu'ils s'en servent si mal.

Qui croirait qu'aimer les couleurs leur joue parfois des tours? Un agent de la circulation m'a raconté un fait charmant, vécu dans l'exercice de ses nobles fonctions. Un jour qu'il dirigeait la circulation à un carrefour urbain, il aperçut une jolie femme au volant de sa petite voiture. Comme les feux étaient au rouge, il prit galamment le temps d'admirer la dame une bonne minute. Elle en semblait ravie et consommait avec une discrète volupté son plaisir d'être ainsi gloutonnement regardée. Tellement qu'elle ne vit pas les feux passer au jaune. Elle ne les vit même pas passer au vert. Le bel agent, prenant allégrement prétexte de cet oubli, alla trouver la voyageuse, se pencha doucement à la fenêtre de sa portière, et lui dit d'une voix dont le velours annulait le reproche: «Eh bien quoi, madame, qu'est-ce qu'il y a? Vous n'avez pas encore choisi votre couleur?» La dame a rougi, souri, et elle est partie en savourant en elle l'indéfinissable chaleur d'une exquise satisfaction.

Mieux que cela, il y a des endroits dans le monde où — le croiriez-vous? — on se sert de la couleur comme subtil instrument de régulation démographique. C'est ainsi qu'en Inde, qui souffre d'une surpopulation quasiment épidémique, une société d'État, l'Hindoustan Latex, a décidé d'importer du Japon des préservatifs de couleur pour relancer la campagne nationale de limitation des naissances. Dix millions de préservatifs, en cinq couleurs (violet, rose, blanc, vert et noir), vont être commandés. Le gros journal où j'ai lu cette nouvelle ajoutait :

«La société indienne assurera la lubrification, l'aromatisation et même l'emballage des précieux objets.»

Eh bien! bravo pour les Indiennes. Elles sont choyées par la vie. En plus de les combler de volupté, l'amour va leur en faire voir de toutes les couleurs!

Les concours de beauté

J'ai été invité, il y a quelque temps — à quel titre, je me le demande encore —, à présider un jury dans un concours de beauté féminine. J'avais accepté pour dépanner une copine que j'aime bien, mais je l'ai regretté. Que diable allai-je faire dans cette galère? J'ai trouvé ça gênant, un peu odieux aussi. Mettez-vous à ma place. Si on vous demandait de choisir entre la beauté et la beauté, qu'est-ce que vous feriez, hein? J'ai eu l'air fou!

Au fond, c'était presque une affaire de conscience: agréable pour les yeux, bien sûr, mais délicate et difficile. Nous étions là trois mâles. On avait pensé en haut lieu que l'opinion d'une femme en cette matière risquait d'être entachée de partialité. Dieu sait, en effet, si nos compagnes ne voient pas les femmes avec les mêmes yeux que nous.

Alors il nous a fallu, tout seuls, bravement, apprécier l'élégance comparative de visages dont les traits étaient tous des attraits, soupeser le pour et le contre de gorges généreuses qui, je vous le jure, savaient se tenir dans ce monde, évaluer en chiffres la ligne affolante de somptueux arrière-trains, donner des points à des chutes de reins capables de faire pécher le pape, chercher en vain la différence quantifiable dans la courbe amphorique de hanches pulpeuses, nous arracher à la contemplation béate d'une carnation de déesse pour juger la féminité dévastatrice d'une démarche que mon collègue de gauche qualifiait de vénérienne, bref, nous prononcer *ex cathedra* sur des matières et des formes que nos professions respectives ne nous avaient pas préparés à peser... du moins pas de cette façon-là.

Le jury a fait ce qu'il a pu, scrutant, examinant, analysant, comparant, évaluant les superbes richesses naturelles qui lui sautaient aux yeux avec une grâce et un relief exubérants. Les deux pôles classiques d'attraction de l'anatomie féminine étant, comme chacun sait, l'avant-scène et l'arrière-train (ou le balcon et le parterre, si vous préférez), le regard consciencieux du jury faisait la navette de haut en bas et de bas en haut, se déplaçant du buste au mollet avec arrêt aux stations d'intérêt local, hésitant à préférer les fruits du corsage à ceux de la jupe, avec une gourmandise à peine retenue sur le galbe d'une jambe spirituelle ou la plénitude d'une courbe vertigineuse.

Il aurait fallu la sagesse d'un Salomon pour départager équitablement les mérites de cette bergerie. Aussi, se sentant nettement incompétent, notre jury, à l'unanimité, a prononcé le non-lieu, acquittant toutes les petites pour cause d'égalité de valeur et les enjoignant de se représenter l'année prochaine, dans le même attirail mais devant d'autres juges moins sensibles à leurs charmes et, partant, plus objectifs.

Je n'ai jamais su ce que les candidates ont décidé.

Ne lisez pas cette page

N'avez-vous pas remarqué le titre? Vous n'avez pas encore réalisé que tout ce qui suit est insignifiant et ne vaut pas la minute que vous vous préparez à perdre en le lisant? Je vous le dis: Arrêtez tout de suite!

Mais pourquoi diable continuez-vous? Je vous l'ai dit: Il n'y a rien là. Passez à une autre page, ici il n'y a absolument rien. Si vous n'arrêtez pas, vous perdrez votre temps. Vous avez déjà perdu 15 secondes.

Allez, montrez que vous avez du caractère. M'avez-vous compris, arrêtez!

Arrêtez, vous dis-je. Vous êtes déjà rendu à la moitié et vous continuez? C'est vous qui êtes idiot. Pourquoi ne pas vous empêcher de passer à la ligne suivante?

J'en étais sûr. Je vous le redis: C'est un attrape-nigaud. Vous ne me ferez tout de même pas croire que vous admettez en être un! Et pourtant, vous continuez à lire. Quel profit en avez-vous tiré jusqu'ici? Aucun. Eh bien! c'est de même jusqu'au bout.

Il ne reste que quelques lignes; faites un effort, arrêtez. Mais arrêtez donc! Vous ne voyez pas que vous êtes en train de mordre comme un poisson? Vous êtes trop curieux pour ne pas continuer à perdre carrément votre temps et vous avez l'intention de poursuivre jusqu'à la dernière ligne?

Alors, tant pis pour vous, vous l'aurez voulu. Je vous préviens, il n'y a même pas de chute à cette ânerie. Alors, pas la peine de poursuivre...

Quoi! vous êtes encore là?

Allez, foutez-moi le camp!

P.-S.: Consolez-vous, je ne suis pas plus fin que vous. Moi aussi, je me suis rendu au bout!

Les platoniques

J'ai bien ri l'autre jour, dans la Beauce où mes amis les plus chers sont les vieux habitants qui gardent au pays sa saveur, d'entendre l'un d'eux proférer sur l'amour des propos que ne renieraient pas les plus fins réfléchisseurs du monde. Il disait, avec un sourire qui brillait du feu de l'esprit:

«L'amour, tu sais comment ça commence, mais tu ne
sais pas comment ça finit.»

Il avait raison, le vieux, car quand les cœurs ont commencé à se tutoyer, ce n'est pas long avant que les mains entrent dans la bataille et que l'âme sœur se trouve aux prises avec le corps frère.

Comme disait le maréchal de Montluc, un vieux militaire du XVIᵉ siècle:

«En amour comme à la guerre, seul le corps à corps
donne des résultats.»

Le maréchal, et tous ceux qui pensent comme lui, avait oublié une autre forme d'affection humaine, que l'on appelle l'amour platonique. Il ne faut pas se méprendre sur le sens de cette expression. Contrairement à ce qu'un vain peuple pourrait croire, l'amour platonique n'est pas celui qui a pour objet les femmes plates ou celles qui font des montagnes avec rien. Ce n'est pas non plus celui que pratiquait le divin Platon qui, comme tout le monde sait, avait contracté la fâcheuse habitude de prendre la chose du mauvais côté!

Non, mesdames, l'amour platonique est celui qui se situe exclusivement dans la tête et ne descend jamais en bas des épaules. Vous allez me dire que ça doit être vachement cérébral et ennuyant au cube. Je vous répondrai qu'il n'en est rien au contraire puisque, comme chante Maurice Chevalier, il y a du bonheur pour tout le monde.

Bien des humains ont trouvé dans l'amour platonique l'exutoire rêvé pour leur libido spéciale. Il est devenu le refuge privilégié de tous ceux qui ne peuvent pas faire autrement (pour des raisons d'ailleurs souvent très nobles, ne nous y trompons pas). Je me demande sérieusement si, au lieu du petit sourire de pitié qu'on lui réserve en général, il ne justifierait pas plutôt la joie de constater que, pour ceux à qui l'autre est refusé par la vie, il reste au moins celui-là.

Quel qu'il soit, amour tranquille ou amour passionné, amour sage ou amour fou, amour sensuel ou amour platonique, l'amour est une lumière dont il reste toujours quelque chose, quelque chose qui est peut-être encore plus beau que le désir: le souvenir. Quelqu'un n'a-t-il pas dit que les souvenirs sont les rentes du cœur?

Le numéro de téléphone

«*In vino veritas*»

Si l'on croit ce vieux proverbe, qui traîne sur toutes les lèvres depuis que l'homme existe, la vérité est dans le jus de la vigne.

En plus d'être beau à voir, bon à boire et, comme le dit l'Écriture sainte, de réjouir le cœur de l'homme, le vin a la propriété d'ouvrir les âmes à des confidences que la sobriété ne concevrait jamais. Sous l'influence euphorisante des effluves de la liqueur des dieux, on dit parfois des choses... Ils ont arraché à Baudelaire, lui-même fervent consommateur d'élixir, ce beau cri alexandrin:

«Un soir l'âme du vin chantait dans les bouteilles.»

C'est justement ce qui est arrivé à un citoyen qui se trouvait invité chez un ami mien.

Le dîner avait été somptueux. Précédé de nombreux apéritifs — notre hôte, qui avait un sens biochimique de l'humour, nous accueillait le verre à la main en nous demandant: «À quoi voulez-vous que, au nom de l'amitié, je vous empoisonne?» —, le repas avait été arrosé de fins petits boires qui glissaient dans le gosier d'une façon si douce qu'on aurait dit le bon Dieu en culotte de velours. Tout le monde avait le bonheur dans la boîte à ragoût, des cigales en tête, la fête au cœur et quelques-uns même le diable au corps.

Après, ce furent des digestifs — euphémisme pour désigner l'alcool à 40 % — et puis encore des digestifs. Moi, je ne prends pas d'alcool: Ça me met chaud. Je suis une petite nature. C'est heureux d'ailleurs car, comme je suis déjà à moitié fou à froid, s'il fallait que je perde la seule moitié à peu près intelligente qui me reste, ça serait catastrophique.

Mais il y en a par ailleurs qui non seulement prennent un coup mais qui le tiennent... jusqu'à un certain point. L'ivresse, sans détruire la nature — vous allez le voir à l'instant —, fait quelquefois perdre la notion des différences.

À 2 h 00 du matin, les couples, à qui le carburant avait mis des fourmis dans les jambes, étaient toujours debout, dansant au rythme lent d'une musique bourgeoisement sensuelle. La lumière était basse, voisine de l'ombre...

Si bien que j'ai vu un gars, qui avait au moins les trois quarts de son voyage, danser avec sa femme d'une façon outrageusement lascive et lui tenir à l'oreille des propos à faire pousser du poil dans l'oreille d'une pallaque.

Comme il passait près de moi, je l'ai entendu lui demander son numéro de téléphone! Le plus drôle, c'est qu'elle était tellement paquetée elle aussi... qu'elle le lui a donné!

Sois belle et parle-moi

«*Pulchritudo est splendor formae.*»
(La beauté est la splendeur de la forme)
Saint Augustin

Ce n'est pas pour rien que le mot *beauté* est du genre féminin. Ce sont les femmes qui l'incarnent le mieux. Elles en ont pour ainsi dire quasiment le monopole. Le plus merveilleux, c'est que personne ne s'en plaindra jamais.

On dira tant qu'on voudra que la beauté des femmes d'aujourd'hui est une invention pharmaceutique, que les attraits de nos belles de jour comme de nuit ne tiennent plus qu'à un assortiment complet de crèmes et lotions plus ou moins chimiques, qu'importe les calomnies que les jaloux dépités font courir sur votre compte, mesdames, nous aimons l'art avec lequel vous savez ajouter à votre nature. Laissez braire les ânes et faites-vous belles puisque votre beauté, qui est la lumière de ce monde, est le pain quotidien de nos yeux.

Non seulement trouverez-vous toujours chez nous les plus ardents complices de vos efforts (nous sommes même quelquefois prêts à payer pour ça!), mais je vous jure que nous serons toujours prêts à vous admirer en secret et même à ajouter aux regards de nos yeux le témoignage de nos mains... si vous y tenez le moindrement.

Je ne vous apporte ici, mesdames, qu'un propos de vulgaire profane. Je suis, je le confesse sans repentir, un admirateur inconditionnel de vos charmes. Permettez-moi de le compléter par le témoignage beaucoup plus autorisé de cet homme de Dieu qui, s'étant étendu sur vous pendant tout un sermon, le termina par ces paroles visiblement inspirées par l'Esprit saint, que je cite avec une révérence soumise:

«En frappant l'homme prévaricateur de la verge de la justice, en lui fermant les portes du jardin de délices qu'Il avait préparé de ses propres mains, Dieu, touché de pitié, voulut que quelque chose lui rappelât toujours le suave parfum de ces angéliques demeures: Il lui laissa la femme, afin qu'en la voyant il pensât au paradis perdu.»

Les amoureuses

S'il est vrai qu'on est pardonné au ciel dans la mesure où on a aimé sur la Terre, j'en connais qui se préparent une éternité d'éreintant bonheur.

Il existe en France une décoration très célèbre et très recherchée qu'on appelle la Légion d'honneur. Elle se porte à la boutonnière. Bien des Français la désirent très fort, ce qui a fait dire à un cynique qu'elle est un de ces boutons qui n'apparaissent qu'après une longue démangeaison.

Or, j'ai ouï dire qu'une petite théâtreuse française aimait tellement son amant que, pour lui faire obtenir cette décoration, elle fit des pieds, des mains et de tout le reste de son corps, si bien qu'une dame du monde vaguement envieuse dit d'elle au cours d'une soirée huppée:

— Il paraît que, pour arriver à ses fins, elle a hanté les ministères pendant trois mois et accordé ses faveurs à pas moins d'une quinzaine de fonctionnaires.

— Mais, c'est merveilleux, s'extasia son interlocutrice, d'aimer UN homme à ce point-là !

Derniers espoirs

L'empereur Napoléon demandait à Corvisart, son médecin préféré:

— Peut-on être père à 70 ans?

— Parfois, sire.

— Et à 80?

— Toujours, sire!

Cela me fait penser à ce septuagénaire qui avait épousé une jeune fille de 18 ans. Il n'avait qu'une idée en tête: devenir papa! Il passait même des heures à l'église, implorant le ciel de lui accorder cette faveur. Un jour, il arrive au presbytère, fou de joie, et annonce à son curé, un vieux Père Blanc plein d'expérience et de mansuétude:

— Mon Père, ça y est, le bon Dieu m'a exaucé, ma femme attend un bébé.

— Je ne voudrais pas vous décevoir, lui dit le bon Père, mais il faut toujours être prudent avec ce genre de certitude. Tenez, moi, il m'est arrivé une aventure un peu semblable, lorsque j'étais en mission en Afrique. Une fois, je me suis trouvé en face d'un lion à l'aspect féroce qui s'apprêtait à se jeter sur moi et à me dévorer. J'ai prié de toutes mes forces et j'ai lancé mon bréviaire à la tête du lion. Il s'est écroulé sur-le-champ, tué net. J'allais remercier le ciel de sa miséricorde… quand j'ai aperçu à 30 pas de moi un chasseur qui rechargeait son fusil!

Entre les lignes

Une femme éperdument amoureuse avait écrit cette lettre à l'homme de sa vie:

«Je suis très émue de vous dire que j'ai
bien compris l'autre jour que vous aviez
toujours une envie folle de me faire
danser. Je garde le souvenir de votre
baiser et je voudrais bien que ce soit
là une preuve que je puisse être aimée
par vous. Je suis prête à montrer mon
affection toute désintéressée et sans cal-
cul, et si vous voulez me voir ainsi
vous dévoiler sans nul artifice mon âme
toute nue, veuillez me faire une visite.

Nous causerons en amis, franchement.
Je vous prouverai que je suis la femme
sincère, capable de vous offrir l'affection
la plus profonde, comme la plus étroite
amitié, en un mot la meilleure épouse
dont vous puissiez rêver. Puisque votre
âme est libre, pensez que l'abandon où je
vis est bien long, bien dur et souvent
pénible. Ami, en y songeant, j'ai le cœur
bien gros. Accourez donc vite et venez me le
faire oublier. À l'amour, je veux me soumettre.

Juliette»

L'homme accourut aussitôt, ce qui prouve qu'il avait su lire cette lettre comme il faut toujours les lire, c'est-à-dire entre les lignes, en passant de la première à la troisième, à la cinquième, à la septième... ainsi de suite!

Les avocats

Mon collègue Albert Brie, une des plus fines lames de l'humour québécois, les appelle «la plus conservatrice des professions libérales». Ils ont tous l'air plutôt inoffensifs et pourtant, dans l'opinion publique, leur cote ne vole pas très haut. On dirait qu'une majorité de bien-pensants les perçoivent comme les défenseurs des malfaiteurs plutôt que de la veuve et de l'orphelin.

Même notre mère la sainte Église est méfiante à leur égard. Il est à noter que, de tous les saints du ciel qu'elle propose à notre pieuse intercession, il n'y en a qu'un seul qui soit avocat: saint Yves, un Breton du XIe siècle. La liturgie catholique (voir le deuxième nocturne de la fête de saint Yves) en parle avec réticence, presque avec humour. Elle dit: «*Erat advocatus sed non latro; res miranda populo*» (Il était avocat mais néanmoins pas voleur, ce qui faisait l'admiration du peuple).

La justice, que les avocats ont pourtant mission et profession de défendre dans le société, en arrache quelquefois avec eux. Pauvre justice! on dirait une vierge exposée à tous les abus! Elle est sollicitée par le plaideur, tourmentée par le procureur, cajolée par l'avocat, soutenue par le juge... et violée par un peu tout le monde!

Si sévères que soient en apparence les dires et gestes qui se rapportent à l'administration de la justice, ce que j'appellerais l'humour du droit en est un des plus savoureux. Il sourd, comme la vie elle-même, des situations les plus inattendues, celle-ci, par exemple.

* * *

Nous sommes au prétoire. L'accusé est seul devant le juge, qui lui rappelle, condescendant:

— Vous avez droit aux services d'un avocat. En voulez-vous un?

— Non, Votre Honneur.

— Pourquoi donc?

— Parce que j'ai l'intention de dire la vérité!

* * *

Une épouse dont le mari venait d'être appréhendé dans une affaire ténébreuse eut ce mot adorable d'ingénuité:

«Chéri, dis toute la vérité à ton avocat; il saura bien, lui, placer les mensonges où il faut!»

* * *

Cela rejoint — par l'autre bout — le conseil d'un avocat à son client qui en était à sa première expérience avec la justice:

«Mon cher, je ne vous demande qu'une chose: Exposez-moi tous les détails de votre affaire avec la plus limpide clarté. Je me chargerai de l'embrouiller à mon goût par la suite, suivant les besoins de la cause.»

* * *

Et ce joyau de sagesse d'un ex-détenu à un nouveau venu dans la carrière du crime:

«Si tu trouves pas d'avocat qui connaît la loi... tâche d'en trouver un qui connaît le juge!»

* * *

Vous croyez que la liturgie de la justice n'a d'égale en solennité que celle de la religion? Erreur! Les prétoires sont des théâtres où fusent des répliques que ne renieraient pas les plus grands auteurs comiques.

Un vieux plaideur sentait la moutarde lui monter au nez en voyant un jeune confrère lui tenir tête avec arrogance dans un procès de clôture sans conséquence. Se sentant réellement coincé sur un point de droit qu'il avait oublié, il fit mine de se fâcher — car la colère est un des plus beaux masques de l'avocat.

Le vieux:

— Votre Honneur, je ne me laisserai pas barber plus longtemps par ce jeune blanc-bec sans connaissances et sans expérience qu'est mon adversaire. Il y a 20 ans, Votre Honneur, que je pratique le droit.

Le juge l'interrompant:

— Ça ne vous excuse pas de l'ignorer!

* * *

L'audience était commencée depuis une demi-heure et à toutes les questions qu'on lui posait, l'accusé avait toujours la même réponse:

— Je suis innocent.

Si bien que le juge, excédé, finit par lui dire:

— On ne vous demande pas si vous êtes innocent, on vous demande si vous êtes coupable!

* * *

«Dois-je faire un cadeau au juge?» demandait à son avocat un justiciable, quelques jours avant le prononcé du jugement. «Gardez-vous-en bien! lui répondit l'homme de loi. Les magistrats sont d'une honnêteté maladive. Une tentative de corruption de votre part suffirait pour vous faire perdre votre procès.»

Le plaideur envoya tout de même le cadeau au juge (un lièvre de trois kilos) et il gagna son procès. Il avait inscrit, comme nom de l'expéditeur, celui de son adversaire!

* * *

Il faut bien que leurs clients mentent... pour permettre aux avocats d'être sincères.

* * *

Le crime parfait, c'est de faire condamner un innocent.

Les femmes

Je les aime.

Inconditionnellement.

D'abord parce qu'elles le méritent bien. Et ensuite parce que sans elles nous ne serions même pas là. N'oublions jamais que notre destin passe par leur ventre et notre âme par leur cœur.

Et puis c'est le seul autre sexe que nous ayons, ou presque...

Elles sont la moitié la plus élégante de notre espèce. Elles sont la grâce de l'humanité. Elles sont la joie et la tendresse de ce monde. Elles sont la beauté. Elles sont l'amour.

Je ne comprends pas Clémenceau d'avoir dit:
«Ce qu'il y a de terrible avec les femmes, c'est qu'on ne peut vivre ni avec elles... ni sans elles.»

D'abord qu'est-ce qu'il en savait, le vieux? Il n'était même pas marié! Cela me fait tout à coup douter de la chasteté de sa vie de célibataire.

Il y a des hommes comme ça qui deviennent misogynes par frustration. Quand je pense qu'Aristide Briand reprochait un jour aux dames d'avoir la langue trop vivante, lui qui ne fut jamais qu'orateur! Quoi qu'il en soit, si les femmes passent pour parler beaucoup entre elles, elles ne diront jamais autant de choses qu'on en dit d'elles. Consolez-vous, mesdames: Les remarques satiriques qu'on fait sur votre compte ne sont que des hommages indirects à vos qualités. Et puis, si quelquefois vous vous sentez calomniées, songez qu'on ne lance des pierres que dans les arbres chargés de fruits. Et Dieu sait à quel point vous l'êtes. Certains sont même défendus... mais si mal.

On a voulu faire passer les femmes pour des menteuses. C'est un mensonge. Elles ne le sont pas plus que nous. Et quand elles le sont, elles le sont bien mieux que nous. Au moins, elles savent habiller leurs mensonges, tandis que les nôtres sont gros comme nos sabots et cousus de fil blanc.

Les femmes sont meilleures que nous. Elles sont les fleurs indispensables de ce curieux jardin qu'est la Terre. Et pépère Hugo, qui en avait butiné plus d'une, a eu cent fois raison d'écrire:

«Je rends grâce à Dieu car il fit plusieurs Èves,
Une aux longs cheveux d'or, une autre au sein bruni,
Une gaie, une tendre, et quand il eut fini,
Ce Dieu qui, au fond, crée toujours les mêmes choses,
Avec ce qui restait des femmes fit... les roses.»

La réalité dépasse la fiction

La vie est plus riche que tous les livres, toutes les pièces et tous les films réunis et les choses les plus invraisemblables sont souvent les plus vraies, tellement qu'on a pu justement dire que la réalité dépasse la fiction.

Il suffit par exemple de lire les gazettes pour se rendre compte que les choses les plus farfelues ont droit de cité autant que les vérités les plus évidentes. À croire que nos journaux sont des sottisiers de première classe. En tout cas, leur lecture m'a depuis longtemps convaincu que l'humour est dans les choses autant que dans les gens.

Les seuls titres de nouvelles sont révélateurs de la plus délicieuse ingénuité des scribes. Exemples. Une ville du Québec a 100 ans. Pour souligner les fêtes qui ont marqué l'événement, le journal local titrait sans broncher:

«La ville de X... a fêté dans l'allégresse le centième anniversaire de son érection commune.»

Vous voyez ça d'ici?

En Afrique, pour évoquer l'exil doré mais nostalgique de l'ex-sultan du Maroc et de son harem, *Le Dauphinois libéré* du 13 septembre 1953 écrivait à la une:

«Ben Youssef parmi ses négresses caresse les plus noirs desseins.»

Dans *L'Enseignement public*, organe de la plus haute tenue morale, on a même pu lire:

«La Commission insiste sur l'urgence de la réversibilité de la femme mariée sur son conjoint.»

Quand je vous disais!

L'esprit ecclésiastique

Notre mère la sainte Église n'est pas constituée que de gens sévères, de théologiens pontifiants, de curés moralisateurs, de chanoines prébendés et de laïcs bondieusards. Il s'y consomme, à l'occasion, du plus pétillant esprit.

Sa Sainteté le pape Pie XI — ceux qui ont mon âge s'en souviennent — était en pleine négociation du concordat avec le dictateur Mussolini. Les vieux cardinaux conservateurs n'aimaient pas beaucoup ça.

L'un d'eux dit un jour au Pape:

«Mais, Votre Sainteté, c'est humiliant pour la sainte Église que le vicaire du Christ s'abaisse à discuter avec un dictateur!»

Et Pie XI de lui répondre:

«Éminence, je négocierais avec le diable en personne si c'était pour la gloire de Dieu.»

Et toc...

Plus tard, au cours d'un consistoire — haute instance qui élit des cardinaux — le même Pie XI suivit le rite traditionnel suivant: Avant de remettre la dignité cardinalice à un évêque, il lui posait une question de catéchisme à laquelle celui-ci devait répondre, de façon orthodoxe de préférence... Pie XI demanda alors à Mgr Gerlier, archevêque de Lyon, agenouillé à ses pieds:

— Qu'est-ce que créer?

— Créer, c'est faire quelque chose avec rien, répondit Mgr Gerlier.

— Très bien, fit Pie XI. Je vous crée cardinal!

Il y a un autre délicieux mot d'esprit qui vient cette fois de la célèbre comédienne française Arletty, que tout le monde a admirée, notamment dans le film *Les enfants du paradis*. Arletty était une amie personnelle de Mgr Verdier, archevêque de Paris. Or, quand ce dernier reçut des mains du Pape le chapeau cardinalice, emblème de sa dignité toute neuve, Arletty se trouvait en tournée, incapable d'assister à la fête organisée en l'honneur du nouveau cardinal. Savez-vous ce qu'elle fit? Elle envoya au cardinal un télégramme ainsi libellé: «CHAPEAU!»

Pouvait-on faire plus finement les choses?

Bonjour les sportifs

Le sport est une activité humaine extrêmement gratifiante. Elle est le repos de l'esprit dans le bonheur du corps. Salvador Dali disait:

«Le sport, c'est la messe du corps.»

Mais, comme pour tout le reste, si on veut que le sport soit une sagesse autant qu'une joie, il faut que sa pratique reste dans les limites de la raison. *L'homo ludens* doit toujours être aussi un *homo sapiens*. Il y a des sports qui sont inhumains, la boxe par exemple. Il y en a d'autres qui sont un enchantement, à condition bien sûr de ne pas sombrer dans la morale de l'excès, dans cette dépense effrénée d'énergie, dans la pratique quasi religieuse de l'épuisement, de la dissolution du moi dans la violence.

Par ailleurs, il y a des gens pour qui le sport, c'est de regarder les autres en faire, comme disait Yvon Deschamps.

Le fameux opium du peuple, dont parlait Marx, n'est pas la religion mais bien le sport. Le vieux *Panem et circenses* (Du pain et des jeux) des Romains est l'éternel exutoire de la lassitude populaire. Cette culture de la passivité béate a trouvé son expression humoristique dans la boutade de Stephen Leacock:

«Évitez soigneusement de faire du sport. Il y a des gens qui sont payés pour ça!»

et dans celle d'Henry Ford:

«Moi, je ne fais jamais de sport. Si je suis bien-portant, c'est que je n'en ai pas besoin, et si je suis malade, ce n'est vraiment pas le moment!»

La donna e mobile

On croit toujours avoir tout dit sur l'amour et pourtant, parce qu'il est éternel, il reste de l'inédit. En tout cas, c'est certainement le thème le plus fertile en rebondissements et celui qui a inspiré les mots les plus savoureux.

Je retiens en particulier celui d'un vieil aristocrate anglais, Lord Chesterton, qui était non seulement un homme d'État et un écrivain, mais aussi l'ami du célèbre Montesquieu et l'auteur de *Lettres à mon fils*. Ce dernier, du reste, était son bâtard.

À un journaliste qui lui demandait un jour ce qu'il pensait du plaisir de l'amour, il répondit sans enthousiasme:

«Bof! le plaisir est court... la position est ridicule... et la dépense est insoutenable.»

C'est pas un Français qui aurait dit ça!

L'amour a ceci de singulier qu'il est souvent pluriel. Et comme, a-t-on chanté, *La donna e mobile* (La femme est changeante), il lui arrive de butiner son miel aux corolles de plusieurs fleurs. Les hommes devraient être les derniers à s'en scandaliser puisque plusieurs d'entre eux, m'a-t-on appris récemment, ont une forte tendance à pratiquer ce qu'on a appelé — délicat euphémisme — l'œcuménisme sexuel.

Une comédienne, Berthe Cerny, vivant au début de notre fol XXe siècle, aimait l'homme... et les hommes. Paraphrasant spirituellement le commandement divin, elle avait adopté comme devise:

«Aimez-moi les uns les autres!»

Les tentations de la chair... e

Prêcher la morale aux autres est un métier périlleux. Les gazettes des États nous ont rapporté que les deux plus célèbres prédicateurs de la télévision américaine, les télévangélistes Bakker et Swaggart, se sont fait prendre en flagrant dans le lit avec des dames de petite vertu, à consommer l'œuvre de chair, dont le neuvième commandement dit pourtant qu'on ne peut la désirer qu'en mariage seulement (et avec sa femme, pas avec une autre). Ça leur fait une belle jambe!

Le plus comique de l'affaire, c'est que quand il fut révélé au peuple de Dieu que le révérend Bakker avait succombé avec une coupable gourmandise aux sournoises tentations de la chair, c'est justement son collègue en apostolat, le révérend Swaggart, qui l'avait publiquement accusé d'affreux adultère et fait démissionner comme prêcheur du dimanche, le privant ainsi d'une pieuse fonction qu'il chérissait d'autant plus qu'elle lui rapportait des centaines de millions de dollars par année.

Et ne voilà-t-il pas que celui qui avait jeté la première pierre la reçoit aujourd'hui en plein front — providentiel boomerang — puisqu'il vient d'avouer, avec des larmes spectaculaires, qu'il a lui aussi tiré de la jambette avec des étoiles du matelas, comme aurait dit feu Michel Normandin, célèbre commentateur de lutte. Et Swaggart, après avoir perdu sa vocation, de perdre sa *job* et ses millions. C'est la revanche de la chaire contre la chair!

Tout cela m'a plongé dans une profonde réflexion. Je me garderai bien de vouer ces deux pauvres diables aux flammes de la géhenne, n'étant moi-même qu'un vulgaire pécheur. En effet, j'ai souvent omis ma prière du matin, j'ai conté des menteries à mes meilleurs amis, j'ai triché au golf et j'ai même jadis employé des gros mots en politique... Mais laissant ma pensée dépasser le banal phénomène du péché le plus populaire de l'histoire, j'ai poussé l'audace intellectuelle jusqu'à me demander — mais avec le plus total respect et la plus craintive humilité — si Dieu le Père n'avait pas pris un trop gros risque, au moment de la Création, en gratifiant les pauvres mâles que nous sommes d'une vigueur sexuelle qui dépasse notre capacité morale de résister aux violents appels du plaisir qui dorment d'un si léger sommeil au fond de chacun de nous. Je pense quelquefois que par excès de générosité divine il nous a donné trop d'énergie. Or, la physique nous apprend qu'en amour, il en va comme en électricité: La résistance diminue à mesure que le courant augmente!

L'esprit du cœur

Le cœur ne fait pas que battre, il lui arrive aussi de briller. L'amour donne de l'esprit. Son feu, en plus de réchauffer, éclaire, parfois avec éclat, ce qui a fait naître sur les lèvres des amoureux des mots du plus réjouissant effet.

* * *

Devant le sourire dévastateur de la somptueuse Edwige Feuillère, qui jouait *La Parisienne* comme seulement elle pouvait le faire, Robert Lamoureux (nom prédestiné!) ne put retenir:

«Madame, vous avez des yeux à allumer des incendies, et une bouche à les éteindre.»

* * *

Il y aussi le mot charmant de Sacha Guitry à Jacqueline de Lubac, sa troisième femme:

«Comment les autres hommes peuvent-ils vivre sans toi?»

Il ne se l'est pas demandé longtemps, car deux ans après il en mariait une autre...

* * *

Baudelaire, après une aventure galante qui avait laissé des traces indélébiles dans son âme pour une fois heureuse, a écrit ce vers immortel:

«J'ai plus de souvenirs que si j'avais mille ans.»

* * *

Le doux Michel Simon, qui n'était pas beau mais qui était sensible au charme de Danielle Darrieux, lui dit un jour — c'est *Le Canard enchaîné* qui le rapporte:

«À côté de votre sourire, madame, la Joconde a l'air de faire la gueule!»

* * *

Jules Berry était non seulement un acteur prodigieux mais aussi un spirituel don Juan. À chaque femme qui lui posait la question classique: «À combien de femmes avez-vous dit ce compliment?», il répondait, shakespearien: «Une rose sous un autre nom aurait le même parfum!»

* * *

J'ai gardé pour votre dessert cette pensée aussi délicate qu'intéressée d'André Roussin:

«Les femmes sont des fleurs. Et ce que je trouve d'absolument merveilleux, c'est que chacune d'elles a besoin d'une tige, de préférence bien droite, qui apporte la sève jusqu'à ses pétales!»

Christianisme militaire

C'est quelquefois à l'occasion des pires tragédies que sont nés les mots historiques les plus charmants.

Ainsi, par exemple, au cours de l'une des célèbres croisades qui ont illustré l'histoire de la sainte Église, un nommé Godefroy de Bouillon, intrépide guerrier et valeureux capitaine, fut convoqué par le général en chef de l'armée de Dieu. Le général lui intima alors l'ordre de partir dare-dare en mission de reconnaissance, histoire de se renseigner sur la composition des armées ennemies qui campaient en face des chrétiens.

Godefroy de Bouillon s'exécute comme un grand. Il part nuitamment, fait le tour des lieux, évalue les effectifs de l'adversaire et revient à la tente du général pour lui présenter son rapport. Le rapport était tel que le capitaine, homme de religion autant que brillant officier, en avait la conscience toute troublée. Car il arrive que certains militaires aient une conscience et qu'elle soit sensible à la gravité des situations...

Donc, quand le général fut en présence de son capitaine, il lui demanda:

— Alors, Godefroy, qu'est-ce que vous avez vu au cours de votre mission?

— Mon général, dit Godefroy atterré, l'armée ennemie est composée de 50 % d'infidèles et de 50 % de chrétiens. Que m'ordonnez-vous de faire en une si pénible conjoncture?

Le général se leva, lissa ses moustaches d'une main nerveuse, releva le menton (il paraît que ça montre l'autorité) et laissa partir comme un coup de canon cette phrase qui traversa les siècles en les illuminant au passage par sa verte brièveté:

— Tuez-les tous... Dieu reconnaîtra les siens!

Poussières

Quand j'étais petit gars, le mercredi des Cendres, premier jour du carême, on allait à l'église et là, monsieur le curé nous mettait une petite pincée de cendres dans les cheveux en disant: «*Memento, homo, quia pulvis es et in pulverem reverteris*» (Souviens-toi, ô homme, que tu es poussière et que tu retourneras en poussière).

Ça ne nous impressionnait pas plus qu'il ne faut, vous pensez bien. Nous nous disions: Bah! ça fait partie des mystères de notre religion et il n'y a rien à comprendre là-dedans. Eh bien! les savants, qui fouillent dans notre passé indéfini, sont en train de nous prouver que c'est scientifiquement vrai. Il paraîtrait que nous descendons de bien plus loin que le singe: de la poussière d'étoiles!

C'est un Québécois qui a trouvé ça, un nommé Hubert Reeves, astrophysicien. Il a écrit un livre intitulé *Poussières d'étoiles*. Là-dedans, il raconte l'histoire de notre Univers. En images, s'il vous plaît, avec des photos extraordinaires d'étoiles, de galaxies, de brasiers solaires, de nuages, de cristaux de neige... et d'hommes.

C'est passionnant et puis c'est à la portée du monde. D'ordinaire, quand un savant ouvre la bouche, on comprend rien. Mais lui, c'est pas pareil, on le comprend. Un peu, en tout cas... C'est comme ça que j'ai appris que:

«Tous les noyaux des atomes qui nous constituent ont été engendrés au centre d'étoiles mortes il y a plusieurs milliards d'années, bien avant la naissance du Soleil. Nous sommes, en quelque sorte, des enfants de ces étoiles.»

Moi qui avais une si haute opinion du Soleil, je me la suis fait rabattre par ce savant:

«Notre soleil est une étoile modeste. Et quand il mourra, dans cinq milliards d'années, il nous volatilisera avec la désinvolture et l'inconscience d'un éléphant qui marche sur une araignée.»

Heureusement... je serai déjà au ciel, ce jour-là!

Les baisers

Le baiser est la manifestation psychosomatique du sentiment naturel qui pousse les différents sexes de l'humanité à se rejoindre par les lèvres.

En principe, je ne suis ni pour ni contre. Parce que — tout bon moraliste vous dira la même chose — tout dépend de la gravité de la matière, et la gravité de la matière, ça change avec le temps. Par exemple, tout ce qui était péché mortel quand j'étais petit gars est aujourd'hui devenu quasiment œuvre de miséricorde corporelle. Ils conseillent ça dans les cégeps; ça éclaircit les idées et ça ôte les boutons!

Les meilleurs auteurs affirment que le baiser est un échange de bons procédés qu'on rencontre couramment dans les sociétés les plus civilisées. À ce compte-là, nous sommes sur le point d'atteindre un sommet qui frôle la perfection. Car il est bien connu que, de nos jours, on s'embrasse à bouche-que-veux-tu, et cela dans tous les coins... du monde! Que voulez-vous, les femmes aiment ça. Et vous savez tous que ce que femme veut... Dieu n'a plus qu'à le vouloir, et à plus forte raison les hommes! Elles y mettent même quelquefois une irrésistible gloutonnerie qui surprend chez un sexe en apparence si réservé. Elles ont — et c'est ça qui est étonnant — une façon subtilement machiavélique d'appeler les baisers tout en ayant l'air de les refuser. D'ailleurs, quand une femme refuse un baiser, c'est parce qu'elle en veut plus qu'un. Elles savent mieux que personne, les diablesses, que quand on aime, il n'y a qu'une façon de dire «merci», c'est de dire «encore»!

Mais prenons bien garde, messieurs, car en cette matière — comme en toutes choses d'ailleurs — il faut rechercher l'authenticité. En effet, il y a les vrais baisers et les faux. Car les baisers — permettez-moi cette comparaison prosaïque — sont comme les prélarts: Les faux s'effacent vite et les vrais restent imprimés.

Un baiser est un poème, un poème où ce sont les lèvres qui riment au lieu des mots. Si vous croyez que la rime, c'est beaucoup plus des lèvres qui se rejoignent que des mots qui s'accordent au bout d'une ligne... alors vous êtes poète, mon ami. Restez-le longtemps et gardez le silence, qui est la voix la plus éloquente de l'amour... Le silence des regards lourds de caresses est l'extase muette des baisers. Le baiser, au fond, c'est peut-être le plus beau moment de l'amour, car il contient, palpitante, la promesse de tout ce dont on ne peut jamais goûter qu'un peu.

«Millions d'hommes, embrassez-vous!» s'est écrié un jour un poète. Preuve que le baiser est la marque universelle de l'immense fraternité humaine.

Je disais donc que le baiser étant en lui-même moralement indifférent, il est spécifié par rapport aux sujets qui en usent. C'est surtout aux femmes, mes sœurs tant aimées, que je m'adresse ici, pour les mettre en garde contre une trop grande réceptivité. Surveillez surtout ce nid à baisers qu'est votre nuque. Elle est, mesdames, votre talon d'Achille! Ne l'offrez pas trop nue aux caresses gloutonnes des mâles impétueux qui rôdent autour de vous. *Quaerentes quam devorent* (Les hommes sont des loups), disait Cicéron, et ils ne feront qu'une bouchée de vos cous de biche si, au lieu de les voiler sous de pudiques collets, vous les offrez imprudemment aux morsures de leurs crocs.

Ne les laissez surtout pas mettre la patte où ils n'ont pas d'affaire. Protégez votre *no hands land*. Ils ne sont pas raisonnables, vous le savez. Si vous leur concédez un centimètre, ils en prendront deux, puis trois... et ainsi de suite jusqu'à demain... au petit jour. Rappelez-vous constamment le proverbe qui vous avertit depuis des millénaires:

«Tout homme a dans son cœur un cochon qui sommeille: Gare à celle qui l'éveille.»

Je vous dis tout cela, mesdames, en pensant au bien que vous pourrez en tirer et aux pièges vicieux que cela vous permettra d'éviter. La seule sagesse en cette matière brûlante, c'est ce que le grand Napoléon lui-même conseillait: la fuite, ou alors, en désespoir de cause, le mariage. Saint Paul l'a dit:

«*Melius es nubere quam uri.*»

qu'on pourrait traduire, en termes populaires:
   «Si vous avez le feu au cœur, il vaut mieux appeler
   un homme que les pompiers!»

Les femmes et l'amour

L'amour est le royaume des femmes. Elles y sont chez elles. Les femmes connaissent l'amour mieux que les hommes et elles le font mieux qu'eux, pour une raison bien simple, c'est que dans leurs affaires d'amour, elles apportent leur cœur alors que la plupart des hommes ne font souvent que céder à leur tendance naturelle de prédateurs. Cela a fait dire un jour à Juliette Gréco un mot cruel qui mériterait d'être historique:
   «Quel dommage qu'il y ait dans le monde tant de
   mâles et si peu d'hommes!»
   Elle avait raison, Juliette. Si les hommes savaient ajouter à leur nature fougueuse et aventurière une culture qui donne de la qualité, de la classe à leur fringance, les femmes les aimeraient encore mieux.
   Quand on pondère les valeurs, je crois qu'on peut dire — qu'on doit dire — et cela sans rien enlever aux mérites du sexe masculin, qu'à tout prendre les femmes sont meilleures que nous. En général — je dis bien en général parce qu'il y a, bien sûr, des exceptions notoires et parfois spectaculaires — en général, elles incarnent mieux que les hommes les valeurs morales sur lesquelles repose le bonheur de l'humanité: la bonté, la compassion, la tendresse et le dévouement naturel à tout ce qui est proche de la vie. La vie, on dirait qu'elles connaissent ça mieux que nous. Ce n'est pas étonnant puisque ce sont elles qui la portent, qui la donnent et à qui la nature a donné mission de la protéger tant qu'elle est trop faible pour être autonome. Si bien que quand on porte un jugement sur la femme, on ne doit jamais oublier une vérité extraordinaire, fondamentale et gratifiante: La femme est la matrice de l'Univers. Toute l'humanité passe par son ventre. Cela lui donne

une noblesse, une dignité et un mérite tels qu'on s'étonne qu'il ait fallu tant de temps aux sociétés humaines pour lui reconnaître des droits égaux à ceux de l'homme.

Et puis les femmes sont plus discrètes que nous sur leurs battements de cœur. Autant le mâle est facilement vantard, porté à faire le jars et à cocoricoter ses prétendues conquêtes (comme si on était à la guerre!), autant la femme est discrète, pudique et réservée là-dessus, ce qui ne veut pas dire qu'elle n'a pas, elle aussi, le goût du plaisir. Et quand, au cours d'une tentation, sa vertu l'emporte, ce n'est jamais sans un combat qui laisse des traces dans son âme. L'une d'elles échappa même un jour cet aveu révélateur:

«Quand une femme dit qu'elle n'a rien à se reprocher, cela veut dire qu'elle a tout à regretter.»

Serait-il vrai qu'au chapitre des plaisirs de l'amour, il vaut mieux avoir des remords que des regrets?

Moi, moi, moi

Les prêcheurs de tous acabits ont accablé l'égoïsme de tous les maux. Et même de tous les mots... On l'a accusé d'être une espèce d'homosexualité, c'est-à-dire d'amour d'un homme pour lui-même, une sorte de narcissisme moral, rien d'autre que «l'incestueux amour qu'on a pour sa propre image». Le culte du moi serait, paraît-il, celui qui fait la plus grosse dépense d'encens. Exemples:

1. La règle de vie donnée par Jules Renard:
    «Ne pas être trop sévère pour soi et n'exiger des autres que la perfection.»
2. La boutade de Courteline:
    «S'il fallait tolérer chez les autres tout ce qu'on se permet à soi-même, la vie ne serait plus vivable.»
3. Le mot de Jouvet:
    «Un égoïste, c'est celui qui vous parle de lui quand vous voudriez lui parler de vous.»

4. La perle de dialogue rapportée par Charlotte Lysès, la première des cinq femmes du divin Sacha:
— Je t'aime, Sacha. Et toi?
— Mais moi aussi, je m'aime.

5. La philosophie de Tristan Bernard:
«Il ne faut compter que sur soi-même, et encore, pas beaucoup!»

6. Le conseil d'une femme à son mari:
«Chéri, je me demande si tu ne tiens pas une trop grande place dans ta vie!»

Et alors? Si l'amour-propre est un vice, faudrait-il en conclure que la «haïne-propre» — selon le joli mot d'Albert Brie — est une vertu? Si on laisse l'esprit glisser sur cette pente, on arrive au paradoxe de Valéry:
«Que si le moi est haïssable, aimer son prochain comme soi-même devient une atroce ironie.»

Il avait raison, le vieux. Quand on y réfléchit bien, tous les vertueux contempteurs de l'égoïsme sont dans les pétaques. Car — suivez bien mon raisonnement — quel est le plus grand commandement que nous a laissé Jésus-Christ et dont il a dit lui-même qu'il résume toute la loi et tous les prophètes? C'est: «Aimez votre prochain comme vous-même.» Donc l'amour de soi est le modèle de celui qu'on doit avoir pour le prochain. Si l'amour de soi est un amour modèle, et si c'est Jésus qui le dit... ça doit pas être si mauvais!

Oui ou non

Il y a beaucoup de femmes qui ne sont chastes que parce qu'on ne leur a jamais rien demandé... ou rien offert. Sans cela, qui nous dit que, «l'occasion, l'herbe tendre et quelque diable aussi poussant», elles n'auraient pas joyeusement succombé à une proposition de derniers outrages si on avait eu l'intelligence de les leur présenter comme des premiers égards, fussent-ils un peu pressants!

Car les femmes, ceux qui les ont un peu fréquentées le savent, sont imprévisibles jusque dans leurs refus. Les plus subtiles ont une façon de dire «non» qui, signifiant en réalité «peut-être», équivaut le plus souvent à «oui». On dit qu'en amour la femme vertueuse dit NON, la passionnée dit OUI, la capricieuse dit OUI et NON et la coquette ni OUI ni NON.

Alfred de Musset était un expert en la chose:

«La femme qui veut vraiment se refuser se contente de dire NON; si elle s'explique, c'est qu'elle ne demande qu'à être convaincue.»

Il y a aussi les versatiles: celles qui aiment le changement. Mais pour sauver les apparences et pour être tranquilles, elles ne veulent pas que ça se sache. L'une d'elles, un jour qu'elle était en veine de confidences, disait à une amie intime:

— Moi, je serais désolée que mon mari sache que j'ai un amant.

— Alors, comment te débrouilles-tu?

— C'est simple, dès qu'il a des doutes, j'en prends un autre!

Je ne vois d'ailleurs pas pourquoi ces dames se gêneraient quand on sait ce que vaut la fidélité des hommes. Ils sont tous pareils. La seule différence entre un homme infidèle et un homme fidèle, c'est que ce dernier... a des remords!

Culture et chiennerie

Depuis les âges les plus reculés de l'histoire, il s'est avéré que le chien a toujours été le meilleur ami de l'homme. Pour une excellente raison: Il est fidèle... et il ne parle pas. Malheureusement, il n'est pas toujours traité comme il le mériterait. On connaît l'expression «mener une vie de chien», toujours péjorative.

Aux États-Unis, une psychologue canine prétend que 95 % des chiens américains n'ont pas de but dans la vie. Ils n'ont plus de travail, ils ne gardent plus les moutons, ils ne tirent plus les traîneaux, bref, ils sont candidats à la déprime. En France, des psychosociologues se sont penchés sur ce problème majeur et ont proposé qu'on ouvre à l'espèce canine certaines avenues de la culture.

C'est ainsi que, selon une dépêche de l'agence France-Presse datée du 21 octobre 1986, une adaptation très libre d'une pièce d'Eschyle, *Prométhée enchaîné*, a été présentée à Paris par la Comédie-Française devant un public exclusivement composé de chiens. Sur le parvis de la gare Montparnasse, l'espace théâtral délimité par un cordage offrait une vingtaine de niches douillettes à tous les chiens, sans discrimination de race ni de sexe. On jouait à guichets fermés et trois retardataires durent se contenter de s'asseoir sur le sol.

Au premier acte, scène I, un chœur de longs ululements poussés par les acteurs provoqua de belles réactions. Un berger allemand, visiblement ému, hurlait à mort. Un cocker alla se réfugier sous les jambes de son voisin et un doberman, les yeux pleins de larmes, ne cessait pas de gémir... Pendant l'heure que dura la tragédie, les aboiements fusèrent comme autant d'hommages aux acteurs. À la fin de la représentation, les spectateurs se sont longuement attardés pour féliciter les comédiens à grands coups de langue, de pattes en l'air et de queues en folie.

Cette première théâtrale gratuite était une réponse au ministre français de la Culture, M. Jack Lang, qui avait exprimé le souhait que des spectacles soient montés pour les exclus traditionnels de la culture, a expliqué sérieusement le responsable de la troupe, M. Jacques Lichetout.

Ce fut un succès complet. Il n'y eut qu'une fausse note au concert d'éloges que tout l'auditoire canin avait réservé aux comédiens. Au dernier rideau, un vieux bouledogue revêche et frustré s'approcha de la scène et, d'un air bête, leva agressivement la patte et laissa partir en direction du rideau un jet réprobateur de son jus acide. Un des comédiens, qui avait vu le geste, lui cria, résumant ainsi l'opinion de toute la troupe: «Sors d'ici, enfant de chienne!»

Les psys

Dans mon jeune temps — ce qui veut dire le bon vieux temps —, c'étaient les curés qui confessaient. Aujourd'hui, ce sont les psychanalystes.

C'est plus confortable parce qu'on est couché sur un divan, mais la pénitence est plus sévère car elle s'exprime en dollars plutôt qu'en chapelets et en chemins de croix. Dans un cas comme dans l'autre, l'opération finit par être fastidieuse.

Heureusement, la technologie moderne a fini par trouver des solutions mécaniques même aux problèmes spirituels.

C'est ainsi que, fatigué d'entendre ses patients lui raconter leurs emmerdements et leurs rêves, un psychiatre décida d'installer un magnétophone dans son cabinet. Expliquant que ce procédé lui permettait de mieux analyser les différents cas qui lui étaient soumis, il mettait l'appareil en marche, demandait à son patient de continuer à parler puis... descendait tranquillement au sous-sol prendre un verre de whisky. Tout marcha quelque temps comme sur des roulettes. Mais voilà qu'un jour, levant les yeux, il vit devant lui, un verre à la main, le patient qui aurait dû normalement se trouver au premier, étendu sur le sofa de consultation.

— Que faites-vous ici? demande le psychiatre.

— Eh bien! voilà, répondit le patient. Depuis deux jours, j'enregistre sur bande, chez moi, mes rêves et mes soucis... Et maintenant mon magnétophone est en train de les raconter au vôtre!

Il paraît que nous sommes menés par notre subsconscient, cette partie de nous-mêmes où grouillent toutes sortes de complexes larvaires, de fantasmes inavoués et d'idées saugrenues. On dirait que le subconscient est l'enfer de la conscience. Les psys sont, d'après Jean Cocteau:

«... des spéléologues qui fouillent ce plein qu'on nomme le vide, spécialistes d'une zone encore en friche que la science officielle, d'après l'excellente formule d'un de nos philosophes, méprise comme s'il s'agissait des parties honteuses du savoir!»

Comme il faut ne rien prendre au tragique et sourire un peu de tout, j'aime beaucoup cette définition qu'un humoriste américain donnait de la psychanalyse:

«C'est une maladie dont elle prétend être le remède!»

Cette autre rejoint la première:

«Le rêveur est celui qui construit des châteaux en Espagne, le fou est celui qui les habite et le psychiatre est celui qui perçoit l'argent du loyer.»

Les écrivistes

Il y a des écrivains dont il est dommage que la carrière ne se soit pas terminée par son commencement. Il eût mieux valu en effet qu'ils périssent noyés dans le néant de leur pensée plutôt que de végéter dans l'insignifiance et la médiocrité. Seul le ridicule les sauve du total oubli. Bénis soient ceux qui, n'ayant rien à dire, s'abstiennent de le confirmer par écrit. Ceux-là ont apporté une grande contribution à la qualité de la littérature en s'abstenant d'en être.

À l'encontre d'autres qui, auteurs téméraires, ont écrit des chefs-d'œuvre d'ânerie tels qu'ils ouvraient des vues nouvelles sur les gouffres inexplorés de la bêtise sublunaire, ils étaient de ceux dont on aurait pu dire bien plus justement qu'on a jadis dit de De Bonald:

«Qu'on brûle ses discours, ses écrits et ses lois; ils nous éclaireront pour la première fois.»

Je conviens volontiers que tous les genres sont bons sauf le genre ennuyeux. Mais cela ne justifie pas les ânes d'encombrer la littérature. Il y a tellement de livres inutiles qu'il n'y a plus de place pour les ouvrages de génie. Vous me demanderez: «À quoi reconnaît-on le génie?» Vous pouvez le déceler au nombre d'imbéciles qui se liguent contre lui, répond Jonathan Swift.

Un écrivaillon se plaignait à Rivarol qu'on avait ourdi une conspiration du silence autour d'un livre qu'il venait de publier et que les hommes étaient bien méchants d'agir ainsi envers lui. Le maître de l'ironie lui répondit acidement:

«Les hommes ne sont pas si bêtes que vous le dites. La preuve, c'est que vous avez mis 20 ans à faire un mauvais livre, et eux, il ne leur a fallu qu'un instant pour l'oublier!»

Mais tout cela est affaire d'appréciation subjective. Il faut se méfier un peu de ces jugements personnels. Le grand saint François de Sales nous prévient qu'en fait d'imperfections nous sommes des aigles quand il s'agit de voir celles d'autrui et des taupes quand il s'agit de voir les nôtres. Cela n'a pas empêché Sacha, que le pompiérisme de Claudel faisait suer, de répondre à l'ambassadeur-poète, qui lui avait demandé, au cours d'une réception à laquelle ils se trouvaient tous les deux:

— Mon cher Sacha, pourquoi ne m'envoyez-vous pas vos livres? Je les lirais!

Et le cruel ironiste de répondre, avec un de ces sourires aigres-doux qu'on pratique beaucoup dans les ambassades:

— Parce que j'aurais peur que vous m'envoyiez les vôtres!

La philosophie

Ayant été dans ma jeunesse professeur de philosophie, j'ai gardé pour cette Ève des sciences un amour que je ne renierai jamais puisque c'est en elle que j'ai puisé les racines profondes d'une sagesse qui fait le bonheur de ma vie.

Le vrai philosophe est celui qui sait prendre la vie comme elle est, qui ne se croit pas sorti de la cuisse de Jupiter et qui a assez de hauteur de vue pour promener sur le monde un regard aussi amusé que serein. Par exemple, il ne se fait pas d'illusion sur la valeur — relative comme tout ce qui est humain — de la science qu'il enseigne. C'est d'ailleurs un philosophe (Commerson) qui a finement écrit:

«La philosophie a ceci d'utile qu'elle sert à nous consoler de son inutilité.»

Et Claude Roy enchaînait dans la même veine:

«Nous avons le privilège d'être le peuple le plus riche en écriveurs, écrivistes, écri-vents, écrivoques, écritiques, écrivagues et autres écrimoires.»

* * *

Une des prétentions courantes des philosophes, qui se croient le sel de la terre et la lumière du monde, est de dépasser la superficialité des opinions populaires et d'aller au fond des choses. Mais, comme disait Cocteau:

«À force d'aller au fond des choses, on y reste!»

C'est sans doute une des raisons qui poussaient le grand Pascal à croire que:

«Se moquer de la philosophie, c'est vraiment philosopher!»

* * *

La philosophie donne-t-elle le bonheur? Sans doute pas toute seule. Mais elle a au moins le mérite de permettre à l'homme d'être malheureux intelligemment.

* * *

«Si j'avais une province à punir, je la ferais gouverner par des philosophes.»

Frédéric II

* * *

«Quand tu bois de l'eau, pense à la source.»

Proverbe oriental

* * *

«Les philosophes sont des hommes qui d'ordinaire préfèrent une absurdité qu'ils inventent à une vérité que tout le monde admet!»

Condillac

* * *

«Quand un homme parle à un autre homme qui ne le comprend pas et que le premier qui parle ne comprend plus... c'est de la métaphysique!»

Voltaire

* * *

«Quand un philosophe répond à une question, on ne comprend plus ce qu'on lui avait demandé!»

André Gide

* * *

«Pourquoi apprendre puisque c'est dans les livres?»

Un étudiant

* * *

«Il y a plus de philosophie dans une bouteille de vin que dans tous les livres.»

Pasteur

Autrement dit, si vous voulez tout savoir, saoulez-vous la gueule!

* * *

«Un métaphysicien est un aveugle cherchant dans une chambre noire un chapeau noir qui ne s'y trouve pas.»

Ambrose Pierce

* * *

«Le monde est divisé en deux camps: les spécialistes, qui connaissent tout sur rien, et les philosophes, qui connaissent rien sur tout!»

Professeur Mondor

* * *

«Cherchez les effets et les causes,
Disent des rêveurs moroses.
Des mots! Des mots! Cueillons les roses...»

Théodore de Banville

* * *

Que tout cela ne vous détourne pas du devoir de penser... mais restez toujours en deçà du suicide!

Vérités vérifiées

C'était une actrice pulpeuse, belle comme il n'est pas permis, avec une poitrine de paradis perdu, la fesse causante, une démarche et une voix ovariotoniques qui étaient une attaque directe à la vertu des mâles et une invitation pressante à la paternité. Elle sortait d'un restaurant, par un somptueux jour d'été, légère et court-vêtue, ignorant superbement les désirs qu'elle semait en abondance dans le sillon de son passage parmi les pauvres hommes. C'était pas une femme, c'était une symphonie en rut majeur! La regardant passer d'un œil lascif, mon camarade me glissa à l'oreille:

«Regarde la belle nuit qui passe!»

* * *

La vertu des hommes devient rigide... quand le reste ne l'est plus.

* * *

Les dames du monde ne courent pas les rues... elles préfèrent les garçonnières.

* * *

Au fait, pourquoi appelle-t-on ça des garçonnières? Ne sont-ce pas plutôt des fillères?

* * *

Il n'y a pas de fardeau plus lourd qu'une femme légère.

* * *

Ce qui fait la force d'attraction irrésistible de la femme, c'est qu'elle a une chose de moins que l'homme... et deux de plus que lui.

* * *

Quand une femme couche seule, c'est une honte pour tous les hommes.

* * *

Ma tante Zélia était une femme pudique. Quand il était question devant elle des joies folles de l'amour, elle disait:

«Ces choses-là, ça se dit pas tout haut, ça se fait tout bas!»

* * *

Les jambes des femmes, c'est pour faire marcher... les hommes.

* * *

Il y a des jours où je suis prêt à tout donner... et à tout prendre.

* * *

Pour un homosexuel orthodoxe, un don Juan est une tapette invertie.

* * *

Le lit est l'endroit le plus dangereux du monde: La plupart des gens y meurent.

* * *

Quand une femme vous a donné son numéro de téléphone, elle vous a déjà au bout de sa ligne!

Tire-bouchonnage

Étymologiquement, sympathiser veut dire souffrir avec.

J'avoue que j'ai moralement souffert avec M. Sean Hickey, un Anglais, quand j'ai appris qu'il avait été victime d'un ratage peu banal puisqu'il s'agit de sa circoncision...

Selon l'agence France-Presse, le pauvre homme, depuis son opération, souffre d'un handicap affreux: Chaque fois qu'il entreprend d'administrer le sacrement du plaisir à son épouse, son bras de transmission de la vie se «tire-bouchonne» et il ressent d'énormes souffrances, à un point tel qu'il a dû réduire à quatre seulement le nombre de ses essais amoureux pendant toute l'année. C'est pas avec ça qu'on rassasie une libido!

Ne venez pas me raconter que tout est dans la tête. Surtout pas vous, mesdames, à qui je refuse le droit de dire un seul mot là-dessus parce que vous ne savez rien des affres que doit endurer un mâle obligé de fonctionner conjugalement dans des conditions pareilles. C'est proprement le martyre!

Ce pauvre Anglais n'a reçu que 8 500 dollars en dommages et intérêts pour cette pseudo-circoncision. Un Israélite aurait obtenu plus que cela.

Pedibus cum jambis

C'est rendu qu'on assure tout. L'assurance est devenue une sorte de sacrement économique. On ne peut plus s'en passer.

On assure la vie, les salaires, les maisons, les autos, les manteaux... Il n'y a que la vertu qui n'est pas assurable. Ça serait un trop gros risque.

N'est-il pas jusqu'aux membres de votre personne que vous pouvez, moyennant espèces, protéger contre les hasards néfastes de la vie? L'historiquement célèbre Marlène Dietrich, qui avait des pattes à faire loucher le bon Dieu, a été elle-même étonnée de ce qu'elles valaient quand elle a vu le prix que sa compagnie de cinéma payait pour elles! Betty Gable aussi, beauté du diable des années cinquante, marchait avec des jambes évaluées à des millions.

Mais ces somptueuses dames du monde avaient beau porter dans leurs bas des attraits irrésistibles, ce n'était que de la petite bière à côté des belles grosses cuisses musclées et vigoureuses d'une gazelle du losange nommée Tim Raines. Allez donc vous rhabiller, mesdames! Quel que soit votre empattement, pas une ne peut passer du premier au deuxième but aussi vite que le beau Tim. Il peut même voler votre *home* si vous le provoquez!

Les menteurs

«**O**mnis *homo mendax*» (Tous les hommes sont menteurs), dit le psaume 115. Seules les femmes ne mentent pas. Elle préfèrent farder la vérité. J'ai bien envie de le leur reprocher d'ailleurs car pourquoi farder la vérité quand elle est si belle toute nue?

Un vieux paysan m'a déjà dit d'un de ses ennemis intimes:

«Il est assez menteur qu'on ne peut même pas croire
le contraire de ce qu'il dit! Le mensonge est sa langue
maternelle. Il finira sûrement au Parlement.»

Il n'avait peut-être pas tort, le vieux, car avez-vous remarqué que dans le mot *Parlement* il y a *parle* et *ment*. Le chancelier Bismarck n'a-t-il pas dit:

«On ne ment jamais autant que pendant les élections,
pendant une guerre et après une partie de golf.»

Il faut le croire car il était lui-même un menteur du meilleur cru (si on peut dire...)

Il est permis de violer la vérité à condition de lui faire de beaux enfants. Car il y a de beaux mensonges. On dit même qu'il y en a de pieux. Dans sa comédie *La jalousie*, Sacha fait dire à un de ses personnages:

«Le mensonge est un des fondements du bonheur,
qu'il soit pieux ou non, car il n'y a que ce qu'on sait
qui fait mal.»

Ce n'est pas pour rien que le proverbe dit que toute vérité n'est pas bonne à dire. D'ailleurs, il y a quelquefois tant de parenté entre le mensonge et la vérité qu'on ne peut plus les distinguer l'un de l'autre. Si les mensonges sont dangereux, c'est justement parce qu'ils contiennent de la vérité. Il y a tant de vérités qui mentent, pourquoi n'y aurait-il pas des mensonges qui disent vrai? Quelle différence y a-t-il, je vous le demande, entre une demi-vérité et un demi-mensonge?

L'embêtant, c'est que s'il est facile de faire un mensonge il est difficile de n'en faire qu'un. On a beau prétendre qu'un mensonge fait au bon moment en sauve dix, il reste qu'il faut une sacrée bonne mémoire pour réussir dans cette carrière. Il n'y a vraiment que les professionnels qui peuvent y arriver, les ambassadeurs, par exemple. Ils sont tellement habitués à déguiser le vrai que Talleyrand, le plus efficacement fourbe de tous, avait développé une méthode originale dans ses relations avec ses collègues des autres pays: le cynisme de la franchise. Quand il voulait rouler ses adversaires, il leur disait la vérité, sûr qu'il était qu'ils croiraient le contraire... Et ça marchait à tout coup. On pourrait dire la même chose des espions. Eux, ils sont les soldats du mensonge. Pour eux, le mensonge est plus qu'une profession, il est une arme.

Pour d'autres, c'est plus qu'une arme, c'est une philosophie. Selon eux, il est immoral d'abuser de la vérité. Tristan Bernard est de ceux-là:

«La vérité est la chose la plus précieuse que nous ayons: Économisons-la!»

C'est pourquoi il y a tant de sortes de menteurs. Il y en a tout un arc-en-ciel:

«Il y a, dit François de Croissel, autant de variétés de menteurs que d'espèces de papillons. Il y a l'homme qui ment parce qu'il est bien élevé; celui-là est homme du monde. Il y a l'homme qui ment pour amuser les autres; celui-là est poète. Il y a l'homme qui ment par devoir; celui-là est un saint. Il y a l'homme qui ment par intérêt, par égoïsme ou par lâcheté; celui-là est un mufle. Il y a l'homme qui ment pour le plaisir de mentir; celui-là est un menteur. Enfin, il y a l'homme qui ment aux femmes; celui-là ne ment pas... il se rembourse!»

Avenir

Saviez-vous qu'il existe une telle chose que la science de l'avenir? Elle s'appelle la futurologie. D'autres la nomment prospective. Il y a donc parmi nous des historiens... du futur.

Cette profession n'est pas facile car, comme dit l'autre:
«Il est difficile de prédire quoi que ce soit... surtout l'avenir!»

Il est intéressant de savoir ce qu'en ont pensé les hommes. J'ai cherché un peu et j'ai trouvé ceci.

* * *

«Si l'avenir appartient à personne, à quoi sert-il d'en avoir un?»

Albert Brie

* * *

«Je n'ai pas de passé, le présent m'échappe et l'avenir m'est interdit.»

Un blasé

* * *

«Demain, c'est la grande chose.
De quoi demain sera-t-il fait?
L'homme aujourd'hui sème la cause.
Demain, Dieu fait mûrir l'effet.»

Victor Hugo

* * *

«Le passé est mort, vive l'avenir!»

* * *

«Il importe beaucoup moins de connaître qui était mon grand-père que de savoir ce que sera mon petit-fils.»

Abraham Lincoln

* * *

«L'avenir, tu peux toujours courir après... parce que ça recule tout le temps!»

Georges Dor

* * *

«Qui voudrait vivre... s'il connaissait l'avenir?»

George Elgozy

* * *

«Je ne veux pas connaître l'avenir, je veux seulement savoir si j'en ai un!»

* * *

«J'ai beaucoup mieux à faire que m'inquiéter de l'avenir: J'ai à le préparer.»

Félix-Antoine Savard

* * *

«Pour être prophète, il suffit d'être pessimiste.»

Elsa Triolet

* * *

«Le passé est mort, l'avenir n'est pas né et le présent n'en a pas pour longtemps!»

Albert Brie

* * *

«L'avenir n'est plus ce qu'il était.»

Paul Valéry

* * *

«Il ne faut pas aborder l'avenir en regardant dans le rétroviseur.»

Marshall McLuhan

* * *

L'avenir commence aujourd'hui.

* * *

«Je ne veux pas mourir avant d'avoir vu l'avenir.»

Gilbert Langevin

* * *

«Le passé et l'avenir sont pour nous une double source de bonheur: Le premier nous donne le souvenir et l'autre l'espérance.»

Sénèque

Éprouvette

Robert Rocca est un chansonnier français flambant d'esprit qui fait la joie des Parisiens et des touristes depuis un bon quart de siècle. On lui doit des poèmes fumants, dont celui-ci qui parle de l'inquiétante origine possible des enfants de demain:

«Bocal

Le savant Petrucci, professeur italien,
Est l'auteur d'un exploit que l'on juge infernal.
Sous ses soins attentifs, un embryon humain
A pu vivre deux mois dans le creux d'un bocal.
Devant cette expérience, on se voile la face:
L'enfant sans père né hors du sein maternel
Se serait retrouvé, pour sa double disgrâce,
Bébé artificiel et enfant naturel!

Mais qu'aurait-il été, ce nourrisson des sciences?
Ouvrier chez Renault, prince, avocat, bistrot?
Ou bien nouveau Rocca? Par Dieu! quelle impudence!
Deux Rocca dans un siècle! Ah! non, ça ferait trop!
J'aime mieux lui voir vivre une simple existence
Avec femme et enfants puis, traînant sa smala,
Pour un pèlerinage au lieu de sa naissance,
Montrer son éprouvette en disant: ‹C'était là!›

Et la science faisant des progrès remarquables,
Nous pourrons commander et leur poids et leur sexe.
Et quand ils sortiront de leur verre incassable,
Dalida chantera *Les enfants du pyrex*!

Puis, ayant maîtrisé la prédestination,
On créera les futurs grands hommes à volonté.
Les futurs imbéciles aussi, et nous aurons
Le mélange harmonieux qu'il faut aux sociétés.

Et les politiciens, pour régner plus tranquilles,
Voudront que le pays conserve constamment
Le même contingent d'idiots et d'imbéciles,
C'est-à-dire à peu près autant qu'en ce moment!

Moralistes, penseurs et religieux s'émeuvent,
Car si tous les enfants doivent naître demain

Dans le creux d'un bocal, ah! ce serait la fin
D'un vieil artisanat qui fit longtemps ses preuves.»

C'est pas beau, ça?

Paris

Outre les parfums de Rome, il y a les odeurs de Paris. Pour le plaisir douteux de faire un mot, un sombre imbécile d'intellectuel a dit un jour:
«Comme la France serait agréable s'il n'y avait pas les Français!»
Non mais, faut-il être stupide! Comme si c'était pas les Français qui l'ont faite, la France!
Qu'est-ce que vous penseriez, vous, si un étranger venait vous dire chez vous:
«Comme le Québec serait plaisant s'il n'y avait pas les Québécois!»
Vous auriez une furieuse envie de l'envoyer aux toilettes, n'est-ce pas? Et avec raison. Non mais, c'est vrai, on n'a pas le droit de généraliser comme ça et de mettre au débit de toute une nation les bêtises qu'ont pu commettre quelques-uns de ses enfants. Des caves, il y en a partout, chez nous autant qu'ailleurs et ailleurs autant que chez nous, et aucun peuple n'a le monopole du charme.
Toutes les capitales du monde ont quelque chose d'attachant mais Paris, c'est plus qu'une capitale nationale. Pour moi, c'est, comme le chantait la Misstinguett, «la reine du monde». Si chaque pays a ses étoiles, la France, elle, est une constellation. Paris est inépuisable; on n'a jamais fini de le découvrir. Dommage qu'il se trouve tant de nouveaux riches qui n'y vont que pour l'ignorer de plus près.
Je ne connais pas de peuple au monde qui sache mieux rire de lui-même. L'esprit de Paris, c'est son plus beau monument historique. Paul Morand, devant qui quelqu'un

exprimait l'opinion que sa ville était aussi la capitale de la mode, eut ce mot charmant:

«Ah! Paris... où tant de femmes se déshabillent sans aimer et où tant d'hommes aiment sans se déshabiller!»

Anatomie et logique féminines

Vous n'êtes pas sans savoir, à peu près comme moi, que chaque partie du cerveau humain est le siège d'une fonction spécifique de l'intelligence. Ainsi, le centre de la parole se situe à un endroit bien précis et celui de la mémoire est de l'autre côté. Mais il est scientifiquement probable que chez les femmes la logique n'occupe pas la même case que l'amour.

Un jour, une très jolie femme — mais alors là très jolie: regard d'une gourmandise perverse, poitrine de choc, bouche ventouse et tout, et tout — se présente au bureau de son avocat, grand spécialiste des questions matrimoniales qui la connaissait déjà pour l'avoir souvent rencontrée dans les cocktails. Elle lui dit, comme ça, à brûle-pourpoint:

— Maître, je veux divorcer.

— Mais pourquoi donc? s'enquiert l'homme de loi. Vous m'avez toujours semblé parfaitement heureuse. Car vous êtes heureuse, n'est-ce pas?

— Oui, je le suis, mais j'ai l'impression que mon mari me trompe.

— En avez-vous des preuves tangibles? demande le conseiller.

— Aucune mais, voyez-vous, je ne crois pas qu'il soit le père de mon dernier enfant!

Cœurs saignants

Vous arrive-t-il, des fois, de lire les courriers du cœur? Si vous ne le faites pas, vous ne savez pas ce que vous perdez. Vous y trouveriez des propos jouissifs. Entre autres bonheurs, vous auriez celui de constater que le comique va se nicher parfois jusque dans la tragédie.

Je ne me permettrais jamais la cruauté de mépriser les chagrins très réels qu'y étalent avec une étonnante naïveté des personnes aux prises avec des problèmes vraiment sérieux. À défaut de pouvoir apporter quelque soulagement aux malheurs des gens, il faut savoir les respecter.

Mais à côté de ces tristesses, il y a de monumentales drôleries qui ne peuvent échapper au rire énorme qu'elles méritent. Exemple, cette correspondante qui écrivait à la responsable du courrier sentimental d'un grand journal:

«Madame, mon mari s'éloigne de moi; connaissez-vous un moyen d'accélérer les choses?»

Casse-langue

Avoir la langue bien pendue, ça veut dire, dans l'esprit de la plupart des gens, avoir une tendance marquée pour le placotage, les paroles inutiles, les propos oiseux, bref, l'ânonnage qui fait les conversations vides. Mais ça veut dire aussi avoir la langue souple, déliée et capable d'articuler facilement des suites de mots difficiles.

Il y a des exercices pour cela. Je vous en soumets quelques-uns pour que vous puissiez vérifier par vous-mêmes — et devant les autres de préférence, c'est plus drôle — votre aptitude à surmonter victorieusement les difficultés de la langue française. C'est une gymnastique mentale et musculaire absolument rigolote. Essayez, vous allez voir.

Poisson sans boisson est poison.

Didon dîna, dit-on, du dos d'un dodu dindon.

Pourquoi t'es-tu tu quand tout était éteint?

Si huit fruits cuits lui nuisent, donnez-lui huit fruits crus.

Chasseurs, sachez chasser sans chien, car un bon chasseur sait chasser sans son chien.

Ces cyprès sont si loin qu'on ne sait si c'en sont.

Si ces six sangsues sont sur son sein sans sucer son sang, ces six sangsues sont sans succès.

«Pour qui sont ces serpents qui sifflent sur vos têtes?» (Racine, *Andromaque*)

Où, Hugo, juchera-t-on ton nom?

Rendu justice enfin que ne t'a-t-on?

Quand donc, au corps qu'académique on nomme,

De roc en roc grimperas-tu, rare homme?

Trois gros rats gris dans trois gros trous très creux.

Petit pot de beurre, quand te dépetit-pot-de-beurreriseras-tu? Je me dépetit-pot-de-beurreriserai quand tous les petits pots de beurre se dépetit-pot-de-beurreriseront.

Chat vit rôt, rôt tenta chat, chat mit patte à rôt, rôt brûla patte à chat.

Six cents sous, c'est six cents soucis. Cécile aussitôt s'en soucie, saisissant les six cents soucis fait: «Voici ces six cents soucis.» Songeant, sans sous, à tout ceci, Cécile a cent soucis.

Ton thé t'a-t-il ôté ta toux? Oui, mon thé m'a ôté ma toux.

Tas de riz, tas de rats. Tas de riz tentant, tas de rats tentés. Tas de rats tentés tâtèrent tas de riz tentant.

Pie a haut nid, caille a bas nid, coucou n'a ni haut nid ni bas nid.

Alors? Vous y êtes arrivés? Si vous avez réussi, vous êtes mûrs pour entrer à l'Union des artistes, section dramatique. Vous en verrez bien d'autres!

L'enfer

«L'enfer, c'est les autres!»
Jean-Paul Sartre

Ne serait-ce que pour inciter ceux qui n'ont pas la conscience tranquille à faire un effort pour la redresser, la crainte de l'enfer serait peut-être un bienfait. La peur du châtiment n'est-elle pas souvent le commencement de la sagesse?

Mais s'il fallait que ce fût vrai pour de vrai, alors là, mes enfants, ça serait moins drôle. Les curés m'ont assez terrorisé avec ça, quand j'étais jeune et que je les entendais fulminer du haut de la chaire et vouer à la peine du feu éternel ma chair coupable de quelques frissons défendus — moi qui ai la peau si sensible! — que j'en mourais de peur.

J'entends encore la voix coléreuse d'un père rédemptoriste évoquer avec un pieux sadisme devant nos jeunes âmes l'image du diable avec sa grande fourche qui nous catapulterait dans sa fournaise ou de la maudite horloge dont le pendule oscillait macabrement entre le «toujours» et le «jamais». Toujours souffrir, jamais sortir!... Et puis, il y avait aussi la fameuse et hallucinante comparaison:

«Imaginez, mes frères, une hirondelle qui viendrait, à tous les 100 milliards d'années, frôler la Terre de son aile. Eh bien, quand la Terre serait toute usée, l'éternité de la damnation ne serait même pas commencée!»

Faisant écho à cette apocalypse, Léon Bloy écrivait, dans *Le désespéré*:

«La plus intime essence du feu sera tirée de l'actif noyau des astres les plus énormes pour une inconcevable flagrance de tortures qui n'auront jamais de fin.»

À croire que notre Père qui est aux cieux n'est qu'un tortionnaire de ses créatures et un entrepreneur en barbecue. Quand j'y pense, j'en ai des tremblements rétroactifs.

Je sais bien que la sainte Église a aujourd'hui relégué au panthéon des délires humains cet arsenal terroriste de la prédication ancienne, mais il reste que cette rhétorique endiablée nous a traumatisés en maudit!

Heureusement que la pastorale contemporaine a changé de thème et de ton. L'éloquence sacrée a abandonné ces méthodes d'épouvante pour, à la place, nous parler d'amour. Dieu n'est plus le grand inquisiteur qui n'attend que notre mort pour nous passer à la rôtissoire, il est redevenu le bon pasteur qui a aimé ses brebis — même ses moutons noirs — jusqu'à mourir pour leur salut. Ça me rassure. Ça m'aurait surpris aussi qu'il n'ait pas finalement le dessus sur le diable!

On raconte dans les milieux littéraires français une histoire charmante qui me vaccine définitivement contre le désespoir. Il paraît que le célèbre écrivain André Gide, dont on connaît la moralité discutée et la vie personnelle tourmentée par le démon de la luxure, a demandé à saint Pierre, tout de suite après son jugement, la permission d'envoyer à Paul Claudel, son collègue terrestre et ennemi intime, un télégramme qui se lisait comme suit:

«MON CHER PAUL - STOP - ENFER N'EXISTE PAS - STOP - PRIÈRE AVERTIR MAURIAC.»

Éloge de la paresse

> «Le travail, c'est sacré: Faut pas toucher à ça!»
> Absalon Veilleux,
> poète et paysan beauceron

C'est bien beau disserter sur le travail avec des airs de professeur de morale qui parle *ex cathedra* du devoir des autres, mais il ne faut pas oublier non plus que pour être heureux dans cette vallée de larmes que le bon Dieu nous a laissée en partage en attendant l'éternité, la meilleure recette est de sourire aux gens et aux choses.

Dans cette perspective, me reviennent à l'esprit de jolis mots que l'humour des hommes les a amenés à commettre sur le travail et sur sa petite sœur de lait, la paresse. Je vous en offre quelques-uns. Faites-leur l'aumône d'un sourire, ça vous fera du bien.

* * *

«Le travail, c'est la santé. Moins on travaille, mieux on se porte.»

* * *

«Le travail tue. Or, le commandement dit: ‹Tu ne tueras point!»

* * *

«Moi, j'adore le travail. La preuve: Je peux regarder un homme travailler pendant des heures!»

Tristan Bernard

* * *

«Il y a des gens qui ne savent pas perdre leur temps tout seuls; ils sont le fléau des gens occupés.»

Louis de Bonald

* * *

«Le paresseux est un homme qui ne sait pas faire semblant de travailler.»

Un ouvrier corse

* * *

«Chez nous, à Marseille, le travail est un plaisir. Et le plaisir, c'est tout un travail!»

Fernandel

* * *

«Le vrai plaisir n'est pas de n'avoir rien à faire, mais d'avoir du travail et de ne pas le faire!»

Marcel Achard

* * *

«Le travail... le travail... C'est pas un métier, ça!»

Le *Canard enchaîné*

* * *

«Travailler quand on ne sait rien faire, c'est prendre la place d'un autre: C'est immoral!»

Michel Chartrand

* * *

«Il y a des gens qui non seulement ne font rien mais qui le font mal. C'est à vous dégoûter de la paresse.»

Jacques Normand

* * *

«L'homme qui s'assoit sur ses lauriers les porte au mauvais endroit.»

Guy Fournier

* * *

«L'ennui dans la vie, c'est que la moindre initiative dégénère en travail!»

Un ministre des Loisirs

* * *

«La preuve que le travail n'est pas naturel, c'est qu'il fatigue!»

Un chanoine prébendé

* * *

«La cause de tous les malheurs du monde est qu'il y a trop de travailleurs qui ne pensent pas et trop de penseurs qui ne travaillent pas.»

Karl Marx

* * *

«Fendez vous-même votre bois, il vous réchauffera deux fois.»

Nikita Khrouchtchev

* * *

Je laisse le dernier mot à ma camarade Edwige Feuillère: «Le secret du bonheur, c'est de n'avoir jamais le temps de se demander si l'on est heureux.»

Qui osera prétendre, après tout cela, que la paresse n'est pas aussi une vertu?

Théâtre d'été

Je ne reconnaîtrai désormais pour maîtres que ceux qui contribueront par leurs propos ou leur exemple à me faire prendre la vie par le bon bout. Il n'y a qu'une façon de m'empêcher de pleurer devant le spectacle navrant de la bêtise universelle, c'est de m'en faire rire.

Balzac parlait de la vie comme d'une comédie humaine. Il avait bien raison. C'est ainsi qu'on a pu affirmer avec vérité:

«Tout le monde est comédien... sauf quelques acteurs.»

L'âge n'a rien à voir dans l'affaire. On peut être imbécile à n'importe quel âge de sa vie. Il est bien connu que les vieux fous sont plus fous que les jeunes. D'ailleurs, la vieillesse, ça n'existe presque plus de nos jours. C'est quand l'âme commence à prendre du ventre que le corps est à la veille de crever.

Heureusement que, entre la vie et la mort, il y a quand même quelques bons moments. De ceux-là, les meilleurs sont ceux que procure l'amour, car l'amour est une maladie sans laquelle on ne se porte pas bien! Il ne faut pas s'étonner qu'au banquet du plaisir tant de gens se rendent, même sans invitation. Dans la vie, les hommes chassent... parce qu'ils ont un fusil, et les femmes pêchent... parce qu'elles ont une ligne; et c'est très bien ainsi!

Un soir, mon camarade Jacques Normand, qui est à lui seul un diamant d'humour, assistait à une pièce de théâtre dans laquelle jouait notre admirable Monique Miller. Il n'a pu s'empêcher de lui faire parvenir à l'entracte un billet ainsi rédigé:

«Quand on vous voit, on vous aime. Quand on vous aime, on vous voit... où?»

Je n'ai pas su la suite de l'histoire, mais Monique est toujours belle et Jacques a toujours de l'esprit. Et si on les aime tant tous les deux, c'est que Monique sait donner de la vérité au sourire et que Jacques sait donner un sourire à la vérité.

L'hygiène du rire

Molière, qui était sans contredit le maître des maîtres en la matière, a dit:

«C'est une étrange entreprise que de faire rire les honnêtes gens.»

On peut ajouter que c'est aussi une des plus nobles et des plus valables qui soient.

Qu'est-ce que le rire, au fond, sinon le signe d'un bonheur? Y a-t-il plus belle chose au monde que de voir un visage humain s'éclairer d'un sourire ou s'illuminer d'un bon rire sain? On dirait la joie qui éclate, le bonheur qui fuse, la bonne humeur qui jaillit, la santé qui resplendit. Le rire est l'hygiène de l'âme.

Pensez un instant à vos enfants, par exemple. Y a-t-il un sentiment plus chaud à votre cœur que de voir leur intense joie de vivre s'exprimer dans un rire clair, spontané, pur et beau? Le rire des enfants est l'image sonore de ce qui fait leur charme le plus touchant: leur insouciante liberté. Qui, ayant une âme saine, peut résister à cette grâce qu'est le rire d'un enfant? Qui peut s'empêcher d'admirer avec une tendre affection ce délicieux poème qu'est leur vie? Jésus n'a-t-il pas dit qu'il faut devenir comme eux pour entrer dans le royaume des cieux...

Signe sensible de la joie, le rire a, je pense, une fonction sociale de première grandeur: rendre les hommes heureux, si brièvement que ce soit. Prenez un groupe d'hommes et de femmes. Quels que soient leur âge, leur statut social, leur degré de culture ou de richesse, leurs divergences politiques, faites-les rire et vous les retrouverez tous unis dans une même joie. Le rire a une fonction hygiénique: Il rend le bonheur contagieux.

Le rire est une charité. C'est presque toujours un peu de l'amour qui s'épanche dans le rire. Et l'humanité doit rendre hommage à tous les hommes et à toutes les femmes qui élèvent leur rire au-dessus de la matière, c'est-à-dire, précisément, à la hauteur de l'esprit.

E. W. Wilcox avait raison de dire, en quelques mots
devenus célèbres à force de vérité:
«Riez et le monde rira avec vous;
Pleurez... et vous pleurerez seul.»

Mae oui!

Il y a des femmes sur terre pour qui le plaisir est, plus
qu'un agrément, une vocation. Bénies des dieux dès leur
naissance, ayant eu une fée pour se pencher sur leur berceau, la vie pour elles est une sorte de terre promise dont
elles sont parvenues à faire un paradis terrestre où pas un
fruit n'est défendu. Heureuses créatures! Au lieu de laisser
leur âme en proie à la maladive obsession du péché, elles ont
subtilement domestiqué ce dernier... au point d'en faire un
art d'agrément.

Cela paraît d'ailleurs jusque dans leur visage. Elles ar-
borent en général une carnation splendide, des yeux discrètement pervers, une bouche rieuse et gourmande, une poitrine
d'avant-garde qui n'a pas froid aux yeux et le reste à l'avenant,
c'est-à-dire en offrande. Elles sont heureuses de tout le
bonheur qu'elles consomment et sans doute aussi de tout celui
qu'elles donnent. Car l'économie du bonheur est régie par une
loi merveilleuse: Plus on en donne, plus on en a. C'est la seule
chose sur terre qu'on multiplie en la divisant!

La célèbre Mae West, une contemporaine de Roger Baulu,
était une comédienne de choc dont on ne compte plus les ravages. Aux mâles de sa génération, dont elle était ostensiblement friande, elle apportait, avec sa gouaille légendaire, une
joie de vivre irrésistible. Elle était généreuse et jamais avare de
sa personne. Elle pratiquait avec une ferveur quasi mis-
sionnaire une sorte de bénévolat du plaisir qui était une des
formes les plus exquises en même temps que les plus imprévues de l'amour du prochain de tous les âges. À ce sujet,
justement, un journaliste lui faisait remarquer que ses amou-

reux étaient plutôt jeunes. Il s'est fait répondre par la plantureuse diva:

«Monsieur, ce qui compte pour moi, ce ne sont pas les hommes dans ma vie, c'est la vie dans mes hommes!»

Je l'ai toujours dit: La jeunesse est un état d'âme.

Même les dieux...

En matière de mœurs sexuelles, les Latins et les Anglo-Saxons sont aussi différents que le jour et la nuit. En Angleterre, une aventure galante d'un ministre est un drame, tandis qu'en France elle est un vaudeville! On en rit et on passe aux choses sérieuses. Tout le monde est cocu, m'a dit mon psychologue, comme tout le monde est fou: C'est une question de degré. Ces incidents de parcours sont monnaie courante depuis le commencement du monde et ils remplissent l'histoire du genre humain depuis un temps immémorial. Même les dieux se cocufiaient en plein Olympe. Alors, vous pensez, les hommes!

Toutes les sociologies de l'amour sont là pour affirmer avec une unanimité touchante que le cocuage a toujours été un sport caché, contrairement au mariage, son frère ennemi qui, lui, fort de l'honorabilité dont l'entoure généralement la société, s'affiche en public avec pompes et maximes. S'il y a tant d'époux qui tirent de la jambette en dehors du lit conjugal, c'est relativement simple à expliquer. Cela tient à ce que les hommes, qui font les lois sous la pression de la contrainte sociale, ne peuvent rien contre la nature humaine, dont les lois sont plus fortes que tous les contrats et dont les impératifs sont si puissants qu'ils bousculent sans vergogne les puritanismes en apparence les mieux établis. Si bien que les pays où le cocuage est le plus florissant sont justement ceux où les lois qui le défendent sont les plus sévères. Subtile revanche de l'amour, enfant de bohème qui tolère mal la bride et souffre encore moins bien le carcan.

Le plus comique dans l'affaire est le rôle attribué à la femme. La littérature et la tradition ont toujours eu tendance à en faire une créature de fidélité, sorte de Pénélope attachée à son homme, à ses petits et à ses chaudrons, bref, un être de vertu imperméable aux trahisons. Au fond, c'est plutôt bête comme affirmation. Car il n'est pas nécessaire d'être diplômé en mathématiques pour savoir que un et un font deux et que, quand un homme a une aventure avec une femme, il y a bien des chances qu'il y ait deux cocus dans l'affaire!

Vous me connaissez, je n'ai rien contre les dames. J'ai, au contraire, tout pour elles — y compris une miséricorde presque infinie pour leurs si agréables péchés. Mais je dois à la vérité et à la justice de dire qu'elles sont constamment sollicitées par les renouvellements de leurs désirs. Les bourreaux ne sont pas tous du même côté ni les victimes de l'autre. Les épouses infidèles mais honnêtes — c'est très compatible, oui, oui — vous diront qu'elles ont toujours fait la moitié du chemin qui les menait à l'infidélité. Car c'est faire la moitié du chemin que de ne pas se sauver quand le danger fond sur vous!

D'ailleurs, là-dessus, il ne faut pas se fier au témoignage des femmes franches. Sainte-Beuve l'a dit:

«Dans un monde faux, les femmes franches sont ce qu'il y a de plus trompeur!»

C'est pourquoi tant d'hommes qui mentent aux femmes ont l'impression qu'ils se remboursent. Le malheur, c'est que les hommes ne savent pas mentir. Ils ne savent pas farder la vérité avec l'élégance et la douceur que savent y mettre les femmes. Dommage! car le mensonge est parfois nécessaire. Comme dit un proverbe qui contient la sagesse des siècles, un mensonge bien fait en évite dix autres!

Ou alors on garde le silence, qui est d'or.

L'honnêteté

Il y a encore des cyniques qui croient que l'honnêteté n'existe pas et même que, de toute façon, elle ne paie pas. C'est voir l'humanité à travers le prisme d'un préjugé. Heureusement qu'il reste des gens honnêtes! Je crois même qu'ils constituent la majorité.

Raymond, un ami de la famille, passe à l'improviste un après-midi chez un copain à lui. Sans dire un mot, il tend à la femme de son ami un billet de 100 dollars sur lequel on voit la bonne bouille de feu Sir Robert Borden. Aussitôt, elle le fait entrer, lui sert un bon whisky, met un disque sur le gramophone et disparaît quelques instants pour revenir à peine couverte d'un déshabillé vertigineux et l'entraîner dare-dare vers la chambre à coucher, où la conversation se poursuit de la plus aimable façon.

Le soir, le mari rentre et demande à son épouse:

— Raymond est-il venu cet après-midi?

— Oui, répond-elle, avec une inquiétude rougissante mais quand même discrète.

— Eh bien! on peut dire qu'il est honnête au moins celui-là. Je l'ai rencontré dans la rue, ce matin, et il m'a emprunté 100 dollars en me promettant qu'il te les rapporterait dans l'après-midi.

Inceste

Une vieille fille d'excellente famille bourgeoise, catholique et obstinément vierge, possédait une superbe chatte. L'animal causait d'énormes soucis à sa maîtresse. Aux prises avec un problème apparemment insoluble, la vieille fille décida finalement de faire venir le vétérinaire chez elle.

— Je n'y comprends rien, ma petite minette n'arrête pas d'avoir des bébés. Pourtant, elle ne sort jamais, je vous le jure, docteur. Toute la journée, elle reste là, couchée à mes pieds, pendant que je tricote. Comment est-ce possible?

Le vétérinaire jette un coup d'œil dans la pièce et aperçoit tout à coup un superbe matou en train de se lisser les moustaches.

— Ne cherchez pas plus loin, mademoiselle, voilà le père des chatons.

— Mais, docteur, s'écrie la vieille fille, vous n'y pensez pas... c'est son frère!

Le monstre vert

Par quelle odieuse aberration du raisonnement humain a-t-on pu affirmer que la jalousie est une des formes de l'amour, alors qu'elle en est exactement l'antithèse et le poison?

La jalousie est une notion pervertie de la propriété privée, une sorte de capitalisme sentimental. Il y a des hommes qui sont jaloux de leur femme comme ils le seraient de leur brosse à dents. Ils veulent la posséder comme on possède un objet. Pour eux, comme pour un fameux personnage de Molière, «la femme est le potage de l'homme». La jalousie est l'avarice du cœur, l'indice d'un amour policier, une maladie mentale et sentimentale.

Et puis c'est stupide.

On est jaloux comme on peut. Les hommes, paraît-il, sont jaloux de ceux qui les ont précédés, alors que les femmes sont jalouses de celles qui les suivront. Ils sont tous aussi bêtes les uns que les autres. La jalousie est un vice inutile dont la propriété première est de ne jamais rien régler et de tout empoisonner. C'est pour cela que tous les jaloux sont de futurs cocus.

Les euphémismes féminins

C'est quand il s'agit de nommer les choses que les femmes nous sont le plus adorablement supérieures. Aucun homme ne sait comme elles éviter les brutalités du vocabulaire. Elles ont une façon de mettre des feuilles de vigne sur les mots qui tient du prodige. Les vocables les plus rudes et même les plus douteux prennent de la douceur en passant par leurs lèvres. Circonlocutions, périphrases, elles ont toute une garde-robe d'expressions pour habiller leur pensée et lui donner une teinte et une saveur civilisées.

Par exemple, une femme ne ronfle jamais, elle ronronne. Si elle boit du jus de la vigne un peu trop lourdement, elle n'est jamais ivre, elle est un peu grise. Un homme a un trou à sa chaussette; mais si la même chose se produit dans le bas de madame, c'est une maille qui a lâché. Une femme n'est jamais maigre ni grande, elle est svelte ou élancée. Elle n'est pas grasse, elle est un peu forte. Elle ne s'emporte pas, elle est un peu vive. Elle n'est pas bavarde, elle a un faible pour la conversation. Elle n'est pas avare, elle est économe. Elle n'est pas gourmande, elle est portée sur sa bouche...

Je vous le dis, les femmes ont le génie de l'euphémisme, tellement que quand elles nous sont infidèles, elles ne nous trompent pas... elles échangent du bonheur!

Le saint pognon

L'argent, ce bon serviteur mais si mauvais maître, a inspiré des bons mots.

Alexandre Breffort, un des as du merveilleux *Canard enchaîné*, cette gloire incontestée de la presse française, disait:
«On ne prête qu'aux riches. On a bien tort: Ils ne rendent jamais.»

* * *

Jules Renard, toujours philosophe dans son regard cynique sur l'humanité, a eu ce mot charmant de vérité:
«Ce qui distingue l'homme de la bête, ce sont les soucis d'argent!»

* * *

Jean-Claude Lisée, le garçon à mon oncle Ovila, a, dans un moment de lucidité admirable, laissé échapper ce mot qui mérite qu'on le retienne:
«L'argent fait pas le bonheur; faut se débarrasser de ça!»

* * *

Un humoriste polonais a écrit dans un journal de Varsovie:
«Les riches ont besoin des pauvres pour être plus riches qu'eux.»

* * *

«Ce n'est pas l'argent qui n'a pas d'odeur, c'est l'homme qui n'a pas d'odorat», a prétendu le plus grand dialoguiste du cinéma français, Henri Jeanson. Mais il s'est fait répondre par un loustic: «Oui mais, passé un million, ça sent bon!»

* * *

L'homme le plus riche du monde s'appelle Paul Getty. Un jour se présente chez lui un visiteur qu'il pressentait venu pour lui quémander du pognon. Avant même qu'il eût ouvert la bouche, le multimilliardaire lui dit:
«Demandez-moi tout ce que vous voudrez sauf de l'argent: C'est le seul souvenir que m'a laissé mon pauvre père!»

* * *

Michel Audiard, dont vous avez tous vu le nom au générique de plusieurs films, expliquait:
«Il y a trois moyens traditionnellement éprouvés pour perdre son argent: le jeu, le fisc et les femmes. Le jeu, c'est plus rapide; le fisc, c'est plus sûr; mais les femmes, c'est bien plus marrant!»

* * *

Il y a aussi les tapeurs professionnels, ceux qui empruntent à tant de personnes différentes qu'ils ne peuvent plus rendre. Jules Dépaquit était renommé parmi ceux-là. À un créancier qui lui réclamait son dû pour la troisième fois dans une lettre rédigée en termes particulièrement sévères, Dépaquit répondit par cette lettre inénarrable:

«Monsieur, votre insistance est inadmissible. J'ai donc décidé de vous imposer une sanction. J'ai coutume, tous les débuts de mois, de mettre les noms de mes créanciers dans un chapeau et d'en tirer un au sort: C'est celui-là que je règle. Étant donné votre attitude, j'ai le regret de vous annoncer que vous ne participerez pas au prochain tirage!»

Les sondages

On sonde de plus en plus les reins et les cœurs des gens. Les sondages se multiplient, telle une pollution, à tel point qu'à chaque jour qui passe vous risquez de vous faire demander au téléphone de répondre aux questions d'un interlocuteur invisible qui veut savoir quelle marque de savon vous utilisez, qu'est-ce que vous pensez des chances de Parizeau advenant une élection, si vous prenez la pilule contraceptive, et que sais-je encore. Il y a des entreprises qui ne vivent que de ça et qui passent l'année entière avec une sonde à la main.

Ce serait pour les citoyens un demi-mal, tout au plus un emmerdement parmi les autres que nous devons à la démocratie, si ces messieurs ne poussaient l'indiscrétion jusqu'à pénétrer, tels des violeurs de conscience, dans l'intimité de nos sentiments les plus personnels. On voit paraître de plus en plus de rapports d'enquêtes, scientifiques, prétend-on pour se dédouaner, sur le comportement sexuel. Il y a eu le *Rapport Kinsey* sur le comportement sexuel des hommes et, plus récemment, un autre sur le comportement sexuel des femmes. C'est le plus gros, mesdames.

On trouve toutes sortes de drôleries là-dedans. C'est pour ça que je les ai lus, en diagonale, vous avouerai-je, car c'est tout le long du pareil au même et, pour tout dire, d'un ennui puissant:

«La chair est triste, hélas, et j'ai lu tous les livres.»

J'ai tout de même relevé deux choses qui m'ont paru susceptibles de vous faire sourire. Une femme catholique à qui un sondeur demandait ce que représentait pour elle la fidélité lui a répondu:

«La fidélité est une forte démangeaison avec interdiction de se gratter.»

Une autre à qui on avait demandé ce qu'elle pensait de l'amour eut cette réponse déroutante:

«Je ne sais pas, monsieur, je n'ai jamais trompé mon mari!»

La femme adultère

Ce merveilleux Brassens chantait:
«Ne jetez pas la pierre
À la femme adultère
Car je suis derrière!»

Tout le monde sait que les femmes préfèrent les hommes qui les prennent sans les comprendre à ceux qui les comprennent sans les prendre. De l'existence de ce fait universellement admis est né l'adultère, qui est, avec le divorce, le complément direct du mariage, comme nous l'apprend la grammaire des relations conjugales. Mais il faut se méfier des grammaires, elles peuvent nous induire en erreur. J'y ai appris avec stupeur, par exemple, que l'amour est masculin au singulier mais que, au pluriel, il est féminin. Cela, à première vue, laisse supposer que les femmes sont plus infidèles que les hommes, chose que je n'admettrai jamais.

Il semble que, dans la vie de l'institution matrimoniale, l'adultère est devenu la règle, et la fidélité l'exception. S'il en reste qui n'ont pas encore tenté la chose, il n'y en a pas que la chose n'ait pas souvent tentés. La sagesse est peut-être de prendre ladite chose allégrement puisqu'on est pris pour vivre avec dans ce siècle débridé, où la foi et la morale courent de si grands dangers, comme dit toujours mon curé. Et même pourquoi ne pas la prendre avec humour? Telle cette épouse moderne que son mari, furieux de l'avoir surprise au plumart avec un inconnu, tançait de verte façon:

— Mais enfin, hurla-t-il, en faisant irruption inopinément dans la chambre nuptiale, c'est trop fort! Qui est cet individu?

Et la femme infidèle de répondre, en ramenant pudiquement le drap chiffonné sur son admirable sein nu:

— Mon mari a raison, monsieur, quel est votre nom?

Érotisme et récession économique

Vous ne voyez pas de lien entre les deux? Eh bien, vous allez en voir un!

S'il est une valeur honorée jusqu'à la vénération, dans nos grandes familles bourgeoises, c'est bien la respectabilité. On en a fait une sorte de sacrement social qui marque d'un caractère indélébile ceux que l'argent a propulsés aux plus hauts barreaux de la fameuse échelle sociale. Mais comme partout où il a des hommes il y a de l'hommerie, il arrive que, même dans les grandes familles bourgeoises, des choses étonnantes de verdeur se produisent.

Tenez, pas plus tard que la semaine dernière, un grand industriel montréalais, ému jusqu'au portefeuille par la précarité de la conjoncture économique, disait à sa femme:

— Chérie, tu sais, les affaires vont mal. La récession touche de plein front mon usine et je vais être dans l'obligation de faire des économies, sans quoi mon entreprise court le risque d'une faillite que notre nom et notre rang ne nous permettent pas d'envisager.

— Je veux bien, dit la dame, mais comment?

— J'ai une idée, ose le mari. Apprends à faire la cuisine et on pourra renvoyer la cuisinière.

— J'ai une idée encore meilleure, reprend la dame. Apprends à faire l'amour et on pourra renvoyer le chauffeur!

Les comédiennes

Personne ne joue mieux la comédie que les femmes. Croyez-moi, je suis du métier. On dirait que c'est dans leur nature. Et puis ça leur permet de mentir sans en être responsables puisque le théâtre n'est rien d'autre que du mensonge professionnel. On y est d'autant plus vrai qu'on y ment mieux.

Cela n'empêche pas nos consœurs d'être, elles aussi, cabotines, avec esprit quelquefois heureusement. Au cours d'une tournée, une jeune actrice qui possédait une poitrine de paradis perdu et des jambes de déesse grecque disait à son directeur de troupe, qui avait osé proférer devant elle certaines réserves sur son talent:

«Dans la nouvelle pièce que nous allons créer à la rentrée, j'ai un petit rôle. Je dis simplement: ‹Madame est servie.› Eh bien, quand je la prononcerai, cette petite phrase, vous verrez, tous les messieurs dans la salle prendront leurs jumelles pour mieux l'entendre!»

Et c'était vrai, si vrai que, à défaut de talent, elle jouait de tout le reste. Ses belles jambes, elle les avait légères et les louait volontiers aux hommes du monde, moyennant espèces. Et quand ceux-ci lui proposaient les derniers outrages, elles les prenait joyeusement pour des premiers égards. Un soir, elle s'était rendue au bureau de son metteur en scène pour se plaindre d'être mal payée:

— Enfin, lui dit-elle, est-ce que je ne vaux pas 50 dollars par soir?

— Si, lui répondit-il, mais après le spectacle!

Épuisement

Le béotien que je suis en matière picturale n'a jamais osé porter le moindre jugement de valeur sur une toile, de peur de dire des bêtises. Je me contente du silence, dont on dit d'ailleurs qu'il est en lui-même une opinion.

Il en va de même des livres. Il y en a qu'on dirait écrits exprès pour décourager les lecteurs qui auraient l'impudente envie de comprendre, c'est-à-dire de trouver un sens aux mots et aux phrases alignés sous leurs yeux. Certains auteurs modernes pratiquent un hermétisme systématique qui fait béer d'admiration les snobs, qu'un texte incompréhensible suffit à faire crier au chef-d'œuvre. Il avait bien raison celui qui a dit que la lecture est le seul vice impuni.

C'est tout de même un bonheur qu'il reste des lecteurs en ce siècle où l'image tend à détrôner l'écrit. Cela fit dire à notre chère Clémence Desrochers que nous vivons à l'époque de «l'idiot-visuel»!

Un jour, une cégépienne se présente chez un libraire et demande:

— Je voudrais avoir *Le jeune homme* de François Mauriac.

Elle fut très déçue qu'on lui réponde:

— Il est épuisé, mademoiselle.

Coquilles

(ATTENTION, TYPOGRAPHE, NE LAISSE PAS TOMBER LE Q!)

Quand dans un mot imprimé une simple lettre est omise, cela donne parfois des résultats du plus réjouissant effet. On appelle ça des coquilles. Le mot lui-même, d'ailleurs, s'y prête admirablement car si vous en faites sauter la troisième lettre, vous êtes en face d'une réalité drôlement différente de celle que vous vouliez nommer.

J'en ai relevé d'authentiques dans les journaux:

«M. et Mme L'Heureux et M. et Mme Bellemare font part du mariage de leurs enfants Xavière et Joseph, qui a eu lieu dans la plus *triste* intimité.»

* * *

«Ce soir à 20 h 00, dans le sous-bassement de l'église, le père Joncas, *dominicatin*. dirigera une conférence-forum sur le film *Le défroqué*.»

* * *

«La petite sainte Thérèse vécut toute sa vie dans la plus grande *humidité* puis mourut en odeur de *seinteté*.»

* * *

«La jeune femme avait eu des relations coupables dans un *bocal* appartenant à M. Loubier, qui le lui avait loué en toute bonne foi.»

* * *

«C'est juste, répliqua le juge, en se *merdant* les lèvres.»

* * *

«Le Conseil municipal, sur recommandation du chef des pompiers, a décidé d'installer une pompe dans le bas de la *fille*.»

* * *

«Au salon funéraire, à côté du cercueil, parmi les fleurs, se trouvait la liste de nombreuses offrandes de *fesses*.»

* * *

Lu, dans le courrier de Colette, ce conseil d'ordre vestimentaire:

«La mariée devra être en pâle le matin et *enfoncé* le soir.»

* * *

Vous avez tous vu, dans certaines églises, des chemins de croix dont chaque station porte le nom de celui qui en a fait don. C'est ainsi qu'on peut voir, dans une église de chez nous, les joyaux suivants:

«JÉSUS EST CONDAMNÉ À MORT
par le juge Belleau»

«JÉSUS DÉPOUILLÉ DE SES VÊTEMENTS par les Dames de Sainte-Anne»

Notre «*écrin de perles ignorées*»

Vous qui, comme moi, aimez l'admirable langue française, raffinée par des siècles d'usage par des centaines de millions d'être humains, cette langue riche, claire, subtile, savoureuse et colorée, vous serez sans doute heureux de constater qu'en plus d'être tout cela, elle est aussi une langue gaie. Elle porte l'humour comme une robe de mariée, tellement fière de sa logique qu'elle ne craint pas de laisser ses usagers la mettre en contradiction avec elle-même. On dirait qu'elle aime qu'on s'amuse avec elle:

Pourquoi dit-on *feu* untel alors qu'il est *éteint*?

Pourquoi dit-on que le pain *chaud* est *frais*?

Pourquoi dit-on indistinctement *embrasser* ou *épouser* une cause? Tout le monde sait que si on embrasse généralement ce que l'on épouse, on n'épouse pas toujours ce qu'on a embrassé.

Pourquoi, pour avoir de l'argent *devant* soi, faut-il commencer par en mettre *de côté*?

Pourquoi dit-on un *embarras* de voitures quand il y a trop de voitures et un *embarras* d'argent lorsqu'il n'y a pas assez d'argent?

Pourquoi appelle-t-on filles *perdues* celles qu'on trouve le plus facilement partout?

Pourquoi un angle *obtus* est-il un angle *ouvert*, et un esprit *obtus* un esprit *fermé*?

Quand on *coupe* le pain, il *diminue*; en revanche, quand on *coupe* le vin, il *augmente*.

C'est quand vous avez quelqu'un *dans le nez* que vous ne pouvez pas *le sentir*!

Pourquoi est-ce quand une chose vous *crève les yeux* que vous la *voyez* le mieux?

— Pourquoi? ai-je demandé à un linguiste.
— Parce que... m'a-t-il répondu.

Désillusion

Plus on attend de quelque chose, plus grande est la dé-
sillusion quand cette chose ne remplit pas les promesses de
notre espoir.

Ainsi en va-t-il de l'amour. Notre imagination l'idéalise,
mais la vie se charge de lui enlever son auréole. Heureusement, l'humour — sans lequel l'amour a la vie courte et
plate — a donné aux déceptions qu'il engendre un petit air
de santé qui les dédramatise et enlève du vinaigre à leur
amertune.

* * *

Pour l'académicien Victorien Sardou, créateur de la célèbre
Madame Sans-Gêne, l'amour se résume en quatre lignes:

«On s'enlace,
Puis un jour
On s'en lasse,
C'est l'amour!»

* * *

La pétulante Cécile Sorel lança, le jour de ses 93 ans:
«L'amour, pour moi, c'est bien simple: Je me suis
éprise; je me suis méprise; je me suis déprise!»

* * *

L'auteur du *Monde où l'on s'ennuie*, Édouard Pailleron,
affirmait:
«Le langage de l'amour? Les grands mots avant... les
petits mots pendant... les gros mots après!»

* * *

Sentimental et incurablement romantique, Paul Géraldy
observait:

«Quand elles nous aiment, ce n'est pas vraiment nous qu'elles aiment. Mais c'est bien nous, un beau matin, qu'elles n'aiment plus!»

* * *

À un journaliste qui lui demandait un jour s'il voyait une différence entre l'amitié et l'amour, Pierre Benoît répondit:
«Une différence énorme: du jour à la nuit!»
À sa place, qu'auriez-vous répondu?

Dits

L'Espagne a longtemps été le pays le plus catholique du monde... après le Québec! L'histoire nous décrit ses grandes reines, qui étaient des parangons de vertu sévère et ascétique.

Hélas, ce pays eut aussi ses moutonnes noires. Isabelle II était de celles-là. Femme opulente et joyeusement sensuelle, la présidence des réunions de son cabinet l'ennuyait royalement. Elle préférait de beaucoup s'intéresser de très près aux jeunes gens. Séduite par un musicien à peine sorti de l'enfance mais qu'elle avait dans les hormones, elle lui dit, un jour que sa passion pour l'art criait plus fort que sa conscience:
«J'adore votre musique... mais je suis un peu sourde. Approchez-vous donc, là, près de ma cuisse!»

* * *

Tout le monde croit connaître le fameux mot de Cambronne, mais tout le monde se trompe. Au général ennemi qui lui demandait de se rendre, ce n'est pas par le retentissant «Merde!» dont on a tant parlé que Cambronne, commandant de la garde impériale de Napoléon, a répondu. Il a eu une réplique beaucoup plus noble. En fait, il lui a crié, la voix grandie par l'élégance de son héroïsme:
«Monsieur, la garde meurt mais ne se rend pas!»

Il y a toujours des gens pour déformer l'histoire... et la rapetisser en histoires. Certains sont allés jusqu'à en violer la majesté en la rabaissant à de minables affaires d'alcôve. Bien pis, ils en profitent pour accrocher vicieusement au passage la réputation des femmes, qui pourtant n'ont rien à voir avec les avatars militaires. Ainsi, un dénommé Charles de Bernard, auteur obscur que je suis comme vous fier de ne pas connaître, s'est cru spirituel en parodiant le mot de Cambronne comme suit:

«Au contraire de la garde impériale, les femmes se rendent et n'en meurent pas!»

Beau fin! Qu'il aille donc se rhabiller dans les coulisses de l'histoire. Personne ne sait plus qui il est... ni même s'il a été.

Aménités

Pour être fixé sur ce que nous sommes et valons comme êtres humains, il n'y a rien comme de se référer aux auteurs classiques. Ils ont dit là-dessus des choses définitives. Ainsi, par exemple, Boileau:

«De tous les animaux qui s'élèvent dans l'air,
Qui marchent sur la terre ou nagent dans la mer;
De Paris au Pérou, du Japon jusqu'à Rome,
Le plus sot animal, à mon avis, c'est l'homme.»

* * *

Les auteurs qui écrivent tout croche ne devraient pas s'étonner si on les lit en diagonale.

* * *

Deux acteurs regardent passer le cortège funèbre d'un célèbre mais venimeux critique:

— De quoi est-il mort? demande le premier.

— Il s'est piqué avec sa plume, répond l'autre.

* * *

Réflexion d'écrivain blasé:
«Quand on pense à tous les imbéciles qu'on risque
d'avoir pour lecteurs, c'est à vous dégoûter d'écrire.»

* * *

Évoquant par allégorie la carrière d'un collègue égocen-
trique qui avait passé sa vie à faire le tour de son nombril, le
chansonnier Pierre Dac disait:
«L'imbécile prétentieux, c'est celui qui se croit plus
intelligent que celui qui est plus bête que lui.»

* * *

Michel Simon n'était pas ce qu'on appelle un garçon
timide. Dans la vie, il y allait rondement, c'est-à-dire carrément. Un jour qu'il avait été sauvagement éreinté par un
critique fielleux, il entreprit de lui répondre, comme notre
bon vieux Frontenac, par la bouche de ses canons:
«Monsieur, je vous écris de la pièce la plus exiguë de
mon appartement, et le siège sur lequel je suis assis est
en faïence. À la seconde précise où je vous écris ceci,
j'ai votre article devant moi... mais dans quelques
instants, il sera derrière moi!»

* * *

À rapprocher du mot célèbre d'Henri Jeanson à un autre
critique:
«Vos articles, que je parcours toutes les semaines
d'un derrière distrait... »

* * *

Fin de dialogue entre deux intellectuels de haut vol:
— Votre opinion, monsieur, je m'en sers comme suppositoire.
— Vous avez raison, cher ami, c'est sans doute l'endroit
où réside votre seule chance de la comprendre!

Coups de théâtre

Vous vous doutez bien — surtout vous, mesdames, qui avez l'intelligence de douter de tout... même de nous — que le monde du théâtre, auquel j'ai le bonheur d'appartenir et qui m'apporte tant de surabondantes joies, est particulièrement fertile en anecdotes juteuses que ne connaît pas toujours la troupe irremplaçable de nos très nécessaires amis, les spectateurs.

Au théâtre comme ailleurs — et plus spectaculairement qu'ailleurs —, se meut une engeance humaine que le ridicule n'a jamais réussi à tuer et qui prête un flanc généreux aux rires les plus défoulants. Là aussi les hommes ne sont que des hommes, c'est-à-dire des vantards, des prétentieux, des qui se croient sortis de la cuisse de Jupiter. Mais le réalisme de leurs épouses sait quelquefois les ramener à leur véritable dimension en dégonflant avec esprit leur insupportable vanité.

Le célèbre et grand tragédien Talma était doué d'un talent remarquable et d'un physique avantageux. Il impressionnait les spectateurs — et surtout les spectatrices — par sa voix profonde, son port majestueux, ses effets olympiens. À la ville, il aimait laisser courir à son sujet la rumeur flatteuse d'être un don Juan irrésistible.

Or, une femme que la chose titillait et qui allait jusqu'à secrètement envier le sort de Julie Talma, l'épouse du monstre sacré, s'émerveillait devant celle-ci des prouesses amoureuses dont elle présumait capable au lit cet homme superbe. Elle s'attira cette réplique qui défrisa beaucoup son imagination trop généreuse:

— N'en croyez rien, madame, tout fout le camp dans la tragédie!

Béatitude IX

L'Écriture sainte n'en finit pas de nous révéler ses trésors. L'exégèse des textes sacrés met sans cesse au jour des trouvailles.

Au moment où j'allais irrévérencieusement douter de l'utilité de la théologie à notre époque de déboussolement spirituel et d'immoralisme triomphant, voici que j'apprends, de la bouche même d'un ecclésiastique supérieurement calibré, une nouvelle marrante qui va vous convaincre de l'humour profond de la parole de Dieu.

Vous savez déjà — en tout cas vous devriez savoir — que Jésus, lors de son célèbre Sermon sur la Montagne, a proclamé les huit béatitudes. Elles commencent toutes par les mêmes mots: «Bienheureux ceux qui...» Eh bien, de savants chercheurs de la sainte Église viennent de découvrir, à la grande stupeur et à la non moins grande joie du Saint-Père lui-même — et, va sans dire, au grand scandale des vieux cardinaux intégristes et grincheux qui marinent encore dans leur conservatisme cornichon — que les béatitudes n'étaient pas huit mais neuf.

Le texte de la neuvième a été trouvé parmi de vieux manuscrits tout jaunes et poussiéreux, rédigés en hébreu d'époque mais dont l'authenticité est indiscutable. Elle se lit comme suit:

«Bienheureux ceux qui ont la sagesse de rire d'eux-mêmes, car ils n'ont pas fini de s'amuser!»

Entre saints pères

L'édifiante émulation qui existe entre les différents ordres religieux de notre mère la sainte Église est une vieille tradition qui lui fait honneur, bien sûr, mais qui fait aussi l'objet, c'est-à-dire le sujet, de nombreuses anecdotes plus ou moins authentiques mais toutes réjouissantes.

Tout le monde sait, par exemple, que la rivalité séculaire entre les Jésuites et les Dominicains a donné naissance à des mots savoureux qui font bien rire dans les couvents, même si l'humour qui s'y distille ne manque pas d'acidité.

Un dominicain raconte que la fondation de l'ordre des Jésuites remonte au jour de la Nativité. En effet, quand les Rois mages sont arrivés à l'étable de Bethléem et qu'ils y ont vu l'Enfant-Dieu entouré d'un bœuf et d'un âne, l'un d'eux, Melchior, se serait écrié:

«Ah!... c'est donc ça, la Compagnie de Jésus!»

Ne voulant pas être en reste d'esprit, un jésuite répliqua par la délicieuse histoire que voici.

Quatre moines sont réunis dans une pièce pour discuter un grave problème de théologie: un franciscain, un dominicain, un bénédictin et un jésuite. Soudain, une panne d'électricité se produit. Alors, le franciscain s'agenouille et demande la lumière au Seigneur. Le bénédictin chante dans son plus beau grégorien le *Lux æterna lucæt eis, Domine*. Le dominicain se lance dans un monologue philosophique sur la vérité de la lumière et les causes de l'obscurité.

Quand la lumière revient, on constate la disparition du jésuite. Il était allé réparer les plombs...

La différence

Ce n'est pas celle que vous croyez.

Ça a commencé par une affaire de langue. Mon Dieu! que le Créateur a donc été imprudent de ne pas imposer la même langue à toute l'humanité! Songez à ce qu'il se serait évité — et à nous, donc! — comme emmerdements. Par exemple, la tour de Babel serait presque terminée et le West Island n'aurait jamais eu à se plaindre de l'affreuse loi 101 qui, comme chacun sait, est la cause de tous les maux de la terre... québécoise.

Même en Angleterre, où il n'y a pourtant pas de loi 101, ils ont des problèmes. En voici un parmi des milliers. Dans une école de Londres, un jeune professeur s'évertue à initier ses élèves aux mystères de la langue française. Il leur explique que, en français, quand on dit *Madame*, ça veut dire qu'on s'adresse à une femme mariée et, quand on dit *Mademoiselle*, on parle à une femme non mariée. Enfin, quand on dit *Monsieur*, c'est pour désigner un homme. Alors, pour s'assurer que les élèves ont bien compris, le maître s'adresse à un des garçons et lui demande:

— Voyons, mon petit Keith, quelle différence y a-t-il entre *Madame* et *Mademoiselle*?

— La différence, c'est *Monsieur*!

Sérénade moderne

Il ne faut pas se surprendre, même si on a mille fois raison de le regretter, si à notre époque de matérialisme éhonté, de vitesse vroumvroumante, de frénésie économique, de folie militaire et de musique ahurissante, le romantisme fout le camp. Même un certain féminisme, mouvement pourtant salvateur, est en train d'enlever aux relations hommes-femmes la grâce et la tendresse qui en faisaient le charme au temps où les amoureux savaient se parler. Aujourd'hui, ils ne se parlent plus; ils s'empoignent.

Ils ne savent pas ce qu'ils perdent en négligeant ainsi le vocabulaire de la galanterie. Dans ce domaine, comme dans beaucoup d'autres, la manière est souvent aussi importante que la matière. À preuve, cette conversation que j'ai entendue au théâtre et qui m'a tellement plu:

— Mademoiselle, je vous trouve dangereusement jolie.

— Flatteur! À combien de femmes l'avez-vous déjà dit?

— À toutes celles qui le sont, pour être juste.

— Pour être juste?

— Oui. Et pour être vrai... à un très petit nombre.

— Ah! parce que vos victimes sont choisies?

— Non, parce qu'une beauté comme la vôtre est rare. Il n'y a que quand vous sortez qu'on peut dire que la beauté court les rues.

— Je ne vous crois pas, bonimenteur.

— Je ne suis ni beau ni menteur.

— Mais vous êtes spirituel!

— Même pas.

— Alors quoi?

— C'est curieux, les femmes; quand on leur ment, elles nous croient, et quand on leur dit la vérité, elles ne nous croient plus. Serait-ce parce que nous ne savons pas mentir?

— Si vous disiez plus souvent la vérité, peut-être qu'alors...

— Peut-être qu'alors vous seriez fâchées.

— Vous nous croyez donc si méchantes?

— Les autres, peut-être, mais pas vous.

— Pourquoi pas moi?

— Parce que vous avez les yeux noirs!

Ils se marièrent et eurent beaucoup d'enfants.

Les enfants

Rien n'est grand comme les petits.

C'est tellement vrai qu'un penseur a pu dire que de tous les êtres vivants, l'enfant est le seul qui exige qu'on se mette à genoux pour s'élever à sa hauteur.

Chaque fois qu'un enfant naît, c'est le monde qui recommence. Nos enfants sont le sang de notre sève. Ils sont les recrues continuelles du genre humain.

Parce qu'ils portent en eux la possibilité du meilleur, ils sont notre espérance.

Parce que leur innocence ressemble à celle que nous avons perdue, ils sont notre pureté.

Parce qu'ils sont la chair de notre chair et de notre âme, ils sont notre amour. Claudel disait:

«Je n'ai jamais autant aimé les humains que depuis
que je suis le père de l'un d'eux.»

Parce qu'ils sont l'avenir et que nous savons tous les
pièges qui guettent leurs pas, ils sont notre inquiétude.

Les enfants sont les princes de la vie. Ils sont le premier
matin du monde. Ils ne sont jamais blasés. Ils s'émerveillent
de tout. La vie pour eux, c'est une création et une récréation.

Les souvenirs d'enfance que je garde précieusement épinglés sur le mur gris de ma mémoire sont les refuges où va
s'abriter mon âme quand elle fuit les orages de la vie... Ils
sont mes arcs-en-ciel... Ils sont mes clairs de lune...

Plus tard, devenu père à mon tour, je me rappelle avec une
purifiante nostalgie les instants privilégiés où, revenant de mon
travail, la nuit, j'allais toujours, avant de me coucher, regarder
dormir mes deux loupiots... C'était ma prière du soir...

Leur enfance m'a gardé enfant... Leur jeunesse m'a gardé
jeune... Et je me dis que ça n'existe pas vieillir... ça n'existe
pas mourir... quand on laisse derrière soi la vie recommen-
çante.

Le poète a dit mieux que moi ce que je pense.

«Nous ne vivons vraiment que pour ces petits êtres
Qui dans tout notre cœur s'établissent en maîtres.
Qui prennent notre vie et ne s'en doutent pas.
Et n'ont qu'à être heureux pour n'être pas ingrats...»

La recherche du père

Nous voilà pour toujours dans l'ère des ordinateurs. Il n'y
a qu'à voir la publicité effrénée faite autour de ces engins
nouveaux pour être vite convaincus que le mouvement est
irréversible et que notre avenir est irrémédiablement condamné aux joies de l'informatique. Les gadgets les plus so-
phistiqués vont se disputer nos faveurs et nos dollars, et il va
falloir apprendre à vivre avec le culte de ces nouveaux dieux.

Les jeunes ont beau se prendre d'un engouement fébrile pour ces bébelles du siècle, leur enthousiasme me laisse froid et les prouesses vertigineuses de ces mécaniques prétendument intelligentes ne réussissent pas à me faire délirer d'euphorie. D'autant que, devant ces monstres, j'ai l'impression d'avoir l'air aussi brillant qu'une poule devant l'œuvre des Pères de l'Église. Je n'ai pas pour autant l'intention de changer de religion.

Mais je mentirais si je ne vous avouais pas que ces machins-là m'intriguent quand même. Si je ne vais pas jusqu'à croire à leur intelligence, je suis quand même émerveillé devant certains de leurs accomplissements, surtout depuis que j'ai appris ce qui vient d'arriver à un gars de ma paroisse.

Le gars est allé l'autre jour à une démonstration d'ordinateurs. Il voulait vérifier si ces trucs-là étaient aussi formidables qu'on le dit. Après les explications d'ordre technique sur le fonctionnement de la machine, le conférencier déclara bientôt, avec l'assurance d'un Moïse définissant les Tables de la Loi, que cet appareil scientifique était tellement perfectionné qu'il pouvait répondre avec certitude absolue à n'importe quelle question. Alors mon gars s'approche de l'engin et lui demande:

— Quel est mon nom?

La machine cliquette quelques instants puis répond:

— Jos Duquette.

— C'est ça, s'exclame Jos, un peu ébahi. Maintenant, quel est le principal défaut de ma femme?

L'ordinateur répond:

— L'infidélité.

— Ah! … fait Jos, surpris cette fois, car il ne savait pas, le pauvre homme, que tout le monde est cocu comme tout le monde est fou.

Puis il continue l'interrogatoire.

— Quel est mon morceau de musique préféré?

L'ordinateur répond:

— *Le Reel du Pendu.*

— C'est ça! s'exclame Jos tout fier de voir ainsi révélée sa grande culture musicale. Maintenant une autre question: Où est mon père?

L'ordinateur répond:

— Il est à la pêche au lac Saint-François.

— Ah! s'écrie presque Jos, cette fois, je prends la machine en défaut. Mon père, Pantaléon Duquette, est en voyage à Sainte-Marie-de-Beauce; je lui ai téléphoné il y a cinq minutes.

Mais l'ordinateur, qui l'a entendu, répond du tac au tac:

— Le dénommé Pantaléon Duquette est effectivement à Sainte-Marie-de-Beauce en ce moment... mais votre père est au lac Saint-François!

Symphonie

On n'y pourra jamais rien: L'amour fait perdre la tête aux hommes. C'est inscrit dans leurs gènes depuis le commencement du monde. L'histoire — qui est la mémoire des bêtises de l'humanité — atteste abondamment qu'il en fut toujours ainsi et il y a peu de chances qu'elle ait jamais autre chose à nous apprendre que l'immémoriale et congénitale vulnérabilité masculine et que les effets dévastateurs de la beauté des femmes sur la libido des pauvres mâles. Si bien qu'un humoriste, vaguement musicien de son état, a pu dire un jour sans crainte d'être contredit:

«La vie des hommes est une symphonie en rut majeur.»

Ils ne pensent qu'à ça, c'est bien connu. On leur pardonnerait volontiers leur péché originel si leur folie ne leur faisait parfois commettre des gestes inconsidérés qui dépassent les normes de la raison et méritent la réprobation universelle.

Quand Anatole a commencé à courtiser la somptueuse Carole, personne ne s'en est trouvé surpris. La môme avait une beauté pulpeuse, des richesses naturelles qui dansaient un ballet irrésistible, un déhanchement à faire rêver de paternité, bref, elle était belle... à faire succomber son ange gardien. Mais là où la comédie a failli tourner au drame, c'est quand le jeune godelureau, perdant complètement les pédales, se mit à sombrer dans une prodigalité de mécène que tout le monde de la paroisse savait incompatible avec la modestie de ses moyens financiers. Passant outre, dans sa folie, aux impératifs criants de la plus élémentaire prudence économique, Anatole se lança pour les beaux yeux de Carole dans une orgie de dépenses somptuaires qui risquaient de toute évidence de le conduire à court terme au seuil de la pauvreté.

Carole, qui était aussi honnête que jolie, fut prise d'inquiétude. Elle s'en ouvrit un jour à sa mère, à qui elle était encore trop jeune pour cacher quoi que ce soit d'important:

— Maman, dit-elle avec le charme des pucelles, Anatole est follement amoureux de moi. Il me couvre de cadeaux, à tel point que j'en suis même gênée. Que puis-je faire pour l'arrêter sans lui déplaire?

— Épouse-le! répondit la mère.

Tirée par les cheveux

On entend souvent dire: «Seul son coiffeur le sait», mais ce n'est pas toujours vrai.

Mon histoire se passe dans le modeste salon de barbier d'un petit village de province. Un gars entrouvre soudain la porte et demande:

— Vous en avez pour longtemps?

Le barbier compte ses clients:

— Ah! j'en ai bien pour une bonne heure et demie certain.

— Correct.

Le gars ferme la porte et s'en va. Le lendemain, même chose:

— Vous en avez pour combien de temps, patron?

— Ah! trois clients, j'en ai bien pour une heure certain.

— O.K.

Et il repart.

Tous les jours suivants, le même manège se répète. Intrigué, le barbier finit par dire à son assistant:

— As-tu déjà vu un gars comme ça, toi? Tous les jours il me demande pour combien de temps j'en ai, mais il ne se fait jamais couper les cheveux! Écoute, demain, quand il va revenir, suis-le donc pour voir. On va savoir quelle sorte de gars c'est.

Le lendemain, le gars revient:

— Vous en avez pour combien de temps?

— Deux heures.

— O.K.

Et il s'en va. L'assistant fait mine de rien mais le suit. Il revient au bout de 20 minutes. Le barbier lui demande:

— L'as-tu suivi?

— Oui, je l'ai suivi.

— Pis?

— Il est entré chez vous!

Fable

Il y avait une fois un poulailler où régnait le bonheur parfait. Sous l'autorité débonnaire d'un superbe coq — dont l'allure majestueuse, la crête altière et le cocorico séducteur faisaient leur joie quotidienne et leur orgueil justifié —, 30 poules coulaient une vie de délices dont rien ne venait troubler la douce tranquillité. Elles picoraient dans l'abondance, caquetaient dans la liberté et pondaient dans l'allégresse, bref, elles vivaient une vie de paradis terrestre à laquelle rien ne manquait et qu'embellissait encore le charme bucolique de la poésie champêtre.

Mais on connaît les poules. Il est dans leur nature d'éprouver quelquefois — et même souvent, dit-on — de rudes tentations d'infidélité. Il faut les comprendre: À la longue, même le bonheur devient fastidieux. Devenu une habitude, il engendre l'ennui. C'est ainsi qu'un beau jour, lasses de la banalité du ciel bleu de leur existence, trois d'entre elles succombèrent aux mirages de l'aventure. Le vieux coq ayant sombré tôt dans le plus profond sommeil, elles profitèrent de la noirceur pour sauter le mur de leur prison dorée et s'envoyer en l'air avec trois coqs du voisinage que le goût du fruit défendu avait détournés du terne chemin du devoir. Les trois couples de joyeux gallinacés se dispersèrent dans les sentiers capricieux et complices de la nature environnante.

Le lendemain, encore fatiguées de leur nuit de débauche secrète, les trois poules n'eurent rien de plus pressé à faire que de se retrouver à l'écart et de se raconter leur aventure:

— Moi, dit la première, noire malgré sa nuit blanche, je suis tombée sur un beau jeune coq Legornh, fringant et débordant d'une énergie inépuisable. Il m'a fait voir sept ciels merveilleux. C'est bien simple, j'en suis éreintée de bonheur.

— Moi, dit la deuxième, qui était un peu plus mûre, j'ai eu affaire à un solide Plymouth Rock plein de prévenance et d'une exquise politesse. Malgré ses allures distinguées, il m'a quand même fait passer une nuit de délices tranquilles. J'ai connu la plénitude du plaisir.

La troisième était toute dépitée et ne disait pas un mot.

— Eh bien quoi? questionnèrent ses deux camarades d'évasion, qu'est-ce que t'as? T'as rien à nous raconter?

— Parlez-m'en pas! Moi, je suis tombée sur un chapon. Il a passé la nuit à me parler de son opération!

Le cul des bouteilles

Qu'on ne vienne jamais calomnier devant moi le petit boire qui vient de la vigne! Oenophile impénitent autant que sage consommateur de cette liqueur divine, je ne supporte pas qu'on en blasphème les vertus sous prétexte qu'elles mettent les nôtres en danger.

Le vin est le sang de la terre. Il est aussi un cadeau des dieux. Les saintes Écritures en parlent avec joie et les poètes avec — il fallait s'y attendre — ivresse. *L'Ecclésiaste* célèbre en des termes flatteurs le vin:

«... qui a été créé pour la gaieté des hommes. Allégresse du cœur et gaieté de l'âme, le vin bu à son heure... et suffisamment.»

Il faut vraiment n'être qu'un affreux mécréant pour mépriser celui qui resplendit dans les calices de la sainte Eucharistie, transsubstancié au sang même du Fils de Dieu pour le salut des âmes.

Les poètes, inspirés par le jus de la treille, lui ont dédié quelques-uns de leurs plus beaux vers.

«Dieu n'avait fait que l'eau, mais l'homme a fait le vin», proclame Victor Hugo dans un alexandrin célèbre tiré de ses *Contemplations*.

Et qui n'a pas entendu le cri heureux de Baudelaire:
«Un soir l'âme du vin chantait dans les bouteilles.»
Et l'aveu troublant du cher Musset:
«Je préfère aux baisers des plus belles du monde
Les humides baisers d'une tasse profonde.»

Pasteur est allé jusqu'à dire (sans doute après avoir pris un coup):

«Il y a plus de philosophie dans une bouteille de vin que dans tous les livres.»

Cette pensée nous rapproche du célèbre *In vino veritas*, dont la traduction la plus sublime revient à la mère de Jacques Normand, qui disait avec un humour on ne peut plus québécois:

«La vérité sort de la bouche des enfants... et des hommes chauds!»

Au-delà des théologiens, des savants et des poètes qui font monter un hymne commun à la bonté du vin, il y a aussi le témoignage de l'histoire, qui vient renforcer sa réputation comme facteur de santé et de bonheur. Tout le monde en effet sait qu'il y a plus de vieux ivrognes que de vieux médecins. Pépère Noé est mort prématurément d'un excès de boisson... à l'âge de 950 ans!

Grimod de Reynière répondit à un ami qui lui reprochait ses ardeurs bachiques:

«Mon cher, il y a trop de vin dans le monde pour la messe et il n'y en a pas assez pour faire tourner les moulins; donc, il faut le boire.»

Un poète imbibé avait lui aussi fini par prendre l'eau en horreur:

«Je jure sur mon lavabo
Devant le Seigneur qui m'écoute
D'en boire parfois une goutte
Quand il pleuvra sur mon tombeau!»

«*Gai, gai, marions-nous!*»

Air connu

Croyez-le ou non, il y a encore des gens qui se marient. Pas toujours pour très longtemps, il est vrai, mais quand même. Cela me paraît aussi méritoire qu'audacieux quand on songe à tout ce qu'on a dit — et vu — sur cette institution plusieurs fois millénaire qu'est le conjungo.

Je n'ai personnellement rien contre le sacrement, en ayant été moi-même marqué depuis belle lurette, mais je suis toujours surpris — et ravi — de constater que l'esprit d'aventure habite nos jeunes contemporains. Rien, en effet, ne semble pouvoir les distraire de cet impératif naturel vieux comme le monde et auquel l'humanité doit sa permanence dans l'être, comme diraient les métaphysiciens.

Je me prends parfois à penser que ce qui sauve le mariage du naufrage universel — auquel semblerait le destiner l'apparente désaffection de la jeune génération actuelle pour les choses sérieuses —, c'est le bienfaisant humour avec lequel elle sait le prendre. Humour rime bien avec amour... si bien que je ne crois pas me tromper en disant que l'un ne va pas sans l'autre. En tout cas, une chose est certaine: Ils se complètent bien.

Comme on ne rit finement que des choses auxquelles on croit, ce sont les époux heureux qui, paraît-il, ont inventé les meilleurs mots sur le mariage. Par exemple, il y avait à Paris un vieux couple d'aristocrates de noblesse militaire qui fêtait — dans l'allégresse, le champagne et la bonne compagnie — ses 50 ans de mariage. Mis en verve par le jus de la vigne, et obéissant à l'indécrottable défaut qu'ont les militaires de sans cesse rappeler leurs exploits, le maréchal de Boufflers dit à la maréchale, sa femme, devant toute la joyeuse bande de leurs invités, ces mots dont l'alcool lui-même n'excuse pas l'impolitesse:

— Ma bonne amie, vous et moi pouvons parler librement de ces choses-là, elles sont si loin après 50 ans de mariage; je dois avouer que je ne sais plus le nombre de cocus que j'ai faits quand j'étais en garnison à Paris.

— Vous avez de la chance, mon bon ami, répondit la délicieuse maréchale. Moi, je n'en ai fait qu'un!

Washington et les bécosses

Un grand bourgeois de Sainte-Marie-de-Beauce avait construit d'une manière très ingénieuse des bécosses derrière sa maison, sur le haut d'une côte, au bord de la rivière. C'était pratique car, de cette façon, il n'avait jamais à les déplacer quand l'eau de la fameuse rivière Chaudière montait, au printemps.

Un jour, le jeune fils espiègle de ce cultivateur jouait avec ses amis et, pour faire une bonne blague, ils poussèrent la cabane en bas de la côte, dans la rivière.

Le soir même, son père demanda au petit Jean:

— Est-ce toi qui as poussé les bécosses dans la rivière?

— Non, répondit le petit Jean.

Alors, le père entreprit de lui donner une leçon:

— Un jour, le jeune George Washington coupa un cerisier en face de la Maison-Blanche avec une hache qu'il avait reçue en cadeau à Noël. Son père lui demanda si c'était lui qui avait coupé le cerisier. Le jeune George Washington ne voulut pas mentir et avoua.

Le petit Jean comprit la leçon et avoua avoir poussé les bécosses en bas de la côte. Alors, son père lui donna une bonne fessée. Le petit Jean, en pleurant, dit alors à son père:

— Mais, papa, le père du petit George Washington, lui, il ne lui a pas donné de fessée.

Le père du petit Jean répondit:

— C'est vrai... mais quand George Washington a coupé le cerisier... son père n'était pas dedans!

Le mariage célibataire

Avec les idées et les mœurs qui ont cours aujourd'hui, on ne sait plus trop bien à quoi s'en tenir ni quel conseil donner à nos enfants quand ils arrivent à l'âge de prendre une décision quant à leur futur état civil.

Se méfiant un peu de son père — qu'elle aimait beaucoup mais dont elle craignait le conservatisme sévère —, une jeune fille décida plutôt de demander l'avis d'un psychologue au sujet de ses projets d'avenir:

— J'ai 22 ans, je suis célibataire et, depuis 6 mois, je vis avec un jeune homme absolument charmant. Il est beau comme un dieu grec, intelligent, amoureux, adorable en tous points. Nous nous entendons à merveille. Jamais nous n'avons un mot plus haut que l'autre. Pas un nuage n'a assombri jusqu'ici le ciel de notre accord parfait. À votre avis, dois-je l'épouser?

Et le psy de lui répondre:

— Mon enfant, n'allez surtout pas gâcher un bonheur pareil!

La clarté française

«Ça doit être beau, on n'y comprend rien.»
Molière

Vous êtes devant un tableau surréaliste. Vous vous demandez tout bonnement ce que le peintre a voulu signifier
avec son dessin et ses couleurs. Vous ne parvenez pas à comprendre. Alors, vous vous dites: «C'est trop fort pour moi, ça
me dépasse», et vous vous taisez avec modestie, ce qui est
déjà un signe d'intelligence, contrairement à d'autres qui ont
l'ignorance bavarde et qui se pâment en analyses dithyrambiques dont la stupidité donne, à elle seule, la mesure de la
bêtise humaine. Plaignons-les et recommandons-les à la
miséricorde de Dieu.

D'accord, un tableau, ça a son éloquence, ça parle avec
des couleurs et ça peut vouloir dire des tas de choses...
suivant l'état d'âme de celui qui le regarde. Mais un texte,
c'est différent. C'est écrit avec des mots et le propre des mots
est de signifier quelque chose, sans quoi ils n'ont pas de
raison d'être.

Et pourtant... que de scribouilleurs éparpillent des vocables sans lien sur une feuille blanche et se croient d'autant
plus poètes qu'on les comprend moins. Plus c'est obscur,
plus ils croient que c'est génial, si bien que, à la limite, l'incompréhensible intégral devient le sublime parfait, le *nec plus
ultra* de la bêtise glorifiée. Et il se trouve du monde pour
manger de ce pain-là. Bien plus, ils appellent ça d'un mot
passe-partout: la communication.

Communication, mon œil! Moi, quand on m'écrit, je veux
savoir ce que ça veut dire. Quand je lis un article ou un livre, je
demande à l'auteur d'avoir l'élémentaire politesse d'un minimum de clarté, ce qui n'exclut ni la fantaisie ni la poésie... au
contraire. Je refuse de trouver profond ce qui n'est qu'abstrus, et
génial ce qui est incompréhensible.

Comme disait le bon vieux Boileau, qui passerait aujourd'hui pour un affreux réactionnaire auprès d'une certaine

engeance intellectuellement déstabilisée et maniaque du non-sens:

«Ce que l'on conçoit bien s'énonce clairement,
Et les mots pour le dire arrivent aisément.»
Si c'est pas clair, c'est pas français.

Au secours!

Pour que notre histoire ne soit plus cet «écrin de perles ignorées» qui attristait l'âme des grands poètes, voici des phrases extraites de lettres authentiques envoyées à un ami mien qui est fonctionnaire au Bureau des allocations familiales :

«J'ai été obligée de lui ôter le lait qu'il buvait pour l'habiller.»

* * *

« Je suis dans les mains du docteur depuis que mon mari est mort.»

* * *

«Vous m'avez coupé ma petite Thérèse en mai, tâchez de lui arranger ça pour l'autre mois.»

* * *

«J'accuse déception de ne pas avoir reçu mon chèque.»

* * *

«Je ne suis pas forte, mais j'ai une santé de fer.»

* * *

«Donnez-moi la raison pour laquelle je n'ai pas reçu le reculage de mon enfant.»

* * *

«Je vous écris de la part de mon bébé mort le 7 juin.»

* * *

«Envoyez-moi mon chèque le plus vite possible car je suis pour tomber malade d'une journée à l'autre.»

* * *

«Veuillez s.v.p. débarquer Pauline de sur l'allocation pour qu'elle travaille.»

* * *

«Ça fait deux mois que je suis au lit avec le docteur et ça n'aboutit à rien.»

* * *

«Nous avons eu un petit garçon de deux mois daté du 28 novembre.»

* * *

«Voyez-vous, veuve et incapable de travailler, je ne puis mettre les deux bouts ensemble.»

* * *

«J'ai un doute sur une personne qui demeure dans le même escalier que moi.»

* * *

«J'ai perdu mon mari et, depuis ce temps-là, je change souvent d'adresse jusqu'à ce que je sois raplombée.»

* * *

«Avec l'argent de sa pension, elle s'est fait entrer l'eau chaude.»

* * *

«Ça nous fait une famille de six enfants et un autre en chemin faisant.»

* * *

«Mon enfant est mort pendant qu'on est monté sur le curé.»

* * *

«J'ai votre chèque entre les mains et je ne l'ai pas touché.»

* * *

«Je suis obligé d'aller à l'hôpital pour mon cœur cardiaque.»

* * *

«Excusez cette lettre qui a été mise par erreur dans la bouche des enfants.»

* * *

«Ça fait sept fois que je ne reçois rien.»

* * *

«Si je me souviens bien, je ne me rappelle pas.»

* * *

«Nous sommes 12 à table sans compter les 6 vaches et les animaux à soigner.»

* * *

«Il me fait plaisir de vous annoncer le décès de mon regretté époux.»

* * *

«J'espère que la formule est remplie en bon uniforme.»

* * *

«Plus j'attends mon chèque, plus il ne vient pas.»

Viens faire l'humour...
et le plaisir!

PRÉFACE

Un billet et une photo de sa pierre tombale envoyés à un hebdomadaire artistique, quelques mois avant de mourir, c'était du Doris. Du grand Doris. Sur cette pierre tombale est inscrit: «Je suis allé voir si mon âme est immortelle...» Il racontait avoir fait inscrire cela de son vivant pour le cas où des gens s'inquiéteraient du lieu où il serait quand il aurait quitté cette ronde et quelquefois si amusante Terre. Quelle merveille! Quel esprit! C'était sa façon à lui de prévoir sa sortie de scène par la grande porte, celle de l'humour.

Cela m'avait donné envie de jouer le jeu avec lui et de lui dire «avant» ce que de toute façon je lui dirais «après» si jamais il lui prenait l'idée de nous quitter et que je me retrouve devant sa pierre gravée. Doris savait donc avant de partir là-bas ce que j'écrirais un jour de lui: que voilà un homme qu'en homme j'aimais profondément; que lui, qui a côtoyé les plus beaux esprits dont quelques grands encore de ce monde, quelques grands de ce pays, était, même sous les apparences du vieux snoro, le père Gédéon, un philosophe profond, amant comme pas un de la vie, de ses passions comme de ses tourments. Que c'est toujours le fond de sa pensée, cet amour des choses simples et belles, qu'il a cherché et réussi à transmettre: à ses élèves, comme à son public, comme à ses enfants. Et je me demande si ce n'est pas là l'œuvre de toute sa vie.

Doris était essentiellement un homme de culture. Un passionné de l'esprit fin comme de l'engagement vrai.

Je le savais assez fin et assez vrai, d'ailleurs, pour être un homme d'amitié, une vieille branche sur laquelle on pouvait toujours se reposer ou se raviser; une branche qui tenait sa force de l'arbre porteur car, en quelque soixante-dix ans de vie, Doris Lussier, par le rire, par le sourire, par la transformation de son être – alors que tous les comédiens du monde se maquillent pour paraître en scène, lui se démaquillait pour mieux y monter (n'avait-il pas compris là tout le paradoxe du comédien) –, Doris Lussier donc aura désamorcé des peurs, des peurs profondes; il nous aura laissé croire qu'il n'y a finalement rien de grave dans cette vie, de cette gravité qui fait souvent le bonheur des imbéciles, comme le disait si bien Montaigne, non rien de grave quand on a appris, très tôt et pas trop tard, à faire l'humour avec soi comme avec les autres.

Doris Lussier pour moi, c'est le mot juste et c'est le ton juste. C'est l'intelligence à fleur de peau. Celle qui permet de cerner, puis d'apprivoiser pour mieux connaître. Et c'est comme cela qu'il en est arrivé à l'indépendance la plus totale. La vraie indépendance, celle du cœur et de l'esprit.

En attendant qu'il revienne avec la réponse que oui son âme est immortelle, dans ses écrits surtout il demeure pour moi ce père ou ce frère, dépendant des soirs, ce libérateur d'angoisses et ce faiseur de joie, comme se doivent de l'être tous les artistes de ce monde.

À travers l'humour, Doris s'adonnait à la recherche absolue de la vérité des choses. Qui n'a jamais ressenti cet angoissant inconfort de nos intelligences devant tant d'interrogations sans réponses? Doris Lussier, par ses réponses, répondait à ce besoin existentiel de brandir le point d'interrogation.

Encore là, rendu au seuil de son immortalité, son intelligence fine, aiguisée aux passions comme aux tourments, lui faisait dire que

«...quoi que nous pensions aujourd'hui de l'au-delà, quelles que soient l'ampleur de nos doutes et la fragilité de nos certitudes... dominant notre

impuissance terrestre, se dresse heureusement la
belle grande lumière de l'espérance, l'espérance
qu'un mortel qui s'éteint, c'est un immortel qui
commence».

Ce qui ne l'empêchait toujours pas de penser que la
souffrance est l'un des grands mystères de cette vie.
Mystère scandaleux.

«Souffrir, c'est avoir mal à sa vie, disait-il encore,
et malgré tout nous aimons toujours la vie. Nous
l'aimons même désespérément.»

Le souvenir de Doris, ce philosophe, cet artiste, cet
homme engagé, et la lecture et la relecture de ses lettres et
de ses écrits me font croire finalement que s'il est mort il
n'est pas disparu. C'est ainsi, avec tout ce qu'il en reste,
c'est-à-dire avec l'essentiel de ce qu'il était, que, comme
le disait Marcel Pagnol sur la tombe de son ami Raimu, on
rallume les génies éteints et rend à notre tendresse le
souvenir des amis disparus.

SERGE TURGEON
AVRIL 1994

À mes amours,
Lili et Pierre

AVANT-PROPOS

Lecteur, mon complice, mon frère, je voulais te faire une dé-
claration d'humour.

Comme je ne connaissais pas ton adresse, j'ai pensé te
rejoindre par un livre.

Ne le prends pas au sérieux, tu me ferais de la peine.

Lis-le donc comme je l'ai écrit: en ne pensant pas trop et en
souriant un peu.

La vie est un drame comique; nous ne sommes justifiés de
continuer à la vivre que si nous en oublions le drame pour en
boire la joie.

D. L.

Première partie

Sermon sur l'humour

«*Que votre parole soit toujours aimable,
assaisonnée de sel...*»

Saint Paul,
épître aux Colossiens, ch. IV, 5-6.

J e veux d'abord énoncer un énorme truisme, une évidence qui frise la lapalissade: le but de la vie, c'est d'être heureux. Toute la sagesse est contenue dans cette apparente banalité. Car pourquoi la vie, si ce n'est pour qu'on en jouisse? Certitude qui fonde cette autre vérité, pratique, celle-ci: le bonheur est un droit et un devoir.

La relativité de nos absolus

Or, la première chose à faire pour être heureux dans un monde où c'est si difficile, c'est d'accepter qu'il soit ce qu'il est et d'en tirer le meilleur parti possible. Tout en travaillant à l'améliorer. Puisqu'on est condamné à la vie, ou bien on assume sa condition de bon vivant ou bien on se suicide. Moi, je soutiens que le bonheur est impossible sans la culture d'une vertu cardinale, pivot de la vie morale des hommes: le sens de l'humour. Dans la fameuse échelle des valeurs où peu de gens, semble-t-il, ont l'habitude de monter bien haut, le sens de l'humour occupe un rang qu'ont malheureusement oublié de lui reconnaître la plupart des moralistes et des fabricants de systèmes philosophiques à qui nous devons les nombreuses et contradictoires recettes de bonheur qui s'offrent depuis des millénaires au choix des humains.

Même si je conviens volontiers qu'en théorie l'amour, la vérité, la justice, la beauté et l'utilité sont des réalités premières, je crois que, dans la pratique, toutes ces valeurs, qui ont un petit air d'absolu, ne seront jamais mieux atteintes que si on les situe dans une perspective d'humour. Pourquoi? Pour la raison bien simple que *seul l'humour nous donne le sens de leur relativité.*

Bien des malheurs d'ordre spirituel de l'humanité — et souvent aussi d'ordre matériel — me semblent venir de ce que les hommes veulent faire de l'absolu avec du relatif. Ils oublient que tout ce qui est humain est limité, que la connaissance théorique et la reconnaissance pratique de cette radicale limitation sont nécessaires à la qualité intellectuelle et morale de leur vie. Or le sens de l'humour, en leur permettant de situer leur pensée et leur action dans la conscience de leur relativité, les vaccine en quelque sorte contre la congénitale tentation de sombrer dans les absolus de tous ordres, bref, les ramène au réalisme, c'est-à-dire à la vérité des choses de ce monde, ce qui augmente d'autant leurs chances de bonheur.

Le huitième don du Saint-Esprit

À force de prendre trop au sérieux des choses qui n'ont pas l'importance qu'ils leur donnent, les hommes finissent par se créer des emmerdements majeurs. Dans tous les domaines. Prenons des exemples. La religion, qui devait unir les hommes par la vérité et l'amour, a abouti à des guerres. Pourquoi? Parce qu'on a oublié la tolérance spirituelle d'où naît le pluralisme religieux, parce qu'on a oublié que *l'humour est une des formes de la charité.* La politique a toujours plus ou moins été une universelle foire d'empoigne et le lieu de la violence endémique, des massacres planifiés et des bains de sang. Pourquoi? Parce que les hommes, ces soi-disant «animaux raisonnables», se sont avérés plus animaux que raisonnables et ont fini par transformer la Terre en une immense jungle où les grands carnassiers mesurent la justice de leurs actes à la puissance de leurs crocs. Le mariage, sacrement de l'amour, est devenu l'antichambre du divorce. Pourquoi? Parce que la grâce sanctifiante de l'humour a déserté le cœur des conjoints qui s'acharnent à faire des montagnes avec des riens, grossissent et dramatisent leurs défauts au lieu d'en rire et finissent par faire des problèmes avec des solutions. Et c'est de même partout. Ce qui manque toujours à la paix, cette tranquillité — même mouvementée — de l'ordre, c'est le sens de l'humour qui arrondit les angles au lieu de les aiguiser, qui répand son baume sur les plaies de l'âme quand tout contribue à les aviver et qui dédramatise les passions quand elles menacent de s'exacerber. Le sens de l'humour, c'est le huitième don du Saint-Esprit.

L'indéfinition

L'humour: petit mot, grande chose. Si grande qu'on ne peut en préciser les frontières, c'est-à-dire la définir. Les chercheurs les plus pénétrants et les plus tenaces, les philosophes même, ces professionnels de la définition, n'ont pu trouver la formule qui en contînt toute la réalité. Parce que l'humour est une chose qui a ceci de singulier qu'elle est plurielle, diverse, fuyante, mystérieuse, magique en quelque sorte, et qu'elle déborde tous les cadres à l'intérieur desquels les auteurs ont voulu en emprisonner le sens. C'est comme la connerie: il n'y a pas de définition, il n'y a que des exemples. Ou comme l'électricité: on s'en sert depuis des années sans savoir ce que c'est. De même que le mouvement se prouve en marchant, et que *the proof of the pudding is in the eating,* on ne peut prouver l'humour qu'en en faisant.

Scolastique et «réaction»

Malgré le caractère insaisissable de l'humour, trop riche pour être enfermé dans des mots, j'ai, chercheur impénitent, essayé quand même de circonscrire l'essentiel de sa substance. Nourri dans ma jeunesse aux mamelles de la scolastique (dont l'éclairage et la méthode en valent bien d'autres), cet instrument prodigieux, je me suis mis à la recherche de la vérité de l'humour. Je sais que cela va faire sourire ceux de mes contemporains qui jugent la méthode scolastique dépassée depuis des lustres, mais je m'en fous joyeusement car ce qui compte ce n'est pas la manière d'atteindre la vérité, c'est la vérité elle-même.

D'ailleurs tous les révolutionnaires de la recherche philo-sophique n'ont encore, à ma connaissance, rien trouvé de mieux que les Anciens et la plupart d'entre eux essaient de masquer leur impuissance méthodologique sous un voca-bulaire imbuvable, hermétique et tarabiscoté qui prend son allure de nouveauté pour le dernier mot de la science. Il y en a que la paille des mots intéresse plus que le froment des choses. Pour ma part j'ai un respect pieux pour ceux qui explorent avec humilité et sincérité intellectuelles les chemins nouveaux d'accès à la vérité. Mais j'éprouve une solide répulsion devant la pédanterie savantasse des néomanes qui vouent aux gémonies toutes les élucubrations qui ont précédé les leurs, et qui de plus ont le culot de prendre leur nébuleux charabia néologique pour le *nec plus ultra* de la lumière. Les vrais réactionnaires, ce sont eux.

Or donc, je me suis scolastiquement posé la simple question: quelles sont la matière et la forme de l'humour? Et je me suis répondu: la matière de l'humour, c'est toute la vie des hommes et leurs créations; et sa forme, c'est une manière de voir cette vie sous ses aspects drôles. Ainsi le sens de l'humour serait donc une tournure d'esprit qui porte à voir les hommes, leurs actions et les situations où ils se trouvent avec le sourire de l'intelligence qui prend conscience de leur relative vanité. Ce que, comme l'autre, j'exprimerais par la formule: «L'humour, c'est quand on rit... quand même!»

Mais s'il est difficile d'enfermer l'humour dans une défi-nition qui en saisisse toute la matière et toutes les formes, on peut toujours découvrir les cent visages qu'il emprunte à la vie de tous les jours pour en exprimer la gaîté et même quel-quefois sourire à sa tristesse. Car l'humour n'est pas nécessai-rement gai. Pierre Daninos, dont vous connaissez les fameux *Carnets du major Thompson*, prétend même que souvent l'humour est une caricature de la tristesse, «une plante gaie arrosée de spleen». Winston Churchill ajoute que «la sauce secrète de l'humour n'est pas la joie, mais la tristesse». Et l'écrivain français Chris Marker va jusqu'à affirmer que l'humour n'est que «la politesse du désespoir». Mais ceci est trop noir pour être toujours vrai. J'aime mieux la description qu'en faisait un poète allemand: «L'humour est le baiser que se donnent la joie et la douleur. Il a dans son blason une larme souriante. Il est coiffé d'une marotte garnie d'un crêpe. Il est l'étincelle qui jaillit entre deux pôles de noms contraires: sentimentalité et raillerie. La joie et le chagrin s'étant rencontrés dans la nuit profonde de la forêt s'aimèrent — parce qu'ils ne se connaissaient pas — et il leur naquit un fils, qui était l'humour.»

Je dirais volontiers que l'humour, c'est une philosophie souriante de la vie, «une tendresse voilée d'ironie indulgente» (Francis Claude), le sourire de l'intelligence qui sait accepter l'humanité avec tous ses petits travers et ses grandes bêtises. Dans la vie, tout le monde rit de tout le monde; et le plus drôle de l'affaire, c'est que tout le monde a raison. Madame de Staël a défini l'humour comme étant une forme d'esprit qui amuse sans le vouloir et fait rire sans avoir ri, «une disposition de l'esprit qui vous permet de rire de tout sous le masque du sérieux. Traiter drôlement de choses graves et gravement de choses drôles a toujours été le propre de l'humoriste. Grâce à quoi il peut tout dire sans avoir l'air d'y toucher».

Humour et esprit

Quand on parle d'humour, on ne peut s'empêcher de se demander en quoi il diffère de l'esprit. Car l'humour et l'esprit, pour être du même genre, ne sont pas de la même espèce. Je dirais que l'humour est une manière de *vivre* alors que l'esprit est une manière de *dire*. L'humour n'est pas nécessairement éclatant; l'esprit l'est toujours. L'humour est souvent un sourire de la tristesse; l'esprit est toujours gai, même dans ses cruautés. Carlyle disait: «L'humour rit avec les choses; l'esprit rit des choses.»

Une autre erreur consiste à croire que l'humour est anglais et que l'esprit est français. On a beau être nationaliste, on ne peut pas nationaliser l'humour et l'esprit, qui sont universels. Tous les peuples du monde ont leur genre d'humour et d'esprit: chaque nation a sa façon propre de voir les choses et les gens et d'en rire selon son tempérament. Et même si l'Angleterre passe pour être la patrie de l'humour, comme la France le pays de l'esprit, elles n'en ont ni l'une ni l'autre le monopole. Cependant la mentalité de ces deux nations est vraiment différente.

L'humour anglais

L'humour anglais a un charme spécial, fait de cette façon tranquille, quasi inapparente et délicieusement irrespectueuse qu'ont les Britanniques de pratiquer ce qu'ils appellent, avec une modestie qui n'est que la pudeur de leur talent, *l'understatement*. Et ce vieux faune de Bernard Shaw a eu beau dire que «l'Anglais moyen est aussi creux qu'on peut l'être sans s'écrouler physiquement», l'Angleterre, «cette colonie française qui a mal tourné», comme disait Clémenceau, reste dans le monde un des sommets où souffle l'esprit. Elle a produit des humoristes de grande classe. Quand une culture peut engendrer des Churchill, Bernard Shaw, Oscar Wilde, Swift, Collin, Chesterton, Carlyle, et j'en passe, on ne peut l'accuser d'être pauvre d'esprit. Si bien qu'on a pu dire avec raison que, pour les Anglais, l'humour est «une sorte de trait national, comme une tradition venue des profondeurs de l'âme anglaise».

Les Anglais ont la réputation d'avoir la tête dure mais le cœur tendre. Ce sont de grands obstinés mais aussi de grands sentimentaux. Le Janus britannique est et restera toujours une énigme: il a l'optimisme triste et le pessimisme gai. Il figure la condition fondamentale du compromis sur lequel repose toute la vie nationale anglaise. Il est l'équivoque par excellence, «le *no man's land* où, de même que l'excentricité avec l'équilibre moral, le conformisme joue à cache-cache avec la révolte, le sourire avec l'amertume, le sérieux avec le scepticisme»

(Robert Escarpit). On peut dire de l'humoriste anglais ce qu'en disait Jules Ferry: «C'est un rosier qui a ses fleurs en dedans et ses épines au dehors.»

Et si les Anglais ne sont plus les maîtres du monde — l'impérialisme britannique ayant eu certaines distractions —, il faut tout de même admettre qu'ils sont restés les maîtres de l'humour. Un humour qu'ils sont parfois les seuls à comprendre, me direz-vous, mais qui très souvent passe la rampe des îles pour la joie des autres peuples qui n'ont pas comme eux le bonheur de vivre dans le brouillard. Le soleil étant un astre qui n'est jamais vu en Angleterre, il faut pardonner à ces superbes insulaires d'avoir le sourire sombre et de la brume parfois jusque dans les idées. Je dis ça pour rire, vous pensez bien, parce que j'adore les Anglais. Je suis un peu comme Alphonse Allais, qui disait: «J'adore l'Angleterre. Je lâcherais tout, même la proie pour Londres!...»

L'esprit français

L'esprit français est un jaillissement naturel, la faculté merveilleuse d'associer spontanément des idées et de tirer des mots les plus communs une étincelle inattendue (André Bellesort). L'esprit des Français pétille comme leur champagne; il est mordant, caustique souvent et parfois cruel. Et il manie la gauloiserie avec tellement de finesse qu'on en rit et qu'on oublie de s'en scandaliser. Tout cela est l'estampille et un trait classique de l'âme française. Léger en apparence, superficiel aux yeux de bien des étrangers, l'esprit français a lui aussi sa profondeur. Il est non seulement le signe d'une maturité intellectuelle éprouvée et d'un exceptionnel raffinement de la pensée, mais aussi, au besoin, «un moyen d'exorciser les angoisses de l'homme social moderne». Il est un joyau de culture et un des plaisirs les plus délicats que puisse s'offrir ici-bas l'intelligence humaine.

Esprit français, humour anglais, ironie latine et sel attique ne sont que les espèces d'un même genre. Pour être juste, il faut convenir que chaque nation a son sourire et que la joie du monde est faite des traits et des attraits que chacune apporte à sa façon au visage heureux de la communauté humaine. Leurs différences ne sont que les reflets divers d'une même lumière, celle de l'intelligence, et d'une même chaleur, celle du cœur humain. Et puis tout ceci, au fond, n'a que peu d'importance car, comme disait le divin Musset, de romantique mémoire: «Qu'importe le flacon pourvu qu'on ait l'ivresse!»

La matière de l'humour

La matière sur laquelle s'exerce l'humour est aussi diverse que l'Univers lui-même. Les travers des hommes, les petits côtés des grands personnages, les situations de la vie quotidienne, les professions, les femmes, la politique, Dieu lui-même, ont été pour les humoristes de tous les temps des sujets de choix.

Je dis Dieu lui-même, sans pour autant manquer de respect pour la religion. En effet, le plus charmant trait d'humour que j'aie entendu sur Dieu, c'est celui d'un poète américain, Robert Frost, qui, considérant la petitesse de l'intelligence humaine comparée à la puissance divine, adressa au Seigneur cette délicieuse prière:

«*Forgive, O Lord, my little jokes on Thee*
And I'll forgive Thy great big one on me.»

Je suis sûr qu'en entendant cela Dieu le Père, assis sur un nuage, a dû sourire dans sa barbe éternelle en se disant: «Je n'ai pas complètement manqué mon coup en créant le monde puisqu'il y a des hommes qui me parlent avec esprit!»

Mais l'esprit n'est pas toujours tendre. Il lui arrive parfois de trouver son éclat même dans sa cruauté. Je pense à certaines épigrammes qui ont marqué pour toujours certains personnages prêtant trop le flanc à la critique et qui ont été la cible des flèches empoisonnées des polémistes. Celle que Voltaire dédia un jour à son ennemi intime Jean Fréron est à ce point de vue l'une des plus spirituellement venimeuses qui soient. Pensez donc:

«L'autre jour, au fond d'un vallon,
Un serpent piqua Jean Fréron.
Que pensez-vous qu'il arriva?
Ce fut le serpent qui creva!»

C'est le cas plus que jamais de dire *in cauda venenum*.

Non moins méchante est cette piqûre de plume qu'un écrivain fit un jour à un nommé Dorylas, qui en plus d'être un sot prétentieux avait le malheur d'être borgne. À sa mort il reçut un éloge funèbre à rebours:

«Dorylas n'a pas eu de peine à trépasser;
D'envier son destin qui pourrait se défendre,
Car il n'eut qu'un œil à fermer
Et point d'esprit à rendre!»

Quand on est humoriste, on l'est jusqu'à la mort inclusivement. L'écrivain anglais H. G. Wells, rendu à ses tout derniers soupirs, fit dire à des amis venus pour le voir: «Excusez-moi, je suis occupé à mourir!» Ce qui prouve bien, comme le fait remarquer Mark Twain, que le lit est l'endroit le plus dangereux du monde: quatre-vingt-dix pour cent des gens y meurent.

Un autre qui a eu de l'humour jusqu'au bout, c'est le grand acteur français Mounet Sully, un des monstres sacrés de son temps, qui, comme tous les acteurs, était un peu beaucoup cabotin. À son ami Édouard Campion qui veillait à son chevet, il confia, suprême réplique: «Mourir, c'est difficile... quand il n'y a pas de public!» Il y a aussi le mot de ce condamné à mort à ses gardes qui le bousculaient parce qu'il faisait preuve d'une certaine lenteur le matin de son exécution: «Ne nous pressons pas, ces messieurs ne peuvent pas commencer sans moi!»

La vie est une chose curieuse: on y entre sans le demander et on en sort sans le vouloir. Mais s'il y en a qui ont la mort gaie, il y en a d'autres qu'elle inquiète. À cause de ce qui peut venir après. On ne sait jamais. C'est cette inquiétude que traduisait l'écrivain Kafka en répondant au journaliste qui lui demandait son avis sur la vie éternelle: «L'éternité, vous savez, c'est long... Surtout vers la fin!»

Au théâtre

Le monde du théâtre est naturellement fertile en bons mots. Le théâtre, c'est le miroir de la comédie humaine, et, comme dit Sacha, «tout le monde est comédien... sauf quelques acteurs». On raconte que la célèbre tragédienne Rachel, invitant un jour à dîner chez elle le spirituel Alexandre Dumas, lui adressa le mot suivant: «Mon cher ami, venez demain déjeuner avec moi. Vous ne vous amuserez pas beaucoup, car je n'ai pas d'esprit; mais votre visite me permettra d'en avoir le lendemain, car j'ai bonne mémoire!»

Tout le monde sait que le fougueux George Bernard Shaw et Winston Churchill étaient des ennemis fraternels. Un jour le vieux faune irlandais envoya à Churchill un pli contenant ces mots: «Voici deux places pour la première de ma pièce. Venez avec un ami... s'il vous en reste un.» Churchill lui répondit: «Je ne peux malheureusement pas aller à votre première. Mais j'irai à votre deuxième... s'il y en a une!»

Et les femmes...

Cela nous amène dans le royaume des femmes. Sujet admirable et immense, qu'on n'épuisera jamais, heureusement. Les femmes constituent, en même temps que le mystère, l'ornement et la joie de l'humanité. Clémenceau disait avec une galanterie plutôt caustique qu'on ne pouvait vivre ni avec elles ni sans elles. Ce qui nous fait douter de la chasteté de sa vie de célibataire. Quoi qu'il en soit, si les femmes passent pour être fort bavardes, elles n'en diront jamais autant qu'on en dit d'elles. Consolez-vous, mesdames, car les remarques satiriques qu'on fait sur votre compte ne sont que des témoignages indirects rendus à vos qualités. Et si vous vous sentez quelquefois calomniées, songez qu'on ne lance de pierres que dans les arbres chargés de fruits. Et Dieu sait si vous êtes chargées de fruits. Vous en avez même qui sont défendus... mais si mal!

Les femmes — c'est une vérité qui a été authentifiée par l'histoire et qui le sera sans doute *per omnia saecula saeculorum* — ont un pouvoir qu'elles ignorent par modestie mais qu'elles exercent avec une subtilité dont elles sont les seules à avoir le secret. Tant et si bien qu'un législateur nommé Johnson osa dire un jour: «La nature a donné tellement de pouvoir aux femmes que la loi a bien fait de leur en accorder si peu.» C'était une façon bien politicienne de cacher les épines sous l'abondance des roses, et ces dames ne s'y sont pas laissées prendre puisqu'elles sont en train de conquérir leur juste place de citoyennes à part entière au soleil de la République. En toute justice d'ailleurs, car s'il est vrai qu'elles nous sont supérieures de nature, il n'est que juste que la loi les reconnaisse au moins nos égales en droit. À ce sujet j'ai entendu sur le mouvement féministe une réflexion qui m'a laissé rêveur. C'est celle d'un homme qui disait: «Étant donné que les femmes nous sont si évidemment supérieures, je comprends mal qu'elles veuillent s'abaisser jusqu'à vouloir devenir nos égales.»

La beauté et l'esprit des femmes étant des attraits si éclatants, il ne faut pas s'étonner que la jalousie secrète de certains hommes les ait portés vers une sorte de misogynie plus ou moins consciente qui se défoulait de sa frustration par une satire quelquefois drôle. Sacha Guitry, par exemple, était misogyne. Et pourtant il eut quatre femmes. Toutes les quatre jeunes et jolies. Il les eut toutes avec esprit, et elles le quittèrent toutes avec éclat. On sait maintenant pourquoi. Quand il épousa Jacqueline de Lubac, il lui fit ainsi sa demande en mariage: «Madame, vous avez vingt ans, j'en ai quarante: je vous demande d'être ma moitié!»

Une autre des épouses de ce Barbe-bleue en dentelles était très jolie mais elle avait un tempérament du tonnerre de Dieu. Après quelque temps de mariage avec le grand homme, elle constata avec une déception qui grandissait de jour en jour — pour ne pas dire de nuit en nuit — que si le maître avait beaucoup d'esprit au salon, au dodo il n'y avait plus personne. Elle quitta le lit conjugal et même toute la maison. Impuissant, c'est le cas de le dire, devant une fugue aussi humiliante pour son orgueil de mâle, il se vengea en décochant à son adresse une flèche qui a depuis atteint d'autres cibles féminines qui méritaient largement cet acide compliment: «Il faut n'épouser que de très jolies femmes si l'on veut qu'un jour on nous en délivre!» Puis il ajoutait, parce qu'il lui restait quelques gouttes de fiel dans sa plume: «À l'égard de celui qui vous prend votre femme, il n'est pas de pire vengeance que de la lui laisser.» Et cette réflexion désabusée qui nous livre l'essence de sa pensée sur le mariage: «Il y a des hommes qui n'ont que ce qu'ils méritent, les autres sont célibataires.» Celui-là avait-il donc raison qui prétendait que les hommes sont des chameaux parce que leur vie est un désert. Mais le mot le plus savoureux, le plus révélateur du spirituel macho conscient qu'était Sacha, en un mot le plus guitryesque de tous, c'est celui-ci: «Quand pendant une journée j'ai été privé de femme, j'ai l'impression qu'une femme a été privée de tout!»

On a voulu aussi faire passer les femmes pour des menteuses. C'est un mensonge, Elles ne le sont pas plus que nous. Et quand elles le sont, elles le sont bien mieux que nous. Elles, au moins, savent habiller un mensonge. Tandis que les nôtres sont gros comme des sabots et cousus de fil blanc. Je connais même des hommes qui sont tellement menteurs qu'on ne peut même pas croire le contraire de ce qu'ils disent.

La beauté des femmes a nourri la muse de bien des poètes, mais certaines laideurs ont aussi provoqué des plaisanteries plutôt vinaigrées. On raconte, par exemple, que le célèbre Talleyrand, au milieu d'une brillante réception mondaine donnée à la cour de je ne sais plus lequel des différents monarques qu'il a servis avec une sincérité prodigieusement versatile, fut interpellé par une dame dont la laideur était légendaire mais pour laquelle il passait pour avoir eu cependant quelques faiblesses. «Il paraît, lui lança-t-elle courroucée, avec l'accent glapissant de la pimbêche offensée, que vous vous êtes vanté d'avoir obtenu mes faveurs?» Et le cruel ministre de répondre: «Vanté?... Non, madame, je m'en suis accusé!»

Le même Talleyrand, en une autre circonstance — car il était partout et même ailleurs, l'histoire en témoigne —, se trouvait à table devant une dame du monde qui portait un déshabillé spectaculairement indécent mais dont la poitrine était plate comme un traité de droit administratif. Il se pencha vers son voisin et lui murmura à l'oreille: «Je n'ai jamais vu découvrir davantage pour découvrir si peu!» Cela me fait penser au mot cruel de Tristan Bernard au sujet d'une dame dont le nez aurait guéri Cyrano lui-même de ses complexes et auprès duquel l'appendice nasal de feu Maurice Duplessis eût été une décoration. Il disait d'elle: «Quand on l'embrasse sur les deux joues, c'est plus court de passer par derrière!»

L'humour, besoin de notre temps

On ne dira jamais assez la valeur humaine de l'humour. Contrairement à ce qu'un vain peuple pense souvent, l'humour, ce n'est pas seulement, ni même surtout, une blague. Derrière sa légèreté se cache un sens aigu de la gravité des choses. Au-delà du mot qui fait sourire il faut voir le fruit d'une maturité intellectuelle et morale, une attitude de l'homme devant le monde et, à la limite, une véritable philosophie de la vie. Je crois que l'humour est un des noms de la sagesse et la fine fleur de la culture humaine. Plus un homme a de culture, plus et mieux il connaît et aime les êtres de l'Univers dans lequel il vit; plus il a le sens de la relativité des choses de ce monde et moins il les prend au sérieux. «L'humanité, disait Oscar Wilde, se prend trop au sérieux; c'est le péché originel du monde.» Il faut bien convenir en effet que vus d'assez haut — *sub specie æternitatis,* comme disent les théologiens —, nos petites personnes et nos petits problèmes n'ont pas tant d'importance. Le sens de l'humour, en définitive, ce n'est pas autre chose que le sens de l'humilité et de l'humanité. Humour, humilité, humain, humus, mots qui sont de même racine parce qu'ils signifient des réalités de même famille. Ils se contiennent l'un l'autre et ils s'éclairent l'un par l'autre. L'humour n'est que le frère souriant de la vertu d'humilité. «Quand on sait qu'on descend du singe, il faut savoir rire», disait le Chinois Lin-Yu-Tang.

Je suis un homme sérieux qui aime rire. Autant la gravité du destin des hommes m'inspire des pensées inquiètes, autant me rassérène et me réconcilie malgré tout avec la vie le regard amusé que ma nature et ma petite culture m'inclinent à poser sur les aspects comiques de nos existences. Quand je contemple le mystère scandaleux des injustices qui sévissent depuis des siècles sur la Terre, que je pense à la profondeur abyssale de la bêtise humaine et que je constate notre congénitale impuissance à y changer quelque chose, je me dis sagement qu'il vaut mieux pour notre santé chercher ce qui est drôle dans tout ça et en rire un peu, que de rester les yeux constamment rivés sur nos bobos et passer notre temps à les gratter au risque de sombrer dans la mélancolie suicidaire ou la rage révolutionnaire des chevaliers de la table rase.

Quand une vérité n'est pas belle et qu'elle n'ose pas aller toute nue, la robe qui l'habille le mieux, c'est l'humour. Devant l'apparente absurdité de tant d'aspects de la condition humaine, quel meilleur refuge s'offre à l'âme que l'humour? Pour dominer le mal qu'on ne peut empêcher, quelle arme plus efficace que l'humour? Et pour prévenir le désespoir qui guette les cœurs trop sensibles au spectacle du malheur, quelle meilleure prophylaxie que l'humour? À la fois refuge, arme et hygiène, l'humour, c'est l'état de grâce de l'intelligence humaine. Sans l'exutoire qu'il apporte à toutes nos frustrations, nous serions tous plus fous que nous le sommes. J'écoutais Raymond Devos, l'autre jour, à la télé. Devos qui est peut-être le plus grand humoriste au monde en ce moment. Devos qui est un artiste total. Car non seulement il peut tout faire sur scène, mais en plus, il est un penseur. C'est un homme qui fait réfléchir.

Il parlait du rire. Il faisait en quelque sorte la philosophie du rire. Il disait: «Le rire est un pouvoir. Le pouvoir de désamorcer le mal. Du moment qu'on rit de quelque chose, cette chose n'est plus dangereuse. Rire des choses, c'est s'en affranchir. C'est leur enlever une sorte de menace. Par exemple, si l'ayatollah Khomeiny avait esquissé un sourire de temps en temps, le monde entier en aurait été momentanément rassuré... Un des bienfaits du rire, c'est qu'il est contagieux. Un rire en appelle cent autres. Et alors tout est changé, tout devient moins dramatique, tout devient plus humain... Quand les gens ne rient plus, c'est le désespoir.» C'est vrai: le rire lave les ennuis, nettoie les angoisses, essore les morosités. Le rire, c'est le détergent de l'âme.

Il faut en effet être obèse de l'esprit pour ne pas rire un peu de la condition humaine. Si Dieu le Père a fait les hommes différents, c'est aussi pour que, en s'aimant bien, ils puissent rire les uns des autres. Et il leur a donné le sens de l'humour pour qu'ils se consolent de n'être que ce qu'ils sont. La plus belle preuve que Dieu lui-même a le sens de l'humour, c'est qu'il a créé les hommes et qu'il les laisse faire de la politique. Le sens de l'humour, c'est le sourire de la vérité: se voir tel qu'on est, voir les autres tels qu'ils sont, en sourire, et être heureux avec et malgré tout. Cultiver en soi la douce fleur de l'ironie est un moyen de garder la joie, cette divine enfance du cœur.

Non seulement le sens de l'humour est-il, sur le plan personnel, l'achèvement de la culture et une manifestation supérieure de la sagesse humaine, mais il est, sur le plan social, un besoin de notre temps. L'homme d'aujourd'hui est un homme menacé par la tristesse. L'angoisse sourde habite son âme. Son intelligence se révolte contre l'absurdité apparente de la condition humaine. Sa liberté est souvent en prison, la crainte des catastrophes définitives lui étreint le cœur et il n'a plus foi dans les systèmes philosophiques ou politiques qui lui proposent le bonheur. Pour accepter de vivre quand même dans un monde où tant de bêtise est en place, il faut une forte dose d'humour.

De nos jours plus que jamais l'humoriste est un bienfaiteur de l'humanité. Notre temps a besoin de lui. Il remplit au milieu de nous une fonction sociale extrêmement importante. Il est la soupape de sûreté de la société démocratique. Le citoyen a besoin de brocarder les pouvoirs: ça le défoule. Les porte-parole de ses colères, de ses humeurs, justement, ce sont les humoristes. Ils disent avec esprit ce que le peuple ressent avec colère. C'est plus drôle et c'est moins dangereux pour la République. Parce qu'ils voient les choses dans l'optique du sourire, les humoristes contribuent mieux que personne à l'œuvre d'hygiène mentale nécessaire à toute société. Ils démystifient les systèmes, ils dégonflent les orgueils, ils brisent les idoles aux pieds d'argile, ils percent les carapaces des conformismes, ils désamorcent les fanatismes, ils confondent les vaniteux, ils désacralisent les hommes et les fonctions qui avaient indûment usurpé le manteau du sacré, ils dénoncent la bêtise si haut placée soit-elle, bref, ils canalisent vers le sourire les frustrations populaires qui autrement chercheraient le défoulement dans la violence. On devrait enseigner l'humour dans les écoles. Saint Thomas More l'enseignait bien du haut de la chaire, lui qui fit un jour cette prière admirable:

«Donnez-moi une bonne digestion, Seigneur, et aussi quelque chose à digérer.

Donnez-moi une âme qui ne connaisse pas l'ennui, qui ignore le murmure, le gémissement et le soupir.

Et ne permettez pas que je me fasse trop de souci pour cette chose encombrante que j'appelle ‹moi›.

Seigneur, donnez-moi le sens de l'humour.»

Je tiens, moi, que les deux plus grandes valeurs humaines sont, premièrement, l'amour universel et inconditionnel des êtres, et, ensuite, l'humour. L'amour qui nous justifie de vivre... et l'humour qui nous en console.

Deuxième partie

Juste pour rire

«J'ai ri, me voilà désarmé!»

Piron

Le hasard des circonstances m'ayant amené à sévir dans une gazette hebdomadaire de ma paroisse, il m'est arrivé d'y publier des propos que je crois humblement — l'humilité, c'est la vérité — immortels.

Si bien que je considérerais comme une impardonnable omission de ne pas les offrir en pâture intellectuelle — et en exemple, osons le mot — aux générations montantes si avides de vérité et de modèles.

Je soumets donc à leur admiration justifiée quelques articles simples, masculins et singuliers, où ils reconnaîtront, en même temps que la sagesse de l'auteur, son goût d'enseigner le bien par le biais de la parabole joyeuse.

Le jésuite et la dame du monde

Même si se faire traiter de jésuite n'est, en certaines occurrences, pas toujours flatteur — je me demande bien pourquoi d'ailleurs —, un fait reste certain, c'est que la Compagnie de Jésus est de tous les ordres qui ont illustré l'histoire de la sainte Église celui qui a le plus fait parler de lui.

C'est un ordre militaire, vous savez ça. La règle chez les Jésuites, c'est l'obéissance. L'obéissance aveugle: rappelez-vous le fameux *Perinde ac cadaver*, expression par laquelle saint Ignace de Loyola, dans ses *Constitutions*, prescrit à ses fils spirituels la discipline et l'agenouillement inconditionnel devant l'autorité des supérieurs. Un jésuite est un soldat.

Mais il n'en est pas moins homme. Les Jésuites que je connais sont des gens charmants, d'un commerce tout à fait agréable. Ce qui n'a rien d'étonnant: ils ont de la culture. Et puis ils sont si charitables à part ça. En voulez-vous un exemple? Tenez.

L'autre jour, dans l'avion qui ramenait des vacanciers québécois de Miami à Montréal, se trouvaient assis côte à côte, par hasard, une dame du monde (du meilleur!) qui revenait en ville rafraîchir ses chairs et ses toilettes et un vieux jésuite qui était allé dans le Sud se reposer un peu des fatigues bien connues de l'apostolat. La conversation s'engage, onctueuse et inoffensive; on parle de tout et surtout de rien, mais gentiment.

Jusqu'au moment où la dame, pratique et concrète comme elles sont toutes, fit part au saint homme d'un problème personnel dont la pensée la hantait depuis un petit moment et qui concernait en même temps sa bourse et son âme.

— Si j'osais, mon père, confia-t-elle, minaude, à l'homme de Dieu, je vous demanderais un petit service. Un petit service qui ne vous coûterait rien mais me vaudrait beaucoup.

— Mais osez, chère madame, osez, fit le moine.

— Voici. J'ai avec moi un nécessaire pour dame, en or pur, qui vaut très cher et pour lequel il me faudra payer beaucoup d'argent à la douane si je le déclare. Alors j'ai pensé que... si vous n'y aviez pas d'objection de conscience, vous pourriez peut-être le glisser dans votre poche de soutane (à vous le douanier ne posera pas de questions, bien sûr) et me le remettre de l'autre côté des barrières.

— Mais certainement, madame, avec plaisir, comptez sur moi, j'en fais mon affaire.

Le voyage continue agréablement, la dame est heureuse — ça lui chatouille divinement l'âme de se sentir un peu complice d'un si grand homme d'Église — et le bon père est ravi de pouvoir rendre service à une si aimable paroissienne. Arrive la cérémonie du dédouanage. La dame passe la première, mine de rien, et se retrouve saine et sauve, mondaine et souriante, de l'autre côté du tourniquet. Au jésuite, qui suit de près, l'officier public pose la question rituelle:

— Avez-vous quelque chose à déclarer?

Un jésuite ne ment jamais, c'est bien connu. Mais sa conscience, à laquelle des siècles de pratique pastorale et de commerce avec les âmes ont fini par donner des vertus d'élasticité remarquables, a acquis de ce fait une si subtile habitude d'ajuster la morale aux circonstances (la morale n'est-elle pas, c'est saint Thomas lui-même qui le dit, une affaire essentiellement circonstancielle?) que le jésuite est devenu, avec le temps, un virtuose de la casuistique. C'est d'ailleurs une des gloires de la Compagnie. Alors donc, en guise de réponse, le doux moine, arborant un large sourire plein d'humour d'avance triomphant, eut ce mot charmant:

— Mon ami, à partir de la ceinture jusqu'à la tête, je n'ai rien à déclarer. Mais à partir de la ceinture jusqu'en bas, j'ai un «nécessaire pour dame» qui n'a jamais servi!

Les «fées» sont saoules!...

Ça y est, les gars,... la révolution féministe triomphe, le monde bascule sur ses bases, le fameux rapport des forces est inversé et la phallocratie cède le gouvernail à la gynécratie.

Je rappelle aux ignorants, c'est-à-dire à ceux qui n'ont pas fait de grec, que gynécratie, ça vient de deux mots grecs: *gyné* qui veut dire «femme», et *cratein* qui veut dire «gouvernement». La gynécratie c'est le gouvernement par les femmes. De même que, comme disait Lincoln, la démocratie c'est le gouvernement du peuple, par le peuple, pour le peuple, la gynécratie, c'est le gouvernement des femmes, par les femmes, pour les femmes.

Nous en sommes là. Après avoir dominé le monde pendant des millénaires, les mâles viennent de perdre le pouvoir. C'est fini, messieurs, il ne nous reste plus qu'une chose à faire: quitter la scène et aller nous rhabiller en coulisse. Le passé, c'était à nous, mais l'avenir, il est aux «créatures». La phallocratie est vaincue, les femmes sont au pouvoir, le monde passe en quenouille et c'est maintenant le règne du matriarcat.

Tout ça parce que «les fées ont soif». C'est notre faute aussi: nous n'avions qu'à leur donner à boire quand c'était le temps. Maintenant il est trop tard, elles ont décidé de se servir elles-mêmes. *Nostra culpa, nostra culpa, nostra maxima culpa!...* C'était à prévoir. L'appétit des femmes est une force insatiable. S'il y en a qui devraient le savoir, c'est bien nous, les mâles. Toute notre expérience nous prouve depuis longtemps que quand nous leur donnons un pouce elles prennent une verge!...

Notre règne est bel et bien fini maintenant, messieurs, nous avons perdu le pouvoir, et probablement pour des siècles. Armons-nous de patience et cultivons la vertu de résignation. Et préparons-nous pour assumer à leur place les tâches ancillaires qui ont été leur lot et leur honte pendant si longtemps.

Et prions. Prions pour que notre mal soit un moindre mal, car pour se venger des injustices de l'histoire, elles sont bien capables, dans un élan de rage et de frénésie révolutionnaires, d'envoyer notre fragile «service trois pièces» à la guillotine. Quand c'est de sang que «les fées ont soif», il n'y a plus rien pour nous sauver de l'hémorragie. Nous subirons de leurs belles mains blanches l'ultime sacrifice auprès duquel celui de pépère Abraham, de biblique mémoire, n'était qu'une caresse du destin. Nous aurons beau les avertir, avec des accents inspirés du plus flamboyant lyrisme, que la conséquence fatale de leur chirurgie politique serait que, tous les hommes étant devenus eunuques et toutes les femmes étant par le fait même condamnées au lesbianisme universel, cela impliquerait la fin du monde... elles ne voudront rien savoir. Quand des fées qui ont soif boivent jusqu'à l'ivresse et que, saoules de pouvoir, elles sombrent dans l'ivrognerie revancharde, la catastrophe définitive n'est pas loin.

Je sonne donc ici le ralliement de tous les mutilés virtuels que nous sommes tous, et, parodiant à peine le cri fameux de Marx, je nous appelle à la guerre sainte de libération: «Mâles de tous les pays, unissons-nous, nous avons tout à perdre, y compris nos ‹valseuses›, et nous avons un monde à reconquérir!...»

P.-S.: Dernière heure. Je viens d'apprendre la formation officielle du MLM (le Mouvement de libération des mâles). Notre chef sera Michel Girouard. Et il aura comme adjoint dans sa lutte nul autre que le célèbre intellectuel de gauche «Mad Dog» Vachon. Tout n'est pas perdu. Un autre «15 novembre» est à l'horizon...

Les intellectuels

> «*L'intelligence est une épée.*»
> Dandieu

Dans le monde ordinaire les intellectuels ont mauvaise presse. Ils passent plus ou moins pour des gens dangereux. Ou farfelus. On les imagine facilement comme des êtres un peu perdus dans les nuages des idées abstraites et dont le travail consiste à jouer avec des mots. Bref, on ne les prend pas trop au sérieux et on se demande souvent de quelle utilité ils peuvent bien être à la société.

Mais il faut prendre garde, quand on juge les intellectuels, de ne pas tomber dans les préjugés faciles des ignorants qui, n'ayant eux-mêmes aucune culture, finissent par mépriser l'intelligence et croire que tous les gens qui pensent sont *a priori* suspects. Ce qui est une autre forme de la bêtise.

Il y a deux sortes d'intellectuels: les bons et les pas bons. Ou, plus justement, les vrais et les faux. Il faut sans vergogne classer dans la catégorie des avortons de l'esprit la piteuse engeance des dilettantes stériles, des diseurs de rien, des abstracteurs de quintessence, des fendeurs de cheveux en quatre, des enculeurs de maringouins, des gens qui ont des bibites dans la tête et qui perdent leur temps — et celui des autres — à jongler avec les mots en prenant leurs divagations d'impuissants pour l'expression de la conscience universelle. On les reconnaît facilement à la pédante obscurité de leur pensée, à l'hermétisme de leur vocabulaire et à l'incurable intolérance de leurs jugements sur tout et sur tous. Simples pisse-vinaigre ou sombres apprentis sorciers de la Révolution, ils sont tous malades d'aliénation idéaliste et ils prennent leur décadence mentale pour de l'avant-gardisme politique. N'essayez pas de les comprendre, c'est inutile. D'ailleurs ils ont horreur de tout ce qui est intelligible. Pour eux une idée devient suspecte à partir du moment où elle est claire. Ce sont des esprits tordus qui ne se meuvent à l'aise que dans l'abstrus, la dialectique et le compliqué. Pour eux, moins tu comprends, plus c'est beau. C'est plein de vide et ça ne rime à rien. C'est le nihilisme intégral, l'insignifiance absolue, la folie pure, l'apothéose du rien. Il n'y a qu'une chose à faire avec ces hurluberlus-là: les laisser braire et sourire un brin...

Par contre, il y a aussi, heureusement, de vrais intellectuels. Des gens de pensée, bien sûr, dont la réflexion reste toujours collée au réel et qui surtout ont une façon claire de parler. Leur recherche constante, sur quelque matière qu'elle s'exerce, est celle de la vérité. De toute la vérité. Ceux-là sont d'authentiques témoins de la lumière et ils sont les éléments les plus stimulants d'une société. Ils sont les phares qui éclairent sa marche, le moteur qui la fait avancer. Même peu nombreux, parce que l'excellence ne peut être le lot de tout le monde, ils sont précieux. «Réfléchir est la fonction de l'homme, disait Montherlant. Cependant les hommes qui réfléchissent sont une infime minorité. Comme toutes les minorités, ils exaspèrent les majorités.»

C'est vrai ça. Observez ce qui se passe dans la vie. Quand un sage se lève pour dire la vérité au peuple et qu'il propose au mal dont souffre son pays un traitement qui forcément dérange ses habitudes, c'est le sage qui a raison. Et c'est lui qu'il faut suivre si son discours est juste. Et un discours est juste quand il exprime la *justesse* et la *justice*.

En connaissez-vous?

Moi, si.

Beauce d'automne

> «*Octobre, chant de couleurs, de parfums*
> *et de fruits, tu es la richesse de la terre.*»

Si vous n'avez pas vu la Beauce dans sa robe d'automne, vous ne savez pas ce que c'est que la volupté des yeux.

Je suis allé la voir, hier, comme on allait voir sa blonde au temps de ma jeunesse. Elle était belle à se mettre à genoux devant... Je roulais lentement sur sa route capricieuse, et je regardais sa forêt. Ses couleurs flamboyaient. C'était un incendie d'or, de sang, de rouille, d'ocre et de cuivre. Une symphonie de soleil, une apothéose de lumière, une orgie de couleurs qui criaient en silence leur joie muette d'être si belles.

Grisé par cette irrésistible poésie des choses, je suis descendu de ma voiture et me suis mis à marcher dans l'érablière qui bordait ma route. La terre sentait bon comme une haleine d'enfant. Jonchant le sol humide qui avait l'air d'un tapis multicolore, les feuilles mortes étaient encore vivantes.

Puis vint le vent. Toute la matinée, il s'était amusé à broder des dessins blancs avec la laine des nuages sur l'étoffe du ciel bleu. Il se mit à arracher une à une les feuilles aux branches des arbres. Elles voltigeaient un instant dans l'espace pour tomber ensuite sur le sol avec des grâces de ballerines. C'était à la fois une féerie, une langueur et un parfum. Je pensais aux

> «...forêts ténébreuses et douces
> où le silence dort sur le velours des mousses»

dont parlait le poète.

Au bout de mes pas j'ai débouché sur un pâturage où, l'œil langoureux, le pas lent, balançant un pis généreux, ruminant leur «rêve intérieur qui ne s'achève jamais», s'avançaient les vaches, images bucoliques de la paix des champs, bêtes calomniées par une humanité ingrate qui leur doit son lait!

J'ai marché si longtemps que j'ai été pris par la brunante. Ah la brunante beauceronne, beauté charnelle, fille du baiser qu'à cette heure se donnent la lumière et la nuit, heure sensuelle lourde de désirs, porte ouverte sur la mélancolie du soir naissant, seuil de plaisirs inconnus de la clarté, griserie, musique du silence, champ libre de l'esprit...

Il n'y a pas au monde de pays plus beau que mon pays, l'automne.

Il est beau comme le premier matin du monde.

Il est beau comme l'espérance.

L'espérance de sa prochaine liberté!

«*Moé veu ien saouère... stie!*»

Un jour, feu mon excellent camarade Jules Renard commençait une conférence par ces mots: «Messieurs, c'est inouï comme de nos jours l'ignorance fait des progrès...»

Qu'est-ce qu'il n'aurait pas dit aujourd'hui, le cher Jules, s'il lui avait été donné d'entendre nos *drop-outs* proclamer, du haut d'une ignorance de la plus belle crasse, le dogme infaillible de la niaiserie absolue qui fleurit sur les lèvres d'une certaine jeunesse: «Moé, veu ien saouère... stie!»

Car depuis l'avènement des grosses écoles, l'ignorance a fait de tels progrès qu'elle est devenue de l'inculture militante. Le dernier mot de l'avant-gardisme, le fin du fin de la libération culturelle, le Jugement dernier de la jeunesse paumée, l'idéal flamboyant des poètes du rien, le résumé de tout sur tout, c'est: «Moé, veu ien saouère... stie!» C'est l'alpha et l'oméga de leur credo. Quand ils ont dit ça, ils ont tout dit. C'est fort, c'est court, ça se crache bien, et puis ça règle tout parce que ça écœure le monde et ça fait chier les bourgeois...

Et puis c'est plus qu'une philosophie, c'est tout un programme de vie. As-tu un problème, personnel ou social? Tu vas retrouver la *gang*, tu t'évaches nonchalamment quelque part à terre, tu siphonnes du *pot*, tu tètes une bière, tu t'écoutes pousser la barbe pendant des heures, tu cuves ta rage contre le «système», tu te masturbes l'anarchisme, tu sacres à tous les deux mots et, pour résumer puissamment toute ta pensée, tu lâches un doctoral, péremptoire et définitif: «Moé, veu ien saouère... stie!» Et tout l'entourage a compris que t'as l'étoffe d'un dur, d'un pur, d'un sûr, d'un mûr.

C'est pas possible, il est trop bon: il y a du Che Guévara dans ce gars-là...

Ce qui prouve bien que le fameux «savoir, c'est pouvoir» des sociétés décadentes est aujourd'hui dépassé par les découvertes de la contre-culture et que l'avenir est aux ânes. Dans le monde merveilleux qu'ils préparent dans leurs «voyages» (parce qu'il faut vous dire que ça «trippe» beaucoup dans ce monde-là), la paresse sera la vertu cardinale du système, la crasse sera son signe de ralliement (on se reconnaîtra à l'odeur), l'ignorance sera son programme et la drogue, sa bienfaisante pollution.

Et si vous avez l'innommable impolitesse de prétendre que c'est ce fumier-là qui prépare et engraisse les fascismes, vous allez vous faire dire entre deux rots: «Va chier, câlisse, moé, veu ien saouère... stie!» Et vous l'aurez bien mérité.

Félix, César et Pompée

Ceux qui aiment l'histoire avec un grand *H* sont ordinairement friands de la petite histoire, qui fait la trame de la grande, et même des histoires qui sont arrivées aux puissants de ce monde. En voici une qui va vous édifier.

Au temps de Clémenceau (dit «le tigre» parce qu'il avait une aptitude incroyable à faire tomber les ministères — faut dire aussi qu'en France, je ne sais pas si vous y êtes déjà allé, les cabinets ne sont pas très solides), la présidence de la République était exercée par un personnage haut en couleur qui s'appelait Félix Faure. Et le «tigre», qui était le chef de l'opposition et son ennemi juré, semblait n'avoir de griffes et de crocs que pour harceler son gibier politique de choix, l'heureux Félix. Il n'eut même pas besoin de le faire: ce fut le destin qui s'en chargea.

Le Président avait une petite maîtresse, très belle au demeurant et d'une présence très active, qu'il aurait bien voulu garder secrète mais que tout le monde connaissait, les journalistes en particulier dont chacun sait qu'on ne peut jamais rien leur cacher très longtemps. Pour se distraire un peu des ennuyeuses fonctions de chef d'État, il l'emmenait souvent avec lui dans ses voyages officiels, ce qui était une façon agréable de meubler les temps morts de la politique et les heures creuses de la vie officielle. Mais dans l'intimité, la petite, en plus d'être une beauté du diable, était une consommatrice d'énergie insatiable. Il y avait chez elle un côté Messaline qui mettait à rude épreuve les forces tout de même limitées de son immortel amant.

Immortel, c'est une façon de parler parce que c'est justement la mort qui lui donna l'immortalité.

Dans le train qui l'emmenait en mission officielle en Italie, le Président eut avec la petite des échanges d'une vigueur telle qu'au moment précis où il croyait partir pour le septième ciel, c'est devant saint Pierre en personne qu'il se retrouva. Affolement parmi les fonctionnaires de la suite présidentielle. Tout énervés par le caractère ostensiblement scandaleux de l'événement, ils répondaient n'importe quoi aux journalistes de la presse mondiale qui les harcelaient de questions indiscrètes. C'est ainsi qu'à l'un d'eux qui demandait si le Président avait eu sa connaissance jusqu'à la fin, un fonctionnaire répondit: «Non, elle s'est enfuie par l'escalier de service.»

En apprenant la nouvelle que le Président était mort «dans l'exercice de ses fonctions...», comme le rappelait la presse parisienne, Clémenceau n'a pu s'empêcher de donner un coup de griffe à la mémoire de son adversaire en prononçant un mot aussi spirituel qu'historique: «En voilà un autre qui s'était cru César et qui est mort Pompée!»

Le football est-il un péché?

Le football est le jeu d'équipe le plus parfait qui ait été inventé par les hommes. Si vous ne le saviez pas, j'ai l'honneur de vous l'apprendre. Les spécialistes les plus calés et les meilleurs experts (c'est-à-dire ceux qui sont de mon avis) vous diront que rien de plus génial n'est jamais sorti de l'intelligence humaine depuis le commencement du monde. C'est le *nec plus ultra* de la perfection ludique.

Moi j'en faisais les délices de mes loisirs assis et je savourais avec une innocente joie les prouesses de ces jeunes dieux du stade que sont les joueurs de football jusqu'à ce qu'un théologien de malheur vienne jeter le trouble dans mon âme et me mettre un ver dans la pomme. Là où je n'avais vu qu'agilité des corps, souplesse des muscles, rapidité des réflexes et astuces de l'esprit, lui ne voit que gestes équivoques, postures provocantes, attitudes pernicieuses, bref toutes les conditions du péché de la chair qui faisait la hantise de notre adolescence et contre lequel nous sommes sévèrement prévenus depuis Moïse par les sixième et neuvième commandements. N'est-il pas jusqu'au vocabulaire de ce sport qui s'apparente étrangement à celui du péché de luxure? En effet, il n'y est question que de touchés, de bottés, de verges perdues sur le terrain, d'empilades culs par-dessus têtes, bref de tout ce qu'il faut pour entretenir dans l'âme des spectateurs un climat de concupiscence omniprésente et l'alimenter de mauvaises pensées. À peine y a-t-on prévu un maigre converti ici et là, comme pour dédouaner moralement cette perversité organisée.

Si ce n'était que ça encore, ce ne serait qu'un péché «naturel», un moindre mal susceptible d'absolution. Mais il y a pis. En effet, d'après certaines autorités universitaires, le football offrirait des signes d'un péché «contre nature»: l'homosexualité. Alan Dundes, professeur d'anthropologie à l'université de Californie, a écrit (j'ai lu ça dans le *Time Magazine*) que «le football est une forme rituelle du viol homosexuel. Les gagnants féminisent les perdants *by getting into their end zone»* (la pudeur m'empêche de traduire en français). Comme aurait dit feu François Mauriac: c'est le boutte du boutte!...

Ainsi donc, ces colosses de deux mètres, ces mastodontes du gridiron qui se frappent, s'entrechoquent, s'envoient en l'air et s'écrasent à qui mieux mieux, et qu'on croirait être les spécimens les plus parfaits de la virilité triomphante, ne seraient que des fifilles... Et des violeuses par-dessus le marché! C'est le monde à l'envers, c'est le cas de le dire. Le football, un sport d'invertis... on aura tout vu.

Déjà que le baseball, pourtant moralement inoffensif, a dangereusement passé chez nous pour un malin «jeu de pelote», grâce aux propos licencieux d'un vieux snoro que j'ai le malheur de compter parmi mes amis, voilà que maintenant le football risque d'être dévalué sous les coups des intégristes continentaux. Bientôt il n'y aura plus que le golf qui trouvera grâce devant les sévères normes de la morale et sera praticable sans danger pour les chrétiens. Et encore: il y a dix-huit trous à remplir... quelquefois dix-neuf...

Les «ismes»

Les hommes sont drôles: dès qu'ils ont une idée simple, ils s'acharnent à la compliquer, et ils finissent par en faire une idéologie dont le nom se termine en général par un «isme». Et puis après, des disciples s'en emparent pour se chamailler avec les partisans d'un autre «isme»... et ça finit parfois dans le sang, comme en témoigne abondamment l'histoire de l'humanité.

Les idéologies en «isme» sont souvent difficiles à comprendre. C'est pourquoi le meilleur moyen de les expliquer, c'est de le faire avec des exemples tirés de la vie de tous les jours. En voici quelques-uns qui vont sans doute vous éclairer. C'est une histoire de vaches vue sous l'angle de la philosophie politique.

Socialisme: Si vous avez deux vaches, vous en donnez une à votre voisin.

Communisme: Si vous avez deux vaches, vous les donnez toutes les deux au Gouvernement, et le Gouvernement vous donne du lait.

Fascisme: Si vous avez deux vaches, vous gardez les deux vaches, vous donnez le lait au Gouvernement... et le Gouvernement, lui, vous vend le lait.

Nazisme: Si vous avez deux vaches, le Gouvernement vous tue... et garde les deux vaches.

Capitalisme: Si vous avez deux vaches, vous en vendez une... et vous achetez un taureau!...

N'étant pas tout à fait éclairé, j'ai quand même posé à un philosophe de mes amis la question suivante: «Quelle est selon vous la différence entre le capitalisme et le socialisme?» Et il m'a répondu, avec un sérieux plein de grâce: «Le capitalisme, c'est l'exploitation de l'homme par l'homme; et le communisme... c'est le contraire!...»

C'est depuis ce jour-là que j'ai abandonné les idéologies pour ne plus croire qu'au bon sens.

La mode

Ah! mesdames, si vous voyiez vos vêtements avec nos yeux d'hommes, comme vous seriez surprises!

Une robe par exemple, pour vous, c'est quelque chose qu'on met, tandis que pour nous, c'est quelque chose qu'on ôte. Les hommes ne vous le diront pas, bien sûr, parce qu'ils sont tous un peu sournois, mais moi qui les entends souvent parler quand vous n'êtes pas là, je le sais. Au fond ce n'est pas bien méchant, mais je dois avouer que ça manque de discrétion. Ils pourraient bien se contenter de vous trouver jolies dans ce que vous portez comme vêtements, mais non, ils ont la manie d'aller toujours au-delà de ce qui vous couvre et de vous imaginer comme vous n'êtes... peut-être pas. Vos transparences les troublent, vos légèretés vestimentaires les affriolent, vos décolletés les énervent et vos déshabillés les affolent.

On dirait que les couturiers, qui sont toujours des hommes — ou à peu près!... — inventent des modes pour les femmes en pensant aux hommes. Parce que finalement, au bout du compte, ce sont eux qui paient. Un jour l'épouse d'un mari arborait, au cours d'un grand cocktail mondain, une robe osée à laquelle il manquait du tissu partout et que tout le monde regardait, les femmes avec envie et les hommes avec concupiscence. S'apercevant avec un plaisir inquiet qu'elle était la cible de tous les regards, elle demande — pour la forme — à son mari: «Chéri, toi, as-tu trouvé quelque chose d'indécent à ma robe?» Il lui répondit: «Oui... son prix.» Vous voyez bien que les hommes ne voient pas la même chose que vous.

Sur le prix qu'elles paient pour leurs robes, les femmes sont en général d'un mutisme hermétique. Mais quand elles acceptent de parler, certaines le font avec un réjouissant esprit. Par exemple, l'an dernier, le père Gédéon, qui avait profité de ma distraction pour échapper à ma surveillance (quand il vient en ville, vous savez, il me faut recourir à des ruses de Sioux pour le garder tranquille...), s'était retrouvé à *Parle, parle, jase, jase* en train de raconter ses beauceries à Réal Giguère. Arrive la grande Michèle Tisseyre, somptueusement drapée dans une robe racée qui scintillait de mille feux au moindre de ses mouvements. Le vieux snoro, que le côté canaille de la robe de Michèle laissait apparemment froid, entreprit de vérifier de la main la qualité du tissu. Et avec cette délicieuse naïveté d'habitant sans complexes qui fait le charme des gens simples, il déclara à Michèle: «Je voudrais en acheter une pareille à ma vieille Démerise, pour nos noces d'or... Comment est-ce que vous avez payé ça, vous, là?...» Et Michèle de lui répondre, avec son sourire plein d'indulgente finesse: «Père Gédéon, je vais vous dire toute la vérité, je l'ai payée... trop cher!»

À quoi servent les poètes?

«Un poète est un monde enfermé dans un homme.»
Victor Hugo

Le court instant qu'est notre vie ne vaudrait pas la peine d'être vécu si la grisaille de nos jours n'était pas quelquefois traversée par le soleil de la poésie. La réalité de l'existence serait intolérable si le rêve ne l'enrichissait pas de sa fantaisie, si l'écrasante banalité de nos tâches quotidiennes n'était quelquefois illuminée par cette douce folie de l'âme qui lui permet de s'affranchir de l'insignifiance en s'échappant vers la lumière gratifiante de l'imagination.

Les poètes sont, à notre époque, ceux qui se battent avec les armes du rêve pour défendre le dernier carré de ciel bleu contre la noire fumée du progrès. Ils sont l'oxygène de l'humanité. «Ingénieurs de la parole», comme les nommait Valéry, musiciens de l'âme, hommes aux semelles de vent marchant dans les nuages, fous inspirés qui voient le fond des choses dont les autres n'aperçoivent que la surface, ivres de tout l'impossible du monde, amoureux des mots et des images, ils sont la fraîcheur d'une société, son inspiration quelquefois, son bonheur souvent, son ornement toujours.

Il n'est pas nécessaire d'écrire pour être poète. La poésie, c'est comme une grâce: ce n'est pas des mots, c'est un état d'âme. Tous les enfants sont poètes. Regardez-les vivre, écoutez leurs questions, observez leurs jeux, et dites-moi si tout le charme de la vie n'est pas dans l'insouciance de leur liberté et l'abondance de leurs rêves. Alphonse Daudet disait: «Un poète, c'est un homme qui regarde le monde avec ses yeux d'enfant.» Et nous savons depuis Jésus que si nous ne devenons pas comme eux, nous n'entrerons pas dans le Royaume des cieux!...

Si tu es assez pur pour te laisser émouvoir par une belle chose, si tu crois qu'un battement de cœur peut être la première mesure d'une chanson, si le spectacle de la bonté te donne confiance en l'humanité, si le malheur des autres t'afflige et si leur joie te donne des ailes, si tu te laisses ravir par un coucher de soleil, si tu vois luire des perles dans les gouttes de pluie, si le vent est un violon pour tes oreilles, si la beauté des femmes te donne le goût de leur donner de toi au lieu de prendre d'elles, si la tristesse du monde t'inspire de le sauver avec de la joie... tu es poète, mon frère.

Reste-le longtemps.

Tu seras aimé.

Les mensonges joyeux

Mon curé m'a toujours dit que c'étaient les moins graves. Des péchés véniels tout au plus. Et inévitables, il faut le confesser, car qui n'a pas dans sa vie raconté de temps à autre de ces petites menteries inoffensives qui ne font de mal à personne et qui nous dépannent... au moins provisoirement?

Il reste que celui qui fait un mensonge est un menteur. Et ça, c'est pas beau. Les pires menteurs, d'après des statistiques scientifiques, seraient les hommes. Moi qui connais bien le mari de ma femme, je serais enclin à croire que c'est un peu vrai.

Je pense à cette scène, aussi loufoque que véridique, qui se passait récemment au domicile d'un couple d'avant-garde dont l'épouse se trouvait un soir en compagnie de son amant. Tout à coup, au beau milieu de leurs ébats galants, le téléphone sonne. La dame va répondre, tient avec son interlocuteur une conversation naturelle et parfaitement détendue, et revient souriante sur son champ de bataille.

— Qui est-ce? s'enquiert l'amant un peu inquiet.

— C'est mon mari, répond la dame. Il m'a dit qu'il rentrerait tard ce soir parce qu'il est en train de jouer aux cartes avec toi!...

Les cruches

> *«Au nom du grec, permettez*
> *que je vous embrasse!»*
> Molière

J'avais dix-sept ans et j'étais en «belles-lettres» au Séminaire de Québec, institution admirable, méritante et sévère que j'ai hantée comme pensionnaire pendant huit ans et où j'ai laissé le souvenir d'un étudiant modèle (je n'avais pas les moyens de me faire foutre dehors!) dont les frasques étaient inoffensives si on les compare au mauvais exemple de tous ceux qui fumaient en cachette, qui «foxaient» les cours de religion ou qui sortaient en ville sans permission...

En «belles-lettres», on étudiait le grec. Je vous dis tout de suite, au cas où vous n'auriez jamais goûté à ce mets coriace et aujourd'hui introuvable, que la version grecque, c'était pas particulièrement «flippant», comme ils disent aujourd'hui au cégep. Pour tout vous dire, c'était «platte» à mort...

Un jour, notre impayable professeur, l'abbé Maurice Laliberté, un homme immense de corps et d'esprit qui avait un humour caustique et percutant, était au tableau noir en train de disséquer pour nous une imbuvable phrase de Démosthène, célèbre orateur athénien qui était à l'éloquence politique ce que Camil Samson était au Crédit social. C'est tout dire.

L'inattention était générale et ceux qui ne dormaient pas cherchaient des trucs pour rester réveillés. Pendant que le prof, le dos tourné à sa classe, écrivait au tableau, l'un d'eux entreprit d'imiter avec sa bouche le bruit que fait un bouchon qui saute de sa bouteille... Cela produisit un gros effet. Tout le monde étouffa un rire puissant et s'attendit à une semonce magistrale de la part de l'officiant.

L'abbé se retourna tranquillement vers son auditoire, promena sur nous un regard olympien, et, son petit sourire cynique au coin des lèvres, déclara avec la plus délicieuse solennité: «Mes enfants, vous ne pouvez pas savoir quelle volupté intellectuelle et quelle réconfortante joie ce peut être pour un professeur que d'entendre les cruches de sa classe se déboucher séance tenante!»

Depuis ce jour-là nous l'avons tous aimé. Et ce qui est plus merveilleux encore, ce diable d'homme a fini par nous faire aimer Démosthène.

Les yeux des femmes

«*Ces beaux yeux qui, portant le jour de toutes parts,*
Font autant de captifs qu'ils lancent de regards.»
Corneille

Toute la femme est dans ses yeux.

On ne dira jamais assez — ni assez bien — ce que son regard apporte de beauté, de grâce, de tendresse et de désir à cette vie grise qu'est notre quotidien. On dirait que toute la lumière du monde passe par ses yeux. Ce n'est pas le soleil qui les éclaire, ce sont ses yeux qui justifient le soleil d'exister...

Quand une femme vous parle, écoutez d'abord ce que ses yeux disent. Le divin Sacha disait de ceux de Jacqueline de Lubac:

«Sont-ils bleus, sont-ils verts?
Qu'ils soient bleus, qu'ils soient verts,
Quand ils sont grands ouverts,
Ils sont délicieux...»

Et quand ils sont pairs-verts donc!...

Moi, je ne peux voir leurs yeux bleus sans penser au ciel qui s'y mire.

Quand ils sont verts, ils me donnent l'espérance qu'ils tiendront leurs promesses.

S'ils sont gris, je voudrais sonder leur mystère.

Et je ne parle pas de celles qui ont «des yeux noirs de gitanes captives d'où semblent couler les ténèbres», comme disait Léon Bloy de sa Véronique.

J'en ai même vu des mauves... dont je n'ai jamais su quoi penser.

Quelle que soit leur couleur, qu'ils soient mystérieux, tendres, langoureux ou ensorceleurs, les yeux des femmes nous jettent leur âme au visage et n'ont même pas besoin de paroles pour nous rejoindre le cœur. Ils ont un langage muet qui parle plus fort que toutes les éloquences. Ils attendrissent sans dire un mot, ils séduisent à bout portant, ils devinent sans même interroger, ils sourient comme des lèvres, ils caressent comme des mains, ils implorent comme des prières, ils éclatent comme des éclairs, ils ont des airs qui rafraîchissent, des tendresses qui consolent, des flèches qui transpercent, des soifs qui appellent l'ivresse et des regards qui sont des brûlures à force de couver le feu.

Les yeux des femmes sont des lacs profonds, des miroirs d'infini, des abîmes de rêve, des échanges voilés, des gourmandises muettes, des battements de cœur, des caresses de velours, des clairs de lune en plein jour, des baisers discrets.

Je les aime.

Et je serais heureux d'avoir vécu rien que pour la joie de les avoir vus...

La maison

La patrie la plus petite mais la plus humaine et la plus chaude que possèdent les hommes, c'est la maison.

Qu'elle soit pauvre ou somptueuse, peu importe; ce qui fait sa valeur c'est qu'elle abrite la plus intime et la plus douce des relations humaines, la famille. C'est sa richesse profonde. Et c'est sa poésie.

Qui que nous soyons, célèbre ou inconnu, puissant ou simple citoyen, riche ou pauvre, nous avons tous une chose en commun, une chose qui nous définit, qui nous donne un nom, qui nous relie à notre source, qui tisse notre lien permanent

avec ceux qui partagent notre sang, qui fait de nous des frères...
c'est la famille.

La maison est le lieu premier de la famille. Elle est la base
d'où l'on part et le havre où l'on revient. Elle est le port d'attache. Elle est le foyer où est gardée et entretenue par nos
mères, ces vestales, la chaleur de la vie. Elle est le nid où éclot
notre vie, elle est les bras qui bercent notre enfance, elle est la
table qui nous réunit autour du pain quotidien, elle est le refuge
permanent où nos malheurs viennent cacher et guérir leur
tristesse, elle est le sanctuaire de nos plus pures et plus
profondes affections.

La fonction de la maison est économique, bien sûr, en ce
qu'elle assure l'abri matériel, mais c'est sa dimension morale
qui est la plus importante au fond. C'est l'âme de la maison
qui est touchante. Elle fait partie de ces «choses qui ont une
âme qui s'attache à notre âme et la force d'aimer», dont parle
le poète. Car la maison a une poésie. «Le merveilleux d'une
maison, dit Saint-Exupéry, n'est point qu'elle vous abrite ou
vous réchauffe, ni qu'on en possède les murs, mais bien
qu'elle ait lentement déposé en nous ses provisions de douceur, qu'elle forme dans le fond du cœur ce massif obscur
dont naissent, comme des eaux de source, les songes... les
souvenirs.»

Les souvenirs, ces clairs de lune de mes solitudes, les murs
de ma mémoire en sont tapissés. Ils reviennent souvent
prendre mon cœur d'assaut et le remplir de nostalgie. Celle des
instants de joie que j'ai vécus dans la maison où, dans l'amour
des miens, palpite mon bonheur. Quand je la quitterai pour ma
demeure éternelle, je voudrais dire à ma maison le même adieu
que Jean Rameau fit si joliment à la sienne:

    «Ma maison, je m'en vais; mais ne t'attriste pas!
    Si demain sur ton seuil ne sonnent plus mes pas,
    Si l'écho n'a plus rien de ma voix familière,
    Mon âme sera là, calme dans la lumière,
    Car ce n'est que mon corps qui part, tu le sais
      bien.
    Oh! fais-le donc comprendre à mon cèdre, à mon
      chien,

À mes bois pâlissants, à mes roses blessées!
Chaque soir sur eux tous rôderont mes pensées;
Et si, la nuit, mes vieux bahuts craquent, parfois,
Sache que c'est ma main qui caresse leur bois.»

On ne meurt jamais tout à fait quand on laisse après soi des choses qui rappellent des instants de bonheur. Et les dernières amours qui terminent la vie sont les premiers rayons de la joie éternelle.

Phallocratie et femellitude

> *«Les femmes de mon temps mettaient tout leur souci*
> *À surveiller l'ouvrage, à mériter ainsi*
> *Qu'on lût sur leur tombeau, digne d'une Romaine:*
> *Elle vécut chez elle et fila de la laine.»*
> François Ponsard,
> *Lucrèce*, acte I, sc. I.

Quand je vois de mes contemporaines, vociférantes et poitrines au vent, marcher à l'assaut de nos Bastilles, je me recueille et je ne puis m'empêcher de dire, comme Phirin Després chez nous dans la Beauce: «On n'a plus les femmes qu'on avait!»

J'avoue que secrètement je m'en réjouis. Je trouve ça drôle et heureux. Drôle parce que c'est un spectacle pour moi riche d'imprévu que cette levée de glaives aux mains des amazones de la «guerre des jupons». Je tressaille d'allégresse à la pensée qu'elles ont déjà introduit leur jument de Troie dans la citadelle des mâles, et qu'elles se préparent à y perpétrer des ravages comparables aux pires hécatombes du passé. Et je souscris sans réserve, pour ne pas dire avec enthousiasme, au jugement du poète soviétique Evtouchenko: «Les meilleurs hommes, ce sont les femmes.» Perspective pleine de promesses et de grâce.

Heureux aussi car c'est une nouvelle aube qui se lève pour la justice. En effet, deux bonnes douzaines de siècles le prouvent, les hommes ont failli à leur tâche. C'est au tour des femmes de gouverner le monde. Elles ne peuvent pas faire pire que nous. Moi, je ne demande pas mieux que d'être leur sujet. À la seule condition qu'une fois au pouvoir elles veulent bien me garantir, par une sorte de charte des droits du mâle, l'intégrité de mon corps. Pour que je puisse quand même continuer à leur rendre ses suprêmes hommages de la volupté... quand elles en auront le désir.

C'est vrai, ce serait original, vous ne trouvez pas, que le monde passe en quenouille pendant quelques siècles? Le temps de purger l'Univers de ses phallocratiques habitudes. De cette manie qu'ont contractée les mâles au cours de l'histoire de régler les problèmes à coups de fusils et de bombes, et de polluer la Terre avec leurs sales industries. La dentelle au pouvoir! Ça serait pas plus joli, non?

Les mâles, une fois réduits par le pouvoir féminin à la fonction d'agents de reproduction qui n'aurait jamais dû cesser d'être la leur, constitueraient un immense haras de service toujours disponible pour assurer la continuité de l'espèce. Ils n'auraient pas à s'en plaindre: ça fait des millénaires qu'ils ne pensent qu'à ça!

La paix et le bonheur du monde demandent à grands cris l'avènement du matriarcat universel. Finies les folies! Fini le temps odieux où la femme était la prolétaire, la colonie de l'homme! Terminé le Moyen Âge de l'hégémonie masculine! Dissipées les abjections du temps de la femme-objet, de la femme-servante, de la femme-etc! Oubliée pour jamais l'ère honteuse de la condition de vestale gardienne du feu et de mère martyre vouée à l'humiliant itinéraire qui la menait du fourneau au lit... et vice versa! Arrière, Pénélope, vive Lysistrata!

Mais mon enthousiaste soumission au nouveau pouvoir ne va pas sans inquiétude. Une peur diffuse me hante. S'il fallait... S'il fallait qu'au lieu d'être présidé gentiment par des matrones débonnaires uniquement préoccupées de nous assurer une existence d'étalons bien nourris, il advînt que l'ordre établi passât aux mains des extrémistes! De ces viragos révolutionnaires dont le vocabulaire terrible me remplit du plus glaçant effroi. Selon qui nous ne sommes, je l'ai bien lu, que d'odieux phallocrates, des crétins sexistes et des démons lubriques dont il faudrait exorciser le monde au plus coupant.

Je dis bien «coupant». Car les plus radicales d'entre elles forment ce qu'on appelle le parti des castratrices. C'est comme qui dirait leur extrême gauche. Si jamais elles deviennent majoritaires, nous sommes foutus. Ce serait le bolchevisme en jupons. Elles établiraient leur domination universelle sur un monde libéré des couillophores où il n'y aurait plus que deux catégories d'êtres humains: les lesbiennes au pouvoir et les eunuques pour les servir.

S'il fallait, par exemple — *horresco referens* —, que le poste de première ministresse et celui de ministresse de la Justice fussent occupés par d'agressives idéologues formées aux doctrines subversives de Lesbos, et qu'une conjoncture néfaste se présentât qui, pour une raison ou pour une autre, s'ajoutant aux mauvais souvenirs de leur servitude passée, les irritât contre nous, ne pourraient-elles pas songer, par vengeance rétroactive, à organiser une «nuit des longs couteaux»? Voyez-vous d'ici l'affreuse Saint-Barthélemy qui nous attendrait? Je ne donnerais pas cher, le cas échéant, pour nos mols attributs... Nous serions voués sans défense à un carnage agrippinien. Car il y a peut-être au fond de chaque gouverneuse une Agrippine qui sommeille.

Ai-je besoin de vous dire que cette perspective me remplit d'une angoisse qui n'a rien de métaphysique car elle se situe aux antipodes de mon cerveau. Étant un féministe inconditionnel — j'adore les femmes, je n'y puis rien —, je me soumettrais à la rigueur à leur autorité politique absolue, mais ce qui me terrorise jusqu'à la panique et peuple même quelquefois mes nuits de rêves cauchemardesques, c'est, vous pensez bien, d'imaginer le sort cruel qui serait réservé à mes «bijoux de famille» auxquels j'ai la faiblesse de tenir comme à la prunelle de mes yeux. Peut-être même plus...

Songez, mesdames, que sans eux nous ne sommes plus rien. Rien que de malheureux vers de terre écrasés sous vos jolis pieds. De grâce — c'est une prière désespérée — épargnez-nous cette fatale coupure dans notre vie. Nous vous promettons de faire, comme vous voudrez, tant que vous voudrez, où vous voudrez, tout ce que vous voudrez pour que le bonheur remplisse tous vos jours et toutes vos nuits. Nous consentons unanimement à être pour toujours vos esclaves, mais l'idée de devenir vos eunuques nous affole, comprenez-nous. Nous nous engageons à être vos obéissants sujets à la seule condition que vous nous laissiez juste ce qu'il faut pour que nous restions aussi, quelquefois... vos amants.

S'il vous plaît!

Le ciel de Théodore

Je ne sais plus qui a dit que «la punition de ceux qui ont trop aimé les femmes, c'est de les aimer toujours», mais je suis certain que la profondeur de son analyse l'a fait frôler la vérité de très près. Je n'en veux pas d'autre preuve que ce qui est arrivé à un homme du monde bien de chez nous que le destin avait copieusement gâté en le faisant hériter de ses parents à la fois d'une fortune immense et d'une nature si riche aussi que sa vie en fut finalement gâchée. Il s'appelait Théodore.

Beau comme un dieu, d'une sociabilité parfaite, ayant des loisirs à ne pas savoir qu'en faire, il devint la coqueluche des femmes de sa génération. Attirées par son corps et retenues par son esprit, sa culture et souvent aussi par ses bras, elles étaient folles de lui. Gratifié d'une robuste constitution physique, il avait fait de son lit de célibataire immariable un champ de bataille où, vaincues par son charme animal et sa finesse intellectuelle, elles finissaient toutes par passer sous ses fourches caudines, comme jadis les consuls romains de la deuxième guerre samnite. Le monde entier était son empire et il vivait comme un sultan au milieu du plus somptueux harem.

Mais ce paradis de Mahomet ne pouvait durer toujours. Un homme est un homme et Théodore sentit un jour que sa merveilleuse mécanique commençait à avoir des ratés. Il constata avec stupeur les signes avant-coureurs de l'impuissance. Ce fut une tragédie. À sa courte honte, il dut abandonner les plaisirs qui avaient jusque-là fait sa renommée. Finalement il devint bon à rien. Il sombra alors dans le pessimisme absolu et, un jour, son moteur s'arrêta brutalement. Il partit pour l'autre monde, tué en quelque sorte par une surdose de bonheur.

Un an plus tard, un ami à lui, qui était dans l'assurance-vie, le rejoint dans la vie éternelle. Et là, au ciel, qui voit-il, assis sur un moelleux divan, une capiteuse fille sur les genoux? Théodore. Mais à sa grande surprise, Théodore ne donnait pas l'impression de nager dans la béatitude. Son ami s'approche de lui et, montrant la pépée sur ses genoux, lui fait un clin d'œil qui se voulait complice. Puis il lui dit:

— Sacré Théodore, va! C'est ta récompense éternelle, je suppose?

— Non, lui répond Théodore. C'est moi qui suis... sa punition!

Les orgueilleux

Je n'irai pas jusqu'à dire, comme ce vieux hibou frustré de Voltaire, que «les gens ne méritent pas qu'on leur parle», mais je conviendrai volontiers que les orgueilleux sont les plus détestables du monde. Quel que soit leur rang — et encore plus s'ils sont haut placés —, ils sont proprement insupportables.

Que Sacha, l'empereur de la fatuité, proclame qu'il a l'audace de se croire seul dans sa catégorie et de se dire par conséquent l'ennemi-né de toute comparaison, ça me fait seulement rire. Parce qu'on s'attend à pareille prétention de ce génie qui faisait si généreusement épicerie de son cabotinage. On serait même un peu déçu si sa vanité n'était pas aussi brillante que son talent. Mais qu'un non moindre personnage que Louis XIV aille, après que ses armées eurent perdu une bataille, apostropher le ciel en disant: «Est-ce que Dieu aurait oublié ce que j'ai fait pour lui?» voilà qui est un accès d'orgueil jamais égalé dans l'histoire. Même Néron, dans son impériale démence, n'est pas allé aussi loin. C'est vous dire! Vraiment la connerie humaine n'a pas de limite: elle dépasse en ampleur le génie de l'intelligence.

Mais si elle ne justifie rien, elle explique cependant bien des choses. Par exemple la continuité de certains succès. Je pense ici à ceux que remportent auprès d'un public médiocre des écrivains qui le sont autant. J'en ai connu un qui en était même conscient jusqu'au cynisme. À un journaliste qui, l'interviewant un jour, lui demandait les raisons de la faveur populaire dont il jouissait, il répondit avec une candeur étudiée qui était d'ailleurs loin de lui messeoir: «Il m'a fallu quinze ans pour découvrir que je n'avais pas de talent pour écrire. Hélas! il était trop tard pour m'arrêter: j'étais déjà célèbre!»

Que c'est beau!...

De gustibus et coloribus non disputandum.
Proverbe

Il paraît que ce qui dans le monde entend le plus de bêtises, c'est un tableau! Je me suis aperçu que c'était vrai le jour où, visitant une exposition de peinture, j'ai entendu une femme s'exclamer devant une croûte infecte à faire peur au monde: «Que c'est beau!...»

J'allais confier mon désaccord presque violent à Lili (c'est ma première femme...) mais le souvenir du vieux proverbe scolastique m'a retenu en deçà du jugement téméraire. J'ai bien fait parce que j'aurais peut-être proféré une somptueuse connerie à mon tour, car, tout artiste que vaniteusement je prétende être, je dois avouer à ma courte honte que je suis d'une ignorance impardonnable en matière de peinture. Ce qui me porte à penser que là-dessus je suis plus intelligent quand je ne parle pas... En continuant le même raisonnement, je me demande, à la réflexion, si je ne devrais pas aussi cesser d'écrire!

Tout ça pour vous dire que la beauté est dans l'œil de celui qui regarde. C'est autant subjectif qu'objectif. Les gens qui éructent des cris d'admiration lyrique devant les tableaux de Picasso montrant des bonnes femmes avec le nez en dessous des oreilles et les nichons dans le dos ne m'ont jamais impressionné. Je sais bien que tout est permis en art comme quand on rêve, parce que les délires y sont inoffensifs, mais je suis incapable de «flipper» devant une toile qui heurte mon sens primitif de l'esthétique. Je dois n'être qu'un triste barbare et un sombre analphabète de l'art car j'ai l'imprudente crétinerie de penser que si je rencontrais dans la vie une femme qui a les yeux hors de leur orbite et les nénés sous les bras, j'aurais spontanément plus le goût de la plaindre que de lui proposer les derniers outrages!

Ça ne fait rien, ça se vend cher, donc ça doit avoir de la valeur. Ça ne correspond pas à mes critères à moi, mais croyez bien que je ne me suiciderai pas pour autant. Je suis trop heureux de savoir que loin des cauchemars picassiens qui arrachent des louanges dithyrambiques aux partisans de la difformité en couleurs, il y a dans le monde des belles femmes qui ont les yeux à la bonne place, une poitrine d'avant-garde à vous donner la soif, des jambes capables de faire tourner une rue entière en sens unique, et qui font la joie de mon regard naïf et gourmand. Et je remercie Dieu le Père d'avoir eu la bonne idée d'exister avant les peintres dénaturistes.

Pardonnez-moi d'être si bêtement normal. Et dites-vous que, même pour les ignorants comme moi, *de gustibus et coloribus non disputandum!*...

Oyez... Oyez...
Voyez... Voyez...

La publicité, c'est comme le sexe, le capitalisme, les impôts et les unions: on est pris pour vivre avec ça. Autant se faire une raison.

La raison que j'ai trouvée pour l'endurer, même si elle me fait suer comme tout le monde, c'est que, en même temps que l'immortelle stupidité qu'elle illustre et l'ennui puissant qu'elle engendre, elle a quelquefois l'avantage de me faire rire. Il arrive même qu'elle laisse poindre des lueurs d'esprit.

Vous savez comme moi combien il est difficile de nos jours d'aller dans un endroit public sans risquer de se faire ahurir par le vacarme électronique de la musique disco dont on nous impose partout la bruyante cacophonie. Vous savez, cette musique de fer-blanc avec le volume toujours «au coton» d'où on espère en vain qu'il va sortir une mélodie. Tout le monde s'en plaint... et tout le monde l'endure comme on endure la pollution. On a toujours hâte que le morceau finisse pour pouvoir enfin s'entendre parler. C'est tellement vrai ce que je vous dis qu'aux États, ils ont des *juke-box* où il y a des «disques de silence». Tu mets trente sous dans la machine pour avoir droit à trois minutes de tranquillité...

Un jour le propriétaire d'un café-restaurant avait mis l'affiche suivante à l'entrée de son restaurant: «Excusez-nous, le *juke-box* est cassé et la télévision est en panne.» À sa grande surprise, il a vu du jour au lendemain sa clientèle doubler. Alors il a mis en permanence l'avis suivant à sa porte: «Venez manger chez nous en paix: le *juke-box* est cassé et la télévision est en panne!»

Si j'avais été Lise Payette, je me serais inspiré dans le temps, pour la publicité de notre nouveau régime d'assurance-automobile, du joyeux slogan qu'utilise une compagnie allemande d'assurance-auto et qui dit: «Nos conditions sont tellement bonnes que quand vous serez assurés chez nous... vous aurez hâte d'avoir un accident!...»

Mais la meilleure nous vient d'Angleterre, patrie de l'humour. Dans la plupart des chambres d'hôtel, une bible est à la disposition des voyageurs. Un jour, un client de passage trouve cette note dans le Livre Saint posé sur la table de nuit: «Si vous êtes seul et triste, cherchez le réconfort en lisant les psaumes 23 à 27.» Et en dessous, une main anonyme avait ajouté: «Et si vous n'êtes pas consolé après cela, téléphonez au numéro TRAFALGAR-4865 et demandez qu'on vous passe Barbara!...»

La révolution culturelle

> *«Il est des morts qu'il faut qu'on tue.»*
> Boris Vian

Une révolution n'en est pas une si elle ne va pas jusqu'au bout de ses principes quoi qu'en pensent les arriérés qui traînent comme des boulets à la remorque de l'histoire.

Ainsi, de «tranquille» qu'elle a été au temps du rhéteur Lesage, elle doit maintenant avoir le courage d'aller jusqu'à l'iconoclastie. Et de briser les idoles qui ont menti au peuple. Pépère Mao et son Chou nous en ont jadis donné un exemple entraînant, en ne craignant pas de rallumer la flamme de leur révolution culturelle... avec feu Confucius sur le bûcher.

Au Québec, il urge que nous déboulonnions au plus sacrant les monstres sacrés qui ont dévoyé nos âmes — et surtout nos corps — en cherchant à les tenir éloignés de leur complément direct: les femmes, qui s'accordent si bien en genre et en nombre avec leurs sujets. Je propose donc qu'on occise pour commencer la mémoire de trois scribes (dont deux saintetés) qui ont odieusement calomnié la femme. Et qu'on fasse sur la place publique un autodafé de leurs œuvres.

Le premier à brûler, c'est le saint Jean Chrysostome (un gars en or, c'est dommage) qui a osé proférer que «la femme est un mal nécessaire, une tentation naturelle, une désirable calamité, un péril domestique, une fascination mortelle, un fléau fardé».

Le deuxième, c'est l'intouchable saint Thomas d'Aquin. Lui, il a fait encore pire. Il a écrit: «La femme est sujette à l'homme en raison de la faiblesse de sa nature, tant de l'esprit que du corps... L'homme est le commencement de la femme et sa fin, de même que Dieu est le commencement et la fin de toute créature.» Il a même ajouté: «Les enfants doivent aimer leur père plus que leur mère.» Non mais...

Le troisième, c'est Rabelais, l'écœurant Rabelais qui a poussé l'injure jusqu'à prétendre: «Quand je dis femme, je dis un sexe tant fragile, tant variable, tant inconstant et imparfait, que la nature me semble s'être égarée de ce bon sens par lequel elle avait créé toutes choses quand elle a bâti la femme...»

Est-ce tolérable qu'en pleine époque de libération féministe de pareils affreux soient encore vénérés? Et disponibles au public pour l'empoisonnement de la jeunesse? Il faut recréer l'Index et le Saint-Office et instituer une censure, établir une sorte de Bastille de l'esprit, et clouer au pilori les ennemis de nos bonnes femmes. Comme disait l'autre: «Il est des morts qu'il faut qu'on tue.» Foutez-moi en taule tous les aquinistes, les chrysostomaux et les rabelaisiens! Et élevons des autels aux dames du monde.

Si c'est au milieu que se trouve la vertu, que ce soit dans le leur que notre révolution achève sa joie!... Ce sera notre grand soir à nous. Et aussi nos lendemains qui chantent...

L'âge des femmes

Oui, je sais, c'est un sujet tabou. Quand on est poli on ne parle pas de ça. Au moins devant elles.

Mais elles, elles en parlent. Et avec une cruauté si spirituelle que je ne résiste pas à vous refiler quelques perles que j'ai cueillies sur leurs jolies lèvres. En leur en laissant, bien sûr, l'entière responsabilité, car je les aime trop pour jamais dire pareilles choses... même en riant. Elles ne me le pardonneraient pas. Avec raison d'ailleurs... car je les pense!

Un jour, l'éternellement jeune Nicole Germain passait à la télé à l'émission *Appelez-moi Lise*. Vous connaissez Lise: elle avait quelquefois la question sournoisement indiscrète. À dessein d'ailleurs, ce qui faisait la joie de tout le monde. Donc, à brûle-pourpoint, comme ça, elle lui demande: «Nicole, quel âge avez-vous?» Toute autre femme que Nicole aurait été décontenancée. Pas elle. Elle lui répondit, altière et doucement féroce: «J'ai cinq ans de plus que je parais, et cinq ans de moins que vous ne pensez!...»

La grande comédienne francaise Gabrielle Dorziat était aussi finement tigresse envers ses congénères quand elle écrivit: «Les années qu'une femme soustrait à son âge ne sont jamais perdues: elle les ajoute à celui de ses amies...»

Et Annie Cordy: «Elle a perdu ses vingt ans... et depuis, elle les cherche partout.» Mais quand on lui demandait son âge, elle répondait, rougissante: «Je suis plus près de trente que de vingt.»

Edwige Feuillère, dont le cinéma nous a fait admirer la somptueuse beauté et l'extraordinaire talent, disait: «C'est entre vingt-neuf et trente ans que se situent les dix plus belles années de la vie d'une femme.»

Pour compter leurs années, les femmes ont une arithmétique bien à elles. Une amie dont je tairai le nom parce que je veux la garder, m'a expliqué un jour une drôle de théorie mathématique. Elle m'a dit: «Quand j'ai épousé mon mari, il avait trente-six ans, et moi, j'en avais dix-huit, soit exactement la moitié. Or aujourd'hui il en a soixante-dix. Donc moi, j'en ai trente-cinq!...»

C'est sans doute un cas semblable qui faisait dire un jour à Michèle Morgan: «Il peut se passer bien des choses en dix ans. Par exemple, une femme peut vieillir de deux ou trois ans!»

Tout cela a des conséquences sur leurs projets matrimoniaux. Ainsi une dame d'un certain âge que l'expérience avait rendue sage donnait aux femmes en danger de mariage le judicieux conseil que voici: «Quand une femme court après un mari riche, il est préférable qu'elle soit la dernière à le faire... parce que c'est toujours la dernière qui est la veuve!...»

Mais après tout, l'âge ça n'a pas tellement d'importance. À moins qu'on soit un fromage, comme dit l'autre. Car s'il faut savoir le prix des années, il n'en faut pas savoir le nombre. Tenez, hier, j'ai rencontré ma merveilleuse camarade Louise Marleau, que je n'avais pas vue depuis un an. La voyant radieuse, je lui ai dit: «Tu n'es pas un an plus vieille, tu es un an plus belle.» Elle a souri comme une fleur. Et je me disais que le visage d'une femme heureuse triomphe toujours de son âge. Il est comme l'eau d'une rivière: le vent a beau lui donner des rides, elle reste toujours jeune.

Les contrepèteries

La gaillardise est une tradition bien française. Elle fait partie de notre culture depuis toujours et constitue une des richesses les plus savoureuses de notre folklore. Latins que nous sommes, les drôleries nous plaisent toujours. Même si j'allais écrire «surtout quand» elles ont un petit air rosse, voire iconoclaste, ou même joyeusement irrespectueux de valeurs aussi sérieuses que la morale traditionnelle et les mœurs ecclésiastiques.

Les chansons de folklore que chantaient nos grands-pères (et que malheureusement nos enfants, rendus incultes par le système d'instruction qui sévit aujourd'hui dans nos écoles, ne connaissent presque pas) sont pleines d'histoires de moines paillards, de nonnes légères et de cocus magnifiques. Chanté sur un air gai, on dirait que le péché perd de sa gravité. Ce qui est sûr, en tout cas, c'est que, comme le bon vin dont parle l'Écriture, il réjouit le cœur de l'homme.

Une des joyeusetés que nous devons à la richesse souriante de notre culture française, c'est la contrepèterie. La contrepèterie est un jeu de société qui exige un certain travail de l'intelligence. Mais ce travail est récompensé sur-le-champ, car il débouche la plupart du temps sur un généreux éclat de rire. Le jeu est simple, il consiste à interchanger les consonnes placées soit au début soit à l'intérieur des mots pour ainsi donner à une phrase à première vue inoffensive un sens complètement différent. Au fond, c'est le jeu du «Il faut dire... et non pas...» Voici un exemple. Il faut dire: «C'est un petit vieux qui vend de la serge», et non pas: «C'est un petit vieux qui sent de la verge!»

Histoire de vous donner matière à rigolade et pour «enjoyer» un peu vos soirées de fête, je vous en propose ici quelques-unes, en vous laissant le plaisir d'y trouver vous-même la blague cachée qui vous réjouira. Voici.

— Le magasinier a touché un bon de cretonne.

— La maison peut également vous procurer des rillettes en fût.

— Le vieux marin lave le fond de sa quille.

— On ne dira jamais assez le rôle des Nippons dans le relèvement de la Chine.

— Quelle drôle de bille tu faisais!

— Le calot était dans le son.

Et ainsi de suite jusqu'à épuisement de la matière... ou de l'esprit. Ce qui n'est pas pour demain car il s'en invente tous les jours et des plus juteuses.

Les mots d'enfants

Je ne suis pas sûr que nous méritions nos enfants.

Ils sont si adorables dans leur innocence et leur spontanéité, et nous, notre vie d'adultes nous fait consentir à tant de calculs, de compromissions et souvent d'hypocrisie, qu'il y a entre eux et nous une différence d'âme. Ils sont purs, nous sommes plus ou moins fourbes. Ils n'ont pas d'arrière-pensées, nous n'avons que ça. Ils sont directs, nous sommes pleins de détours. À combien de leurs pourquois pouvons-nous répondre honnêtement? Ils ne cachent rien, nous leur cachons presque tout sous prétexte de les éduquer. Au point qu'en bien des cas l'éducation des enfants, au lieu d'être une entreprise de connaissance, est devenue un jeu de cachette. Pourtant, j'ai toujours cru, moi, que quand l'intelligence d'un enfant est assez développée pour lui faire poser une question, c'est parce qu'elle l'est assez pour recevoir la réponse à cette question. Vous allez me dire: «Oui, mais il y a la manière.» Bien sûr. Mais il y a aussi la matière, et c'est elle qui importe. Enfin...

J'adore les enfants. On peut indiscrètement regarder à loisir jusqu'au fond de leurs yeux purs où l'âme est lisible dans la transparence de la vérité. Ils ont un humour inconscient, si franc et si beau que la vérité dans leur bouche fait jaillir le sourire sur les nôtres. On appelle ça les «mots d'enfants». Il y en a de suaves et de déroutants.

Un jour mon fils de six ans arrive de l'école, où enseignaient des religieuses, après une leçon de catéchisme au cours de laquelle la bonne sœur avait expliqué aux mômes que «le bonheur éternel, c'était la vision béatifique, c'est-à-dire la contemplation de Dieu face à face pendant toute l'éternité». Ça, ça chicotait mon Pierre. Et au souper, entre deux cuillerées de soupe, il demande à Lili: «Maman, quand on aura regardé le bon Dieu tout l'avant-midi, là... est-ce qu'on va pouvoir aller jouer?»

Une autre fois, il se promenait sur la galerie avec son grand-père. Tout à coup il lui demande:

— Quel âge as-tu, toi, grand-papa?

— J'ai soixante ans.

— T'as soixante ans?... Puis t'es pas encore mort?

Et je repense à Alexandre Dumas, tout jeune, qui disait: «Papa, c'est un grand enfant que j'ai eu quand j'étais tout petit!»

La bêtise

«*Multitudo stultorum est innumera.*»
La multitude des imbéciles est innombrable.
La Bible

Comme c'est le Saint-Esprit qui passe pour avoir inspiré cette phrase-là, il y a des chances que ce soit vrai. D'ailleurs on n'a qu'à regarder vivre le monde pour s'apercevoir qu'en effet il est bête... à manger du foin! L'homme, que le philosophe a défini jadis «un animal raisonnable», l'est, semble-t-il, de moins en moins. Si bien que la bêtise apparaît de nos jours comme la chose du monde la mieux partagée...

Il y en a qui sont bêtes comme monsieur Jourdain était prosateur: sans le savoir. Il y en a d'autres qui ont conscience de leur bêtise et qui ont décidé d'en faire un moyen de subsistance; je me demande si plusieurs d'entre nous, comédiens, ne faisons pas partie de cette catégorie-là! Il y en a d'autres qui sont bêtes et qui ne l'admettront jamais: ceux-là sont les plus dangereux. Bref, un peu tout le monde est bête comme tout le monde est fou, adultère, menteur et cocu: c'est une question de degré!...

Cette universalité de la bêtise a inspiré à deux humoristes impénitents, Guy Bechtel et Jean-Claude Carrière, la plaisante idée d'un ouvrage immense et réjouissant qui s'appelle le *Dictionnaire de la bêtise*. J'ai ça chez moi. C'est une somme plantureuse de galimatias, bévues et cacographies, de pensées déréglées et absurdes, des hypothèses les plus farfelues touchant l'histoire de l'humanité, à quoi l'on a ajouté certain nombre de sottises, de folies ou imaginations de toutes sortes et plusieurs balivernes. Cela fait un recueil de conneries du plus réjouissant effet. On y trouve des perles parmi lesquelles scintillent les plus purs joyaux de la pensée.

Ce livre étant, en quelque sorte, un «service essentiel» de l'humour à un moment de notre vie collective où il semble être en panne à plusieurs endroits, j'estime que je n'ai pas le droit de vous priver d'une joie aussi saine que celle de vous donner des exemples de bêtise, pour que vous puissiez la reconnaître quand vous la rencontrerez à quelque détour de votre vie.

Comme il ne peut être question de combattre la bêtise, pour la bonne raison qu'elle est invincible, il n'existe qu'une attitude intelligente à son sujet, c'est d'en rire. D'ailleurs, sans la bêtise, l'intelligence n'existerait pas. Baudelaire n'a-t-il pas dit: «La bêtise est l'ornement de la beauté»? Et des pédagogues éminents et sérieux ont même déjà suggéré qu'on mette au programme des écoles, comme partie intégrante de l'enseignement public, des cours de bêtise. C'est loin d'être bête, à bien y penser. Car on sait qu'éduquer la jeunesse, c'est lui apprendre non seulement ce qu'il faut faire, mais aussi ce qu'il ne faut pas faire. Il faut même lui apprendre ce qu'il faut faire quand elle fait ce qu'il ne faut pas faire. La culture, c'est aussi cela.

Le Journal du 26 août 1900 rapporte la nouvelle suivante: «L'Académie des belles-lettres, qui est à l'Académie française ce que l'accordéon est à la musique, a levé la séance... parce qu'elle n'avait rien à faire!»

Dans son *Compendium à l'usage des séminaires*, paru en 1843, l'abbé Moullet écrit ceci: «Si quelqu'un entretient des relations coupables avec une femme mariée, non parce qu'elle est mariée, mais parce qu'elle est belle, faisant abstraction de la circonstance du mariage, ces relations, d'après plusieurs auteurs, ne constituent pas le péché d'adultère, mais simplement impureté.» Voilà qui va dédouaner la conscience de plusieurs de mes contemporains...

Un nommé Filadelphe Gorilla, dont le nom même explique sa prédilection pour nos ancêtres biologiques, a écrit, en 1893, dans *L'homme, singe dégénéré*, cette phrase qui n'a rien à voir avec le propos central du livre puisqu'il s'agit des Anglaises: «Ce sont des amazones de la Tamise qui ont fait horreur aux légions des Romains, il y a deux mille ans!...»

La pire de toutes les ignominies nous est apparue sous la plume de Jean François Loredano, dans son livre *La vie d'Adam*. Il y écrit: «Dieu voulut qu'Adam dormît quand il forma Ève de sa côte, parce qu'en recevant une femme, il allait perdre tout repos...» Un gars qui écrirait ça aujourd'hui, à notre époque de féminisme militant pour ne pas dire guerrier, risquerait l'existence de ses «précieuses» chaque fois qu'il sortirait!...

L'amour et l'argent

Les idéalistes — il en reste, chez les dames surtout, dit-on — qui croient que les valeurs spirituelles ne sont pas monnayables et que l'amour et l'argent sont imperméables l'un à l'autre ne se doutent pas un instant jusqu'à quel point ils peuvent au contraire être quelquefois solidaires. La vie quotidienne, qui n'est pas toujours un roman rose, est là pour le démontrer. Tenez, par exemple.

Un jour, une jeune fille de bonne famille arrive en larmes à la maison paternelle et court se jeter sur son lit. Étonné de cet état d'âme inhabituel, son père va la trouver et lui demande ce qu'elle a.

— Il y a, dit-elle, que je fréquente Aristide X, le riche industriel que vous connaissez bien. Il me fait la cour depuis trois mois. Et je viens d'apprendre de mon gynécologue que je porte un enfant de lui.

— Ah le salaud, fait le papa furieux. Ça ne se passera pas comme ça. Je vais lui montrer à vivre à ce cochon-là. Il va voir aujourd'hui même de quel bois je me chauffe.

Et il part dare-dare, la rage au cœur. Il arrive chez l'infâme séducteur qui le reçoit avec la plus onctueuse civilité, le fait asseoir au salon, lui offre whisky et cigare, et lui demande avec une exquise politesse la raison de sa visite. Le père, dont le courroux tiédit devant une si aimable réception, lui relate les faits du délit. L'industriel, au lieu de gueuler comme un putois, prend admirablement la chose. Comme un homme du monde. Et il tient au papa le discours peut-être le plus éloquent de sa carrière.

— Écoutez, monsieur, lui dit-il doucement, il n'y a pas de quoi déchirer ses vêtements ni ébranler les colonnes du temple. Ce que les affreux bourgeois comme nous appellent un scandale, ce n'est pour les gens normaux qu'un bonheur un peu prématuré, c'est tout. Moi, je ne veux que du bien à cette petite. Et puis l'industriel que je suis ne peut que se réjouir de cette productivité imprévue... Tenez, pour vous prouver que je suis bon prince, voilà ce que je vous propose. Si c'est un garçon, je verse à votre fille une prime de un million de dollars. Si c'est une fille, elle sera de huit cent mille (il était sexiste, le chameau!) Qu'est-ce que vous dites de ça?

Le paternel, interloqué, désarmé par l'ampleur de ces chiffres et ému par tant de générosité, ne sait plus quoi répondre. Il bredouille, il bafouille et finit par dire:

— Euh... euh... je pense que... c'est magnifique... c'est magnifique... Je vous remercie pour elle... Mais... dites-moi... au cas où ma fille ferait une fausse couche, seriez-vous disposé à lui donner une deuxième chance?

Qu'est-ce que je vous disais!

Compliments

Les Québécoises sont si jolies qu'un Français, débarquant un jour sur les rives laurentiennes, a pu dire: «Au Québec, l'expression ‹jolie femme›... c'est un pléonasme!»

Comme vous méritez tous les compliments, Québécoises mes sœurs, je suis parti à la recherche des mots qui ont fleuri sous la plume des autres et qui m'ont semblé vous convenir le mieux. Laissez-moi en déposer le bouquet aux pieds de votre beauté.

À une camarade comédienne qui mettait la dernière touche à son maquillage avant d'entrer en scène, Claude Dauphin disait: «Comment un miroir peut-il rester ‹de glace› devant une beauté pareille?»

Lors d'un vernissage, Sacha Guitry regardait une jolie femme contempler un tableau. Pour savoir son nom, il lui dit: «Toutes les œuvres d'art ont un nom; quel est le vôtre, madame?» C'était Lana Marconi.

Mon camarade Jacques Normand est aussi un galant homme, le saviez-vous? Je l'ai entendu, un soir, dire à la capiteuse Andrée Lachapelle qui arborait comme toujours une vertigineuse beauté: «Andrée, si je me retenais un instant de plus de te dire comme tu es jolie, je me sentirais coupable d'un péché d'omission!» Pourtant dans notre métier, nous faisons surtout des péchés «d'émissions»!

J'étais allé avec Gilles Vigneault entendre Monique Leyrac chanter Nelligan. Monique, belle comme un état de grâce, avait été divine. Et Gilles de lui dire: «Maintenant que ton père a réussi une belle fille comme toi... Dieu n'a plus qu'à se suicider!»

Et Pierre Brasseur, en admiration devant Michèle Morgan, sa partenaire de *Quai des brumes*: «Devant une beauté comme la vôtre, on ne réfléchit pas, madame... on flambe!»

Mes très chères, je vous embrasse toutes avec la plus respectueuse indécence.

L'adultérologie

Oui, oui, vous avez bien lu.

C'est une science. Une science sociale s'il en est une. Relativement neuve d'ailleurs. Ce qui est surprenant quand on songe que son objet, lui, est si vieux! Mais enfin, c'est comme ça.

Les statisticiens de «la chose» m'ayant appris des nouvelles proprement effarantes sur le taux scandaleusement bas de la fidélité chez les hommes mariés, mon premier mouvement a été de ne pas y croire. Mon second fut de vérifier pour voir s'il y avait une base scientifique à ces mathématiques du péché. Et mon troisième fut de rentrer en moi-même (ce que d'habitude je ne fais jamais sans sortir très vite) et de m'interroger sur les moyens à prendre pour enrayer ce fléau social qui menace la base même de la civilisation occidentale. Car une certitude au moins me porte à croire que tout n'est pas perdu. En effet, à la question: «L'adultère est-il guérissable?», les savants répondent: «Oui.» Leurs statistiques démontrent même que, dans la majorité des cas, la guérison est totale chez les sujets de soixante-dix ans et plus. Alors...

Ce qui m'a frappé dans les statistiques que j'ai lues, c'est que ce sont toujours les maris qui sont adultères. Les épouses, elles, en seraient plutôt les victimes. Même si la plupart d'entre elles admettent y avoir pris un plaisir solide (en vertu du vieux principe anglais *if rape is inevitable, just relax and enjoy it*), elles ne se considèrent pas comme coupables mais séduites. Ce qui, vous en conviendrez avec moi, change toute la moralité de l'affaire. Mesuré à cet étalon — si j'ose dire —, l'acte a un sens moral complètement différent.

Ainsi une femme qui avait dit non avant de faire oui est responsable de son non mais non de son oui.

J'étais au plus profond de ma réflexion quand m'est soudain revenue en mémoire la définition qu'un vieux philosophe arabe donnait du mariage. Il disait que «le mariage est une forteresse assiégée: ceux qui sont en dehors veulent y entrer et ceux qui sont en dedans veulent en sortir». J'ai failli céder à la beauté de la formule, mais le côté militaire de la comparaison me l'a fait rejeter comme mal fondée. Car enfin, on ne peut décemment pas assimiler un sacrement de notre mère la sainte Église à une place à soldats. Le mariage a beau s'agrémenter quelquefois de spectaculaires batailles, ces dernières restent en général au niveau des mots... si gros soient-ils parfois. Rarement interviennent comme éléments valables de la conversation des parties de mobilier telles que rouleaux à pâte, tapettes à mouches, chaises légères, etc. Les statistiques là-dessus sont formelles: c'est l'exception. Il faut donc chercher ailleurs que dans les motivations martiales les raisons profondes de la scandaleuse progression de l'adultère masculin.

Par ailleurs, les savants s'expliquent mal que les femmes, si intuitives de nature, prennent tant de temps à flairer les pièges que les mâles s'ingénient à tendre sous leurs pas. Par exemple, qu'elles soient célibataires ou conjuguées, elles devraient vite s'apercevoir, au premier regard bien placé, à qui elles ont affaire. En effet, les maris portent une alliance à la main gauche. Cela seul devrait, en principe, avertir les femmes de la proximité du fruit défendu. Car si cela n'a jamais immunisé un homme contre la tentation, cela devrait au moins inciter les femmes à ne pas se laisser approcher de trop près. Mais non. On dirait qu'elles aiment jouer avec le feu. Prenez garde, mesdames, quand le feu prend dans ces cas-là, on n'a pas toujours un pompier à sa portée pour l'éteindre.

Dites-vous bien aussi que quand il s'agit de «la chose», tous les mâles ne sont que d'astucieux et hypocrites prédateurs. À moins que vous ne soyez habitées par le secret désir d'être prises — et je dois vous confesser que mon opinion personnelle là-dessus commence a être sérieusement ébranlée —, arrangez-vous pour rester hors de portée de leurs griffes. Sinon vous serez déguisées en proies en un tour de patte et vous allez vous retrouver déplumées dans leur aire en moins de deux.

Il est écrit dans l'Évangile: «Celui qui a regardé la femme de son voisin avec concupiscence a déjà commis l'adultère dans son cœur.» Les hommes à qui j'ai servi ce message comme signal de danger m'ont tous répondu avec un inquiétant cynisme: «Si c'est déjà péché d'y avoir pensé, ça peut pas l'être beaucoup plus de le faire!...»

Voilà comment les civilisations s'écroulent.

La famille

N'attendez pas de moi que je risque le moindre mot contre cette institution si naturelle, si noble, si indispensable, si sainte aussi et partant si vénérable qu'est la famille.

Elle est le berceau de l'humanité et c'est sur elle que, dans l'histoire, se sont appuyés toutes les nations qui ont grandi, tous les États qui ont prospéré et toutes les révolutions qui ont duré. Rien de socialement solide ne se bâtit ni ne persévère sans l'avoir prise pour base. Pensez à ce que serait aujourd'hui le Québec francais si la famille ne lui avait pas donné pendant des siècles la démographie galopante qui lui assure aujourd'hui la place prometteuse qu'il occupe malgré tout parmi les nations occidentales. Place que, malheureusement, le malthusiasnisme de nos couples modernes risque d'affaiblir. Mais ça, c'est une autre histoire...

Donc il y a, et il y aura toujours, la famille. Mais il y a toutes sortes de familles. Il y a celles qu'on appelle les «grandes» familles dont est issue la bourgeoisie d'argent et de pouvoir. Il y a les «grosses» familles qui ont généreusement peuplé notre territoire et qui fournissent à l'État le nombre de ses précieux contribuables. Il y a les familles «religieuses» où se retrouve la crème de notre élite spirituelle. Même la maffia est organisée en «familles», et voyez comme elle est solide.

Il y a aussi, hélas, les familles «honteuses». Elles sont rares mais parfois notoires. Un sociologue, esprit de grande envergure et de qualité universitaire incontestée, fit un jour la monographie de l'une d'elles. Et faisant preuve de cette admirable concision qui est la marque des grands intellectuels, il décrivit en ces termes, dont la sobriété illustre bien la densité scientifique, la variété de son objet d'étude. Je cite: «La famille X — j'omets le nom, vous allez tout de suite comprendre pourquoi — était composée de sept frères. Le premier était avocat et le second ne connaissait pas grand-chose non plus. Le troisième était député et le quatrième était également menteur. Le cinquième était banquier et le sixième occupait la cellule voisine de la sienne à Bordeaux. Quant au septième, il était resté célibataire... comme leur père.»

Les Américains

Moi, je les aime bien.

Je ne suis pas de ceux qui, confondant sottement la politique du gouvernement des USA avec le peuple lui-même, sont toujours prêts à crier haro sur les Yankees. Ce qui, entre nous, est parfaitement stupide. Les Américains, au fond, sont un peuple bon enfant, hospitalier, joyeux et en général profondément sain. Ils ont, bien sûr, eux aussi, comme nous, droit à leur quota d'imbéciles; mais ça, ça ne prouve rien contre rien.

Et puis ils ont un sens de l'humour du meilleur aloi. Je lisais, l'autre jour, dans une revue d'outre-quarante-cinquième, le récit d'une de leurs légendes qui va vous réjouir. Je vous le donne.

Quand les fées créèrent les États-Unis d'Amérique, elles décidèrent d'apporter dans le berceau du premier Américain, et de tous ceux qui naîtraient après lui, les plus belles qualités de la Terre: les Américains seraient honnêtes, intelligents et capitalistes.

Mais on avait oublié d'inviter la fée Carabosse. Furieuse d'avoir été tenue à l'écart, celle-ci se mit à hurler: «Les bonnes fées n'auront pas le dernier mot, car j'ai le pouvoir de défaire leurs promesses. Je proclame donc que les Américains n'auront jamais ces trois qualités à la fois, mais seulement deux. Ce qui fait que ceux qui sont intelligents et capitalistes ne seront pas honnêtes; ceux qui seront honnêtes et capitalistes ne seront pas intelligents et ceux qui seront intelligents et honnêtes... ne seront pas capitalistes!»

Il ne faudrait pas qu'on oublie d'inclure dans notre prochaine Constitution, au nombre des droits de l'homme et du citoyen, le droit des peuples à se moquer d'eux-mêmes...

L'ennui

Le grand Jules Renard disait: «La vie est courte, mais l'ennui l'allonge!» Et il se consolait de trouver le temps long en pensant que si certaines journées passent lentement, il pouvait toujours se dire qu'elles ne repasseraient jamais...

Une chanson que maman m'a apprise en «tirant» les vaches, quand j'étais petit gars et que j'étais tout juste bon à leur tenir la queue, disait:

> «L'ennui
> C'est une chose ennuyante;
> Quand on s'ennuie,
> Maudit, que c'est ennuyant!...»

C'est vrai qu'il y a des jours où l'on se sent peser sur l'âme toute une Angleterre de brouillard, de brume épaisse et collante comme la poisse, de grisaille humide au goût âcre de pluie froide et acide. Il y a comme ça des jours qui suintent tellement le cafard qu'on est vaguement content de se sentir aussi maussade que le temps.

Mais ce n'est rien, ça. Il y a mieux. Tenez, j'ai lu dans la gazette, pas plus tard que l'autre jour, une nouvelle étonnante. Il y a des pays où on cultive l'ennui comme on cultiverait les belles-lettres, les arts ou les choux. En Grande-Bretagne, relate l'AFP, un club de gens ennuyeux a été fondé et compte déjà cinquante membres.

Le Club de l'ennui a été créé à Syke, près de Rochdale, dans la très ennuyeuse région du nord-ouest de l'Angleterre. Les conditions d'admission y sont très strictes: il faut être d'un ennui mortel. Une fois admis, on peut participer aux réunions du Club, où l'on parle pendant des heures de choses dénuées d'intérêt.

Les membres ne regardent la télévision que l'après-midi lorsque les programmes sont encore plus ennuyeux que le soir. Ils ne parlent même pas de la température... car elle change trop souvent!

La prochaine étape envisagée par ce Club, jusqu'ici entièrement masculin, est la création d'une section féminine. Mais ses réunions devront avoir lieu un jour différent de celles des hommes, car un club véritablement mixte risquerait de devenir intéressant!

Bienheureux Britanniques...

Vive l'Angleterre!

Et *God save the queen*!

Le sexe et les syndicats

On dira ce qu'on voudra, c'est pas facile d'être femme au milieu de cette bande de loups aux dents blanches qui circulent dans le monde. Au fond, les mâles humains ne sont que de vulgaires carnassiers. Pour eux les femmes ne sont que des proies. «Ils ne pensent qu'à ça», disait ma tante Rosanna, qui justement avait tout ce qu'il faut pour ça et que je soupçonne affectueusement de n'en avoir pas été aussi outrée que son langage voulait le laisser entendre. Car enfin, elle n'était pas de bois, ma tante, et je suis sûr, moi qui la connaissais bien, que si elle n'a pas tenté «la chose», la chose l'a souvent tentée!... Si elle avait la virginité agressive, tout au long de son âge mûr, je crois que cela tient plus au manque d'occasions de pécher qu'à sa farouche vertu.

Mais ce n'est pas de ma tante que je voulais vous parler. C'est du mortel danger que courent les femmes à cause de la trop grande santé des hommes. Car, il faut bien le dire puisque c'est vrai, leur propension bien connue à consommer le plaisir de la chair est moins l'effet d'un vice que le fait de l'exagération d'une qualité: la générosité. En effet, vous croyez qu'ils veulent vous prendre, mesdames?... Erreur! Ils veulent se donner... C'est pas pareil.

Et puis risquerais-je, mesdames, l'inoffensive impertinence de prétendre — sans prétention — que si les hommes n'avaient pas en général cette purjutante santé qui les empêche si souvent, hélas! de rester en deçà de leurs désirs pour ne pas dépasser les vôtres... vous en seriez secrètement attristées. Car, au fond, leurs audaces, même maladroites, ne sont que des hommages à l'attrait que vous exercez sur eux. Et jurez-moi, là dans les yeux, que ça ne vous chatouille pas un peu la fierté... et que vous ne le faites pas un tout petit peu exprès pour les provoquer. Mais vous le faites avec une si ingénue perversité qu'on vous le pardonne comme si c'était pas péché.

Mais le pire de tout est à venir. Car aux dernières nouvelles, il paraît que les syndicats vont s'en mêler. J'ai lu dans une gazette, l'autre jour, qu'ils s'apprêtent à faire inclure dans les conventions collectives des dispositions qui vont rendre illégal ce qu'ils appellent, d'un euphémisme charmant, «le harcèlement sexuel au travail». Ils veulent interdire — je cite — «les œillades, les insinuations subtiles, les blagues à connotation sexuelle, les propos de rendez-vous», bref, tout ce qui fait qu'il est agréable de travailler avec vous, mesdames.

Je doute que mon ami Michel Chartrand, dont les foudres de colère à consonance religieuse ont fulminé dans tant de croisades pour la justice, laisse passer cette occasion de réhabiliter — après la sécurité — le plaisir au travail.

La fidélité

Il ne faut pas en faire une tragédie de l'adultère puisque ce n'est qu'une comédie... et si humaine en plus. Boulevardière même. Juste de quoi faire rire. C'est curieux, les gens rient toujours quand ils voient sur scène ce qui se passe dans la vie... des autres!

Mais moi, vous me connaissez, je suis pour la vertu. Parce que depuis que je suis petit gars, maman et monsieur le curé m'ont toujours dit que si je m'éloignais d'elle, je finirais par aller me faire brûler les fesses dans le feu de la géhenne éternelle. Or comme j'ai horreur des brûlures —

surtout aux fesses que j'ai sensibles comme celles d'un bébé —, vous pensez si je me surveille...

Cependant l'expérience et mes lectures m'ont appris que la vertu, c'est du caoutchouc: c'est élastique. C'est donc par ce que les économistes appelleraient le «coefficient d'élasticité» de la notion de fidélité que, de fil en aiguille, j'en suis arrivé à une conception si libérale de la «chose» qu'elle confine à une sorte d'œcuménisme sexuel, pour parler comme l'encyclique *Besame Mucho* au chapitre du défoulement.

Car l'amour étant singulier au masculin et féminin au pluriel (je me suis toujours demandé avec angoisse pourquoi), il faut s'attendre à ce qu'il produise quelquefois des mélanges détonnants. Je me suis même laissé dire l'autre jour par un ami mien (que je n'ai d'ailleurs pas cru) qu'à Montréal, par exemple, il y a des hommes qui, profitant malicieusement de la grandeur de la paroisse qui fait que tout le monde ne se connaît pas, trompent leur femme... Ça m'a d'abord scandalisé. Mais au moment où ma conscience révoltée contre cette luxure allait armer mon bras pour jeter la pierre à l'adultère, la voix de la justice m'a tout à coup soufflé à l'oreille qu'en général, chaque fois qu'un homme trompe sa femme, il y a aussi une femme qui trompe son mari. L'une d'elles m'a même déjà confié un jour, au cours d'un cocktail avancé, une de ces vérités que l'on ne trouve que dans le vin: «Moi, monsieur, j'ai tellement trompé mon mari, que je ne suis même pas sûre que mes enfants soient de moi!...»

Cette sentence m'a fait réfléchir. J'en ai reparlé à mon curé, à qui Vatican II a ouvert l'esprit au point de le faire basculer parmi les adversaires du célibat ecclésiastique, et il m'a dit ceci: «Mon cher Doris, tu sais — et si tu ne sais pas, tu devrais le savoir —, le péché n'est pas aussi mortel qu'on le pensait au temps de ta communion solennelle... Tromper... tromper... c'est un bien gros mot. On en abuse beaucoup. La fidélité, qu'est-ce que c'est au juste, et au fond, de nos jours?... Être fidèle, au sens étymologique du mot, c'est ‹avoir la foi›. C'est croire en quelqu'un. Et ce n'est pas parce qu'un mari un peu léger a, un soir de fête, eu la joyeuse faiblesse de s'envoyer les jambes en l'air avec une dame du monde avec qui il n'est pas sous contrat, qu'il faut en déduire qu'il ne ‹croit› plus en sa femme pour autant... La fidélité conjugale, mon fils, ce n'est pas une question de chair, c'est une question d'esprit!»

Cette dernière phrase m'a réconcilié pour la vie avec la religion de mes ancêtres. Elle m'a ouvert des horizons vers lesquels je sens que je n'ai pas fini de m'élancer... Je sens s'élargir en une vaste circonférence l'éventail des possibilités de toutes sortes qui s'offrent désormais à mon initiative. Je risque même peut-être en cours de route de devenir sans le savoir l'instrument de la justice immanente qui exige que ceux qui sont trompés soient dédommagés en quelque sorte. C'est vrai, qui vous dit que dans mes aventures, je ne vengerai pas quelqu'un?... Car, c'est un théologien humoriste qui l'a déjà dit: «La fidélité, c'est quand l'amant est cocu!...»

Ode à la Québécoise

Québécoise, ma pareille, ma sœur, je te salue.

Et je t'aime.

Je t'aime parce que, Ève immortelle, tu es la source et la joie de ma vie.

Je t'aime parce que tu es en même temps ma mère, mon épouse, mon amie, ma camarade.

Je t'aime parce que mon amour est une justice.

Je t'aime parce que je te dois d'être.

Je t'aime parce que je te dois ma nation, cette famille mienne que depuis quatre siècles tu as faite de ta chair, de ton cœur et de la lumière de ton intelligence.

Je t'aime parce que tu es notre commencement et notre continuité. Parce que tu es le centre palpitant de notre histoire. Parce que c'est de toi qu'est né notre hier, que vit notre aujourd'hui et que se perpétuera notre demain.

Je t'aime parce que tu es l'indispensable.

Hier, ceux que les armes anglaises avaient tués sur les champs de bataille, tu les as fait renaître dans des berceaux.

Et aujourd'hui, je te retrouve encore debout à nos côtés, maniant les armes de la libération. Mère, tu as sauvé de la mort la nation-enfant, combattante, tu traces avec nous la route de la liberté et tu façonnes un destin de victoire.

Je t'aime parce que tu es la plus belle, la plus pure et la plus fidèle image de l'idée que je me fais de ma patrie.

Je t'aime, c'est tout...

Je t'aime parce que nous avons besoin de toi.

Je t'aime parce que tu es non seulement la racine de ma race, mais parce que tu es l'enchantement de mes jours... et de mes nuits.

Je t'aime parce que tu es l'amour même. Et que je ne viens de toi que pour aller vers toi. Vers la joie dont tu es le lieu, la cause et l'extase.

Je t'aime parce que tu es toi. Et que sans toi rien de nous ne serait plus. Tu es le perpétuel recommencement du monde.

Je t'aime parce que tu es source, lumière, chaleur, grâce et force. Et que ta vocation sur Terre est de tout y faire refleurir. Je t'aime parce que mon cœur vient du tien. Et vit du tien.

Je t'aime.

Le piège des abréviations

Si ça continue la lecture des journaux va devenir un casse-tête. C'est plein de sigles d'allures plus ou moins cabalistiques (CLSC, OPDQ, ARDI, etc., mettez-en) incompréhensibles sauf pour les initiés. Cela peut causer des malentendus graves. Comme celui-ci, par exemple.

Un jour, un jeune couple américain décide de s'acheter une maison. Elle appartenait à un prêtre catholique. Après l'avoir visitée, ils s'aperçoivent, de retour chez eux, qu'ils avaient oublié de lui demander où se trouvaient les W.-C. Alors ils écrivent au proprio pour le savoir. Mais le prêtre, qui

ignorait la signification de W.-C. — il en est très peu question
dans les cours de théologie qu'on donne dans les grands séminaires —, crut que ses visiteurs étaient protestants et qu'il
devait s'agir de la Weslayan Chapel, sans doute une «mitaine» protestante. Imaginez donc la surprise du jeune
couple quand il reçut la lettre suivante du curé:

«Cher monsieur,
Excusez le retard apporté à cette lettre. J'ai dû
m'informer. La plus proche W.-C. dans la région est à dix kilomètres. Ceci est évidemment
une circonstance fâcheuse, surtout si vous avez
l'habitude de vous y rendre régulièrement. Cependant j'ai la joie de vous informer que beaucoup de gens en font une partie de plaisir et y
prennent le petit déjeuner.
La W.-C. peut accueillir trois cents personnes et
le Comité a décidé de faire recouvrir les sièges
avec de la peluche pour leur donner plus de
confort.
Ceux qui habitent un peu loin peuvent s'y rendre
en autobus; les autres y vont à pied et y arrivent à
temps. Il y a des facilités pour les dames grâce à la
bienveillance du pasteur qui leur donne toute
l'attention et tout le secours désirable, tandis que
les enfants sont assis tous ensemble et chantent
pendant la cérémonie.
Votre dévoué serviteur,
(signé) Père Brown
P.-S.: Des feuilles de cantiques sont fournies:
vous en trouverez toujours pendues à la porte.»

Les bonnes œuvres

Jésus a dit: «Ce que vous faites aux plus petits d'entre vous,
c'est à moi que vous le faites.»

Inspirées par le louable désir de répandre le bien dans le monde, deux dames de l'aristocratie bourgeoise montréalaise décidèrent un jour de sortir de leur désœuvrement déprimant et de consacrer leurs loisirs à la réhabilitation de celles de leurs consœurs que la vie méchante avait plongées dans des habitudes perverses qui faisaient courir à leur corps et à leur âme les plus grands dangers.

Et au lieu de faire du porte-à-porte, ce qui risquait de ne leur faire recueillir que des miettes, comme elles connaissaient du grand monde souvent rencontré dans les cocktails huppés, elles résolurent de s'adresser seulement aux riches. C'est plus payant. C'est ainsi qu'elles se présentèrent un jour au bureau du p.-d.g. d'une grande compagnie industrielle de la métropole.

— Monsieur le directeur, dit la dame patronnesse, nous connaissons déjà votre proverbiale générosité puisque nous avons vu votre nom associé à plusieurs bonnes œuvres de notre grande ville. Nous sommes venues vous demander si vous ne voudriez pas contribuer aussi à notre Association pour la réhabilitation des filles de mauvaise vie.

— Non merci, répondit le mécène, je donne directement!

L'affaire pendante

La justice — ceux qu'elle a rejoints de son long bras le savent — est une chose sérieuse. Mais le vocabulaire de ses cours offre aux profanes que nous sommes une terminologie parfois déroutante.

Feu l'honorable Oscar Drouin, qui était ministre dans le premier cabinet du défunt Maurice Lenoblet Duplessis, était aussi avocat. Il était une des figures les plus pittoresques du prétoire québécois. Un jour, devant la cour, il officiait dans un procès qui traînait depuis des mois et dont il aurait bien aimé voir la fin, ne serait-ce que pour toucher enfin ses honoraires.

Animé par un feu sacré qui aurait fait la joie de Démosthène lui-même, également orateur illustre, Oscar entreprit une plaidoirie qui est restée célèbre dans les annales juridiques surtout à cause de sa péroraison. Après avoir fait état de la jurisprudence et éclairé les points de droit que le cas soulevait, il termina son plaidoyer par un argument péremptoire: «Votre Seigneurie, dit-il en appuyant sa parole d'un mouvement de toge qui ajoutait de la couleur à son éloquence, je soumets humblement à Votre Honneur qu'en plus de toutes les raisons de fait et de droit que j'ai exposées, il y en a une autre qui regarde personnellement mon client. En effet, je fais remarquer à Votre Seigneurie que ce procès dure depuis des mois. Or j'apprécierais beaucoup que la cour se prononce aujourd'hui parce que mon client se marie demain à l'église Notre-Dame-du-Bel-Amour et je ne voudrais pas qu'il se présente à l'autel avec une affaire pendante!»

Sois belle et parle!...

Le fabuliste Ésope disait que la langue est la meilleure et la pire des choses. Et plus tard, notre mère la sainte Église lui a attribué bien des péchés. Mais s'il est quelque rédemption pour le mal dont on la rend coupable, il faut la trouver dans la qualité avec laquelle les femmes s'en servent.

Les femmes ont partout la réputation de parler beaucoup. Les hommes leur en font souvent le reproche. Sans même prendre la peine de se demander, les imprudents, si ce n'est pas justement parce qu'elles ont plus de choses à dire qu'eux. Moi, je ne me sens plus le droit de critiquer leur proverbiale faconde quand je songe à tout le bien que la langue des femmes a apporté à notre vie. Pensez seulement à toutes les consolations que nous devons aux paroles que personne mieux qu'elles ne peut trouver pour mettre du baume sur nos chagrins d'enfants ou d'adultes. Rien que pour cela elles mériteraient toutes les absolutions.

Mais ce qui me comble d'admiration — j'allais dire de reconnaissance —, c'est le gracieux humour avec lequel elles savent manier le langage. C'est d'elles que j'ai entendu les plus jolis mots sur elles. Je causais l'autre jour en studio avec ma divine camarade Juliette Huot. Si vous ne saviez pas que Juju est une joyeuse, j'ai le plaisir de vous l'apprendre. Elle adore qu'on la taquine parce qu'elle sait répondre. Je lui disais donc:

— Juju, y a-t-il selon toi des cas où une femme n'a pas eu le dernier mot?

— Oui, me répondit-elle, triomphante: quand elle parle à une autre femme! Et elle ajouta, finement cynique, que si les femmes n'ont jamais eu le droit de servir la messe, c'est parce qu'au *Kyrie Eleison*... c'est le curé qui doit toujours avoir le dernier mot!

Mais le trait le plus charmant est d'une cousine à moi. Son oncle venait de mourir et à un ami qui lui demandait, condoléant, quels avaient été ses derniers mots, elle répondit: «Il n'en a pas eu de derniers mots: ma tante a été avec lui jusqu'à la fin!»

L'anniversaire

Il y a encore des gens qui fêtent les anniversaires de mariage. Car malgré les avatars qu'elle a subis depuis quelques décennies, cette noble institution, increvable comme l'espérance humaine, résiste à tous les assauts de l'intérieur comme de l'extérieur et continue à être, malgré vents et marées, un des piliers de notre société occidentale. Nous n'en mourons pas tous, mais nous en sommes tous frappés.

À part les célibataires, évidemment, ces marginaux dont on se demande avec une inquiétude probablement justifiée d'ailleurs, laquelle, de la sagesse ou de la lubricité, peut bien motiver leur scandaleuse vocation à l'improductivité. Car, il faut bien l'admettre, les célibataires, quelles que soient les qualités qu'ils peuvent avoir par ailleurs, sont des êtres biologiquement inutiles. C'est vrai. Ils ne font rien pour la continuité d'une société dont ils bénéficient impudemment des avantages et qu'ils parasitent avec une absence de vergogne que moi je trouve gênante. Non mais c'est vrai. Ils profitent de tout ce que les autres ont fait et ils ne font rien d'essentiel, car l'essentiel, c'est la vie, après tout. Que dis-je, après tout... AVANT tout! Enfin je ne veux pas faire ici leur procès, je préfère les laisser cuire dans les remords de leur mauvaise conscience.

Toujours est-il que je me suis trouvé, l'autre jour, au milieu d'une fête de famille où l'on célébrait un vingt-cinquième anniversaire de mariage. N'ayant pu échapper à la ronde des discours qui couronnent traditionnellement le copieux repas de noces d'argent, je me suis cru spirituel de me lever pour demander à la plantureuse jubilaire:

— Quelle impression ça vous fait d'avoir été mariée vingt-cinq ans avec le même homme?

— Monsieur, me répondit-elle, il est impossible à une femme d'être mariée vingt-cinq ans avec le même homme. Après cinq ans, ce n'est plus le même homme!

Je n'ai pas posé d'autre question de la soirée.

L'école du rang

Ah! l'école du rang... Que de nostalgie elle m'inspire!

Je pense aux souvenirs de fraîcheur humaine qu'elle a laissés dans mon âme et qui remontent à l'assaut de ma mémoire chaque fois que se présente à mes yeux le spectacle des usines actuelles où on envoie se faire instruire nos enfants.

Je revois mes jeunes années, douces, joyeuses et innocentes, où s'écoulait mon bonheur d'apprendre, dans le calme enchanteur de ma campagne natale, les premières choses de la vie. Notre maîtresse, la brave Alma, ange d'intelligence et de patience, meublait nos petites âmes des rudiments de la connaissance. Et mes camarades si vivants, si enjoués, si heureux, dont la présence était pour moi chaque matin un enchantement nouveau.

Me revient, entre autres, le souvenir inoubliable d'une visite de monsieur l'inspecteur. Car c'était une fête quand il venait faire sa visite annuelle. Nous étions tous endimanchés, comme à l'église, et nous avions répété ensemble les mots de bienvenue qu'il fallait dire en chœur pour saluer son entrée solennelle. Puis arrivait la traditionnelle ronde des questions, histoire de vérifier — pour la forme, bien sûr — l'état des connaissances de la classe.

Ce jour-là, toutes les réponses sur la grammaire, le catéchisme, l'histoire et la géographie avaient été presque parfaites. Mais un dessert imprévu nous était réservé. Quand monsieur l'inspecteur demanda à Félicien, notre meilleur élève de sixième, la plus haute division de la classe: «Dis-moi, mon garçon, qu'est-ce que le recensement?» le brave Félicien répondit, sûr de lui: «Le recensement, c'est un homme qui passe de maison en maison... en augmentant la population!»

Cela nous a valu un sourire étouffé de monsieur l'inspecteur, une moue complice de la maîtresse... et un grand congé.

Après l'holocauste

La scène se passe dans un paysage de la plus affreuse désolation. Toute trace de la civilisation humaine est disparue de la surface de la Terre à la suite d'une guerre thermonucléaire universelle. Il n'y a plus être humain qui vive. C'est le désert absolu, la table rase, le retour à zéro.

Les hommes ne l'ont pas volé d'ailleurs, ils ont couru après ce qui leur est arrivé. Car il était évident depuis un siècle au moins qu'au rythme où ils multipliaient les imprudences scientifiques et les bêtises politiques, la catastrophe définitive allait se produire. Eh bien, c'est fait: l'humanité n'a eu que ce qu'elle méritait. La mort par la bêtise. La suprême connerie, quoi.

Seul reste debout, dominant cette détresse, un brave cocotier que l'apocalypse a épargné. Et sur sa septième branche, superbement perchés, trônent un singe et sa guenon. Ils ont l'air un peu hagard, il y a de quoi, et on sent qu'ils sont plongés dans une profonde réflexion.

Soudain, rompant le silence lourd d'histoire, le singe dit à sa guenon: «Alors, bobonne... on recommence?»

Le joueur

Il y a deux choses dans la vie que j'ai beaucoup de difficulté à comprendre: le mystère de la prédestination et les jeux de hasard.

Quoi de plus illogique, entre nous, quand on y réfléchit ne serait-ce qu'un instant, que de risquer son argent sur le pur hasard? Je comprendrais à la rigueur qu'un millionnaire désabusé, ne sachant quoi faire de son énorme superflu, s'amuse à le jouer à la roulette ou au poker; mais je cherche en vain comment on pourrait justifier — ou même simplement expliquer — qu'un homme raisonnable prenne le fruit de son travail, dont il a besoin pour vivre et subvenir aux besoins de sa famille, et risque de le perdre au jeu. Ça me paraît aberrant.

Je ne parle pas des petites gageures sans importance qu'on fait entre amis et qui n'ont pas de conséquences, je parle du pauvre homme pour qui le jeu est devenu un vice. Que dis-je, un vice... une maladie. Car pour le joueur invétéré, c'est une maladie mentale caractérisée. Le joueur est un drogué. Et on sait ce que fait la drogue. On commence par en prendre et à la fin c'est elle qui vous prend. Et qui ne vous lâche plus... même après que vous croyez, vous, l'avoir lâchée.

Une des scènes les plus curieuses que j'aie vues dans ma vie se passait au casino de Freeport, aux Bahamas, où j'étais allé jouer au golf une semaine avec des amis. J'y avais accompagné un copain juste pour voir comment ça se passait dans

ces lieux de folie. En marge de tous les instruments scientifiquement arrangés pour «plumer» les touristes — car je n'ai
pas besoin de vous dire que c'est toujours la maison qui gagne
en fin de compte, sans quoi elle ne serait pas là —, il y avait
une machine distributrice de canettes de *coke*. Devant la machine, il y avait un gars qui mettait des trente sous dans la fente
depuis cinq minutes. Si bien qu'il avait déjà sorti dix-huit canettes quand un surveillant qui passait par là lui demande ce
qu'il faisait là. Et le gars de répondre: «Ben voyons! Moi, tant
que je gagne, je joue!»

«Qui suis-je?»

La plupart du temps une histoire, c'est quelque chose qui
n'est jamais arrivé, raconté par quelqu'un qui n'y était pas.
Mais moi, c'est pas pareil. Ce que je vous raconte, ce ne sont
pas des histoires, c'est de l'histoire. Ce sont des faits authentiques. Alors vous pouvez me croire.

Ça s'est passé vers l'an 1950, à Radio-Canada. Les plus
vieux se rappellent peut-être qu'à cette époque-là il y avait sur
les ondes une émission très populaire dont l'intérêt était de
faire trouver aux invités le nom de quelqu'un de célèbre. Pour
cela, on évoquait soit des événements de sa vie, soit des
choses susceptibles de faire penser à son nom. La belle Nicole
Germain animait cette émission avec la finesse que vous lui
connaissez. Mais elle ne pouvait quand même pas tout
prévoir.

Ce soir-là c'était un monsieur qui était sur la sellette. Et le
nom qu'il avait à trouver était celui d'un pape célèbre. Et
comme le gars, un peu énervé par la présence des célébrités
qui l'entouraient, avait des pannes de mémoire, la bonne
Nicole faisait de son mieux, mais avec le maximum de discrétion, pour lui venir en aide. Elle avait beau lui donner toutes
sortes d'indices pour lui mettre le mot sur la langue, rien n'y
faisait.

— Je vais vous aider, dit-elle dans un ultime effort pour éviter au concurrent la honte de perdre la face. Pour vous faire penser au nom de ce pape, je vous dirai ceci: Vous vous l'êtes fait tirer au moins une fois dans votre vie.

— Pie VII, s'écrie le gars triomphant.

Il s'était trompé, bien sûr, car, vous l'aviez deviné, c'était... Bonaventure.

Le gars des villes et le gars des champs

Un gars qui a été élevé en ville n'est pas habité par les mêmes images et n'a forcément pas les mêmes usages qu'un autre qui a passé sa vie à la campagne.

Ce n'est pas mépriser le citadin que de sourire doucement à certaines de ses réactions devant les choses de la terre. Moi qui ai grandi sur une ferme, j'étais toujours intrigué, par exemple, par les propos et les comportements de mes oncles qui venaient en visite chez nous l'été. Et je vais vous raconter un fait marrant à ce sujet.

Avec sa petite valise en carton brun, mon oncle Alphonse était venu par le train. Dans ce temps-là, c'était le Québec Central. Nous, on l'appelait le Québec Sans Cœur parce que, à sa vitesse maximale, il allait à quatre-vingts kilomètres à l'heure. Mon oncle a passé une semaine chez nous. Il a tout essayé: cueillir des fraises, serrer du foin, tirer les vaches... il a même essayé l'accorte Camille, la fille de notre voisin, mais ça n'a pas très bien marché. Il n'avait pas le tour avec les femmes, c'en était choquant. Quand même, il était enchanté de son séjour rural.

Le jour de son départ pour la ville, il n'en finissait plus de placoter et il s'éternisait en remerciements à tout le monde. Si bien qu'il s'aperçut soudain qu'il s'était mis en retard et qu'il risquait de rater le train de midi. Comme la gare n'était pas loin, et que de toute façon nos chevaux n'étaient pas disponibles parce qu'ils travaillaient dans le haut du clos, il fallait y aller à pied. Papa lui dit: «Pique donc au travers dans le clos de pacage à Philémon Hallé, tu vas arriver plus vite.»

Mon oncle part, il arrive chez Philémon qui était en train de faucher à la petite faux, et il lui dit:

— Monsieur Hallé, pensez-vous que je peux arriver à temps pour le train de midi, si je passe par votre clos de pacage?

— Ben certain, lui répond Philémon. Même que si mon bœuf vous voit... vous allez pouvoir prendre celui de midi moins vingt!

Éros et Mammon

Les deux hommes, d'un âge certain qui leur donnait des tempes grises, étaient là, accoudés au bar du club sélect dont ils faisaient partie et qu'ils honoraient de leur présence régulière depuis vingt ans. L'atmosphère était celle qu'on retrouve dans tous les lieux où se réfugient les gens qui, ayant fait de l'argent, n'ont pu lui trouver d'autre usage que de tuer le temps. Ils ne savent pas que le temps que l'on tue ne meurt jamais sans se venger. De pauvres riches, quoi!

L'ambiance était lourde d'insignifiance et, comme dans tous les endroits à haut pourcentage d'alcool, l'esprit volait bas. Les silences ennuyés succédaient aux propos ennuyants, bref, c'était d'un ennui puissant. La vraie platitude d'être.

Passe une femme. Qui aurait été belle si elle avait eu le goût de ne pas couvrir de tant de bijoux la splendeur de sa chair. La plupart des femmes ne savent pas que tout ce qui les couvre ne fait que nous distraire de leur grâce essentielle. Leur vérité n'éclate que dans leur nudité. Enfin, passons puisqu'elle passait...

L'un des deux piliers d'abreuvoir de tout à l'heure glisse vers la dame impavide un long regard lourd de mélancoliques regrets.

— Qui est-ce? demande son copain de comptoir.

— C'est une femme que j'ai aimée.

— Beaucoup?

— Un million et demi!

Absalon Veilleux, mon vieil ami beauceron qui, lui, était riche de sa pauvreté matérielle puisqu'elle lui permettait d'avoir de l'esprit, avait bien raison de dire, avec cette flamme rieuse qui brillait toujours dans ses petits yeux pointus: «L'amour, c'est comme l'assurance-vie: plus t'es vieux, plus ça coûte cher!»

Voyages

«Partir, c'est mourir un peu»
Air connu

Les prix ont beau être prohibitifs, il paraît que les gens voyagent comme jamais.

Faut croire qu'ils ont besoin de dépaysement. Je comprends que quarante degrés sous zéro — pendant près d'un mois de temps —, c'est suffisant pour vous donner l'idée de vous trouver ailleurs. À cette température-là, à moins d'avoir les idées gelées, on pense au Sud. Mais depuis que j'ai appris que les oranges gelaient là aussi, je me suis réconcilié avec notre Sibérie québécoise.

Mais je pense surtout à ceux qui voyagent pour voyager. Comme ce gars qui, de retour d'Europe, disait à un ami: «Ce que j'ai trouvé de plus beau dans mon voyage, c'est la traversée. Si tu y vas, manque pas ça!» Je me demande ce qu'il a bien pu voir là-bas. Il y a des gens comme ça qui vont en Europe... pour l'ignorer de plus près.

C'est le noble et rentable rôle du tourisme d'encourager la bougeotte universelle. Qu'est-ce que le tourisme, au fond? C'est une industrie qui consiste à emmener des gens qui seraient mieux chez eux dans des endroits qui seraient mieux sans eux. C'est sans doute cette profonde philosophie du voyage qui a inspiré à Roger Peyrefitte cette réponse à un ami qui lui reprochait doucement de partir pour l'Inde: «Mon cher, on ne saurait aller chercher trop loin le plaisir de rentrer chez soi!»

Les célibataires

Ils ont mauvaise réputation.

À tort ou à raison ils passent pour plus ou moins dévergondés, volontiers libidineux et vaguement immoraux. Dans l'esprit d'une majorité de moins en moins silencieuse, le célibataire, c'est le voleur de miel, l'homme aux délices, l'aventurier de la chair, l'entrepreneur de femmes, le vicieux impuni, bref, celui qui a tous les plaisirs à sa portée sans les responsabilités qui pèsent sur le dos des maris. Il est celui qui peut prendre les femmes sur ses genoux sans les avoir sur les bras... Dans une société où le mariage est un sacrement, le célibataire est un citoyen suspect. Comme dit Bertrand Vac: «On ne pardonne pas à ceux qui ont échappé au mariage.»

Les célibataires essaient bien de noyer dans le cynisme les soupçons des honnêtes gens en prétendant, par exemple, qu'ils aiment trop les femmes pour en marier une, ou qu'ils sont trop honnêtes envers elles pour accrocher leur légèreté à eux à leur sincérité à elles, etc. Mais il reste que, dans l'esprit de plusieurs paroissiens, le célibataire n'est pas autre chose que — disons le mot même s'il est brutal — le mari de la femme des autres!... J'en ai entendu un, l'autre jour, qui a poussé le cynisme jusqu'aux frontières du blasphème. Couvrant tartuffement son imposture morale du manteau du sacré, il osa dire, impavide, à un auditoire de chrétiens sidérés: «Il est impossible de croire que le même Dieu qui a permis à son Fils de mourir célibataire ne considère pas le célibat comme un état privilégié.» Et de citer des textes des Pères de l'Église, voire des Saintes Écritures elles-mêmes, à l'appui de sa thèse, y ajoutant l'exemple des vierges dont le ciel entier respire le parfum de pureté, et celui des prêtres dont le célibat (quoique, semble-t-il, de plus en plus lourd à porter) reste l'austère règle de vie.

Et je ne parle pas des snobs qui, frottés d'un peu de littérature, appellent prétentieusement à leur défense des autorités non moindres que le divin Molière parce que ce dernier a déjà fait dire à son Sganarelle: «Je veux imiter mon père et tous ceux de ma race qui n'ont jamais voulu se marier.» Les plus osés ne dédaignent même pas de se retrouver sous le même parapluie que ce vieil Oscar Wilde qui prétendait que «de nos jours les hommes mariés vivent comme les célibataires et les célibataires vivent comme les hommes mariés...» C'est le monde à l'envers et la morale la tête en bas.

Mais il fallait que le scandale arrivât pour que l'exemple de la turpitude morale fît place au retour des mœurs vertueuses. Ainsi le mythe du joyeux célibataire est en train d'agoniser. L'aimable don Juan à la garçonnière accueillante, le libertin fantasque, sauteur de créatures et séducteur de nos épouses est, paraît-il, à la veille de disparaître. C'est l'heureuse certitude dans laquelle m'a laissé la lecture récente des travaux du docteur Knupfer, publiés dans une revue américaine de sociopsychologie. En effet, au terme des recherches de l'éminent psychiatre, le célibataire apparaît comme une sorte de sous-produit d'humanité. Je cite: «Il est faible, sujet à des troubles nerveux, rarement beau, souvent stupide, jamais heureux. Sa vie est un long martyre. Il s'enrhume facilement et meurt jeune. Sa solitude n'est pas une vocation mais une malédiction.»

Voilà qui nous venge un peu, nous les maris honnêtes, de tout le ridicule dont voudrait nous couvrir certaine engeance jalouse de notre fidélité. Je n'irai pas jusqu'à dire: «Hors du mariage point de salut», mais je n'ai aucune hésitation à prétendre — et je le fais aussi solennellement que je peux — que la normalité, c'est le mariage. Le célibat, c'est le cimetière de la chasteté masculine. On dira tant qu'on voudra que le célibat ce n'est pas un état civil mais un état d'âme, vous ne m'enlèverez pas de l'idée qu'il est (surtout à notre époque érotomaniaque où la chair, si faible et partout sollicitée, est en butte à des tentations que leur attrait et leur répétition rendent parfois insurmontables) une occasion prochaine et permanente de péché.

Tant qu'il y aura des célibataires sur la Terre, rôdant autour de nos femmes comme le loup *quærens quam devoret*, nous serons en danger de cocuage. Et nous boirons le calice de l'opprobre, du déshonneur et de la flétrissure jusqu'à la lie. La lie que j'ai trouvée, amère et ignominieuse, dans la devise que l'un d'eux a ramassée en ces vers damnés qui méritent la réprobation universelle des bien-pensants et que je soumets ici à votre anathème:

«Pourquoi se marier,
Quand les femmes des autres,
Pour être aussi les nôtres,
Se font si peu prier?...»
Et il n'a même pas signé, le pleutre.

«*Les chants désespérés...*»

Il y a dans le monde des dons Juans désabusés qui ont la déception cynique. Je pense à Robert de Flers qui disait: «Je ne peux pleurer une femme que dans les bras d'une autre. Sans ça, je n'ai pas de chagrin.» Ce qui confirme l'opinion que j'ai toujours eue qu'il n'y a pas un homme sur la Terre qui mérite une larme de femme. Ils sont tous pareils... des goujats.

La seule différence qu'il peut y avoir entre eux, c'est qu'il y en a qui ont la goujaterie plus drôle que d'autres. Ce n'est pas une excuse, mais c'est une circonstance atténuante. Comme dans les crimes... Heureusement que les femmes ont ce qu'il faut pour sécher leurs larmes: la poudre.

Je vous donne un bon conseil, mesdames: ne vous abandonnez jamais à un chagrin d'amour. Ce serait gaspiller votre cœur en vain et faire trop d'honneur à l'homme qui vous a trahies. Les désespoirs d'amour, ça ne se porte plus aujourd'hui. Feu mon camarade Musset a eu beau dire en de somptueux alexandrins:

«Les plus désespérés sont les chants les plus
    beaux,
Et j'en sais d'immortels qui sont de purs sanglots»,

il reste qu'un désespoir d'amour n'est éternel que si l'on en meurt tout de suite. Et puis à vrai dire le suicide c'est une solution de lâche puisque c'est une attaque contre un adversaire désarmé!

Choisissez donc plutôt l'oubli. Chassez le traître de votre mémoire; c'est tout ce qu'il mérite. Après le coup de foudre, le coup de vent... qui balaie les feuilles mortes. Et retrouvez vite votre beau sourire, vous vous sentirez vengées. Installez votre cœur en haut de votre humour et laissez-le penser au joli poème de Victorien Sardou:

«On s'enlace,
Puis, un jour,
On s'en lasse,
C'est l'amour.»

Chaudes fraîcheurs...

Celui qui a dit: «Les femmes, c'est comme la soupe, il ne faut pas les laisser refroidir» n'a sans doute jamais pensé dire si vrai. Mais le plus beau de cette vérité, c'est que c'est précisément la chaleur des femmes qui les rend si fraîches à voir, si comestibles au regard. Ne vous demandez plus, mesdames, pourquoi nous sommes si gourmands: vous êtes, par votre seule présence parmi nous, une invitation au banquet...

Ces toutes petites choses légères que vous portez l'été, qui vous déshabillent si bien et qui sont un charmant compromis entre votre besoin avoué d'être vêtues et votre désir inavoué d'être nues, restent des chefs-d'œuvre d'architecture vestimentaire. Si nos étés québécois sont de véritables jardins, c'est parce que vous en êtes les fleurs. Même quand il pleut, vous sortez en couleurs. Si bien que quand on vous rencontre sous vos mignons petits parapluies multicolores, on dirait les rayons du soleil qui se glissent parmi les brins de pluie. Sans vous, il n'y aurait pas d'été...

Je ne ferai pas aux femmes l'injure de penser et encore moins de dire que leurs vêtements font partie de leur arsenal d'armes offensives. Au fond elles n'en ont même pas besoin: leur beauté suffit à faire des ravages dévastateurs et leurs traits (qui sont des attraits) sont à eux seuls capables de percer nos cuirasses. Il n'y a qu'à les voir passer parmi nous, avec leurs richesses naturelles qui sautent aux yeux, pour deviner que derrière cette apparemment inoffensive offensive de charme, il y a le dessein bien conscient, lui, de nous faire tomber dans leur adorable petit piège. Elles sont drôles; elles s'acharnent à nous mettre des bandeaux sur les yeux, et ensuite elles nous reprochent de trébucher. Mais comme c'est à leurs pieds que nous tombons, elles sont d'avance pardonnées.

Ce qui est admirable chez elles, c'est la manière qu'elles ont d'obtenir ce qu'elles veulent. Elles savent se faire demander comme une grâce ce qu'elles brûlent d'offrir. Beaumarchais, qui avait bien flairé leur manège, disait: «Pour obtenir une femme qui le veut bien il faut la traiter comme si elle ne le voulait pas.» Et savoir joindre à un tempérament de vampire la discrétion d'une violette. En amour, la façon de donner vaut mieux que ce que l'on donne.

L'affaire du poison

S'il est une chose qui ne finit pas de m'étonner et de m'émerveiller, c'est que les gens se marient toujours.

Après tout ce qu'on voit autour de soi, ce qu'on lit dans les gazettes et qu'on apprend dans les cocktails, j'ai toujours l'impression que pour consentir à faire des vœux éternels de fidélité à un conjoint, ça prend une solide dose de foi.

Moi, vous me connaissez, je n'ai rien contre les sacrements et j'ai un respect infini pour les âmes fortes qui ne craignent pas de signer des contrats à long terme les obligeant à jurer fidélité absolue à leur époux. Je trouve seulement que c'est un geste qui frise la présomption quand on sait les ravages que le péché originel a faits dans le cœur des hommes.

Je dis «les hommes» parce que tout le monde sait que les infidèles, ce sont eux. Même quand ils sont enfants, ils ont déjà comme la prescience de leur congénitale infidélité. Je vous donne un exemple. À la petite école du rang où j'ai commencé humblement mon *cursus honorum*, un jour, le curé s'amène pour sa visite annuelle. Il interroge les enfants. À ceux de cinquième année il pose la question suivante: «Qu'est-ce que l'adolescence?» Robert lève la main et répond à monsieur le curé: «L'adolescence, c'est la période de la vie qui s'écoule entre l'enfance et l'adultère!...» Vous voyez. Une petite fille n'aurait jamais répondu une chose pareille.

Et après ça ce sont toujours les mâles qui se plaignent. Ils se lamentent que la vie est injuste pour eux. Marcel Jouhandeau, écrivain célèbre pour ses démêlés conjugaux avec sa femme Élise, osa écrire: «Les hommes naissent libres et égaux en droit. Seulement voilà, il y en a qui se marient!» En l'entendant un collègue lui demande: «Que faisiez-vous avant de vous marier?» Et Jouhandeau de répondre: «Avant?... Je faisais tout ce que je voulais!» Ah! l'humoriste avait bien raison de s'écrier, désabusé: «Pourquoi faut-il que les noces ne durent qu'un jour et le mariage... toute la vie?...»

Comment voulez-vous, après ça, que les épouses les plus honnêtes ne se lassent pas de l'être et n'aient pas la tentation de tirer de la jambette, elles aussi, avec des hommes du monde que le scrupule n'étouffe pas en ce qui concerne les choses de la chose. Tentation à laquelle certaines succombent joyeusement d'ailleurs avec l'impression très nette qu'elles ne font que se rembourser. Impression fondée, n'en doutons pas.

Quand un homme sait porter son joug avec esprit, c'est un moindre mal. C'était le cas de Churchill. Un jour, en plein parlement britannique, endroit solennel s'il en est un sur la Terre, Lady Asquith, qui était son adversaire acharnée, venait d'abreuver le grand homme d'une bordée d'injures carabinées comme seuls les gens bien élevés de la haute peuvent le faire. L'âme pleine de fiel et de vinaigre, elle finit sa diatribe par ces mots définitifs: «Sir Winston, si j'étais votre femme, je mettrais du poison dans votre thé.» À quoi le vieux lion répondit avec la plus élégante méchanceté: «Et moi, madame, si vous étiez ma femme... je le boirais!»

Le désir

> «Quand je passe du désir à la possession,
> c'est pour regretter le désir.»
> Goethe

Ô la beauté anarchique et sauvage du désir humain! Univers privilégié où l'homme se retrouve tel qu'il se rêve.

Dire que quand j'étais jeune, le seul mot *désir* évoquait quelque chose de plutôt défendu, de vaguement péché, qu'il fallait bien plus réprimer que satisfaire, et qu'aujourd'hui on le célèbre, on l'exalte, on le cultive, on le chante... et on le satisfait!

Le désir est naturel. Ce qui ne l'est pas, c'est la prohibition dont notre morale le frappe. Où serait le charme de la vie si le désir en était absent? S'il n'était pas là pour l'embellir de toutes les espérances qu'il porte en lui? Quand on songe à la subtile volupté du désir tendu vers un plaisir qu'il attend, on se prend quelquefois à préférer le désir lui-même au plaisir qui le tue en le satisfaisant... L'idée d'un bonheur est toujours plus belle que sa réalité. Qui sait si le bonheur n'est pas tout entier dans l'espérance qu'on en a, et si la promesse des lendemains qui chantent n'est pas plus séduisante que les courtes joies dont sont tissés nos jours... Demain, c'est loin, mais c'est toujours plus beau qu'aujourd'hui...

Si plein de poésie soit-il, ce monstre de joie m'inspire pourtant quelques craintes. Je pense au mot de La Rochefoucauld: «Avant de désirer quelque chose, il faut examiner le bonheur de celui qui la possède.» Car les choses possédées sont toujours moins belles que l'idée qu'on en a. Le désir, ça se passe dans la tête; c'est toujours plus ou moins une illusion. Le désir, c'est toujours attrayant, ça enjolive tout. Le désir, c'est l'imagination qui délire en silence et qui se fait du cinéma.

On demandait un jour à une femme d'esprit quel avait été le plus beau jour de sa vie. Elle répondit: «Ce fut... la veille!»

La gloire

> *«La gloire, soleil des morts.»*
> Balzac

Quand j'étais adolescent, au collège, on commençait toujours l'année scolaire par une journée de «récollection», histoire de nous sortir de l'esprit de légèreté des vacances pour nous faire rentrer dans le sérieux de la vie académique. Au cours de l'une d'elles, j'ai entendu un chant que j'ai toujours trouvé beau. Il avait la beauté de la vérité. C'était celui-ci:

«Tout n'est que vanité,
mensonge et fragilité,
dans tous ces objets divers
qu'offre à nos regards l'Univers.
Tous ces brillants décors,
cette pompe,
ces biens, ces trésors,
tout nous trompe.
Tout nous éblouit
et tout nous échappe... et nous fuit.»

J'y repense aujourd'hui, après tout ce que la vie m'a appris, et je le trouve encore plus vrai. Y a-t-il en effet au monde plus grande vanité que celle de la gloire humaine? Qu'un homme soit projeté au sommet du pouvoir politique par l'infidèle volonté du peuple, qu'il soit proclamé vedette de la télé, du cinéma ou du sport par la faveur populaire, qu'il devienne célèbre parce qu'il est un bandit notoire, qu'il soit sacré illustre pour quelque autre raison humaine que ce soit, tout cela ne dure que l'instant d'un frisson d'orgueil. La gloire est une étoile filante qui passe en trombe au firmament de notre vie pour tout de suite s'éteindre dans la nuit de l'oubli, laissant à peine une petite traînée de lumière pour éclairer un reste de souvenir dans la mémoire de l'histoire. Qu'est-ce que la gloire? Être connu par des gens qui ne vous connaissent pas. Où est le mérite, je vous le demande?...

Car ce qui est important, ce n'est pas d'être célèbre, c'est de mériter de l'être. Vauvenargues avait beau dire que «les feux de l'aurore ne sont pas si doux que les premiers rayons de la gloire», l'histoire prouve que plusieurs s'y sont brûlé les ailes pour vite retomber sur le plancher des vaches. Ceux à qui l'eczéma de la gloire a donné de trop précoces et trop vives démangeaisons en ont été quittes pour leur mal.

Je ne parle pas de ceux qui sont de faux glorieux, dont la gloire n'est en fin de compte que «la somme des malentendus qui se sont accumulés autour de leur nom», comme dit l'autre. Ceux-là, leur balloune est vite dégonflée. Je ne parle pas non plus de ceux qui ont usurpé la gloire par des moyens ignobles. Ah! si le monde savait de quelles bassesses sont faites certaines grandeurs!... Si, comme le conseille quelque part La Rochefoucauld, «on doit toujours mesurer la gloire des hommes aux moyens dont ils se sont servis pour l'acquérir», il y en a plusieurs qui l'auraient minable. Il est à mon avis peu reluisant de remplir l'Univers de son nom si c'est pour qu'il apprenne un bon matin qu'on est devenu célèbre parce qu'on était escroc. Ça s'est déjà vu.

Il est arrivé aussi que certaines gens n'aient obtenu la gloire que parce qu'ils l'avaient achetée à coup de pognon. Les fameuses «trompettes de la renommée» dont notre cher Brassens a fait une dévastatrice chanson, ce sont souvent des trompettes d'argent. Elles n'en trompent que plus!

Dire que tant de gens qui ont fait des pieds et des mains — et quelquefois même des fesses, me suis-je laissé dire — pour atteindre à la notoriété n'ont, une fois devenus célèbres, que l'idée de vivre *incognito*. Ce qui faisait dire à un malin qu'une célébrité, c'est quelqu'un dont on trouve le nom partout... sauf dans le bottin téléphonique!...

Mais si la gloire vous envoie des lettres d'amour, méfiez-vous. Elle a des lendemains qui déchantent. C'est une maîtresse frivole. Un soir elle couchera dans votre lit, attirée par vos lauriers, et le lendemain elle sera dans celui d'un autre pour la même raison... ou pour le même prix! Et puis elle est fragile de santé. Elle ne vit pas vieille. C'est pour ça que si l'apogée, c'est le sommet du triomphe, c'est aussi toujours le commencement du déclin... Alors un bon conseil: ne vous faites pas élever de statue de votre vivant. Vous en seriez vite humilié en voyant, outre ce qu'y font les oiseaux, le peu de cas qu'en font les hommes. Attendez après le tombeau: «La gloire, disait Balzac, est le soleil des morts.»

Somme toute, je crois que pour être heureux — ce qui est bien plus important qu'être glorieux —, il est préférable de rester dans l'ombre. D'abord parce qu'on est certain de pouvoir y rester longtemps, et ensuite parce que la modestie apporte bien moins d'ennuis que la vanité. Regardez les humbles violettes, qui poussent discrètement à l'ombre, elles fanent moins vite que les roses qui sont exposées au grand soleil.

Au fond, savez-vous quelle est la plus grande gloire? C'est de sortir vainqueur... d'une défaite. Croyez-moi, je sais de quoi je parle!

That is the question...

Vous connaissez la révérence, très méritée d'ailleurs, qu'ont les Anglais pour leur plus grand poète Shakespeare à qui le théâtre doit, entre autres chefs-d'œuvre, cette tragédie immense qui s'appelle *Hamlet*.

C'est l'histoire d'un prince intellectuel et mélancolique que les problèmes de la destinée humaine hantaient à un point tel qu'il s'est même demandé, un soir de spleen au bord d'un précipice, si l'existence valait la peine d'être vécue. C'était une sorte d'existentialiste angoissé. Rappelez-vous son classique *To be or not to be...*

Le cher homme avait une blonde. Elle s'appelait Ophélie et elle était belle à faire pécher les anges. Mais aussi, dit-on, vierge comme il n'est pas permis. Justement il y a à ce sujet un point d'histoire qui est resté obscur. Depuis des siècles, en effet, les Anglais se demandent avec une angoisse puritaine et rétroactive si, oui ou non, les deux jeunots n'auraient pas... Les historiens et les exégètes les plus calés du théâtre élisabéthain n'ont jamais pu tirer l'affaire au clair. Avouez que c'est un drame profond... Et que la conscience anglaise a raison d'être tourmentée...

Un jour, le grand acteur shakespearien John Barrymore, qui a été pendant longtemps l'interprète le plus brillant du rôle d'Hamlet, était en tournée de spectacles aux États-Unis. Il dînait dans un grand restaurant de la capitale quand tout à coup une dame du monde de la haute société américaine s'approche de lui. Il se lève avec une élégance toute britannique.

— Vous êtes John Barrymore, fait la dame pâmée d'admiration. Comme je suis heureuse de vous voir! Je vous ai vu dans *Hamlet*, vous étiez divin! Je n'ai jamais vu le prince interprété d'une manière aussi éblouissante!

John s'inclina devant le compliment et l'invita à s'asseoir, mais elle s'excusa: «Non merci, je suis avec des amis...» Elle hésita, puis mue par une curiosité toute freudienne — à moins qu'elle ne fût que simplement féminine — ajouta: «C'est sans doute indiscret de ma part de vous questionner sur ce sujet délicat entre tous, mais voyez-vous, le poète n'est pas clair à certains moments. À votre avis, monsieur Barrymore, qui devez connaître l'histoire d'Hamlet mieux que personne... a-t-il eu des relations sexuelles avec Ophélie?»

Barrymore réfléchit un instant et laissa tomber, olympien, cette perle admirable: «Seulement une fois, madame. Après la dernière représentation à Chicago!...»

Le sexe des mots

La guerre des sexes n'est pas finie, mes enfants, ça ne fait que commencer. Et préparons-nous à en voir de belles... Le vieux sénateur Dandurand, qui était humoriste, disait: «Le Canada est un pays impossible à vivre: nous avons deux nations, deux langues, deux religions et... deux sexes!...» S'il avait vécu en notre siècle si «gai», il en aurait compté trois. Enfin... Glissons, mortels, n'appuyons pas!

La révolution féministe ne conteste pas seulement l'intolérable domination sociale des mâles, elle s'attaque maintenant au sexisme linguistique. Les mots vont connaître eux aussi leur révolution sexuelle. Ça va être beau. En effet, les «fées» se plaignent de la masculinisation éhontée du vocabulaire français. Le langage reflète la société, disent-elles, et il traduit le phallocratisme universel. Toute notre sémantique est organisée autour de l'ordre masculin. Ce qui fait que les positions traditionnellement réservées aux hommes n'ont pas de féminin!

N'ayant pas pris la précaution (que l'anglais, pas bête lui, a prise) d'inventer le neutre, le français sexualise toute chose. Ce qui le conduit à l'impasse logique et à des absurdités linguistiques particulièrement voyantes. Ainsi, par exemple, on dit en français qu'une «sentinelle barbue garde la barrière», et, parlant d'une parade de mode féminine, qu'un «mannequin gracieux porte sa robe à merveille». C'est à ne plus savoir où donner de la langue... C'est la confusion des langues. Le babélisme intégral.

L'honorable Monique Bégin, qui n'est pas la moindre, n'aime pas se faire appeler «madame le ministre». Appelons-la donc «madame la ministresse» puisqu'elle a été «vainqueuresse» aux dernières élections. Si jamais plus tard elle monte sur le banc, il faudra l'appeler «madame la jugesse». Et si elle est appelée à témoigner dans une cause, elle sera «témoine». Puis quand elle écrira un livre, elle en sera «l'auteuse». Il n'est pas invraisemblable également qu'elle soit, à la fin de sa carrière, nommée titulaire d'une chaire à la faculté de philosophie; elle sera donc «philosophesse»... et «professeuse».

Ne riez pas, vous autres les mâles, c'est sérieux. Nous allons bientôt être témoins d'homériques batailles. Car Dieu sait (et s'il ne le sait pas, il va l'apprendre bien vite) qu'en matière de langue, les femmes l'ont plutôt bien pendue. Nous allons encore y goûter.

La loi 101 aurait dû prévoir ça. Il faut que j'en parle à Camille Laurin.

Le divorce

> «*Le divorce est le sacrement de l'adultère.*»
> J. François Guichard

D'après l'ineffable Sacha, «si le divorce avait lieu à l'église, en musique, avec chœurs, tous cierges allumés, le divorce deviendrait alors un sacrement». Il n'y a pas de divorce sans mariage, et de moins en moins de mariages sans divorce.

Crime honteux hier, monnaie courante aujourd'hui, le divorce, comme son frère aîné le mariage, occupe dans la société moderne une place enviable et enviée. Et maintenant que nos jolies compagnes ont acquis le droit à leur entière liberté d'action, il faut s'attendre à ce que la courbe statistique des mariages «dissolus» prenne un élan résolument ascendant.

Bien sûr, le divorce est une fausse couche du bonheur. Il est un constat d'échec. Les divorcés sont des accidentés du mariage. Mais si le divorce n'est pas le plus grand bien, il est souvent le moindre mal. C'est-à-dire une solution à ce qui sans lui resterait un éternel problème. Je ne m'en fais pas l'apologiste, loin de là, et je crois sans difficulté que le mieux, c'est encore de rester ensemble quand on en a décidé ainsi. Mais comme le chante le cher et troublant Aznavour, «il faut savoir quitter la table lorsque l'amour est desservi». Il est des cas de «désamour», le divorce en est un.

Une femme m'a dit un jour de son mari qu'après avoir été l'homme de ses rêves, il était devenu l'homme de ses cauchemars. Après deux ans de mariage, ils avaient fini de lécher le miel de leur lune, et plus rien ne justifiait leur vie commune. Alors ils se sont séparés. Et depuis ils sont devenus les meilleurs amis du monde. Ils étaient faits l'un pour l'autre... mais à distance. Et ils disaient avec humour: «Il n'y a que les divorcés pour faire des couples heureux: les bons soldats sont ceux qui se sont battus au front au moins une fois!» Ce qui rejoint le mot charmant de Jeanne Moreau: «La fin d'un amour vaut autant que le commencement.»

Les jeunes d'aujourd'hui ont trouvé un truc pour contourner les difficultés possibles de la cohabitation: ils ne se marient plus, ils «s'accotent», comme disait ma tante Rosanna. Ça scandalise leur mère, bien sûr, mais ça fait bien moins de drames quand d'aventure les choses finissent par ne plus aller. Ont-ils raison? Ont-ils tort? Je ne me permets pas de les juger. À chacun sa vérité et à chaque génération ses solutions et ses usages.

Le fond des choses reste cependant. Et le fond des choses, c'est que le mariage est un contrat. Et un contrat, c'est un accord de volontés. Donc, quand il n'y a plus de volontés accordées, il n'y a plus de contrat. La loi, «ordonnance de la raison en vue du bien commun» (saint Thomas), reconnaît à la liberté le droit de changer d'idée.

Tout cela est bien joli, mais j'oubliais... Et les enfants?

L'humour de l'amour

> «L'amour sans l'humour,
> c'est un repas sans sel.»
> Pourquoi pas moi?

L'amour est une chose fragile, ondoyante et diverse, délicieusement mystérieuse aussi et heureusement pleine de caprices. Le mot a des allures de velours doux mais la réalité qu'il exprime, si idyllique soit-elle dans l'âme des midinettes qui en rêvent, reste un piège auquel bien peu de gens échappent.

L'amour est tantôt grave, tantôt joyeux. Sa gravité mène souvent à la jalousie, qui en est la grimace hideuse, tandis que sa gaieté a fait éclore des sourires heureux sur les lèvres toujours avides de l'humanité. C'est cette gaieté qui définit le mieux l'amour. C'est tellement vrai, et, parce que vrai, tellement profond, que je ne suis pas loin de croire, tout profane que je sois en la matière, que le seul salut de l'amour, c'est l'humour.

Prendre légèrement les choses sérieuses et sérieusement les choses légères n'est pas une maxime de débauché, c'est une perle de sagesse. Ceux qui ne savent pas rire je ne dis pas «de» l'amour mais «avec» lui risquent de perdre tout le miel qu'il contient.

Je pense à tous les jolis mots dont la littérature de l'amour est pleine et qui font la joie de ceux qui l'aiment vraiment, qui le font sans vergogne et qui en gardent, précieusement accroché au mur de leur mémoire, le souvenir toujours plein de poésie. Le cher Verlaine disait que «les souvenirs d'amour sont les clairs de lune de nos solitudes». Il avait raison: quand on a aimé quelqu'un, on n'est plus jamais seul, car on peut toujours donner rendez-vous à son souvenir. L'instant passe mais le souvenir, lui, reste... éternel.

Et quand parfois l'amour pleure, c'est toujours l'humour qui vient essuyer ses larmes. C'est pourquoi il faut savoir rire un peu de soi-même quand on est amoureux... pour ne pas avoir à pleurer de l'avoir mal été. Et puis en jouir gentiment aussi: c'est un commandement de la vie. Car, comme dit le poète:

«On a si peu de temps à s'aimer sur la Terre
Qu'il faut bien se hâter de dépenser son cœur.»

Maman!

Oui, je sais, aujourd'hui ça ne se fait plus. Ça fait quétaine et puis cucu. Les sentiments roses, c'est dépassé. La tendresse, c'est pour les faibles. La mode est aux crieurs de haine et aux slogans de combat. La douceur est évacuée du cœur des hommes pour faire place aux appels à la révolte et aux délires de la violence sauvage. Comme le chante Jean-Pierre Ferland: «On ne peut même plus parler de sa mère sans passer pour un pédé!»

Je me permets joyeusement d'envoyer paître tous ces caves dénaturés à qui la bêtise et la brutalité du siècle ont fait perdre le sens des valeurs premières de la vie et de proclamer avec fierté à la face de tous les blasés impuissants: «Moi, j'aime les mères.»

Une mère, ça m'émeut. Je ne peux pas en voir une sans penser qu'elle est une ouvrière de vie. Que l'amour coule de son âme comme d'une source inépuisable. Que son corps s'est entrouvert dans la souffrance pour donner l'enfant à la lumière. Que nous lui devons la douceur de nos premières années qui n'avaient pas d'autre refuge que la chaleur de son sein ni d'autre horizon que le bord de sa robe. Que c'est sur ses genoux que nous avons appris une langue que, justement, nous appelons maternelle. Que plus tard, dans nos vies d'adolescents frondeurs et ingrats, il n'est pas un problème ni un chagrin profond dont elle n'ait eu l'intuition et qu'elle n'ait eu pour premier souci d'adoucir et de rendre moins lourd. Qu'une fois devenus adultes et grands, quel que soit le contenu de notre vie, elle nous porte en sa pensée comme une quotidienne et amoureuse inquiétude. Et que jamais personne au monde ne nous aura inconditionnellement aimés autant ni mieux qu'elle. Les mères, je les vénère.

Racisme

Vous connaissez tous la célèbre niaiserie que proféra un jour cet âne pommé qui se croyait un aigle d'esprit: «Moi, il y a deux choses que je ne peux pas supporter: le racisme... et les nègres!» Beau fin. Il aurait fermé sa grande gueule s'il avait compris que le problème du racisme est un des plus odieux et des plus humiliants qui soient.

Car c'est une disgrâce pour l'humanité qu'en l'an de grâce 1993 de l'ère chrétienne il y ait encore des imbéciles qui nient l'égalité fondamentale de tous les êtres humains, quelle que soit la couleur de leur peau. Quand on pense que la dernière grande guerre, qui nous a fait voir les hécatombes que l'on sait, les camps d'extermination scientifique et la tentative monstrueuse du génocide juif, a été causée par une sombre brute qui prétendait que seuls les aryens blonds et dolicocéphales devaient être les maîtres du monde, il n'y a pas de quoi rire.

On aurait été en droit d'espérer qu'après les horreurs de l'holocauste auquel nous a conduits la grande folie hitlé-rienne, plus personne n'oserait succomber à la tentation de la ségrégation. Eh bien non! Le poison raciste fait encore des ravages dans bien des cerveaux contemporains. Même notre société québécoise, qu'on aurait raisonnablement pu croire vaccinée contre ce venin par son appartenance séculaire à la religion chrétienne, n'est pas à l'abri de la contagion raciste. En voulez-vous un exemple éloquent? En voici un.

En 1982, les autorités du cimetière de la Côte-des-Neiges ont refusé d'y inhumer un Noir. Quand les journalistes leur ont demandé pourquoi, elles ont répondu: «Il était pas mort!...»

La question de soixante-quatre mille dollars

Vous vous souvenez peut-être de la fameuse émission de radio américaine où un concurrent pouvait gagner ce montant s'il répondait à une question difficile que lui posait un animateur volubile et nerveux.

Mais comme l'affaire était importante, il y avait toujours la présence d'un expert en la matière concernée. Un expert de renommée mondiale et dont la compétence était incontestée. Il était là pour authentifier l'exactitude de la réponse donnée.

Bien sûr, chaque émission portait sur un sujet nouveau. Tout y passait: la science, la politique, la philosophie, la littérature, les arts, la religion, tout. C'était passionnant et assidûment suivi par des millions d'auditeurs dans l'Amérique du Nord.

Toute sérieuse qu'elle fût, l'entreprise ne laissait pas d'être quelquefois légère. Ainsi, un soir, le sujet était l'amour. Tous les aspects de l'amour: sa nature, son histoire, les amoureux célèbres, etc., furent couverts par les séries préliminaires de questions qui précédaient celle, attendue avec fièvre, crainte et tremblement, de soixante-quatre mille dollars. Pour la circonstance on avait invité comme expert le plus grand amoureux du cinéma international du temps, nul autre que l'illustre Charles Boyer. Car en plus d'être un acteur immense, Charles Boyer était français. Or on sait qu'un solide préjugé sévissait à l'époque voulant que les Français en connussent plus que les autres sur les choses de l'amour vu qu'ils passaient pour en être les praticiens patentés. Moi, je n'en crois rien, mais que pouvez-vous contre l'opinion publique?

Toujours est-il qu'on en était rendu à la dernière question, la plus pesante, qui fut posée comme suit: «Quels sont les trois endroits de son corps où la femme préfère être embrassée?» Question grave s'il en fut, vous en conviendrez, et dont dépendait l'avenir de toute l'érotologie. Le plus imprévu, c'est que c'était un homme qui devait y répondre. Le concurrent, qui transpirait comme une taure à son premier veau, risque les réponses suivantes:

— Le premier endroit, c'est la bouche.

— C'est ça, commenta l'animateur.

— Le deuxième endroit, c'est le cou.

— Très bien, fit l'animateur au bord de l'exaltation.

Et avant qu'il ne passât au troisième endroit, et pour ajouter encore au suspense, on demanda à l'expert Charles Boyer ce qu'il en pensait. Et l'acteur de répondre: «Je préfère ne pas me prononcer sur le troisième endroit, car je m'aperçois que je me suis déjà trompé sur les deux premiers!»

Comme la neige a neigé!...

Précurseur de notre cher Vigneault par-dessus des générations, un autre de nos poètes, Albert Lozeau, disait naguère: «C'est le plus beau pays du monde quand il neige sur mon pays.» Comme il a raison, car le Québec sans la neige, ce ne serait pas notre pays.

Qu'elle tombe lente, douce et ouatée comme une pluie de petites étoiles gelées, qu'elle s'abatte épaissement sur nous en somptueuses bordées ou qu'en descendant elle joue avec le vent pour nous rejoindre en rafales et en piquantes poudreries, la neige est un poème blanc qui change le visage de notre Terre.

Chantant un jour le Soleil, père de la lumière, Edmond Rostand a dit: «Soleil, toi sans qui les choses ne seraient que ce qu'elles sont...» Parce que la lumière, en éclairant les êtres, leur donne naissance à nos yeux. Au Québec, la neige fait un peu la même chose. Elle donne aux objets des formes capricieuses et si belles que sans elle il manquerait quelque chose à la poésie de nos hivers.

On dirait que sa blancheur redonne aux paysages leur pureté originelle. Elle fait des bouquets avec nos sapins, elle coiffe de turbans les piquets de clôtures, elle frange d'hermine le toit de nos maisons, elle tricote de la dentelle à nos fenêtres, elle dessine autrement le cours de nos ruisseaux, elle endort les bruits de la vie, elle ensevelit sous son suaire toutes les laideurs de la terre, elle fait glissantes les pentes de nos montagnes pour la joie de nos skieurs et sa laine protège la terre contre les grands froids.

Et ne me grondez pas si, à moi, elle me fait penser à la phrase d'Aristote, le plus grand philosophe de l'histoire: «Les peuples qui habitent les régions froides sont faits pour l'indépendance.»

Sacré Aristote!

La fin du monde

Je me rappelle que, quand j'étais petit, j'avais tellement peur de la fin du monde que chaque soir, quand je faisais ma prière, je demandais au bon Dieu de ne jamais voir ça. Dans ma candeur naïve et effarouchée j'imaginais des cataclysmes épouvantables, la Terre qui se fendait en deux, des épidémies meurtrières, des guerres d'annihilation, le Soleil qui frappait la Lune et nous plongeait dans l'obscurité la plus noire, les astres qui s'entrechoquaient dans un fracas d'apocalypse, bref, toute une kyrielle de malheurs affreux dignes de l'arsenal rhétorique des pères Rédemptoristes quand ils prêchaient la retraite paroissiale et qu'ils évoquaient, devant nos jeunes esprits affolés et prêts d'avance à tous les repentirs, les tourments indicibles qui guettaient nos âmes pécheresses.

Les hommes d'aujourd'hui ont relégué tous ces épouvantails au panthéon des délires humains. Il n'y a plus guère que la perspective de l'indépendance du Québec qui inspire aujourd'hui des peurs aussi terribles. Et encore. Même ma vieille tante, qui a failli mourir le soir du 15 novembre 1976, a survécu à l'événement et commence même à s'habituer à l'existence d'un gouvernement pourtant voué, comme tout le monde sait, à l'assassinat de la traditionnelle tranquillité québécoise.

Mieux que cela, la fin du monde, loin de semer partout des peurs genre celle de l'an mille, faisait l'objet l'autre jour, dans un bar montréalais, d'une conversation enjouée entre un homme d'affaires de Toronto de passage dans notre gaie métropole et un journaliste de *La Presse* qui est un ami mien. Tout à coup, à brûle-pourpoint, l'Ontarien posa à mon indigène de scribe cette question saugrenue:

— Qu'est-ce que vous feriez si on vous apprenait ce soir que la fin du monde va avoir lieu dans un mois?

— Ce que je ferais?... Je déménagerais à Toronto: ils sont cent ans en arrière!

Âmes sœurs et cons frères

> «*Debout, les pédés de la Terre!...*»
> Sur l'air de l'*Internationale*

Au moment où le satrape Trudeau, ayant engrossé la Chambre des communes d'une idée générale, a réussi à la faire accoucher d'une Chatte des droits de l'homme, il me paraît d'une souveraine importance que notre principipule P.E.T. soit mis au courant d'un possible péché d'omission dont il risque de se rendre coupable: celui d'oublier les droits des minorités — pourtant si chères à son cœur.

La minorité linguistique d'abord. L'anglaise la première car chacun sait qu'elle est menacée de mourir. Déjà menacée par les ruades du joual, elle risque d'être exterminée sous les coups sournois de l'impérialisme québécois. Au nom de notre séculaire réputation de générosité chrétienne — *Gesta Dei per Francos* —, il faut prévenir l'avènement d'une pareille apocalypse culturelle.

Mais il est une autre minorité, mon cher P.E.T., qui depuis un temps immémorial est persécutée et contrainte de vivre dans des ghettos parce que tous les tabous se sont acharnés sur son dos. De ce seul fait elle mérite une protection spéciale de l'État fédé. C'est, j'ose le dire, la *minorité érotique*... En un mot comme en cent: les *tapettes*. Le soleil de la démocratie ne luit pas pour elle comme pour les autres citoyens. Elle veut vivre... au jour.

Un gouvernement qui s'est fait élire comme *libéral* ne serait pas digne de cet adjectif s'il arrêtait son libéralisme aux frontières d'un simple fruit défendu. *Ecce homos!* ... ils sont là, ils existent, en chair et en os.

C'est une question de fait, donc c'est une question de droit. Ils sont là, personne ne peut le nier. Leur existence se perd dans la nuit des tantes et leur persécution est une honte pour la démocratie. Le tiers sexe a les mêmes droits civils que les affreux normaux que nous sommes, nous les *hétéros*. Ce n'est pas parce qu'une minorité de citoyens sont partisans de l'amour à l'envers que la majorité peuvent se permettre d'être injustes à leur endroit...

S'il faut évoquer des titres à son existence légale, pensons à P.E.T. lui-même qui lui a ouvert la porte de son *omnibus*. Pensons aussi à toutes les grandes pédales qui ont activé le moteur de l'humanité depuis les tout débuts de son histoire: du divin Socrate à Henri Norbert, en passant gaiement par Caligula, Horace, Virgile, Frédéric II, Michel-Ange, Léonard de Vinci, peut-être le cardinal de Mazarin, Gide, Rimbaud, Oscar Wilde, Montherlant et Michel Girouard. Comme les grandes communautés historiques, elles ont leurs apôtres, leurs théologiens, leurs martyrs et même leurs Judas.

Allons, enfants de la pédale, le jour de gloire est arrivé!... Soldats obscurs de la grande armée de la jaquette flottante, levez-vous et marchez, sabre au clair et flamberge au vent, à la conquête des droits de l'homme pour l'homme!... Debout fifis, tapettes, minets, tantouses, mignons, vicaires lubriques, pédés militants, pédés honteux, pédéputés, pédémocrates de gauche de droite et *«d'extrême centre»*, pédépossédés du droit de se coucher en rond et en travers, fils de Sodome et filles de Lesbos, pédés de tous poils, à l'attaque!... Oubliez vos arrières et foncez de l'avant!...

Si la charte à Trudeau ne vous montre que ses griffes et vous refuse votre place au soleil, il ne vous reste plus qu'un chemin à prendre: celui qui vous mène tout droit à l'assaut de sa Bastille, au son de l'hymne «La plume de ma tante» ou encore en chantant sur l'air connu:

«Debout, les pédés de la Terre!...
Debout les forçats du plaisir!...
C'est la lutte finale,
Serrons-nous et demain,
Notre Internationale
Sera le genre humain...»

Notez que moi, je n'en suis pas. Pas encore. Du moins pas pour l'instant. Mais si ce sacré P.E.T. ne fait pas bien vite un geste concret pour donner un statut légal à votre minorité, je ne réponds de rien pour l'avenir. Il se peut que je bascule de votre côté.

Parce que mon âme se jette toujours du côté des opprimés et qu'en général mon corps la suit...

Dernier chant

«Les sanglots longs
Des violons
De l'automne
Bercent mon cœur
D'une langueur
Monotone.»

Le cher Verlaine a dû écrire ces vers, devenus chanson, un jour de novembre. Un de ces jours gris, barrés de mauve, où le vent glacé chante sa complainte dans les arbres dénudés qui tendent vers le ciel froid leurs grands bras nus et suppliants.

L'automne québécois, c'est la féerie des couleurs, l'apothéose de la lumière, la splendeur des couchants. C'est en même temps une symphonie et un parfum. On dirait que la nature, femme qu'elle est, met sa plus belle robe avant de mourir.

Mais novembre nu, c'est le même partout. C'est le mois de la fin des choses. En novembre, la pluie ne tombe pas, elle pleure. Le vent ne caresse plus, il gémit. C'est la tristesse qui s'épanche, comme un regret de l'été disparu. Une indéfinissable mais bien réelle impression de solitude et d'isolement nous serre un peu le cœur. La mort promène son visage lugubre. Dans les clochers froids tinte le glas plaintif du souvenir.

Pourtant cette nudité froide est belle. Elle a la beauté de la vérité. De la vérité qui nous rappelle que nous aussi nous allons mourir.

Mais qu'en attendant, une chose importe, une seule, impérative: VIVRE LA VIE...

Intensément.

Tant qu'on l'a.

Les clés de saint Pierre

Tout le monde sait que le bon saint Pierre occupe depuis un temps immémorial la fonction extrêmement importante de concierge au paradis. Naturellement il est débordé de travail chaque fois qu'arrive la période des fêtes avec son cortège d'accidents mortels de toutes sortes.

Un théologien de mes amis, qui est très au courant des choses du ciel et dont je n'ai aucune raison de mettre la parole en doute, m'a raconté le fait suivant. Le lendemain de Noël, trois Québécoises se sont présentées devant lui, à qui Dieu le Père, surchargé d'ouvrage, avait demandé de le remplacer pour l'avant-midi et de juger les nouveaux arrivants à sa place.

La première était une bonne grosse femme de cultivateur qu'une indigestion de tourtières avait amenée inopinément aux portes du paradis. Elle avait pour plaider en sa faveur l'éloquence de ses vertus. «Moi, grand saint Pierre, dit-elle avec une crainte mêlée de confiance, j'ai beau chercher dans ma vie, il me semble que je n'ai rien fait qui puisse m'interdire l'accès à l'éternité du bonheur. J'ai élevé quatorze enfants, tous dans la religion catholique, j'ai toujours fait mes Pâques, je n'ai jamais trompé mon vieux, même en pensée... etc.» Saint

Pierre lui dit: «Très bien, ma bonne dame, je vous crois volontiers. Voici la clé du paradis.»

La deuxième arrivait en droite ligne d'Outremont ma chère. Elle était rougissante et inquiète, mais en dame du monde qu'elle était, elle cachait sa crainte derrière une avalanche de paroles justificatives. «Moi, saint Pierre, dit-elle, je vous jure que je ne suis pas une méchante femme. Bien sûr, il m'est arrivé quelques petits accidents de parcours, mais mineurs. Vous savez ce que c'est Outremont... on a souvent des réceptions et il m'est arrivé... deux ou trois fois au maximum... de tromper mon mari. Mais si vous saviez comme il le méritait!... Et puis je le regrette sincèrement.» Le bon saint Pierre, qui en a vu d'autres, vous pensez bien, lui répond: «Oui, oui, madame, je vous comprends. Tenez, voici la clé... du purgatoire.»

La troisième était une *call-girl* de la plus haute aristocratie montréalaise. Elle arrive toute pimpante et joyeuse, décontractée et l'air très peu pénitente. «Mon beau saint Pierre, dit-elle familière, je trouve que vous avez une barbe superbe... Moi, j'aime mieux vous le dire tout de suite, j'ai trompé mon mari avec un plaisir si grand que je suis incapable de le regretter... Et puis...» Elle n'avait pas achevé sa phrase que le bon saint Pierre s'approche un peu d'elle et discrètement, après avoir jeté un regard de sécurité autour de lui, lui dit: «Tenez, voici la clé... de ma chambre!»

«Lorsque l'enfant paraît...»

Il fut un temps d'obscurantisme éducatif où on disait aux enfants curieux de leur origine qu'ils étaient nés dans les choux ou les roses. Aujourd'hui, la révolution sexuelle aidant, et le cinéma aussi, ils sont déniaisés et ils savent tous que c'est une cigogne qui les a amenés en ce bas monde.

Et ils deviennent adultes le jour où, au lieu de sortir avec les filles, ils s'enferment avec elles. Ce qui fait qu'ils se trouvent quelquefois dans des situations imprévues, souvent cocasses, voire carrément drôles, qu'un bienfaisant sens de l'humour les aide à accepter sinon toujours à résoudre.

L'un d'eux se trouva un jour dans une conjoncture assez particulière. Il était dans une clinique d'accouchement dont il arpentait les couloirs en compagnie d'un autre futur père. Tous les deux fumaient nerveusement quand son compagnon d'inquiétude lui fit part de son désappointement.

— Vous vous rendez compte de la tuile qui me tombe dessus, lui dit-il; il faut que cet heureux événement m'arrive pendant mes vacances.

Et notre homme de répondre:

— Qu'est-ce que vous diriez à ma place? Moi, c'est pendant ma lune de miel!...

L'universel féminin

Les sociologues, c'est bien connu, sont des gens qui ont le goût des profondeurs. Ils aiment aller au fond des choses. Ils sont tout le contraire des gens superficiels. Aussi ne faut-il pas s'étonner si l'un d'eux, spéléologue de l'âme, a eu un jour l'idée de sonder l'insondable, je veux dire le cœur féminin.

Pour cela il a parcouru la Terre entière muni d'une somptueuse bourse d'études d'anthropologie d'un mécène américain. Il est donc parti, questionnaire à la main, dans le but hautement scientifique de faire surgir spontanément en une seule phrase le tréfonds du cœur de la femme. À cette fin il leur a posé sur des sujets qui les passionnent deux questions considérées par les plus grandes autorités en psychologie comme étant la mesure, le critère de leurs états d'âme. Et voici, d'après des rapports scientifiques scrupuleusement contrôlés, ce que ça a donné.

À la question: «Quelle est la phrase que vous prononcez après une folle nuit d'amour le samedi soir?» ont répondu:

L'Anglaise: «Ah! je me sens mieux, tiens.»

L'Allemande: «Oh! la, la, j'ai faim!»

La Russe: «Tu as eu mon corps, mais tu n'as pas eu mon âme!»

L'Italienne: «Mon Dieu! À quelle heure la messe?»

L'Américaine: «Tiens, voilà un tablier; va faire la vaisselle dans la cuisine.»

Et la Française: «Chéri, j'ai vu hier, en réduction au magasin, un petit tailleur sensationnel!»

Voulez-vous savoir le comportement de ces mêmes femmes, le jour où elles apprennent que leur mari les trompe? Le voici:

L'Italienne tue son mari.

L'Espagnole tue son mari et sa rivale.

L'Allemande se tue elle-même.

La Japonaise tue sa rivale et se fait hara-kiri.

L'Anglaise noie son chagrin dans le whisky.

La Russe se saoule à mort à la vodka.

L'Américaine calcule le montant de la pension alimentaire qu'elle va réclamer.

Et la Française... cherche déjà un autre partenaire!

Maintenant dites-moi honnêtement, mesdames, dans quelle catégorie vous classez-vous vous-mêmes?... Aucune?... Je le savais: les Québécoises sont hors catégorie!

Surprise!

C'est incroyable ce que la vie des gentilles secrétaires de bureau, si compétentes, si dévouées et pour tout dire si indispensables à la bonne marche des affaires, peut réserver d'affolant imprévu. Et pourtant ça arrive.

L'autre jour, en sortant d'un studio de Radio-Canada, je rencontre un vieil ami qui est dans les affaires et on va luncher ensemble. Mais au lieu du copain joyeux et exubérant qu'il avait l'habitude d'être, je trouve un homme accablé. Comme je lui demandais la raison de cette morosité inaccoutumée, il m'a répondu:

— On serait morose à moins. Si tu savais le coup que vient de me faire ma secrétaire.

— La jolie blonde, là?

— Oui, la blonde. C'en est une jolie, en effet!

— Quoi donc?

— Imagine-toi qu'en l'honneur de mon anniversaire, l'autre jour, elle m'a invité à prendre un verre chez elle.

— Et tu te plains?

— Attends la suite. Je dois dire que j'ai bu un excellent cocktail avec des amuse-gueule délicieux. Après quoi, elle m'a dit: «Maintenant, patron, je vais vous faire une surprise. Je passe dans ma chambre et dans deux minutes, vous entrez. Deux minutes... surtout pas avant.»

— Hé ben, j'aurais bien voulu être à ta place!

— Pas moi, parce que quand je suis entré dans sa chambre, j'ai trouvé tout mon personnel qui s'est mis à chanter «Bon anniversaire, nos vœux les plus...»

— Ben quoi, fallait prendre ça avec le sourire.

— Avec le sourire, c'est facile à dire! Parce que figure-toi que moi... j'étais déjà déshabillé!...

L'esprit mondain

S'il est un trait moral tristement caractéristique de notre époque de décadence, c'est bien la légèreté avec laquelle on pense et on traite les choses de la vie spirituelle. Nous vivons un siècle déconfessionnalisé, sécularisé et laïcisé à un point tel que le souci d'observer les commandements de Dieu et de l'Église est devenu le dernier qui préoccupe les hommes. Cette attitude d'indifférence coupable à l'égard des préceptes de la morale traditionnelle porte un nom: l'esprit mondain.

Pour lutter avec les armes de l'esprit contre cette déchéance morale dans laquelle l'oubli, que dis-je, le mépris de la vertu a fait sombrer le vain peuple que nous sommes, un prédicateur célèbre, qui est d'ailleurs à bon droit reconnu comme un foudre d'éloquence sacrée et une des gloires de la chaire québécoise, entreprit un jour de vitupérer contre l'envahissant paganisme de nos mœurs. Il le fit en des termes si forts que des images immortelles nous sont restées de ses fameuses envolées oratoires.

Par exemple, pour montrer que les châtiments les plus terribles guettent les pécheurs non seulement après le Jugement dernier mais dès ici-bas, il illustra un jour son sermon d'un fait historique, tiré de la vie d'un des plus grands saints de l'histoire de l'Église, et propre à décourager à jamais du mal les piètres chrétiens que nous sommes, hélas. Il s'agissait de saint Ignace dont chacun sait qu'il eut une existence tourmentée et parsemée d'épisodes pas toujours exemplaires. Et l'orateur sacré, après une relation dramatique des événements qui avaient marqué la vie turbulente de son sujet, termina sa remarquable péroraison par ces mots puissants:

— Saint Ignace de Loyola, mes frères, était un grand saint, un grand soldat, mais aussi, hélas, dans sa jeunesse, un grand mondain. À la bataille de Pampelune, un boulet de canon lui passa entre les jambes et lui coupa pour toujours... l'esprit mondain!...

Histoire historique

C'était en 1962. La Révolution tranquille battait son plein, la fameuse équipe du tonnerre était au travail, une réforme n'attendait pas l'autre et le moteur du fameux char de l'État révolutionnait à plein régime. C'était l'euphorie générale. Enfin il se passait quelque chose au Québec dont un imprudent écrivain (d'ailleurs étranger) avait pourtant dit naguère que «rien ne devait y changer»...

Dans ce climat d'audace rénovatrice, le gouvernement du temps, ayant décidé de nationaliser l'électricité pour que les indigènes que nous sommes soient les premiers à en profiter, fit même une élection là-dessus. Branle-bas général, grandes assemblées populaires partout dans le Québec tenues sous le signe victorieux du fameux «Maintenant ou jamais, maîtres chez nous!», René Lévesque et son tableau noir, bref, les grandes manœuvres et tout le tralala.

À cette époque-là, j'étais dans la Commission politique du Parti libéral — j'ai changé de crèmerie depuis, on a dû vous le dire — et je faisais des assemblées en compagnie d'un grand avocat du Parti, un homme très bien connu dans toute la Belle Province. Or, un bel après-midi, en route pour un bled rural, on s'était égarés. On s'arrête au carrefour de deux chemins de terre où un brave paysan était en train de réparer sa clôture. L'avocat descend de la voiture, s'approche du vieux et lui dit:

— Monsieur, pourriez-vous me dire le chemin pour Saint-Polycarpe?

— Je vous connais, vous, dit l'habitant, vous êtes monsieur X, hein? (Je ne vous dis pas son nom: il pourrait me faire un procès!) Vous êtes avocat, vous, hein?

— Oui, fait l'homme de loi dont cette candide admiration chatouillait secrètement la vanité.

— Je vous dirais bien le chemin... mais vous pourrez pas vous rendre.

— Pourquoi?

— C'est tout droit!...

Le sourire d'Esculape

Ce serait un blasphème muet que de passer sous silence l'humour dont les médecins ont été tantôt les auteurs tantôt les victimes depuis que leur profession soigne le monde. Les toubibs sont des gens importants dans notre vie: ce sont eux qui président à notre naissance, à notre santé, à notre maladie et à notre mort. Que nous en soyons satisfaits ou non, faisons-nous une raison car les médecins sont là pour rester... comme le sexe, les syndicats, les politiciens et l'Église catholique.

Nous savons tous, depuis le docteur Knock, que la santé est un état peu rassurant et qu'un homme bien-portant est un malade qui s'ignore. Que tout équilibre vital exige au moins une maladie importante, car l'idéal d'une santé parfaite apparaît comme une dangereuse utopie. Que dans l'équilibre des forces d'un organisme humain, une solide maladie représente ce qu'une saine opposition est à une bonne démocratie. La supprimer, c'est risquer une dictature de la santé qui s'achèverait fatalement en révolution. Une autre maladie plus grave s'installera. Il y aura peut-être péril de mort. Le docteur Knock a à ce sujet une phrase terrible, propre à faire réfléchir plus d'un médecin trop zélé: «On compterait par dizaines de millions, à chaque époque, les gens qui sont morts pour avoir été imprudemment guéris d'une maladie qui était juste celle qu'il leur fallait.»

La contribution de la médecine au bonheur humain déborde même les cadres spécifiques de la science médicale. Elle ressortit à la compétence politique. La théorie révolutionnaire du docteur Knock l'a amené à étudier les voies et moyens de la prise du pouvoir politique par les médecins. Le salut de l'humanité est là, estime le professeur. Le monde aujourd'hui est menacé par les hyperénergiques. Le professeur se fait fort d'en venir à bout par un moyen très simple. «Je les mets au lit, s'écrie-t-il. Le jour où tous les fauteurs de catastrophes seront occupés à prendre leur température entre deux draps, nous serons déjà plus tranquilles.» La prise du pouvoir s'accomplira très simplement par le déclenchement d'une épidémie universelle, bénigne, mais aux symptômes affolants. Le monde entier sera au lit. Sauf le corps médical. On dira ce qu'on voudra, «quand on a vraiment mal, se passer de médecin est quelquefois un remède insuffisant», comme disait le sage Colman. Les médecins sont des êtres indispensables: on ne peut pas vivre ni mourir sans eux. Le médecin, c'est comme le curé: on en rit toute sa vie, on le brocarde à qui mieux mieux, mais quand vient le temps de mourir, on l'appelle à son chevet. Qui sait, c'est peut-être pour ça qu'on a appelé la médecine un sacerdoce!...

Mais ce qu'il y a de consolant dans tout cela, c'est que, quoi qu'il en soit du sérieux de la profession médicale dans une société, il n'a jamais empêché les médecins de l'exercer avec le sourire ni les malades de la subir avec esprit. On raconte, par exemple, qu'un jour un patient — n'est-ce pas déjà charmant que le client d'un médecin s'appelle un patient? — s'amène chez le docteur pour se faire dire, après son examen: «Je ne comprends pas très bien ce dont vous souffrez, mais je pense que c'est à cause de l'alcool. Oui, c'est ça... c'est certainement à cause de l'alcool.» Et le malade de répondre: «Très bien, docteur, je reviendrai quand vous serez à jeun!...»

Ils ont entre eux aussi des mots délicieux. Au cours d'une réception professionnelle de haute qualité, deux Esculape causaient. «Alors, mon cher collègue, dit l'un, votre malade que vous soigniez pour le foie est mort du cœur, m'a-t-on dit?» «Mon cher docteur, répondit l'autre, c'est de la pure calomnie. Moi, quand je soigne quelqu'un du foie... il meurt du foie!...»

C'est le Dr Jean-Pierre Guay qui me l'a racontée.

Définitions

Mon vieux maître Socrate — celui justement qui a préféré la ciguë mortelle au spectacle de la connerie de son temps — disait: «Trouvez-moi quelqu'un qui sait définir et je le suivrai comme un dieu.» Or la définition, c'est la spécialité des philosophes. Et comme les plus philosophes des hommes ce sont les humoristes, justement parce qu'ils définissent les choses par leurs aspects absurdes ou joyeux, c'est à l'un d'eux, Léo Campion, que je demande d'apporter un sourire à la vérité... que je vous dois.

Avion — S'il n'y avait pas le sol, ça ne serait pas dangereux.

Baptême — Sacrement destiné à laver l'enfant nouveau-né d'une faute qu'il n'a pas commise.

Chauffeur — La partie la plus dangereuse d'une automobile.

Économie — Une dépense qu'on aurait pu faire.

Électeur — Bonne bête qui choisit ceux qui vont le tondre.

Épouse — Fraction de harem.

Homme public — Masculin de fille publique.

Homosexualité — Sens interdit.

Pédérastie — Quand on songe à tous les emmerdements subis par l'humanité depuis que le monde est monde, on est en droit de regretter que le père Adam n'ait pas été pédéraste.

Femme — «C'est le rôle divin de la femme de faire jaillir, pour la gloire de l'humanité, ce que l'homme a de meilleur.» (Extrait du *Bulletin paroissial* de Saint-Lambert, avril 1928.)

Rajeunir — Manière féminine de vieillir.

Merde — Espoir du constipé.

Virginité — Capital qui dort.

Immortalité — Qui mourra verra.

Carpe diem — Fragment d'un vers d'Horace qui signifie: «Faisons la bombe! Au diable l'avarice! On n'a que le plaisir qu'on se donne! Vive la rigolade! Et après nous le déluge!...»

C'est quand la philosophie nous fait rire qu'il faut la prendre le plus au sérieux.

À la défense de l'homme-objet

Il y a un aspect de l'adultère masculin qui semble avoir échappé jusqu'ici à l'attention de nos censeurs: si les hommes tombent si souvent dans cette pratique immorale — et coûteuse, m'a-t-on dit —, c'est parce que les femmes ne cessent de tendre des pièges sous leurs pas. Elles font de nous ce qu'elles veulent, elles nous manipulent à volonté, elles nous mènent par le bout du nez, bref, la liberté des mœurs de notre époque nous a livrés à la domination féminine qui fait de nous des hommes-objets.

Je ne crains pas de le dire, l'homme adultère n'est que la victime de tout un ensemble de manœuvres agressives subtilement mises au point par les femmes pour nous amener à leurs fins. En voulez-vous des preuves? En voici. D'abord, la plupart des femmes sont belles. Et celles qui ne sont pas outrageusement belles sont au moins jolies. Si elles ne le sont pas, les pharmacies sont toujours là avec leur arsenal de maquillage pour leur fournir ce qu'il faut pour le cacher. De sorte que la beauté des femmes — celle qu'elles ont et celle qu'elles se font — est déjà, en soi, objectivement, une provocation. Je connais, moi, certaines beautés irrésistibles et affolantes qui sont un appel direct au péché de la chair. Mais passons... lentement...

De plus, elles ont toutes une façon de se vêtir qui au lieu de mettre un voile pudique sur leurs appas transforme ceux-ci en offrandes effrontées. L'agressivité pectorale des femmes, si longtemps et si justement condamnée par les plus clairvoyants prédicateurs et à laquelle les plus savants psychiatres de notre époque attribuent des vertus sexuelles dévastatrices, est devenue un moyen d'attaque de prédilection. Avec un petit air hypocrite de ne pas savoir ce qu'elles font, elles portent dans leurs blouses légères et indiscrètement transparentes des armes offensives directement pointées contre nous. Certaines vont jusqu'à les laisser se balader en liberté, sans le moindre soutien, suivant le principe mécanique que les Américains appellent le *floating power*. Et si nous, nous y mettons la main pour nous défendre, nous passons pour les agresseurs... Où est la justice là-dedans, je vous le demande?...

Et je ne parle pas de ce qu'elles font avec leurs jambes. Elles ont une façon de les porter, de les galber, de les croiser, de les décroiser et de les mettre l'une devant l'autre qui est une invitation directe à leur proposer les derniers outrages... en espérant qu'elles les prennent pour des premiers égards. J'en ai vu une, l'autre jour, qui déambulait sur la Catherine, attifée d'une robe perverse au décolleté vertigineux et moulant son arrière-train de déesse grecque dans une petite jupe astucieusement fendue qui laissait dire à ses jambes tout ce que mes yeux voulaient entendre. Elle avait en plus une démarche vénérienne, la fesse causante avec un roulement de hanches au plus réjouissant effet. Allez-vous me dire, vous autres, qu'un homme normalement constitué, et doué par la nature de tout ce qu'il faut pour le prouver, est capable de résister victorieusement à la subtile violence d'un pareil assaut contre sa vertu? Que non. Inspiré par je ne sais quel instinct de défense surnaturelle devant ce spectacle, le joyeux Beauceron de mes amis qui m'accompagnait laissa spontanément monter vers le ciel cette originale prière: «Seigneur, adoucissez vos lois... ou changez la nature!...»

Laisser plus longtemps les femmes se plaindre, comme on en entend certaines, que l'humanité mâle les exploite honteusement en ne pensant qu'à utiliser leurs corps à des fins égoïstes, c'est inverser le vrai problème. Car le vrai problème, c'est de savoir quoi faire pour empêcher les femmes d'abuser de leur pouvoir de séduction qui est en train d'asservir l'homme au point qu'il risque de ne devenir qu'un poisson s'agitant au bout de leur ligne et un objet entre leurs mains caressantes et adorablement perverses.

S'il faut une croisade, j'en serai.

À part ça, on est plus forts que vous ne croyez, mesdames: on a les pédés de notre bord!...

Les cocus

Messieurs, j'ai une grosse nouvelle pour vous: nous le sommes tous.

Que nous l'admettions ou non, que nous le sachions ou non, que nous le déplorions ou non... nous le sommes tous.

Et non seulement nous sommes tous cocus mais en plus nous le méritons bien. Car nous sommes des infidèles nés, même si nous le nions avec la plus vigoureuse hypocrisie.

Quand nous ne le sommes pas en fait, nous le sommes en pensée. Et en désir. Ce qui est, au fond, du pareil au même.

Bien pire, ce qui rend notre cas plus odieux encore, nous refusons jalousement et injustement à nos femmes le droit de faire ce que nous nous permettons, nous, avec une conscience si légère. On peut donc affirmer sans crainte de se tromper qu'il n'y a pas de mari qui mérite la fidélité de sa femme. C'est pourquoi d'ailleurs il ne l'a pas...

Nos femmes ne sont pas folles. Elles ont vite compris que derrière nos allures benoîtes nous portons une âme — et un corps — de libertins. Elles agissent en conséquence et qui peut les en blâmer? Ce qui me rappelle le joli mot de notre cher Brassens: «Ne jetez pas la pierre à la femme adultère... car je suis derrière!» Nous ne sommes plus au temps où les femmes se résignaient, se taisaient et enduraient bêtement leur sort. Aujourd'hui elles ruent. Et c'est bien fait pour nous.

Pour nous consoler un peu, disons-nous bien que notre cocuage, s'il est une mésaventure, n'est quand même pas une tragédie. Son universalité même allège considérablement notre malheur. Un malheur partagé par tout le monde — et par les plus grands de ce monde —, ce n'est plus un malheur, c'est une condition sociale. Et puis les cornes, c'est comme les dents: quand elles poussent, ça fait mal un peu, mais une fois qu'elles sont poussées, on vit avec elles.

Prenons donc la chose avec bonne humeur. Et ayons la magnanimité d'être tolérants pour nos femmes au cœur pluriel. Nous aurions l'air moins cons si, au lieu d'accrocher bêtement des clochettes à nos cornes pour que tout le monde les entende et rie de nous, nous avions la grâce de sourire en pensant avec indulgence à la décharge de nos conjointes: comment peut-on être une fille d'Ève et ne pas aimer le fruit défendu?...

On peut même faire un pas de plus. Et chercher dans la philosophie une justification qui nous absoudrait un peu — intellectuellement du moins — de notre condition de fauteurs. En nous faisant, par exemple, le raisonnement suivant: «Si le pluralisme idéologique (c'est-à-dire la tolérance dans les idées) est une conquête de la liberté politique, pourquoi le pluralisme

érotique ne serait-il pas un progrès de la démocratie morale?»
Voilà qui nous ouvre des perspectives réjouissantes et des
avenues pleines de promesses.

Et si la philosophie ne nous est d'aucun secours pour jeter
du baume sur nos blessures d'amour-propre, recourons à
l'humour qui, comme chacun sait, est le premier mot de la
culture et le dernier de la sagesse. Et convenons avec le divin
Tristan Bernard qu'«il vaut mieux être plusieurs sur une bonne
affaire que seul sur une mauvaise!...»

Les coquettes

Reprocher aux femmes d'être coquettes, c'est aussi incongru
— et aussi inutile — que de vouloir empêcher la beauté de
briller. Je soutiendrai jusqu'à la mort (exclusivement) que les
femmes, qui sont la moitié la plus élégante et peut-être la plus
valable de notre espèce, ont non seulement le droit mais aussi
le devoir d'être au meilleur de leur(s) forme(s). Et, pourquoi
pas, de le paraître.

Appelez ça de la coquetterie si vous voulez, moi je m'en
fous; l'important, c'est que leur vérité brille. D'ailleurs la
coquetterie des femmes, ce n'est pas un défaut, c'est l'éclat
d'une qualité. Et puis c'est charmant, ne trouvez-vous pas,
cette façon qu'elles ont de dire en même temps «non» avec
les lèvres et «oui» avec les yeux. Elles mettent ainsi plus
d'impudeur à se refuser qu'à se donner. Car elles ont comme
personne l'art de savoir faire les premiers pas tout en laissant
aux hommes l'illusion que c'est eux qui les font.

Avec ça que l'intuition, qui est le génie de leur sexe, il
faut bien l'admettre, leur donne toujours une longueur
d'avance sur nous. C'est ainsi que l'on a pu prétendre avec
vérité que la moins coquette des femmes sait qu'on est
amoureux d'elle un peu avant celui qui en devient amoureux. C'est là une supériorité dont je leur saurais gré de ne

pas abuser, ne serait-ce que pour nous éviter de perdre la face plus souvent qu'à notre tour.

Ce n'est pas moi qui reprocherai aux femmes de se servir de leur beauté comme ligne à pêche — car nous ne sommes au fond que des poissons —, ni de nous faire de l'œil jusque avec leurs jambes. Et elles ont une manière subtile de raisonner en termes d'anatomie pectorale qui vous coupe la parole et donne à leur discours, fût-il muet, une force de frappe carrément (pour ne pas dire rondement) dévastatrice!... Je ne leur reprocherai pas non plus de s'habiller de la façon qui les déshabille le mieux: c'est trop beau. Car, comme dit l'autre, un joli corps de femme est un tel capital qu'il suscite toujours le plus haut intérêt...

Soyez coquettes, mesdames, ça vous va si bien. Mais, je vous en prie, pas au-delà de notre faible coefficient de résistance à votre séduction. Car depuis que nous avons appris de la bouche des philosophes que deux personnes pour faire un couple heureux, ce n'est pas assez, nous sommes vulnérables au point de souhaiter secrètement être vos victimes...

Mais nous ne l'avouerons jamais.

Il y avait une fois

Si vous la savez, arrêtez-moi.

Il y avait une fois un petit moineau qui vivait avec ses parents dans un nid qu'ils avaient construit dans un arbre tout près de notre maison. C'est comme ça que, en ayant été personnellement témoin, je puis vous raconter son aventure.

Comme il était très obéissant, le petit moineau ne quittait le nid familial que pour de petites envolées très courtes autour de son arbre. Un jour il dit à son père: «Papa, j'aimerais ça, maintenant que mes ailes sont assez grandes, aller faire un grand tour dans le ciel. Je voudrais aller jusqu'au village, veux-tu me laisser aller?» Son papa lui dit: «D'accord. Tu es assez grand pour sortir un peu maintenant. Mais à une condition. Il faut que tu sois de retour à huit heures exactement. Sinon je te donne la fessée.»

Alors le petit moineau part tout heureux et, ivre de liberté, il s'en donne à cœur joie dans le ciel. Il s'amuse à faire des acrobaties aériennes, des pirouettes, des vrilles et tout et tout. Il est si heureux qu'il oublie l'heure. Et quand il arrive au nid paternel, il est passé huit heures. Son père l'attend au bord du nid, le regard courroucé et le bec affilé, prêt à lui administrer une correction exemplaire.

Mais le petit moineau est dans un état lamentable. Il est tout abîmé. Il a une patte cassée, ses ailes n'ont presque plus de plumes et il est tout en pleurs. Alors son papa, à la vue de ce spectacle navrant, sent fondre toute sa colère et lui dit affectueusement: «Mais, mon pauvre petit, qu'est-ce qui t'est arrivé pour que tu me reviennes amoché à ce point?»

Alors le petit moineau de raconter, entre deux sanglots: «J'étais si bien dans le ciel et mes ailes me portaient si bien que j'ai dépassé le village. Tout à coup je me suis aperçu qu'il était huit heures moins cinq. Alors je me suis dit que je n'aurais jamais le temps de retourner au nid pour l'heure convenue si je volais trop haut. Alors j'ai décidé de voler bas pour aller plus vite et en passant dans le village... j'ai été pris dans une partie de badminton!...»

Alfred et sa blonde

Être poète, c'est déjà être en danger.

Mais être poète amoureux, alors là, c'est être promis aux situations les plus saugrenues. Qui donc a dit: «Ah! frappe-toi le cœur, c'est là qu'est le génie!»

On raconte qu'un jour, Alfred de Musset, de romantique mémoire, déjeunait, solitaire, dans un restaurant parisien assidûment fréquenté par les poètes et les artistes, auxquels se mêlaient quelquefois des clients inconnus venus là par curiosité constater *de visu* de quoi pouvaient avoir l'air, vus de près, ces animaux un peu spéciaux qui écrivent dans des livres ou qui jouent la comédie sur les scènes.

À quelques tables du ténébreux Alfred, une femme somptueuse était assise. Elle avait une mine de chatte, la poitrine en offrande et le regard liquide. C'était George Sand. Le bel Alfred, qui était, comme chacun sait, un lapin pas ordinaire, en reçut un choc au cœur. Lui qui pour un oui ou pour un non avait la fourchette en l'air fut pris d'un désir ardent qui ne pouvait pas s'exprimer par la parole, la dame étant trop loin de lui. Il sortit donc son arme favorite, c'est-à-dire sa plume, et griffonna sur un bout de papier les vers suivants qu'il fit porter à la dame par son garçon de table. Le billet se lisait ainsi:

«QUAND je vous jure, madame, un éternel hommage,
VOULEZ-vous qu'un instant je change de langage?
VOUS seule possédez mon esprit et mon cœur.
QUE ne puis-je avec vous goûter le vrai bonheur!
JE vous aime, ma belle, et ma plume en délire
COUCHE sur ce papier ce que je n'ose dire.
AVEC soin de mes vers lisez les premiers mots,
VOUS saurez quel remède apporter à mes maux!»

La réponse ne s'est pas fait attendre. Elle fut brève, nette, précise et signifiante. La voici:

«CETTE grande faveur que votre ardeur réclame
NUIT peut-être à l'honneur mais répond à ma flamme.»

Des maîtresses

Les peuples ont dans l'histoire souvent changé de constitutions politiques. Les sociétés ont été secouées par des révolutions culturelles profondes qui ont remis en question des valeurs non moindres que nos raisons de vivre. Les époques ont vu naître puis disparaître au gré des siècles des idées qui ont fait flamber les hommes jusqu'à les jeter sauvagement les uns contre les autres. Les inventions ont succédé aux inventions et instauré dans le monde la révolution technologique permanente à laquelle les économies n'en finissent plus de s'ajuster. Des institutions qu'on croyait pourtant immortelles sont tombées sous le choc du changement. Les religions même, qui croient avoir les promesses de l'éternité, ont vu les secousses du nouveau les frapper comme un menaçant séisme spirituel. Seules ont traversé le temps toujours victorieuses, jamais contestées et sûres de leur pérennité... les maîtresses.

Pour la seule et unique et suffisante raison qu'elles se sont avérées de tout temps indispensables au bonheur des hommes et au bon fonctionnement des sociétés. Avez-vous songé un instant à tout ce que ces filles ont apporté de joie au genre humain depuis son commencement? Avez-vous tenté de mesurer toutes les frustrations dont elles l'ont empêché de souffrir rien que par leur seule présence le long des siècles? Avez-vous seulement essayé d'imaginer dans quelles insondables dépressions le monde aurait pu sombrer n'eussent-elles été là pour les prévenir ou les guérir grâce à leur art?

Quand on songe, par exemple, à l'influence énorme qu'elles ont eue dans la marche du monde, on est ébloui par la richesse de leur apport au bonheur des êtres. Des empereurs, des rois, même des papes ont été marqués par elles. L'histoire témoigne même de certains empires qui leur devraient leur puissance et leur continuité. Comment voulez-vous que des mérites politiquement aussi notoires, intellectuellement si valables, moralement si féconds et socialement si goûtés ne valent pas aux maîtresses la reconnaissance universelle des hommes et des États?

Les maîtresses remplissent une fonction absolument irremplaçable dans la société. On peut dire sans crainte de se tromper que si elles n'étaient pas là, il manquerait à l'édifice de l'État un pilier indispensable à son équilibre. Elles sont... comment dirais-je... un «service essentiel».

Moi-même, je le confesse sans honte, j'ai eu recours à elles pendant une phase très importante de ma vie. Elles m'ont inspiré. Elles m'ont sauvé. Je dois même avouer aujourd'hui avec une tristesse repentante que j'ai parfois abusé d'elles. J'ai volé à leur existence des heures qu'elles eussent pu consacrer à la satisfaction de besoins plus urgents que les miens. Je leur en demande pardon ici même devant vous, chers lecteurs. J'ai surtout le remords cuisant de tout le temps supplémentaire que m'a toujours poussé à exiger d'elles mon insatiable passion.

Ma passion de connaître, bien sûr.

Car il s'agit, vous l'avez deviné, des maîtresses... d'école...

La peste du disco

« **U**n mal qui répand la terreur,
Mal que le ciel en sa fureur
Inventa pour punir les crimes de la Terre,
Le disco (puisqu'il faut l'appeler par son nom)
Faisait aux gens normaux la guerre.
Ils n'en mouraient pas tous, mais tous étaient
frappés.»

Si le bonhomme La Fontaine vivait de nos jours, je suis sûr qu'il n'aurait pas manqué de stigmatiser, dans une de ses fables admirables de finesse, cette maladie collective qui, en plus de polluer les ondes, emmerde l'humanité depuis des années: le disco.

Qui d'entre nous, en effet, n'a pas déjà été assommé par le disco? Il n'y a plus moyen d'aller en quelque endroit public où il y a de la musique, sans risquer de se faire ahurir par le bruit infernal de quelque orchestre qui joue des trucs à vous défoncer les ouïes. Vous tournez le bouton de votre radio, il y a quatre-vingt-quinze chances sur cent que vous tombiez sur ces bruits de ferraille, amplifiés par la puissance électrique et rythmés à la sauvage, qui vous mitraillent le tympan. Vous allez aux noces, vous pensez que vous allez pouvoir causer aimablement avec des parents et des amis que vous n'avez pas vus depuis longtemps; détrompez-vous, vous ne pourrez parler à personne car la musique disco va noyer tout essai de conversation dans un vacarme amplifié au maximum qui décourage tout effort de communication humaine par la parole.

Et je ne parle pas des discothèques, où le bruit est roi, où toute mélodie de qualité est proscrite et où seul est toléré un tintamarre dantesque qui vous traverse l'estomac, anesthésie la conscience des êtres et vous condamne à l'hébétude totale. La quantité du son a remplacé sa qualité. C'est la drogue de l'ouïe. C'est de l'épilepsie collective. De l'intoxication à dose massive. Ça hurle à pleine puissance. Ajoutez-y la boucane qu'on pourrait couper au couteau, l'alcool à gogo et l'éclairage affolant et vous atteignez le degré d'abrutissement total désiré. Comme dit mon camarade Pierre Dudan dans son récent livre *Vive le show-biz... bordel!:* «Le disco, successeur du pop, du yéyé et autres jerks, pulvérise la mélodie, anéantit le charme des harmonies et rend le rythme pesant, abruti comme un soufflet de forge mâtiné de marteau-pilon.» C'est ainsi qu'on nous prépare une génération entière de sourds et d'énervés qui n'auront connu de la musique que sa caricature dégénérée et ses accents de décadence absolue.

Langage de réactionnaire et propos de vieil attardé, diront les prêtres de ce culte de la connerie sonore. Moi, je refuse d'être qualifié de vieille baderne par des analphabètes de l'art et des dopés du bruit. À l'encontre de ces primates, je tiens tout bonnement que la pollution n'est pas le progrès, que le pathologique est le contraire du normal et que l'hallucination, fût-elle collective et pratiquée par une majorité de malades, n'a rien de la santé. Et que les animaux malades de cette peste ont beau chérir leur mal et se complaire dans leur bêtise, rien ne peut empêcher le bon sens de leur rappeler avec bonne humeur qu'il est heureusement possible de s'amuser ferme et d'être bon vivant sans nécessairement céder à la mode des engins modernes de l'abrutissement.

Je pense au mot charmant de ce brave paysan que j'ai rencontré, l'autre jour, aux noces d'argent de mon cousin

Laurier: «Maudit que j'ai hâte que la musique revienne à la mode!...»

Le triomphe de l'apparence

Avant de partir pour une soirée de gala, une dame du monde debout devant son miroir demande à son mari:

— Chéri, est-ce que ma robe est décente?

— Mais oui, mais oui.

— Mon Dieu, c'est ce que je craignais!...

Dans le grand monde, moins une femme est vêtue plus elle est «habillée». Mystère insondable de l'éternel féminin. Mais je serais le dernier homme, vous pensez bien, mesdames, à me plaindre de ce que votre beauté, qui est le pain quotidien de nos yeux affamés, nous soit offerte avec le maximum de transparence. Car si on a dit — et avec raison — que la vérité doit être toute nue, je ne vois pas pourquoi sa sœur, la beauté, n'aurait pas le même privilège. Et vous ne me verrez jamais bouder mon plaisir de lire entre vos lignes et au-delà de tous les artifices de tissus qui s'ingénient à voiler ce qui fait votre charme et mon admiration.

Les fragiles barrières de linge que votre pudeur calculée s'évertue à dresser entre vos formes somptueuses et nos regards coquins n'empêcheront jamais ces derniers de les franchir allègrement et de faire leur pâture de tout ce que vous dissimulez avec art pour mieux nous le suggérer. Arrangez-la comme vous voudrez, une belle femme, c'est une belle femme... et toutes les lois et les religions du monde dussent-elles se liguer pour essayer de nous convaincre qu'il est mal de nous régaler avec gourmandise de ses charmes, elles ne parviendront jamais à nous distraire de ce désir. D'ailleurs que sont les regards d'admirative convoitise que les hommes ne cessent et ne cesseront jamais de poser sur la beauté des femmes sinon la prière de leurs yeux à la gloire du Créateur qui les a voulues telles qu'elles sont...

Non. La seule chose qui me fait un peu de peine, je vous le confesse, mes sœurs, c'est que des gens sans scrupules profitent de votre goût naturel de la beauté et de votre sens inné de la variété pour vous exploiter honteusement. Les couturiers, ces saboteurs impétinents de la féminité, et les capitalistes leurs complices, ont inventé une machination diabolique, un piège infernal où vous mettez aveuglément vos jolies pattes: la mode.

La mode, ce n'est pas la manière qu'ont les femmes de se vêtir: c'est la manière qu'ont trouvée les hommes de les exploiter. Pour faire marcher le commerce et faire de l'abondant pognon, ils ont inventé une règle d'or: le changement perpétuel. «La mode, c'est ce qui se démode», disait Salvador Dali. Dix ans plus tôt une robe est insolite; dix ans plus tard, elle est devenue ridicule. Et cent ans plus tard, on la redécouvre et elle devient exaltante. Elle est, comme la femme et la valse, «toujours pareille et jamais la même pourtant». La mode, c'est n'importe quoi à condition que ce soit autre chose que ce que c'était avant. Ça tourne en rond et ça finit par redevenir ce que c'était. Gardez vos frusques, les petites filles, elles vous resserviront plus tôt que vous ne croyez!

Moi, ce que je vous en dis, vous savez, c'est pour vous rappeler que vous vous faites copieusement rouler par les entrepreneurs en changement rentable. Ces gars-là sont prêts à vous enlaidir au point de vous rendre affreuses si ça leur rapporte. Et vous marchez!... Remarquez que c'est toujours beau de vous voir marcher... mais pas dans n'importe quoi, grands dieux! Quand je vous vois sortir attifées de hardes primitives qui vous font ressembler à la femme des cavernes, je vous plains un peu. Et quand en plus je pense à ce que vous payez pour ça, alors là, je me désespère...

Mais je sais bien que mon désespoir est inutile. Car vos exploiteurs trouveront, hélas, toujours en vous des complices inconscientes de leur cupidité. Car, c'est bien connu, et ça sera toujours comme ça, la femme trouve deux plaisirs dans une nouvelle robe: celui de la choisir et celui de... la changer. Et elle sait bien qu'elle joue gagnante sur tous les tableaux, car elle a la certitude, confirmée par les siècles de l'histoire, que, habillée ou non, elle sera toujours par nous regardée, admirée, désirée, et (avec, sans et même malgré ce qu'elle porte)... aimée.

N'est-ce pas l'essentiel?

Les péchés capitaux

Savez-vous pourquoi on dit d'un péché qu'il est capital?

C'est parce qu'il est, à lui seul, un capital de péché. Il en contient plusieurs autres.

C'est inouï le nombre de petits démons qui grouillent autour de nous et contre lesquels notre conscience a à se battre jour et nuit pour les empêcher de nous entraîner au mal. C'est pas facile, allez, de résister au mal. D'abord du mal, il y en a beaucoup trop. Comme disait ma tante Rosanna: «C'est pas vivable. Quand quelque chose fait plaisir, ou bien c'est péché... ou bien ça fait engraisser!...»

Personnellement je ne suis pas de ceux qui, comme Oscar Wilde, peuvent résister à tout sauf à la tentation. J'ai un minimum de moralité quand même. Mais mes tentations sont quelquefois si belles que je me demande vraiment si elles viennent du diable ou du bon Dieu!... De sorte que je ne sais plus alors si je dois les fuir ou y succomber. Le sage dit: «Dans le doute, abstiens-toi.» C'est bien beau à dire, mais pendant ce temps-là les chances de joie passent et, comme la grâce, peuvent ne pas revenir.

Ce que je ne peux pas taire parce que ça m'a terriblement impressionné, c'est le nombre prodigieux de petits que font les péchés capitaux. Rien que l'orgueil, à lui tout seul, en a une famille d'au moins une bonne vingtaine. Ça va de l'ambition jusqu'à la vanité en passant par la bassesse, la jactance, l'égoïsme, la flatterie, la haine, l'hypocrisie, le mensonge, le racisme, la politique (la petite!)... C'est proprement effarant.

Ne sachant plus si, pour voir clair dans tout ca, je devais aller voir mon curé ou mon psychiatre, j'ai décidé d'en parler à ma femme. On devrait toujours faire ça d'ailleurs. Car nos femmes nous disent gratuitement des vérités que les psychiatres nous chargent des prix de fous pour nous apprendre.

Or après avoir présenté à Lili toute la famille de l'effrayant péché d'orgueil, je lui ai demandé de me dire honnêtement contre lequel de ces défauts je devais me tenir en garde. Elle m'a répondu, rassurante et définitive: «T'en fais pas, ton péché capital à toi, c'est pas l'orgueil, c'est... tous les autres!...»

Les héritages

La seule chose absolument certaine ici-bas, c'est qu'on finit par mourir. On y pense le moins possible, parce que c'est un peu déprimant, mais faut quand même prévoir le coup. Et faire son testament. Ne serait-ce que pour ne plus y penser.

C'est une prudente précaution à prendre parce que, comme dit un vieux dicton beauceron, «on n'emporte pas le coffre-fort derrière le corbillard». Je sais là-dessus un trait d'humour noir de la meilleure venue. Il a été glané dans le folklore étrangement triste des milieux financiers montréalais. Un jour, le président d'une grosse compagnie meurt prématurément d'une bête crise cardiaque, à quarante-cinq ans. Dans la fleur de l'âge quoi. Et riche en plus. Émoi le lendemain dans les bureaux de la rue Saint-Jacques. On s'y répétait la nouvelle avec un air ténébreux. Après les commentaires laudatifs d'usage, un des financiers risque la question déplacée qui lui brûlait les lèvres depuis le début de la conversation: «Combien est-ce qu'il a laissé?...» À quoi son interlocuteur, humoriste inconscient, répondit: «Il a tout laissé!...»

Donc, étant donné qu'on laisse tout, je me demande s'il ne serait pas sage de s'arranger pour tout laisser... mais de son vivant. De sorte que vos héritiers virtuels ne passeront pas une précieuse partie de leur temps à se retenir de souhaiter votre mort pour être heureux... Et puis comme ça, vous saurez où va votre pognon. Et puis on ne rira pas de vous à vos dépens après votre mort en dilapidant, peut-être même dans la débauche, des avoirs que vous aurez acquis à la sueur de votre travail. Ce qui serait injuste en plus d'être carrément con.

Moi, j'ai pris mes précautions. J'ai peu de choses, mais quand je laisserai pour de bon cette curieuse planète pour m'envoler derrière les étoiles, je n'aurai plus un sou! Je veux quitter ce monde de la même façon que j'y suis arrivé: tout nu! Entre-temps je veux me donner la joie de voir celle de ceux à qui je donnerai les quelques biens que j'ai. Car on n'est pas riche de ce qu'on possède, on est riche de ce qu'on donne.

Ça, c'est pour le cas où il me resterait quelque chose. Car il se peut fort bien qu'il ne me reste vraiment plus rien. La vie, des fois, ça bouffe tout ce que vous avez. Surtout vers la fin. S'il allait ne me rester plus rien à léguer, je ferai comme mon très cher Jules Renard, «pour tout héritage, je vous laisserai mon âme par écrit».

C'est pas encombrant une âme. Vous rangez ça dans votre mémoire avec les souvenirs et, même là, ça prend à peine une petite place juste à côté de l'oubli. Tandis que si vous laissez des biens matériels, vous risquez toujours, les humains étant ce qu'ils sont, de voir les héritiers se chicaner autour d'eux. Une sympathique veuve m'a dit, un jour qu'elle était en veine de confidence: «Ne me parlez pas des avocats et des notaires. J'ai tellement d'ennuis avec la succession de mon mari que je me demande parfois s'il n'aurait pas mieux fait de ne pas mourir!...»

Voyez-vous Lili, la fille de ma belle-mère, mon incomparable compagne, aux prises avec des emmerdements pareils?... Elle se sentirait obligée de me regretter deux fois au lieu d'une (que je mérite à peine!)...

Le mot de la fin

Il faut vous dire, au cas où — ce dont je doute — vous ne le sauriez pas, que la Beauce est un pays joyeux. Pour les Beaucerons, tous les événements de la vie, baptêmes, mariages, élections, funérailles, etc., sont autant de prétextes à réjouissances. Ils aiment «aller veiller». J'ai même vu une fois Absalon Veilleux faire une veillée pour fêter le deuxième anniversaire du premier voyage à Montréal de son troisième voisin. C'est-il assez fort!

Même la tristesse des funérailles est allégée par la bonne humeur de ceux qui restent en vie. Je me rappellerai toujours le récit pittoresque que faisait un jour un vieux paysan des derniers moments de son voisin qu'il avait «veillé» pendant trois jours et trois nuits avant de recueillir pieusement son dernier soupir. «À la fin, racontait-il, il s'est mis à baisser tout d'un coup. Il baissait... il baissait... J'ai dit à Juvénal Bolduc qui était avec moi: ‹Il va mourir du baissement!› Mais non, il est revenu au monde. Pis il s'est mis à parler. Ça fait que... parle, parle, jase, jase, il devait mourir à minuit, il est mort à une heure!»

On mit le défunt dans son cercueil où il fut exposé chez lui, dans sa maison. Parce que dans ce temps-là on avait le respect affectueux de nos défunts. Il n'était pas question de les abandonner tout seuls dans de froids salons funéraires. Et tous les gens de la paroisse sont venus lui rendre un dernier hommage. C'est à cette occasion que fut prononcé le mot charmant et admirable de simplicité compatissante du père Phirin Després, soixante-dix-huit ans, voisin du défunt. Il était là devant le cercueil ouvert, et, jetant un regard ému sur la dépouille de son vieil ami, il dit: «C'est de valeur pareil, hein?... Être si ben habillé, pis pas pouvoir sortir!»

Troisième partie

Plaidoyer pour le plaisir

*«Il n'y a aucun remède
contre la naissance et contre la mort
si ce n'est de profiter
de la période qui les sépare.»*

Georges Santayana

Ah! plaisir!

Mot qui sourit, réalité qui grise, je t'aime.

Parce que tu es raison de vivre.

Parce que l'élan qui me propulse vers toi est le mouvement premier de ma nature vers son bien.

Parce que tu es le repos de mon désir, une forme de mon bonheur, l'état de grâce de mon être.

Tu es poésie.

Tu es chant.

Tu es science.

Tu es prière aussi.

Tu es l'esprit allumant la matière.

Tu es instant d'éternité.

Tu es lumière de nos ténèbres et chaleur de nos froidures.

Tu es caresse de l'intelligence et frisson de la chair.

Tu es jaillissement et retombée des sources qui gisent en nous.

Tu es le mystère de l'incarnation de la joie.

Tu es le signe de la victoire du bonheur sur la peine.

Tu es le triomphe de la pureté sur la peur.

Tu es extase,
projection de l'âme vers l'infini,
implosion de l'être dans l'être,
explosion de l'être hors l'être vers l'Être.

Tu es la symphonie qui accompagne mon geste de vivre.

Tu es le ciel de ma terre, l'eau de ma soif, le pain de ma faim.

Tu es le scandale du bien.

Je ne te renie pas, je t'accueille comme compagnon indispensable de ma route.

Je ne te condamne pas, je te bénis comme un bonheur.
Je ne te boude pas, je te savoure.
Je ne te repousse pas, je t'appelle.
Je n'ai pas honte de toi, tu es une de mes fiertés.
Douceur sauvage,
fleur de culture,
délire conscient,
sève de l'esprit ou cri de la matière, je te prends comme tu es.

Je me grise sans remords, pieusement, des délices que tu m'offres au banquet de la vie.

Tu es la plus exaltante synthèse de la chair et de l'esprit, un feu qui illumine l'âme en la projetant dans les étoiles et qui fait que notre vie peut être, l'espace de quelques instants surterrestres, un épanouissement total où notre vérité n'est plus qu'une joie, notre corps un incendie et notre âme un volcan spirituel.

Je veux proclamer ta nécessité et ton bienfait à la face des bigots qui, héritiers des siècles de puritanie, songent encore aujourd'hui à cacher sous le boisseau ta lumière.

Le devoir du plaisir

Je suis un hédoniste croyant, pratiquant, militant et impénitent. Je suis un fanatique du bonheur. Ce qui veut dire, entre autres choses, un partisan du plaisir. Je crois d'une foi aussi ferme qu'ardente que la vocation de l'homme sur la Terre, c'est d'y être heureux. Qu'il faut faire tout ce qui est raisonnable pour y arriver. Et quand il m'arrive de goûter la plénitude de la joie en la partageant avec d'autres humains que la vie m'a donnés comme compagnons de route, je me dis que le bon Dieu lui-même, assis sur un nuage, la main dans sa barbe éternelle, doit se dire en nous regardant: «C'est à peu près comme ça que je les voulais mes enfants.»

Le plaisir est un devoir. La vie est trop courte, l'éternité est trop longue, l'enfer est trop chaud et les êtres sont trop beaux pour que je me retienne de goûter consciemment et consciencieusement au maximum et à l'optimum toutes les heures et toutes les minutes qui me sont allouées pour mon voyage terrestre. Chaque fois qu'on n'est pas heureux quand on pourrait l'être, on se rend coupable d'un péché d'omission. Car il est aussi grave de ne pas faire ce qu'on doit faire que de faire ce qu'on ne doit pas faire. Quand le devoir est un plaisir, le plaisir devient un devoir. C.Q.F.D.

Voulant tout de même savoir au juste ce que Dieu pensait de tout cela, j'ai interrogé l'*Ecclésiaste*, qui m'a répondu: «...il n'y a de bonheur pour l'homme que dans le plaisir et le bien-être de la vie. Quand on mange et boit et se donne du bon temps dans son labeur, c'est un don de Dieu.» Revenant sur Terre, j'ai pensé demander ce qu'ils en pensaient à certains des plus représentatifs de ceux qui y ont vécu. Et Pascal, qui n'était pas précisément un petit rigolo, m'a dit: «L'homme est né pour le plaisir. Il le sent, il n'en faut pas d'autre preuve.» Et Voltaire, qui ne faisait pas ses dévotions dans les mêmes chapelles que le grand Blaise, le rejoint pourtant sur ce point: «Le plaisir est l'objet, le devoir et le but des êtres raisonnables.» Alors je me suis suis dit que si le Saint-Esprit, Pascal et Voltaire sont du même avis, il y a des chances que j'aie raison de penser comme eux.

En tout cas ça me permet d'allègrement envoyer aux toilettes la cohorte des sombres apôtres et la cabale des intégristes ratatins qui essaient encore de nous faire croire que le plaisir est une chose suspecte et que quand ça commence à être bon, ça commence à être mauvais. La conjuration des moralistes cagots peut bien essayer de discréditer le plaisir au nom de la vérité dont ils se croient les propriétaires en titre, il faut dire à ces tristes sires que quand il s'agit de définir la vérité de ce qui est et de ce qui doit être, *scinduntur doctores:* les opinions sont «fendues». Que si leur orthodoxie est fermée aux choses de la joie, il y en a d'autres qui restent ouvertes à ce qui rend les gens heureux. Que leur rhétorique terroriste, qui ne fait d'ailleurs plus peur à personne, n'est que le vestige risible d'un folklore dépassé à reléguer au panthéon de la connerie humaine. Que le prodigieux et solide appétit de félicité que les hommes ont chevillé à l'esprit et au corps les vaccine contre la propagande de leur peur. Que le bonheur, ce plaisir sans remords, comme l'appelait le divin Socrate, n'est pas un fruit défendu. Que la grande affaire de la vie, c'est de la rendre heureuse; car si je ne profite pas de mon existence, qui va le faire à ma place? Qu'il faut faire des bouquets avec les heures qui passent, car chaque minute est une fleur dont la vie ne dure que soixante secondes. Que le plaisir, en somme, est une sagesse.

L'arc-en-ciel des bonheurs

Et le plus merveilleux, c'est que le plaisir s'offre à nous sous des formes si variées qu'il finit par être un arc-en-ciel de bonheurs. Je pense d'abord au plaisir de l'esprit. À la joie que peut donner l'acte de connaître. À la volupté que ressent l'intelligence à saisir son objet: la vérité des choses, à en abstraire la forme, à s'en faire des idées, à les comparer entre elles, à porter des jugements, à les juxtaposer pour en faire des raisonnements qui font avancer la pensée humaine. Plaisir du savant qui perce les mystères de la nature et arrache au cœur des choses leur secret. Plaisir de l'ingénieur qui après avoir découvert les lois de la matière s'en sert pour la rendre utile. Plaisir du médecin, ce jardinier des hommes, comme l'appelait Tagore, quand il a remporté une victoire sur le mal physique. Plaisir de l'intellectuel qui met de l'ordre dans les idées. Plaisir de l'écrivain qui invente des mondes. Plaisir de l'esthète contemplant la beauté, cette splendeur de la forme. Plaisir de l'artiste qui crée et du consommateur d'art que ce spectacle ravit. Plaisir spirituel du mystique, suprême volupté de l'âme, dans la contemplation de la vérité à travers le don de la foi; du mystique à qui a été donnée la grâce de pouvoir, dès ici-bas, jouir du mystère de la connaissance et de l'amour de la vérité révélée.

Plaisir des sens aussi. *Omnis cognitio incipit a sensu*, dit l'axiome. Toute connaissance commence aux sens. Toutes nos sensations, qui sont par définition et par fonction des modes de connaissance, sont en même temps, par surcroît, des plaisirs. Car la nature a doté l'homme d'un système nerveux si perfectionné que le simple jeu de son mécanisme est à lui seul une volupté.

Plaisir de la santé également, né de l'équilibre de nos humeurs. L'équilibre, c'est la mesure. Le juste milieu entre le manque et l'excès. Les vieux sages de la Grèce antique avaient une expression heureuse pour traduire ça: *Mêden agan,* ce qui veut dire «jamais trop». C'est toujours l'excès qui gâte le plaisir. C'est bien connu: il n'y a rien à quoi les hommes tiennent autant et qu'ils ménagent moins que leur propre vie. Qu'il s'agisse de leur travail ou de leur plaisir. Trop travailler, c'est mal travailler: ça engendre le stress et sa conséquence, l'inefficacité. Trop s'amuser, c'est mal s'amuser: ça épuise et ça hébète au lieu de reposer.

C'est la qualité du plaisir qui en fait le bienfait, non sa quantité. Nous vivons dans une civilisation démentielle qui nous impose un rythme de vie affolant. On y fait tout en vitesse. On mange vite, on travaille vite, on aime vite, on dort vite... et on meurt vite. On n'a plus le temps — parce qu'on ne le prend pas — de goûter à la saveur de l'existence. La vie n'est plus une vie, c'est une frénésie galopante qui dévore notre énergie, brûle notre corps et dévoie notre âme. Les vraies valeurs disparaissent dans le tourbillon de tous les excès. On ne consomme plus pour sa santé, on se gave comme des oies, on s'alcoolise à la journée longue, on se drogue au café, au tabac, au pot et à tout le reste... et on s'imagine que c'est du bonheur. Ce n'est pas du bonheur, c'est de l'anti-plaisir. L'homme ne meurt pas, il se tue. Les paradis artificiels où il croit s'évader ne sont que des enfers où il se détruit. C'est de la pollution meurtrière. Personne ne me fera croire qu'un plaisir qui me détruit est un plaisir sain. Ni que la folie est un état normal. Ni que la bêtise est une forme de la raison.

Le plaisir qui ne sait pas être une joie est un plaisir frelaté, délétère, déshumanisant. Je ne veux pas manger de ce pain-là. Je refuse de sacrifier la qualité de mon existence aux mirages et aux illusions. Ma volupté de vivre, je préfère la chercher dans l'équilibre, la mesure, la raison, dans la somptueuse lumière de la connaissance, dans la plénitude d'une sensualité gratifiante et épanouie, et, synthèse de tout cela, dans la splendeur ardente de l'amour, plaisir par excellence.

L'amour est l'alpha et l'oméga du bonheur humain. Il est la suprême valeur parmi toutes. Paul de Tarse dit même qu'il est Dieu. On ne dira jamais assez ni assez bien sa grandeur, sa noblesse, sa puissance, sa grâce et sa volupté. Sa transcendance vient de ce qu'il est à la fois connaissance, affection et sensation: il prend tout l'être. Il est non seulement le plaisir du meilleur, il est le meilleur du plaisir. À la seule condition que la raison en règle la conception et l'usage. Cela n'enlève rien à la poésie, ni à l'intensité, ni à la fantaisie du plaisir que sa consommation soit soumise à un minimum de règles morales. Je me fous qu'une jeunesse «flyée» estime que c'est être réactionnaire de le prétendre, il me suffit que cela soit vrai. D'ailleurs la morale ne supprime pas le plaisir, elle prévient seulement les indigestions. Ce qui est une façon d'en préserver la qualité.

L'érotisme

Donc surtout, avant tout, après tout et au-dessus de tout, il y a l'amour. S'il y avait quelque chose d'absolu dans notre monde de relativité, ce serait l'amour. Lacordaire dit joliment: «S'il fallait dresser des autels à quelque chose d'humain, j'aimerais mieux adorer la poussière du cœur que celle du génie.»

Prenons l'érotisme. Je trouve admirable que notre époque ait libéré Éros des prisons où la sottise millénaire des clercs de tous ordres a vainement tenté de le garder enfermé. Mais je ne reconnais plus son beau visage de dieu dans ce que la pornographie contemporaine a fait de lui. Qu'à cela ne tienne, il reste, au-delà de toutes les perversions qu'on en fait, une valeur positive d'une immense richesse dans l'économie des choses humaines. Ce n'est pas parce que de sombres imbéciles en ont abîmé le sens et l'usage qu'il faut pour autant le vouer à la géhenne.

Si on fait un peu la philosophie de l'érotisme (revoilà la philosophie dans le boudoir!), si on veut porter sur sa réalité un jugement qui soit juste — au sens de justesse et de justice —, il faut se poser deux questions: qu'est-ce qu'il est? et qu'est-ce qu'il vaut?

L'érotisme est d'abord une science, c'est-à-dire une connaissance. La connaissance de la vérité des choses de l'amour. Des mécanismes de l'âme et du corps en tant qu'ils sont engagés dans les gestes de l'amour. C'est aussi un art. C'est-à-dire une habileté particulière à faire fonctionner ces mécanismes-là. Donc, en pratique, c'est un ensemble de procédés, tant spirituels que corporels, susceptibles de faire atteindre le maximum et l'optimum du plaisir de l'amour.

Il en ressort que, au contraire de ce qu'un vain peuple pense, l'érotisme ne concerne pas seulement l'émotion des sens, il implique aussi quelque chose de spirituel: la joie de l'âme. Pourquoi? Parce que l'acte de l'amour, qui est un acte humain, est celui d'un être qui est par définition un animal intelligent. Donc un acte qui doit participer de l'animalité, bien sûr — nous n'avons pas un corps, nous sommes un corps —, mais aussi de sa rationalité. Tout érotisme qui prétend nier la dimension spirituelle du plaisir de l'amour est un érotisme dénaturé, tronqué, déshumanisé et pour tout dire bête, au sens littéral du mot.

Voilà ce qu'est l'érotisme. Que vaut-il? Où se situe-t-il dans la hiérarchie des valeurs humaines? S'il n'est pas la première dans l'ordre de dignité objective, il n'en est pas moins une valeur fondamentale. L'érotisme est aussi important que la sexualité. Or nous savons, surtout depuis les progrès de la psychologie moderne, jusqu'à quel point la sexualité conditionne le comportement individuel et social de l'être humain. C'est un fait scientifiquement acquis que la libido constitue un des moteurs les plus puissants de l'activité humaine. Thomas d'Aquin, qu'on pourrait difficilement accuser de laxisme moral, affirme même que l'instinct sexuel est plus fort que l'instinct alimentaire parce qu'il est ordonné à la conservation de l'espèce alors que l'alimentation n'est ordonnée qu'à la conservation de l'individu.

L'art d'aimer est le premier des arts. Le savoir-aimer dépasse en valeur, en splendeur et en savoir le savoir-écrire, le savoir-peindre, le savoir-bâtir: c'est un savoir-vivre. Il intègre dans sa réalité une grande partie de la valeur du beau, du vrai, du bien et de l'utile. Et si la maladive pudeur puritaine n'avait pas depuis des siècles dévoyé la pédagogie des maîtres à penser de l'humanité, il y aurait dans les manuels de philosophie, à côté de la logique, de la métaphysique, de la psychologie, de l'esthétique et de la politique, un chapitre de la morale consacré à l'érotisme. Eh quoi! on enseigne bien aux humains à se tenir à table, pourquoi ne leur apprendrait-on pas aussi à se tenir au lit? Pour que l'œuvre de chair soit aussi une œuvre d'art. Et d'âme.

Aujourd'hui que le crépuscule des tabous a libéré la parole de la chair, le risque est plus grand que son cri révolutionnaire, si longtemps étouffé par des millénaires de refoulement, ne dégénère en cacophonie anarchique et ne s'achève en abrutissement universel. Faute d'avoir su harnacher et canaliser vers des œuvres de bonheur authentique la merveilleuse puissance des eaux torrentielles de la sexualité, l'humanité peut se retrouver demain victime de leurs débordements sauvages et noyée dans la boue qu'elles charrient avec elles. Tout est pur pour les cœurs purs mais les mains sales salissent tout. Apprendre aux hommes la saveur et la beauté des eaux vives est le meilleur moyen de les détourner des bourbiers.

C'est quand on songe à la splendeur nonpareille de cette grande joie fleurie qu'est l'érotisme qu'on mesure l'innommable bêtise de tous ceux qui, croyant le vivre, ne font qu'en illustrer la caricature. Je pense à tous les analphabètes de l'amour, aux anarchistes de la chair, aux desperados du plaisir et à la triste engeance de ceux qui consomment la volupté comme dans leur soue les porcs avalent leur bouette. Ces caves-là confondent l'ivresse des profondeurs avec leurs ruts d'étalons. Pour eux le plaisir n'est pas l'assomption de l'être vers des instants de béatitude transcendante, c'est seulement le voyage au bout de l'animalité. Ils ne savent pas, ils ne sauront jamais, que le plaisir humain, ce n'est pas la ruée sauvage, aveugle et frénétique du mâle prédateur s'abattant sur une proie consommée dans l'abrutissement le plus parfaitement bestial, c'est la tendresse passionnée, consciente et attentive qui s'échange avec une aussi patiente que vigoureuse lenteur et qui trouve sa volupté dans celle de l'autre. Car pour que l'amour dépasse le huis-clos sexuel, il lui faut un supplément d'âme.

Ah! si les hommes apprenaient la sagesse du plaisir, quelle joie ils en feraient! S'ils avaient un minimum de culture érotique, ils sauraient que dans l'échange amoureux — même vu d'un point de vue égoïstement masculin — le plus beau, le plus profond, le plus puissant, le plus intense, le plus subtil, le plus gratifiant, le plus poétique aussi et le plus enivrant du plaisir, ce n'est pas la sensation de celui qu'ils prennent, c'est le spectacle et la conscience aiguë de celui qu'ils donnent à leurs partenaires féminines. Car la femme, cette harpe à mille cordes, a une capacité et une qualité de jouissance qui dépasse cent fois la nôtre. Et elle le mérite bien. Et tout l'art d'un bon amant consiste à savoir dominer l'égoïsme congénital du mâle — toujours prêt à rugir en lui — pour s'acharner à faire doucement fleurir sous ses caresses ce jardin de délices qu'est la femme. À l'amener, à son rythme à elle, jusqu'à la plénitude de sa volupté, jusqu'à ces instants d'éternité où toute son âme devient bonheur et son corps symphonie. La conscience de la joie qu'il donne multiplie alors la qualité de celle qu'il reçoit. Car il n'y a pas sur Terre de plus parfaite image de bonheur humain total que celle d'une femme en extase de plaisir. C'est le résumé de toute la Création. Que tant d'hommes passent à côté de l'immortel souvenir d'une pareille grâce montre bien la profondeur de leur inculture morale. Cela justifie le mot désabusé et si cruel de Juliette Gréco: «Quel dommage qu'il y ait sur Terre tant de mâles... et si peu d'hommes!» J'avoue que quand j'entends parfois les propos d'animaux gras de certains de mes congénères, j'ai un peu honte d'être un homme.

Mais cela ne suffit pas à me distraire de mon devoir de goûter la vie. Et de savourer à plein cœur, à pleins sens et à pleine âme les mets délicieux qu'elle a mis sur ma table. Je le fais sans remords car, comme l'a dit notre regretté camarade Molière: «On ne meurt qu'une fois et c'est pour si longtemps.»

Je ne regrette même pas mes folies... car elles étaient sages. En effet, autant me répugnent la déraison et la bêtise des plaisirs frelatés et délétères dont s'enivre à gogo la *beat generation* exilée dans la crasse et la drogue, autant me séduit, m'enchante et me ravit la possibilité que m'offrent mon siècle et ma nature d'accéder aux manifestations les plus authentiques et les plus gratifiantes du plaisir humain. Car le pitoyable spectacle de la connerie militante a beau écœurer le monde, il ne lui enlève pas, heureusement, la chance de goûter à l'abondante qualité du plaisir qui reste à sa portée.

Même nos curés se convertissent à l'idée que le plaisir n'est plus péché. Qu'à Celui dont le seul commandement a été «Aimez-vous les uns les autres» il devrait être moins désagréable de voir la moitié de son humanité embrasser l'autre sur la bouche que de l'entendre la calomnier; que la bouche qui baise est sans doute moins méchante que celle qui médit et que le bras qui enlace est moins coupable que celui qui tue. Que si on a dit tant de mal de l'amour libre, on devrait en dire davantage de la haine libre.

Bref, pour peu que les humains s'appliquent autant à sa qualité qu'à sa quantité, le plaisir a des chances d'avenir. Le plaisir est un principe. Aristote dit qu'il «est pour tous les vivants le souverain bien». Il faut s'en occuper. Sérieusement. Et s'en nourrir aussi.

Mais raisonnablement. Moi, j'aime trop le plaisir pour en faire un vice. Un vice, c'est toujours une vertu devenue folle. Le malheur, c'est qu'il soit si rentable pour ses industriels. De nos jours le vice est analysé, radiographié, pesé, ausculté, fiché, testé... et vendu. Dommage.

Il reste que, tout compte fait, la vie ne vaut que si elle est conçue et vécue comme une aventure qui trouve son sens dans la recherche de la joie. Et personne ne peut reprocher aux pauvres humains limités que nous sommes d'inventer les moyens qu'il faut pour qu'aux frontières du bonheur nous ne soyons pas du côté de l'exil.

Le Père Gédéon

PRÉFACE

Pourquoi le père Gédéon allait-il surgir, en ces années-charnières de l'après-guerre, à Québec, dans son paysage humain formé d'universitaires, d'écrivains, de journalistes, de gens à l'esprit ouvert et d'humoristes, tous Québécois pure laine? Sans doute parce que Québec s'ouvrait au monde moderne et que ce vent de liberté, ces idées nouvelles, ces contacts avec le monde en ébullition passé sans transition de la guerre chaude à la guerre froide (sans oublier la guerre des sexes), atteignaient de plein fouet des hommes et des femmes aux racines indestructibles implantées dans les traditions du terroir, mais que ces racines mêmes faisaient réagir avec bon sens, franchise, vigueur et bonne humeur aux événements du quotidien sans se prendre au sérieux plus que nécessaire.

Parler du père Gédéon, c'est d'abord parler de Doris Lussier et c'est évoquer, comme il le fait lui-même, le cadre de la faculté des sciences sociales dans lequel il s'initia aux disciplines universitaires et à une vision du monde intelligente et équilibrée, qu'il s'agisse du monde d'ici ou du dehors, avec le maître aimé et respecté de toute une génération qui aura remodelé l'esprit public au Québec, le père Georges-Henri Lévesque. Le doyen de la faculté des sciences sociales résidait dans ce sympathique couvent des Dominicains de la Grande-Allée où les bons pères, en lisant leur bréviaire sur le déambulatoire du toit, échangeaient des signes d'amitié avec des prisonniers de la vieille prison des

Champs de bataille. Cela n'empêchait pas les révérends pères d'être les directeurs de conscience de la haute société de la Haute-Ville qui alignait ses demeures sur cette altière artère des préjugés de classe, où M. Saint-Laurent se risquait parfois à faire quelques pas en dehors de sa maison, en saluant, ici et là, ceux de ses confrères qu'il daignait reconnaître.

Qu'était Québec à ce moment-là?

La vieille capitale comptait deux premiers ministres, de partis opposés naturellement, et massivement élus naturellement, selon la logique électorale (toujours en vigueur) des Québécois. M. Saint-Laurent régnait à Ottawa, laissant croire enfin à l'ouverture des cerveaux anglais les plus obtus sur la réalité québécoise. Et l'on vivait encore dans l'euphorie des recommandations de la Commission Massey! Ceci posé, M. Saint-Laurent déniait au Québec le droit de n'être pas une province comme les autres! Par contre, il ne tolérait pas les conseils que certaines gens de l'extérieur se permettaient de donner aux Québécois. Un religieux, un tantinet remuant, venu de France et prétendant donner quelques leçons à notre bon peuple, se vit ainsi administrer en public une volée de bois vert par M. Saint-Laurent, avec cette diction saccadée qu'imitait à merveille Doris Lussier: «Mon — révérend père — nous n'avons pas — besoin — de conseils de ce — genre. — Nous avons — ici — tout ce qu'il nous — faut — en fait de — prêtres — et même d'évêques.»

L'autre premier ministre, c'était Duplessis, dont le père Lévesque était la bête noire. On le rencontrait le soir, après souper, faisant une petite marche de santé, couperosé, satisfait de lui-même, remontant par le petit square, à lentes enjambées, avec sa canne, vers le Château, l'œil matois, assez lentement pour se donner le temps de s'apercevoir qu'on s'aperçoive qu'il était là. Quand il venait à Montréal, il promenait de bon matin, paraît-il, le petit chien de sa maîtresse, rue Van Horne, avant d'aller faire ostensiblement ses dévotions à l'Oratoire, toujours d'un œil aussi matois. L'histoire du petit chien a d'ailleurs fourni l'une des meilleures caricatures de La Palme, à l'époque!

Dans ce Québec des années cinquante, Doris Lussier rappelle quel groupe d'amis, universitaires, écrivains, journalistes de la vieille capitale se trouvait réuni par une sympathie naturelle, le sens de l'humour et le commun désir de faire quelque chose d'utile pour le Québec. Il y avait là Maurice Lamontagne, qui avait mis la dernière main à son essai sur le fédéralisme. Il y avait d'éminents universitaires comme Jean-Charles Falardeau, il y avait Jean-Charles Bonenfant, bibliothécaire de l'Assemblée législative, étonnant de bonne humeur et d'érudition. Jean Marchand, à cette époque, ne s'occupait plus tellement d'entomologie, du moins, de celle des insectes était-il passé à celle des syndicalistes... Il était installé dans une sorte de soupente de la Basse-Ville où son ambition n'était pas alors de devenir ministre, mais de prendre la place de Gérard Picard à la tête de la CTCC. Et il racontait l'ahurissement des syndicalistes des autres pays, lors d'un congrès international en Europe, en voyant les syndicalistes québécois de la CTCC débarquer avec leur aumônier!

Ce groupe d'amis, auquel se joignait Cyrille Felteau, massif et jupitérien, alors journaliste au Soleil, se retrouvait souvent au restaurant La Bastogne, rue Couillard, ou, le vendredi, Chez Marino. On y comptait aussi des écrivains. André Giroux, le teint un peu terreux, et peut-être, pensait-on, secrètement frustré par les succès de Roger Lemelin, apportait à la table commune des commentaires parfois nuancés d'une certaine amertume qui se devinait, si j'ose dire, au-delà de son visage. Quant à Roger Lemelin, il n'y avait pas si longtemps que, adolescent, pendant la grande dépression, il avait fait de la boxe et de la lutte dans le quartier Saint-Sauveur pour cinq dollars par semaine! En ces années cinquante, il s'était déjà fait un nom dans la littérature, ce qui lui avait valu d'être stigmatisé en chaire par un curé: «Le voilà, ce commis-voyageur, qui a saucé sa plume dans l'encre rouge du diable!» Et Lemelin, faisant incognito le tour des libraires à cette époque, s'entendait répondre par le libraire (chez Garneau?) à qui il demandait son dernier roman: «Ne lisez pas cela, l'auteur est un voyou. Achetez plutôt un bon livre... Fabiola, par exemple.»

C'est au gré de ces rencontres amicales et au cours de ces repas pris dans une bonne humeur communicative que Doris Lussier se livrait impromptu à des réflexions débridées sur l'actualité aussi bien que sur les menus faits divers de la vie politique et quotidienne, en adoptant peu à peu le ton, l'accent, le comportement, le rire de ce personnage qui allait devenir le père Gédéon. En fait, il en avait déjà expérimenté la drôlerie, aux moments de détente, devant ses étudiants des sciences sociales, et ses imitations et commentaires en toute liberté étaient vite devenus très populaires devant le microcosme d'une société québécoise en mutation qu'était à ce moment-là le milieu de la faculté du père Lévesque et celui des convives amis du vendredi. Ce groupe s'élargissait d'ailleurs grâce à la sympathie agissante de Québécois, hommes d'esprit et lettrés, tels que Guy Roberge, qui allait aider de ses conseils les responsables du premier poste de télévision installé dans la vieille capitale.

L'établissement d'un poste de télévision à Québec était alors un événement et les gens s'attroupaient pour regarder les émissions devant les vitrines de marchands d'appareils récepteurs, ainsi que sur le récepteur installé par la petite boutique sise sur la terrasse. Deux étudiants en lettres de l'Université Laval, élèves de Félix-Antoine Savard, allaient y faire leurs premières armes comme réalisateurs avant de passer à Radio-Canada, Jean Saint-Jacques et Roger Fournier. Roger Fournier, qui commençait à penser à ses futurs romans, avait élu domicile sous les combles de la Pension Sainte-Anne, dans le haut de la rue Sainte-Geneviève. Il y avait pour voisin Gilles Vigneault, également élève de Félix-Antoine Savard, qui écrivait déjà des poèmes sur des cahiers d'écolier aux rayures quadrillées. Il arrivait que, dans le vieux foyer plus ou moins disjoint d'une de ces chambres d'étudiant, on allumait une maigre fouée, au risque de mettre le feu au toit de la maison, pour griller un steak qu'on mangeait de bon appétit. Et Gilles Vigneault m'a avoué beaucoup plus tard qu'il lui était même arrivé, dans les moments de grande détresse, de subtiliser quelques-uns de ces steaks chez Bardoux, rue Couillard, mais le père Bardoux, l'excellent homme, faisait semblant de ne rien voir, car il savait que ces étudiants n'étaient pas bien fortunés. Ah, le charmant Québec d'une heureuse époque!

C'est à l'ouverture de ce poste de télévision de Québec qu'il apparut à tous que Doris Lussier devait transporter son personnage du père Gédéon devant le petit écran pour animer une émission d'information qui romprait avec la monotonie conventionnelle de ce genre de présentation. Le scénario en serait simple: Cyrille Felteau, journaliste, rencontrerait sur la terrasse Dufferin le père Gédéon, paysan beauceron, et lui donnerait toutes les informations exactes sur la grande et petite actualité, à chaque fois interrompu par les questions, les commentaires, les réactions intempestives et les éclats de voix, voire les éclats de rire du père Gédéon. Le résultat fut percutant grâce aux qualités des deux partenaires qui s'entendirent fort bien et surent rester, chacun avec naturel, dans le registre qui leur était imparti. Cyrille Felteau fournissait avec autorité et sérieux des informations précises et claires, ce qui ne rendait que plus coriaces, par contraste, les réactions du père Gédéon.

Ainsi prit forme à l'écran le personnage de ce sympathique Beauceron qui ne s'embarrassait pas des vérités acquises ni des idées toutes faites qui évitaient de penser. Il avait, par contre, ses idées bien à lui, un peu sur tout. C'est à cette verve spontanée, à ce jaillissement dru de bon sens terrien, à cette logique irréfutable devant les faits les plus insignifiants comme les plus artificiellement compliqués — tout cela lié à une honnêteté foncière — que le père Gédéon a dû d'entrer dans la galerie des personnages légendaires du folklore littéraire québécois.

La force du père Gédéon aura été de faire rire grâce aux vertus de son naturel, grâce à sa naïveté et à son émotion rentrée devant des événements dont il découvrait vite le point faible, pour nous éviter sans doute d'en pleurer. Qu'il s'agisse du hockey, de la guerre, des maladies des vieux, de la pilule, des grosses familles ou des créatures, le père Gédéon possède la philosophie des êtres simples qui savent voir plus loin que le bout de leur nez sans cesser d'avoir les pieds sur terre.

On se prend même à regretter qu'au cours de sa carrière télévisuelle le père Gédéon n'ait pas été à même d'explorer davantage le temps, l'espace et les gens. Imagine-t-on le père Gédéon allant interviewer par exemple, avant qu'il meure, l'ayatollah Kon-Khomeiny et ses mollahs simiesques, ou encore les gérontes podagres et cacochymes qui préparent au Kremlin des lendemains qui chantent... ou les émirs du pétrole dans leur environnement de crottes de chameaux... ou la veuve Chieng Chin, de la bande des quatre... ou les enfants de chienne de la bande à Baader... ou l'empereur Bokassa qui laissait venir à lui les petits enfants... ou les parrains de la Cosa Nostra et leurs protecteurs de la police... ou le prélat qui empêcha au Concile la réhabilitation de Galilée (parce que, n'est-ce pas, la Terre ne tourne pas autour du Soleil)... ou les vieillards essoufflés du Comité olympique international... ou la journaliste qui a surpris Castro en train de danser le tango... ou ce député africain avant qu'il soit mangé par ses électeurs... ou la présidente des Filles de l'Empire de l'Ontario, au sujet des huées de haine à l'aréna de Toronto quand l'annonceur eut dit quelques mots en français... Et la liste n'est pas close!

Quelles entrevues nous avons manquées! Imaginez encore ce que serait le père Gédéon en reporter, poursuivant les folies qui continuent de secouer le monde, le racisme sous toutes ses formes, l'hypocrisie, la sottise satisfaite d'elle-même, le mensonge officiel et officieux, la bêtise prétentieuse, la science qui a mauvaise conscience, les faux bons prétextes et les faux bons apôtres, les menaces de guerre simulées en détente, les bombes à retardement et les gens qui font la bombe... sans oublier la confusion des genres: les monstrueuses nageuses est-allemandes qui deviennent des hommes à coups d'hormones, les intellectuels de gauche qui sont des bourgeois de droite, les bourgeois de droite qui se prennent pour des hommes de gauche, les marxistes de tout poil qui habitent les beaux quartiers, et, suprême confusion, les partisans du MLF qui croyaient adhérer à un mouvement de langue française, alors que le MLF n'est que le Mouvement de libération des femmes!

... Autant d'occasions pour le père Gédéon d'éclater d'un grand rire, de notre part à tous! Et tout cela dans la bonne humeur, sans être jamais morose ou ennuyeux, parce que le père Gédéon possède le secret d'une bonhomie intarissable et d'un vigoureux goût de vivre, lui qui n'a pas froid aux yeux et qui sait, à l'occasion, être pince-fesse sans cesser d'être pince-sans-rire, pour la survivance du bon sang et du bon sens de la race chère au chanoine Groulx, la seule qui compte pour nous, ici, au Québec, celle qui ne veut pas mourir. C'est plus qu'il n'en faut pour savoir qu'un peuple est en bonne santé.

Merci, père Gédéon!

JEAN SARRAZIN

À mon fils Jean
dont je suis orphelin
et qui a été mon premier
et mon meilleur public.

AVANT-PROPOS

Intellectuels, s'abstenir.

Ceci est un livre sans importance.

Il ne soutient aucune thèse, ne prône aucune doctrine et n'engage en rien la conscience universelle.

Il ne fait que témoigner du plaisir qu'un homme simple a eu d'être bousculé par le hasard et quelques amitiés dans un métier aussi passionnant que fou qui lui a apporté de grandes joies.

Ces joies, j'ai voulu en faire un bouquet pour l'offrir à tous ceux à qui je les dois. Aux maîtres qui m'ont formé, aux amis qui m'ont aidé et à mes camarades comédiens qui ont été mes compagnons de route, mes inspirations souvent, mes stimulants toujours, mes exemples quelquefois et, à l'occasion, mes complices.

Ces lignes racontent un bonheur. Le bonheur de la création dans la récréation. Je crois que les deux plus grandes valeurs de la vie sont l'amour et l'humour. L'amour qui nous justifie d'exister, et l'humour qui nous en console. L'humour, ce sourire de l'intelligence, cette santé de l'âme, cette fraîcheur, ce baume, cette grâce. Humain, humus, humilié, humour, mots qui ont la même racine parce qu'ils expriment des réalités qui sont sœurs. L'humour est la fine fleur de la culture humaine. Il est à lui seul une philosophie. Et peut-être le dernier mot de la sagesse.

D. L.

Première partie

La genèse d'un personnage

«Tout le monde est comédien,
sauf quelques acteurs.»
Sacha Guitry

C'est drôle, la vie. Contre toute attente de votre part, et sans vous prévenir, elle vous engage parfois dans des chemins sur lesquels vous étiez à cent lieues de croire qu'un jour vous porteriez vos pas. Il n'y a rien de plus imprévisible qu'un itinéraire humain. Le *curriculum vitœ* que vous demande gentiment celui qui a la tâche de vous présenter comme conférencier ressemble à une suite de fantaisies du destin. Quand je regarde le mien avec mes lunettes de sexagénaire, j'ai envie de sourire à mon passé. Parce que j'y vois que la route qu'il m'a fait parcourir est une succession d'aventures qui zigzaguent dans tous les sens, tantôt gravissant des côtes tantôt dévalant des pentes, m'ouvrant des yeux étonnés sur des paysages humains toujours nouveaux à partir des vertes prairies de mon enfance rurale jusqu'à la jungle joyeuse et déroutante du monde du spectacle en passant par les plaisirs de la chaire... universitaire.

Au commencement était la terre

Quand je regarde où j'en suis aujourd'hui et que je pense au temps où, gamin campagnard, je me levais à quatre heures et demie du matin pour aller quérir les vaches, nu-pieds dans la rosée, dans le haut du clos de pacage, à reboutant de la sucrerie à Thanase Baillargeon du deuxième rang, je me sens plein de nostalgie bucolique. Et je pense parfois: «Si on m'avait dit dans ce temps-là qu'il me serait donné un jour d'évoquer, derrière le masque d'un personnage, les souvenirs d'enfance et de jeunesse qui ont fait la poésie de la première partie de ma vie, je n'aurais jamais cru que ce fût possible.»

Et pourtant c'est arrivé. L'histoire, c'est une somme d'histoires. La mienne n'a d'autre intérêt que celui d'un témoignage sans prétention — et pour cause —, mais peut-être fera-t-elle revivre en plusieurs d'entre vous des souvenirs qui sont frères des miens. Car les Québécois de mon âge, où qu'ils habitent et quels que soient leur métier ou leur profession, ont à peu près tous des souvenances qui les relient à la terre de chez nous. Je me demande si nous ne sommes pas tous un peu, d'une certaine manière, des paysans déracinés. Grattez un peu le citadin et vous trouverez vite une proche ascendance rurale. Je ne connais pas beaucoup de Montréalistes — comme disait pépère Lussier — qui n'aient pas soit un père, soit un oncle, soit un grand-père qui venait de la campagne. C'est pourquoi les histoires de paysans ont toujours charmé les urbains. Je ne m'explique pas autrement, par exemple (en y ajoutant, bien sûr, le génie si original de l'auteur et le prodigieux talent des comédiens), le succès fulgurant qu'a connu au Québec la série télévisée d'*Un homme et son péché*. Et si le personnage du père Gédéon a, toutes proportions gardées, intéressé un peu les Québécois, c'est sans doute pour la même raison. Nous portons tous dans notre âme, comme une fraîcheur, la marque indélébile de notre appartenance à la terre de nos ancêtres. Et c'est très beau.

Combien de fois ne me suis-je pas fait demander, au sortir d'un spectacle où le vieux — comme je l'appelle avec une tendresse que vous me pardonnerez — venait de raconter ses joyeusetés: «Comment ça a commencé toute cette affaire-là?» À quoi je réponds toujours: «J'ai commencé ça pour rire, les autres ont pris ça au sérieux... et j'ai été obligé de continuer!» Et c'est exactement ce qui s'est passé. Tenez, je vais vous le raconter. Mais à une condition: que vous me juriez que vous allez croire *tout* ce que je vais vous dire. Parce que c'est l'exacte vérité. Je n'inventerai rien. Mon roman, ce n'est pas du roman, c'est de l'histoire. Et des histoires...

J'avais trois ans, tous mes cheveux et presque toutes mes dents (à droite, c'est moi).

De Fontainebleau...

Tout l'homme est dans l'enfant, a-t-on coutume de dire. Et c'est vrai. Moi, je suis un enfant de la campagne. Je suis né à Fontainebleau, à une cinquantaine de kilomètres — des petits milles, comme on dit là-bas — de Sherbrooke, sur la ferme de mon grand-père Prosper Lussier. Fontainebleau, c'est probablement la plus petite paroisse du Québec. Mais c'est certainement la plus belle. Pour moi en tout cas. Fontainebleau — quel joli nom, entre nous! — c'est la tranquillité parfaite, l'air pur, la paix absolue. Un petit village, des terres, du bois, une ancienne mine de cuivre, la rivière aux saumons, la petite église en haut de la côte, une vue imprenable sur un paysage immense, et des gens simples, accueillants, joyeux et sains. Fontainebleau, berceau de mon histoire, bonheur de mon enfance, morceau de patrie où mes premières amitiés se sont nouées dans les jeux de notre jeune âge (venez à moi, Ghislain et Jean-Claude!) et où la force irrésistible du souvenir nous ramène à chaque été comme si l'âme des nôtres nous appelait à ce pèlerinage aux sources. Fontainebleau, terre précieuse où gisent mes ancêtres dans le petit cimetière près du bois, où dort Jean, mon fils tant aimé à côté de qui j'irai un jour reposer en attendant le grand réveil qui nous rendra, j'en suis sûr, à l'immortalité de l'amour.

Comme j'étais l'aîné de ma génération, j'ai été entouré d'une telle affection que ma mémoire n'est plus qu'une tendresse. Mes premiers souvenirs sont des images d'amour, de bien-être, de joie sans mélange, de sécurité totale, de jeux, de grâce nonpareille. Le premier chant qui a bercé ma mémoire a été celui du bonheur. Ce sont sans doute ses accents qui m'ont fait cette âme d'optimiste impénitent qui me permet de traverser joyeusement la vie.

Donat Lussier et Rose Picard, papa et maman.

Puis, première tragédie, mon père meurt. Il avait 26 ans, j'en avais 4. Je n'en garde que l'image très vague d'une silhouette pâle dans un cercueil noir, d'une foule d'hommes et de femmes qui pleuraient et s'embrassaient dans le salon chez pépère Lussier, du dernier départ dans une grande boîte... et c'est tout. Je n'ai pas connu mon père.

Mais cela m'a valu d'en connaître plusieurs dans ma vie. Tous mes oncles, paternels et maternels, sont devenus autant de pères pour l'orphelin que j'étais. J'allais habiter tantôt chez l'un tantôt chez l'autre — j'étais ballotté d'affection en affection et je n'ai finalement connu que la chaleur de leur tendresse et de leur bonté. Si bien que je revois tout ça aujourd'hui comme une merveilleuse aventure où il n'y avait que du soleil. Plus tard, mon père, ce furent les prêtres du Séminaire de Québec qui m'ont accueilli et instruit par charité. Et le dernier, ce fut le père Lévesque, à l'affectueuse sagesse de qui je dois le plus important de ce qui m'est arrivé par la suite.

...à la Beauce

J'avais six ans quand ma mère s'est remariée à Elzéar Perreault, un cultivateur de Lambton, dans la Beauce. C'est ainsi que je suis devenu jarret-noir. Par adoption. Lambton, aujourd'hui, c'est dans Mégantic, mais dans mon jeune temps, c'était dans la Beauce. Notre député, c'était le célèbre Édouard Lacroix. La Beauce, en réalité, c'est toute la partie méridionale du Québec qu'arrose la rivière Chaudière et qui s'étend de Lévis à la frontière des États-Unis.

Je me revois à la petite école du premier rang où j'ai fait mes études primaires. Que j'aimais ça, l'école! J'avais toujours hâte d'y aller. Il faut dire aussi que ma première maîtresse, Alma Bureau, la fille à Cyrinus, était d'une douceur et d'une patience évangéliques. J'en garde, comme de toutes celles qui lui ont succédé, un souvenir ému et savoureux.

Carméline!

C'est là que j'ai connu ma première blonde. Cette blonde était brune et elle s'appelait Carméline. Elle avait des yeux d'un noir doux et tranquille de lac profond où mon cœur se serait volontiers noyé sans même appeler au secours.

Chaque matin d'été, avant l'école, nous allions mener nos vaches au pacage, chacun de son côté. Nos troupeaux se croisaient la plupart du temps au niveau de la grange à Poléon Roy. Et pour avoir le plaisir de faire un bout de chemin ensemble, moi, je menais les miennes à la course, la queue à l'équerre et le pis ballant, au grand désespoir de la grand-mère Perreault qui prétendait que ça les faisait tarir! Et puis je rejoignais ma belle Carméline. Dans sa main gauche elle tenait la mienne et dans sa droite elle agitait une petite branche d'aulne cueillie au bord du ruisseau. C'était «le vert paradis des amours enfantines» dont parle le poète. J'étais heureux.

Devant la maison à pépère Lussier, en habillement des dimanches:
casquette, boucle et bottines fines.

La marche au catéchisme

Arriva le temps de ma communion solennelle. Avant de participer à ce premier grand événement public de ma petite vie, j'ai dû, comme mes camarades, marcher au catéchisme, comme on disait. Cela voulait dire assister pendant un mois à des séances d'instruction religieuse. Comme ça se passait à l'église et que moi, j'habitais le premier rang, à quatre milles de là, j'ai profité de la générosité de ma maîtresse, Yvette Gagnon, qui m'offrait d'aller pensionner chez ses parents au village... Pour moi c'était à la fois un plaisir et une promotion. Un plaisir parce que j'aimais ça voir du monde et que, au village, il se passait plus de choses qu'au premier rang. Et une promotion parce que, dans ma petite tête de paysan habitant un rang, il me semblait que les gens qui restaient au village étaient plus importants, plus évolués, socialement plus valables que nous autres dans le fond de nos terres. J'avais l'impression qu'on devait avoir l'air pas bien bien déluré... Faut dire aussi que, avec comme seule distraction sociale de la semaine la grand-messe du dimanche et une séance de théâtre une fois par année, il n'y avait pas de quoi se cultiver beaucoup. Pour tout dire, c'était plate en maudit! Mais ça ne faisait rien, j'étais heureux quand même... ça m'en prenait si peu.

Allô Lili!

Et puis, pendant mon séjour au village, il s'est passé un événement important. J'ai fait la connaissance d'une petite fille splendide, qui avait 8 ans (j'en avais 10) et que je voyais sauter à la corde sur le trottoir juste en face de la maison de M. Henri-Louis Gagnon où je pensionnais. Elle avait un regard bleu ciel, des longs cheveux frisés en boudins et un sourire dévastateur. Elle s'appelait Alice. Mais son père l'appelait toujours Lili. Jolie et intelligente comme elle était, on aurait cru que cette petite fille était promise à un sort de fée. Son destin fut tout autre. Elle a commencé et fini par épouser un drôle de gars qui devait s'avérer un peu *jack of all trades*, qu'elle a suivi par amour d'une ville à l'autre en s'ajustant aux circonstances avec une souplesse exemplaire, dont elle endure la présence et l'imprévisibilité depuis quelques décades et dont elle n'a même pas divorcé...

Et ce gars-là, c'est moi.

Un monsieur du Séminaire

«Ce petit chemin qui sent la noisette» m'a fait déboucher sur un monde pour moi merveilleux et terrible à la fois, celui du collège. Merveilleux parce que, pauvre comme j'étais, je n'aurais normalement jamais dû y accéder. Aller au collège, dans ce temps-là c'était tout un privilège. Pour se faire instruire fallait avoir de l'argent. Et moi, je n'en avais pas. Mais maman tenait tellement à ce que je continue mes études qu'elle a fini par convaincre mon oncle le curé de m'inscrire au Séminaire de Québec. Chez les messieurs du Séminaire! Pauvre chère maman, va! Quand je pense qu'elle savait à peine écrire. Et que sans sa persistance à vouloir me faire instruire coûte que coûte, je n'aurais jamais connu le collège. Que serais-je devenu sans ce viatique indispensable qu'est aujourd'hui l'instruction? Les mères, c'est comme ça. Ce qui compte, c'est leurs petits. Et il n'y a pas de sacrifices qu'elles ne feraient pas pour qu'ils fassent un bout de chemin de plus que leurs parents. Ça s'appelle l'amour. Et c'est sans conditions comme sans fin. Merci maman.

Ah! le bon vieux Séminaire de Québec! Lieu de mes joies intellectuelles, de mes riches amitiés, de mon épanouissement moral et de... quelques mémorables escapades. J'ai été, je pense, un bon élève. J'étais quelquefois, à cause de ma nature espiègle, un peu turbulent, mais jamais gravement. J'étais tellement heureux d'être là, tout pensionnaire que j'étais, et j'aimais tellement étudier que pour moi, c'était le bonheur inespéré.

Je prends le bois

Mais ça n'a pas été facile. J'avais une santé fragile et j'ai dû à deux reprises interrompre mes études. Une première fois après ma versification et une autre après ma rhétorique. Pour moi, c'était une catastrophe. Heureusement que j'ai eu pour me récupérer, à tour de rôle, mon oncle Ronaldo, un homme en or qui en plus de me donner l'hospitalité de son foyer me prêtait ses souliers bruns et sa vieille Chevrolet pour aller voir les filles (avec la complicité joyeuse de mon exquise tante Laure), et mon oncle Euclide qui me traînait partout dans ses chantiers où ma tante Albina, qui était une cuisinière chevronnée, ma gavait de grasses tourtières et de savoureuses tartes au sucre pour redonner une plénitude à ma fluette corporence.

C'est bien pour dire... on ne sait jamais toute la valeur de ce qui nous arrive. Travailler dans le bois, à la pitoune, cassé comme un clou, l'horizon bouché, et pas fort de santé à part ça, il n'y a pas à dire, pour un petit gars qui aimait les études, ce n'était pas reluisant comme situation ni comme perspective d'avenir. Pourtant dans mon cas, ce fut un bienfait. Par exemple, il y a certains traits de caractère du père Gédéon, certaines saveurs, que je n'aurais jamais pu donner au personnage s'il ne m'avait été donné, pendant ma jeunesse, de vivre dans les chantiers avec mon oncle Euclide et ma tante Albina.

C'est grâce à cette dernière d'ailleurs que j'ai pu reprendre mes études. Je n'avais pas d'argent pour retourner au Séminaire, elle m'en a fourni. Et puis tout a recommencé. J'ai retrouvé avec enthousiasme le vieux Séminaire, mes camarades, mes professeurs... et mon rêve: étudier. Et, de plus en plus, discuter de choses sérieuses. J'avais comme ami très cher un gars que je sentais sur la même longueur d'ondes intellectuelle et morale que moi, et avec qui l'échange était aussi riche que savoureux: c'était Robert Cliche. Bien qu'il fût fils de juge alors que moi, à cause de mes origines terriennes, j'avais, comme je lui disais des fois, les jarrets plus noirs que les siens, il y avait entre nous une sorte de complicité naturelle dans tout ce qui était nouveau dans le domaine des idées et plaisant dans celui du divertissement. L'amitié de Robert m'enrichissait et me sécurisait. C'était un être exquis. Fin, jovial, plein d'humour, serviable et extrêmement attachant comme il a été toute sa vie pour tout le monde.

Mon bon camarade Claude Jasmin, avec qui j'ai déjà eu le plaisir de m'engueuler affectueusement un jour devant les caméras de télévision, ne comprenait pas que je garde un si bon souvenir de mes années de pensionnat au Séminaire de Québec. Pour lui ce devait être une sorte d'emprisonnement, physique et moral, où la sévérité du règlement ne pouvait qu'écraser la personne et brimer la liberté. C'est curieux, moi, ce n'est pas du tout comme ça que je perçois mon séjour de huit ans comme pensionnaire au Séminaire. Cela tenait peut-être au fait que j'étais tellement content de pouvoir y étudier que cela me faisait oublier l'austérité de la vie qu'on y menait. C'était peut-être aussi parce qu'un certain sens beauceron de l'humour me faisait sourire de ce qui en faisait enrager d'autres! Toujours est-il que quand je pense à tout cela aujourd'hui, je ne regrette pas le sort qui m'a été fait. Au contraire, je m'estime privilégié d'avoir pu passer par le Séminaire. À bien y penser, en toute objectivité, j'étais toujours mieux là que dans le bois!

Il y a autre chose aussi qu'il faut que je dise ici. Quoi qu'il en soit de tout le reste, la formation que j'ai acquise, c'est aux prêtres du Séminaire que je la dois. J'étais sans le sou et ils m'ont accueilli, nourri, logé et instruit quasiment par charité. Sans leur générosité je serais resté en plan. Et puis j'ai eu des professeurs extraordinaires. Qui m'ont donné le goût de la vérité et d'une certaine beauté. L'essentiel de la culture, c'est chez eux que je l'ai puisé. Comment voulez-vous que je ne les aime pas: je leur dois tout! Même après que j'eusse quitté le Séminaire, pendant mes années d'université, ils m'ont encore comblé de leurs bienfaits. Le moins que je puisse faire, c'est de leur dire merci. Je le leur dis ici avec plaisir et avec une tendresse émue.

La prise des rubans

Mais c'est à partir de l'université que ça devient vraiment intéressant. Parce que là, il s'est passé des choses. Et vous allez voir que, chose curieuse, plus on s'enfonce dans l'université, plus on s'approche du père Gédéon. Par un chemin imprévu, coloré et parfois déroutant.

L'insolite a commencé le soir de la prise des rubans. La prise des rubans, c'était un événement très attendu au Séminaire. C'était le soir où on dévoilait en public le secret de sa vocation! Il y avait sur la scène de la salle des promotions une table avec, dessus, un grand plateau contenant des rubans de plusieurs couleurs, dont chacune signifiait une orientation professionnelle. Les rubans violets, qui signifiaient la prêtrise, étaient toujours les plus nombreux, bien entendu, puisque la première raison d'être du Séminaire, c'était (le directeur nous lisait ça devant tout le monde au début de chaque année) de «sortir les étudiants de la corruption du siècle»! Pas moinsse. Après, c'était le ruban blanc, qui désignait les ordres religieux réguliers: Dominicains, Pères blancs, Franciscains, Trappistes, etc. Il y avait même quelquefois un jésuite. Le bleu, c'était le droit; le rouge, la médecine; le vert, si je me rappelle bien, c'était les différents génies: civil, forestier, électrique, etc.

Mais ce soir-là, il y en avait trois de couleur jaune, ce qui ne s'était jamais vu et qui suscitait une grande curiosité. On se demandait dans quelle galère ça pouvait bien conduire. De toute façon, ça ne pouvait être que dans une forme ou l'autre de l'originalité, pour ne pas dire de la marginalité. Le premier de ces deux rubans a été pris par mon camarade Léopold Simoneau et c'était écrit dessus: art vocal. Il y eut un grand Ah!... dans la salle: ça ne s'était jamais vu. Les deux autres jaunes, c'étaient Louis-Joseph Marcotte et moi: nous avions pris les sciences sociales, avenue jusque-là inexplorée par quelque ancien du Séminaire que ce fût et où la plupart des gens nous plaignaient secrètement de nous voir nous aventurer, sûrs qu'ils étaient qu'il était impossible de gagner sa vie honorablement dans un domaine aussi imprécis pour ne pas dire mystérieux!

L'aventure des sciences sociales

Ils avaient un peu raison parce que, pour une aventure, c'en fut toute une. Mais merveilleuse, je vous le dis tout de suite, et fertile en événements qui n'arrivaient jamais dans les vieilles facultés traditionnelles où c'était toujours — et depuis 100 ans — le calme plat. Tandis qu'à l'école des sciences sociales, c'était pas pareil. C'était du nouveau. Et du nouveau, dans une université catholique québécoise, à l'époque du satrape Duplessis, c'était *a priori* suspect parce que virtuellement dangereux pour le vieil ordre établi.

L'école avait été fondée et était dirigée par un homme absolument extraordinaire, dont on ne dira jamais assez ni jamais trop qu'il fut l'âme de la renaissance québécoise qui s'est instituée par la suite dans ce qu'on appelé la révolution tranquille des années soixante et qui se continue aujourd'hui dans la recherche, laborieuse et parfois tourmentée, que le Québec fait des avenues de son avenir. Cet homme, dont le rôle peut désormais être justement qualifié d'historique, c'est le père Lévesque, dominicain.

Un moine révolutionnaire

Dans les vieilles outres qu'étaient les structures encadrant la vie de la société québécoise d'alors, il a versé le vin nouveau de la liberté. Il a osé dire à toute une nation et à l'élite, cléricale et laïque, qui l'avait entretenue jusque-là dans la mystique de l'autorité: «La liberté aussi vient de Dieu!» Liberté spirituelle, liberté académique, liberté politique. Il n'en fallait pas plus pour que s'amorçât contre lui, malgré l'orthodoxie parfaite de sa pensée et la prudence de son action, la réaction de tout ce que le Québec contenait de conservateurs que son progressisme dérangeait. Ce fut d'abord la surprise agacée. Puis la résistance sourde. Et enfin une véritable persécution. Le pouvoir civil et une partie du pouvoir religieux se liguèrent contre lui. Les intégristes de tous poils le poursuivirent de leurs calomnies et on lui intenta même un procès à Rome, l'accu-

Le père Lévesque, c'est lui.

sant ni plus ni moins de déviationnisme théologique et de mauvais enseignement de la doctrine sociale de l'Église.

Fort de la certitude de son bon droit, de la justesse de sa doctrine, de l'appui total de son ordre (les Dominicains en avaient vu d'autres dans leur histoire...), de ses professeurs, de ses étudiants, et des forces progressistes québécoises dont la qualité suppléait à la quantité et qui étaient quand même importantes malgré tout, le père Lévesque est sorti victorieux de ce combat et son rayonnement n'en a été par la suite que plus étendu et plus profond. Et il est heureux que l'histoire ait reconnu de son vivant le rôle positivement novateur qu'il a joué chez nous et la place qui lui revient parmi les grands hommes de la nation. Un moine qui entreprend une révolution et qui la mène en douceur aux aboutissements qu'on connaît, et au Québec par-dessus le marché... fallait le faire! Eh bien, il l'a fait. Avec un souci de la vérité, un sens inspiré de la justice et une audacieuse prudence qui témoignent de sa sagesse et de son vigoureux humanisme.

C'est sous l'inspiration et dans le rayonnement de cet homme extraordinaire que s'est déroulée ma petite carrière universitaire. Il a été pour moi non seulement le père Lévesque qui m'a donné la formation mais aussi le père tout court qui a guidé de sa lumière et soutenu de son affectueuse et quotidienne sollicitude mes premiers pas — et les autres aussi — sur les chemins de la connaissance scientifique et de l'action sociale. Ne cherchez pas ailleurs les raisons de l'admiration et de l'attachement que j'ai pour lui.

L'allaitement du clergé

Le plus beau, c'est que tout cela s'est fait dans l'humour le plus charmant. Nous avons même vécu des situations qui tiennent du folklore universitaire. Il faut que je vous raconte ça, c'est trop drôle. Je me souviendrai toujours — et lui aussi se le rappelle sans doute — de notre première entrevue. C'était par une radieuse journée des vacances d'été. Je venais de passer mon bac au Séminaire, *magna cum laude* si vous voulez savoir, j'étais heureux comme un pinson, je nageais dans l'euphorie, je planais dans la béatitude, bref, j'étais sur le pignon du monde et l'avenir m'appartenait personnellement!

J'arrive au bureau du père, 2, rue de l'Université. Tout de suite je suis frappé. Sa belle robe blanche et son sourire engageant irradient une lumière et une chaleur qui me rassurent. Je me sens à l'aise et en confiance. Je suis devant un être qui a le don de l'accueil, l'approche humaine et le dialogue facile. Après des mots de bienvenue tout à fait sympathiques et quelques questions sur mon *pedigree* académique, il me dit: «Alors... vous voulez étudier les sciences sociales!» Je lui réponds: «Oui, j'y pense depuis ma rhétorique.» Après, il me demande: «Avez-vous fait votre inscription?» Je réponds: «Non, j'ai rien que 18, 50 $ dans mes poches pour toute mon année!» Le père éclate de rire, prend son front dans sa main et me dit: «Ouais... c'est pas beaucoup! Bon, je vais essayer de régler ça. Revenez me voir la semaine prochaine, on verra ce qu'on peut faire...» Il prend un 10 piastres dans sa poche, le glisse discrètement dans ma main et me congédie gentiment en me disant d'avoir confiance.

La confiance, c'est pas ça qui me manquait; je n'avais même que ça. Parce que, du côté de la matérielle, c'était zéro. Eh bien, croyez-le ou non, en l'espace de deux semaines, tout mon problème fut réglé. Et d'une drôle de façon à part de ça, vous allez voir. Il fallait quand même que je me trouve une chambre, de la bouffe... et du pognon pour m'inscrire. Je m'en vais donc à la procure du séminaire — où j'étais particulièrement bien connu! — voir l'abbé Rochette à qui j'explique ma situation de crise économique aiguë. Une fois de plus c'est mon bon vieux Séminaire qui me dépanne. Il me dit: «Viens faire le service des tables au réfectoire des prêtres et tu auras tes repas.» Mon problème d'estomac était réglé. Ma fonction consistait à passer le lait aux tables. C'est ainsi que j'ai allaité le clergé du Grand Séminaire pendant quatre ans, sous l'œil débonnaire de braves curés parmi lesquels je retrouvais tous ceux que j'avais eus comme professeurs ou maîtres de salle pendant mes huit ans de pensionnat!

Et comme un bonheur n'arrive jamais seul, il y avait ce jour-là, à la procure, l'abbé Arthur Jobidon, qui avait entendu ma conversation de quêteux avec le grand économe, et qui habitait la maison des étudiants, rue Saint-Joachim, le temps de ses études en génie forestier. Il s'approche de moi et me dit: «Si tu veux servir ma messe le matin, je vais demander au directeur, l'abbé Laliberté — le père Taf comme on l'appelait — de te fournir une chambre.» Aïe... j'étais pas pour refuser ça, ça me sauvait 8 $ par semaine! Ce qui fait qu'à tous les matins que le bon Dieu amenait, à quatre heures et demie pile, Doris se levait et allait servir la messe salvatrice de l'abbé Jobidon. Lui, il va rire quand il va lire ça! Il y a des matins où «mon curé» a dû venir me réveiller lui-même, mais ça ne fait rien, je restais dans les meilleures grâces de l'*establishment* de la maison des étudiants. J'avais une petite chambre de 8 x 10, avec une table, un lit et une armoire. C'était assez petit qu'il fallait sortir pour changer d'idée! Mais pour moi, ça valait le *Château Frontenac*...

Restaient mes frais de scolarité à payer. Le père Lévesque s'était arrangé avec le secrétariat de l'Université qui avait consenti à m'inscrire gratuitement moyennant que je fasse le travail d'assistant-bibliothécaire à l'école. J'étais sauvé. De temps en temps le père Lévesque me glissait un vieux 10 $ pour mes folles dépenses; je roulais sur l'or!

Vous dire la joie que m'ont apportée les quatre années que j'ai passées comme étudiant à la faculté des sciences sociales, c'est impossible. Joie de la connaissance scientifique d'abord. C'était la première fois que je me rompais vraiment à la discipline et à la rigueur scientifiques. Le père Lévesque nous a appris à regarder les choses de la vie sociale d'un œil objectif. En les voyant telles qu'elles *sont*. Et ensuite telles qu'elles *doivent* être. «Il y a trois choses que vous devez savoir de la vie sociale, nous disait-il, si vous voulez avoir quelque influence sur elle. Ces trois choses, ce sont: 1) les *faits* (qui sont l'ordre du positif); 2) les *principes* (qui sont l'ordre du normatif); et 3) les bons *moyens* d'appliquer les principes aux faits (l'ordre de la prudence, première vertu de l'action). Quand vous saurez ça, vous aurez l'essentiel.»

La pensée et l'action de ce maître étaient tout entières centrées sur une réalité: *l'ordre*. L'ordre à l'indicatif et l'ordre à l'impératif. Il voyait et nous faisait voir toutes les choses *dans leur ordre*. C'est-à-dire dans leurs relations avec leurs causes et leurs effets, et dans le contexte des circonstances dans lesquelles elles se présentent. Les transformations sociales, il les voulait d'autant plus ordonnées qu'elles étaient plus audacieuses. Savoir jusqu'où aller assez loin et jamais trop. Il était un professeur lumineux et un entraîneur d'hommes. Nous qui avons été ses premiers disciples, nous avons pu bénéficier largement de sa sagesse et de son exemple. De sa bonté aussi.

L'humour dominicain

Et de son humour. Dès l'obtention de ma maîtrise, à la fin de mes études régulières, je n'ai pas eu grand problème d'emploi: le père m'a engagé comme secrétaire personnel du doyen — qu'il était devenu entre-temps. Je le suis resté pendant 12 ans. Douze années que j'ai vécues dans l'intimité de sa pensée et de son action. C'était pour moi, vous pensez bien, un immense privilège. Au contact quotidien d'un maître pareil, j'en ai plus appris sur la vie que si j'avais vécu 20 ans ailleurs. J'ai partagé sa vie intellectuelle, ses lumières et ses combats. À force de le fréquenter j'ai fini par avoir non seulement ses idées mais aussi la même manière que lui de les exprimer. Et je connaissais si bien le cours de philosophie économique dont il était titulaire qu'un bon jour, quand il fut contraint par les exigences de sa fonction de s'absenter loin et souvent, il me demanda de le donner à sa place. Ce fut mon premier rôle! Je n'avais pas grand mérite car ce cours était si bien construit que je n'ai eu qu'à le répéter tel quel. En y ajoutant ma manière à moi... qui était devenue presque la sienne!

L'esprit qui régnait à la Faculté était si ouvert, et l'amitié y était si naturelle, comme la fraternité d'ailleurs, que l'humour trouvait là un excellent terrain pour fleurir. Un soir, c'était la fête du père. Comme l'affection donne toutes les audaces, l'idée nous est venue de monter une pièce impromptue que nous avions intitulée *La journée d'un doyen*. C'était une série de tableaux illustrant le rythme fou et la variété infinie de la vie du père. Les rôles étaient

1943. Finissant à la faculté des sciences sociales de l'Université Laval.

remplis par une dizaine d'étudiants et de professeurs dont Roger Chartier, qui est aujourd'hui au Mexique, Jacques Landry, qui est un sérieux cadre à Radio-Canada, Luce Jean, qui jouait le rôle d'une pénitente se confessant d'avoir dansé avec son cavalier d'une façon un peu trop collée, Louisette Faucher, la femme d'Albert, qui passait son examen de morale et technique de l'action, ainsi que plusieurs autres qui personnifiaient les nombreux personnages reliés à la vie fébrile du pauvre doyen.

Moi, j'avais pris le rôle du père. J'avais emprunté la robe de dominicain du père Lortie, et j'imitais le doyen donnant son cours, ses entrevues, confessant une pénitente, etc. Il fallait vraiment avoir du front tout le tour de la tête pour se moquer de l'autorité d'une façon aussi spectaculairement libre. Et avoir une confiance absolue en l'humour de la victime. Notre entreprise était d'autant plus irrévérencieuse que tout cela se faisait au monastère des Dominicains, devant un auditoire qui réunissait tout le personnel de la Faculté et les pères dominicains avec à leur tête nul autre que le provincial lui-même. Ce fut un *happening* délirant. Tout ce beau monde se bidonnait. C'était la joie. Le pauvre père Lévesque était, bien sûr, celui qui rigolait le plus. L'humour, c'est le sourire de la vérité. Et *Veritas*, c'est la devise des Dominicains. Ils l'avaient même inscrite dans la pierre juste au-dessus de la porte centrale du monastère de la Grande-Allée. Ce qui me valut le plaisir d'un bon mot du père Cousineau, jésuite, avec qui je déambulais un jour et qui, en passant devant l'entrée du monastère, me dit en montrant le portique du doigt: «Regardez, les Dominicains ont mis la vérité à la porte!…»

Premières complicités

Au milieu de mon bonheur de vivre avec ces êtres et dans ce climat si attachants et si fraternels, même si l'étude et l'enseignement des sciences sociales me passionnaient, je sentais quand même confusément en moi un goût pour tout ce qui était spectacle. Par exemple, chaque fois que les Compagnons de Saint-Laurent du père Legault venaient à Québec, j'allais les voir. Bien plus, après les représentations, je ne résistais pas à l'envie d'aller rencontrer les acteurs en coulisses et quelquefois d'aller finir la soirée avec eux. C'est ainsi que j'ai connu Jean Gascon, Denyse Pelletier, Lionel Villeneuve, Jean Coutu, Georges Groulx, Paul Dupuis, Thérèse Cadorette et les autres. J'étais loin de me douter alors qu'un jour je partagerais avec eux la joie des planches.

Et puis arriva *Tit-Coq*. J'avais, bien sûr, assisté avec une assiduité passionnée à toutes les *Fridolinades* qui l'avaient précédée. Mais cette fois, ce fut l'emballement. J'ai trouvé cette pièce si belle, si humaine, si profonde, si vraie et si admirablement construite et jouée que je n'ai pas pu m'empêcher, le soir même, d'écrire à l'auteur l'extraordinaire impression de plénitude qu'elle m'avait laissée. Ça a fait plaisir à Gratien. Il m'a répondu tout de suite par une lettre émouvante, que je garde précieusement du reste, et il nous a gentiment invités, Lili et moi, à dîner avec lui au *Château*. Pour moi, simple mortel, c'était tout un honneur

Avec Albert Duquesne et Gratien Gélinas, à la maison de campagne de Gratien à Oka, au lendemain de la tournée triomphale de *Tit-Coq*, en 1949.

en plus d'une joie inespérée. Bien plus, il m'a autorisé à aller voir sa pièce tant que je voudrais. Vous pensez bien que je ne m'en suis pas privé. J'y allais tous les soirs. À la fin, je la savais quasiment par cœur!

Et puis, comble de mon plaisir, j'étais devenu familier avec les comédiens, que je fréquentais librement dans les coulisses et après les spectacles. Cela m'a permis de connaître l'intimité professionnelle autant que la chaleur humaine d'êtres aussi attachants que, outre Gratien lui-même que j'admirais comme un prodige, le bon vieux Fred Barry, Amanda Alarie, Juliette Béliveau, Clément Latour, Juliette Huot, Muriel Guilbault et Huguette Oligny.

Je me souviendrai toujours de cette journée d'été où, assis sur un banc de la terrasse à Québec, j'ai passé une heure avec Fred Barry. Comme j'étais heureux! Il me parlait

Mon mariage avec Lili, avec mon habit de noces de seconde main que j'avais acheté de mon voisin de chambre Victor Radoux, et que j'avais payé... cinq dollars!

Vous avez noté toute l'intelligence qui brille dans l'œil (droit surtout!) du professeur de philosophie...

de son métier, de ses débuts surtout, quand c'était si dur de le pratiquer, et de sa joie du succès triomphal de *Tit-Coq*. On aurait dit à l'entendre qu'il en était un peu, lui aussi, le père. Et puis, comme je savais son rôle de Cléophas Désilets presque par cœur (je l'avais vu jouer une bonne dizaine de fois de suite), j'eus l'audace ingénue de lui en dire des bouts en imitant son débit. Il riait. Au fond, il devait bien me trouver un peu con sur les bords... Mais je lui parlais avec tant d'enthousiasme de ce métier que je ne connaissais que comme spectateur, qu'il finit par me dire: «Mon petit maudit, toi, t'aimes trop ça; tu finiras par en faire!» Ça m'avait fait sourire. Car j'étais à cent lieues d'oser même espérer à ce moment-là que cette joie me fût donnée. Et pourtant la vie me l'a offerte en cadeau. Serez-vous surpris si j'ai envie de lui dire un peu merci?...

Le Club des vendredistes

Entre-temps, en marge de mon travail à l'Université, et pour mon seul plaisir, j'écrivais des sketches humoristiques pour une émission de Radio-Canada qui s'appelait *Trois de Québec*. En compagnie d'autres auteurs non moindres que Roger Lemelin, André Giroux et René Arthur. C'était pas sérieux, ça ne défonçait rien, mais c'était sympa. Moi j'adorais ça parce que ça me gardait en contact avec un monde de création artistique et des êtres dont le talent et l'humour me plaisaient beaucoup.

Pour nous donner une occasion de nous revoir entre joyeux drilles, nous avions fondé, Roger Lemelin, René Arthur et moi, le Club des vendredistes. À tous les vendredis midi, nous prenions le lunch ensemble, au restaurant *Chez Marino*, avec André Giroux et quelques autres. Par la suite vinrent se joindre à nous des amis de l'Université: Maurice Lamontagne, les Tremblay (Maurice et René), notre cher Jean-Claude Bonenfant, son frère, Fernand, Jean Marchand, qui à ce moment-là était à la CTCC, Jean-Charles Falardeau et autres oiseaux du même ramage. C'était charmant. Dans la détente la plus cordiale et souvent avec un humour dont le vitriol n'était qu'apparent, nous faisions la critique des événements, des hommes, de leurs pompes et de leurs œuvres, et nous décidions

Le vendrediste.

de la façon dont le monde devrait marcher. C'était la belle liberté, à deux pas du Parlement où sévissait, triomphante et toujours impunie, la dictature primaire du prince Duplessis.

Le monde vu de la terrasse

Sur les entrefaites la télévision fit son arrivée au village. Québec en fut toute bouleversée. C'était en 1954. C'était l'événement du siècle pour nous comme pour tout le monde. Une machine qui vous donne, dans le salon chez vous, des images qui bougent, pensez donc, c'était merveilleux. Devant le petit écran qui nous renvoyait chaque jour des images de nous, des autres, d'ici et de partout, nous étions tous comme des enfants. Chaque soir, c'était Noël... Surtout que nous pouvions enfin voir, nous Québécois de Québec qui en étions privés alors que les Montréalistes en savouraient le plaisir tous les mercredis soir depuis un an, la fameuse *Famille Plouffe*, écrite par un des nôtres, un enfant du pied de la pente douce, Roger Lemelin.

Québec avait enfin son poste: CFTM-TV, alimenté par Radio-Canada alors seule source de production. Son directeur était Claude Garneau et un de ses réalisateurs était Jean Sarrazin. Un jour qu'ils s'étaient joints à nos joyeuses agapes vendredistes, j'avais par hasard raconté devant mes commensaux amusés des histoires de la Beauce avec l'accent du cru. Tout à coup Sarrazin me dit: «Pourquoi ne viendrais-tu pas raconter ces histoires-là à la télévision, on s'amuserait?» Et Garneau d'ajouter: «Bien sûr, ça serait drôle. Ça ferait rire les Québécois, ils aiment ça!»

Sur la gueule, comme ça, ça me paraissait saugrenu. Et risqué. J'ai dit: «Êtes-vous fous, les gars? Je n'ai jamais fait de télévision, moi, je connais rien là-dedans. Je vais faire rire de moi.» «Ça ne sera pas la première fois», lance, cruel, André Giroux. Et Lemelin d'ajouter avec son air de gavroche risque-tout: «Vas-y donc. Si tu déconnes trop, on t'arrêtera!»

De retour chez moi, le soir, je me débattais avec cette idée toute neuve qui me tentait et m'effrayait en même temps. Puis je me suis dit: «Bof... après tout c'est une blague. Pourquoi pas? C'est l'été... les vacances... personne ne va prendre ça au sérieux. Et puis ça n'a pas d'importance... J'y vais!» Je me rends voir Garneau et Sarrazin au poste et je leur dis: «D'accord. Mais à une condition. C'est que vous me laissiez raconter mes conneries derrière le masque d'un personnage. Parce que si je garde la face que j'ai là, je risque de la perdre. Remarquez que je perdrais pas grand-chose... mais comme j'en ai besoin pour enseigner la doctrine sociale de l'Église à mes disciples, je préfère la garder!...»

Un vieillard naît

C'est à ce moment précis qu'est né dans ma tête le père
Gédéon. Le père Gédéon, c'est une synthèse de mes deux
grands-pères: Prosper Lussier, cultivateur de Fontainebleau,
et Jos Picard, maître-chantre de Saint-Gabriel de Stratford.
Auxquels j'ai ajouté certains traits de caractère de vieux que
j'ai connus dans mon enfance et mon adolescence. Je pense
en particulier à Elzéar Perreault du premier rang de Lambton,
qui fut mon père adoptif, à son voisin, Cléophas Quirion, à
Pantaléon Gaulin et à quelques autres vieux typiques et co-
lorés. Tout ça ensemble a constitué le type physique et moral
du père Gédéon que vous connaissez. C'est-à-dire un bon
vieux paysan bien de chez nous, indéracinablement planté
dans sa terre beauceronne, heureux d'être habitant et père
d'une grosse famille de 13 enfants, joyeux luron mais bon
diable, un peu porté sur les créatures mais toujours pour le
bon motif, poète sans trop le savoir, tendre comme une jeune
fille, impulsif et quelquefois coléreux mais jamais pour plus
d'un quart d'heure, fier comme Artaban, esbroufeur comme
Cyrano et vantard comme un Marseillais! C'est un être tout
d'une pièce, hâbleur et généreux, qui raconte des histoires
qu'il invente pour la plupart et qu'il finit par croire lui-même,
un vieux fourré partout et même ailleurs, qui brasse des
affaires et du vent. Tout en étant sirop-d'érablement beauceron, il est un peu citoyen du monde parce qu'il est chez lui
partout. Pour lui les classes sociales, ça n'existe pas; il n'y a
que deux sortes de monde: le bon monde et le méchant
monde. Mettez-le en présence du pape, du premier ministre,
d'un avocat ou de son voisin Juvénal Bolduc, il reste le même
homme, déroutant de simplicité enjouée et de bonne humeur
victorieuse. Comme ses idées ne sont pas très longues, il
règle les problèmes en trois coups de mâchoires. Il incarne le
gros bon sens en souliers de bœuf. Il purjute de santé dé-
bordante, il irradie la joie de vivre, il consomme l'existence
comme un bon fruit et sa philosophie, c'est le bonheur avec
et malgré tout. Sa richesse, c'est son âme et sa terre. Et même

Avec Roger Lemelin lors d'une répétition des *Plouffe*.

si la vie lui a déplumé le crâne et a ralenti la souplesse de sa démarche physique, son cœur a toujours 30 ans. Bref, c'est un homme simple, bon et heureux, dont les défauts sont aussi attachants que les qualités.

Donc c'est dans la peau de ce vieux snoreau-là (qui au début s'appelait le père Claphas) que j'entrepris l'aventure. Comme programme de télévision, c'était frugal. Et pourtant ça portait un titre ambitieux: *Le monde vu de la terrasse*. Il s'agissait d'une petite émission hebdomadaire de 15 minutes. Le décor, c'était un banc de la terrasse Dufferin. Les personnages, c'étaient un journaliste (joué par Cyrille Felteau) et un habitant (moi) qui se rencontraient là toutes les semaines et qui bavardaient ensemble. Tout y passait, des problèmes internationaux aux choses savoureuses de la vie sur la ferme en passant par tout ce que suggérait l'actualité. C'était assez drôle. On avait une cote d'écoute de 95 %. Ce qui n'était guère méritoire parce qu'il n'y avait que ça à voir à cette heure-là! De toute façon, comme la télévision était un jouet merveilleux qui transformait tous les adultes en autant d'enfants, les Québécois auraient regardé même l'élevage des abeilles pendant des heures d'affilée: ça bougeait! Et puis le vieux était neuf...

Au bout de quatre émissions, Roger Lemelin me dit: «C'est bon ce personnage-là, il me donne des idées, je te fais jouer dans les *Plouffe*.» Je lui réponds: «Tu n'y penses pas... il faut que je donne mes cours à l'Université, moi.» «Ça ne fait rien, me dit-il... Juste pour une émission... Pour rire...» Je demande son avis à mon supérieur, le père Lévesque, qui me dit: «Bien sûr, allez-y. J'ai hâte de voir ça!»

Ce fut le commencement d'une collaboration avec Roger Lemelin qui dura 11 ans et qui fut une des périodes les plus fructueuses de notre vie. Nous étions déjà des amis, Roger et moi, de sorte que ce fut non seulement facile mais un charme de tous les instants. Je vais donc passer la soirée avec lui, dans sa maison de la rue Dubuisson, à Sillery, et nous discutons du projet. Il était plein d'idées comme toujours. Il avait à l'esprit de créer une deuxième famille Plouffe, reliée à la première mais rurale celle-là, habitant Saint-Gérard-de-Beauce et dont le père Gédéon serait le patriarche. C'était bien pensé: ça multipliait les possibilités d'intrigues de son téléroman et ajoutait autant de moyens d'expression à son imagination créatrice.

Je dois à la justice autant qu'à la vérité — et à mon goût — de vous parler ici de Roger Lemelin. Car, après le père Lévesque, c'est l'homme qui a eu le plus d'influence sur ma vie professionnelle. Si le premier m'a ouvert le chemin de ma modeste mais passionnante carrière universitaire, le second, lui, m'a ouvert les portes du monde artistique où j'ai quand même vécu 40 ans de ma vie. Je lui dois directement une carrière de comédien que sans lui je n'aurais jamais faite. Le père Gédéon, c'était bien gentil; c'était, je le pense humblement (l'humilité, c'est la vérité!) un bon personnage et riche de possibilités; mais s'il n'y avait pas eu *La famille Plouffe* et Roger Lemelin pour le lancer d'abord et l'alimenter ensuite, il n'aurait sûrement pas fait long feu. Il n'aurait pas dépassé le stade de l'intérêt local. C'est au prestige de *La famille Plouffe* et à la fertilité du génie de Roger qu'il doit en premier lieu sa notoriété. Que par la suite il ait pu, une fois lancé, mener une carrière autonome et diverse ne change rien au fait qu'à l'origine et pendant plusieurs années par la suite, son succès a été tributaire du talent prodigieux de ce créateur inouï qu'était Roger. Je le dis ici avec plaisir. Et aussi avec reconnaissance. Je lui dois en plus d'avoir très souvent bénéficié de ses conseils avertis de bon gestionnaire des biens matériels. Car ce diable d'homme était un merveilleux poète (du grec *poïêtes* qui veut dire créateur) doublé d'un excellent homme d'affaires.

«*Un côté robinet*»...

Comme nous étions des amis intimes, j'ai eu le privilège, assez unique, je crois, et particulièrement enrichissant, je dois le dire, de le voir *créer*. Ce n'était pas un numéro ordinaire, je vous le jure. Il y avait chez cet homme une fertilité imaginative hors du commun. Son cerveau, c'était une machine à inventer des histoires. Il voyait tout en images. Il avait tellement d'idées de situations dans sa tête qu'il ne savait souvent plus laquelle choisir. Une imagination pléthorique. Un vrai feu d'artifice. Alors que tant d'autres écrivains connaissent l'affreux supplice de la page blanche et passent des heures anxieuses à se masturber l'imaginative pour en sortir un texte rebelle et qui sent l'huile, lui, au contraire, était habité par une plénitude d'idées qui se bousculaient dans son esprit attendant la chance de naître sur le papier avant de vivre sur l'écran. Il y avait chez lui ce que Jean-Charles Falardeau appelait «un côté robinet» presque inquiétant! Qu'à cela ne tienne, les crises d'abondance sont quand même plus vivables que les crises de disette...

Et quand, à la manière du joueur d'échecs qu'il est aussi, il avait arrêté dans sa tête le scénario d'une histoire et mis en place les personnages sur l'échiquier de son imagination, il se mettait à son clavigraphe. Et là ça déboulait comme un orage.

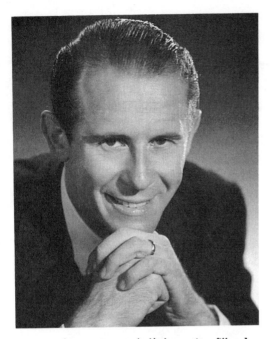

Avec cette gueule-là, les petites filles de Radio-Canada sont parvenues à faire le visage du père Gédéon!

En deux heures tout était fini. Il écrivait tout d'un trait. Le texte terminé, il l'envoyait tout chaud à son réalisateur, Jean-Paul Fugère. Sans même le relire: il était sûr de son premier jet. Et à côté de son cendrier il ne restait plus que la moitié de son paquet de Players!... Je n'ai jamais vu un homme produire autant aussi vite et aussi bien. Je crois que, comme auteur de téléromans, Roger Lemelin avait du génie. Ce n'est pas l'amitié qui m'aveugle, c'est la vérité qui me force à le dire. Rien moins que du génie. Ai-je besoin de vous dire que de travailler avec lui et de naviguer dans son sillage furent pour moi une joie et une richesse de tous les instants. Je nous sentais sur la même longueur d'ondes. C'était un ravissement.

Toujours que, une fois bâtie la première histoire dans laquelle jouait le père Gédéon, arriva pour moi le temps de vivre devant les caméras avec mes camarades de *La famille Plouffe*. Je vous jure que je me sentais dans de petits souliers. Aïe... jouer avec des comédiens professionnels de la trempe de Jean-Louis Roux, Paul Guèvremont, Denyse Pelletier, Rolland Bédard, Émile Genest et les autres, moi, un amateur frais émoulu de l'Université et parfaitement ignorant de toutes les techniques du métier, c'était une perspective qui me remplissait de dangereuses émotions. Heureusement qu'il y eut l'accueil fraternel de mes camarades, sans ça j'aurais croulé sous le fardeau moral de mon inexpérience inquiète. Mais il y avait mon cher vieil Émile, avec qui j'avais étudié jadis au Séminaire et qui suivait chacun de mes gestes sur le plateau comme si j'avais été son fils. Il y avait Paul Guèvremont dont le calme chaleureux me rassurait. Et puis le bouillant Duceppe dont la gouaille perpétuelle et l'assurance contagieuse chassaient les papillons qui voltigeaient par centaines dans mon estomac. Et puis surtout il y avait le merveilleux Jean-Paul Fugère qui, avec une patience archangélique, m'a tout appris des rudiments de ce métier.

Les tranchées

N'empêche que j'ai quand même souffert un joyeux martyre. Je m'en souviendrai toute ma vie et probablement encore dans l'éternité. C'était le 2 décembre 1954. La veille, Roger Lemelin, pressentant mon état d'âme, m'avait appelé de Québec pour me donner des vitamines morales. Laurent Jodoin, chez qui j'avais habité toute la semaine parce que je n'aurais jamais pu dormir seul dans une chambre d'hôtel, m'entourait de tranquillisantes certitudes. Toutes ces amicales attentions me faisaient chaud au cœur mais, une fois au studio, après la générale, une demi-heure avant l'émission, l'anxiété m'étreignait. J'avais assez le trac que j'avais des tranchées: j'ai cru que j'allais avoir un enfant!... Tous mes camarades sont venus me dire le traditionnel «merde!» et l'émission a démarré. Je ne sais quel état de grâce m'a été donné, mais tout a marché sur des roulettes et je me suis rendu au bout sans trop trébucher. J'étais épuisé mais si heureux. Je venais d'avoir mon baptême de l'air. J'ai bien l'impression que ce soir-là, dans son salon avec Valéda, Roger a dû ressentir les mêmes affres que moi. Et aussi, après, le même bonheur de victoire. Les dernières mesures du thème musical étaient à peine jouées que sa voix m'attendait au bout du fil pour me dire combien ça lui avait plu. Pour lui comme pour moi, c'était la satisfaction du plaisir accompli!...

De retour à Québec, j'ai recommencé à donner mes cours à l'Université. Même si l'expérience que je venais de vivre m'avait un peu mis un ver dans la pomme, je croyais l'aventure terminée. Mais Roger, lui, pensait autrement. À Pâques, toujours «pour rire», il ramène le vieux dans son émission. Et puis à la Trinité aussi. Et une autre fois en juin. Si bien que, l'année académique terminée, il me proposa ni plus ni moins que d'abandonner l'enseignement universitaire pour me lancer dans le monde du spectacle. Aïe... rien que ça!... Là par exemple c'était pas mal moins drôle. Cette fois ce n'était plus «juste pour rire». Il me fallait laisser une profession, des collègues, le père Lévesque, des étudiants et une institution que j'aimais beaucoup... pour un monde inconnu, que je savais instable et dangereux. J'hésitais beaucoup. Et puis il y avait ma famille: Lili et nos deux petits loupiots Jean et Pierre. Si je n'avais eu que la peau d'un célibataire à risquer dans ces eaux invitantes mais incertaines, j'aurais fait le plongeon sans grande hésitation; mais avec le poids d'une famille sur les épaules, je craignais. J'en ai parlé longuement avec le père Lévesque que j'aimais tellement et à qui cette proposition allait m'arracher. J'ai aussi consulté mes amis les plus intimes: Maurice Lamontagne, Eugène Bussière, Maurice Tremblay et Gérard Bergeron qui me connaissaient bien et dont l'avis m'était précieux. Ils m'ont tous dit à peu près ceci: «Vas-y donc. Si ça ne marche pas, on te récupérera bien d'une façon ou de l'autre.» Bergeron ajoutait, perspicace: «D'ailleurs ça va marcher: t'es assez cabotin pour réussir!...»

Des plaisirs de la chaire à la joie des planches

J'ai donc décidé, le cœur lourd mais l'espérance légère, de laisser l'enseignement universitaire pour devenir comédien professionnel. Comment en un vil plomb l'or pur s'était-il changé? Pour la simple raison qu'un jour j'ai fait une blague, que d'autres l'ont prise au sérieux et que j'ai été obligé de continuer! C'est aussi simple que ça. J'ai déménagé mes

Toute ma famille sur le dos...

pénates à Montréal et puis ce fut désormais le métier de comédien. Vous connaissez la suite. D'abord *La famille Plouffe* où j'ai joué, en français et en anglais, pendant sept ans. Avec un plaisir jamais lassé. Songez que nous passions plus de temps ensemble à jouer entre camarades dans *La famille Plouffe*, pour laquelle nous répétions du lundi matin au vendredi soir, que dans notre vraie famille à nous. Cela crée fatalement une intimité de vie et des liens moraux qui marquent. Moi, en tout cas, ça m'a marqué. Le peu que je connais de ce métier, c'est quand même mes camarades qui me l'ont montré. Et puis, même si je jouais sérieusement des scènes drôles, c'était quand même une somptueuse aventure de création. Et de récréation. C'était une histoire nouvelle à toutes les semaines.

Nous étions tous un peu grisés par le succès fou que remportait l'émission. Ce programme était devenu tellement populaire que le mercredi soir, entre huit heures et demie et neuf heures, la vie extérieure s'arrêtait au Québec et tout le monde regardait *Les Plouffe*. Durant cette demi-heure-là, les gens ne répondaient pas au téléphone et il n'y avait pratiquement plus personne dans les autobus... on regardait *Les Plouffe*. Même que les curés étaient obligés de changer l'heure de certains offices religieux sans quoi personne n'y aurait assisté. Parce que le mercredi soir, les Québécois assistaient... aux *Plouffe*! Et le jeudi matin, dans les bureaux, dans les usines, partout, de quoi parlait-on à la pause-café? Des *Plouffe*. C'était l'unanimité du succès. La victoire par acclamation! Il faut dire, en toute justice comme en toute modestie, que c'était pas mal mérité. Lemelin écrivait des histoires passionnantes de vérité, d'imagination et d'humour, mettant en scène des caractères humains hauts en couleur et en saveur, joués par des comédiens du plus grand talent. Et puis *Les Plouffe*, c'était le miroir du Québec. C'était nous autres, tout crachés. Les Québécois se reconnaissaient, s'amusaient et s'aimaient en eux. *La famille Plouffe*, ç'a été un roman d'amour entre le peuple et la télévision. On en parle encore aujourd'hui et on en parlera encore longtemps.

Avec Jean Duceppe en 1956: un vieux rouge et un béret blanc.

Ti-Mé, le père Alexandre, le vieux et Mélie. La sainte famille quoi!

Les maudits caves!

Malheureusement, à peu près tous les films-témoins de cette époque, tous les «kinés» ont été jetés à la poubelle par Radio-Canada. Non mais, entre vous et moi, ça prend-il des maudits caves, de somptueux imbéciles, des incultes militants, des cons majuscules et, comme aurait dit Lucien Coulombe chez nous dans la Beauce, des colons à cul creux! pour jeter ainsi à la scrap, comme des déchets, des documents humains et des œuvres d'art d'une valeur objective et historique aussi inestimable! Pensez-y un instant. *La famille Plouffe, Le survenant, Cap aux sorciers* et bien d'autres, c'étaient des monuments historiques, ça... C'étaient les premiers pas de la télévision québécoise, c'étaient nos premiers émerveillements collectifs devant la grâce ingénue et les adorables gaucheries de cette enfant chérie qui appartenait à toutes les familles: la télévision. Et dire que ça ne prenait que la bêtise d'un fonctionnaire ignorant et niochon pour détruire à jamais tout ça. C'est écœurant! Moi, j'aime mieux ne pas y penser: ça me fait mal aux seins! S'ils les avaient donnés aux auteurs encore... ou à un musée quelconque. Mais non, ils les ont jetés. Bande de c... de caves! Moi qui suis pourtant pacifique, eh bien, ça me donne le goût de tuer. Les gars qui ont fait ça, on devrait les équeuter sur la place publique. Ce sont des eunuques de toute façon...

Y en a qui aiment les cabarets... (air connu)

Donc *Les Plouffe*, c'était le summum. Et comme le père Gédéon se trouvait là-dedans, il a forcément bénéficié de la notoriété de toute l'équipe. Roger Lemelin savait si bien utiliser le vieux, il en avait fait un personnage si riche d'humanité, de poésie et de *vis comica* qu'il est vite devenu très populaire. Parallèlement à la télévision s'offrait au père Gédéon, comme exutoire naturel à sa verte énergie, le cabaret. Ça lui est arrivé, comme le reste, par hasard. On était en 1957. C'était l'époque glorieuse des clubs de nuit. On y présentait des spectacles

Le point d'interrogation en 1955... À la réalisation: Lisette Leroyer.

Avec Roger Baulu, Jacques Normand et Jean Lapointe, un soir de je ne sais plus quel gala. Baulu était à son plus jeune, Jacques à son plus sobre et Jean à son plus sérieux. Mais j'étais quand même le mieux habillé des quatre!

animés par des vedettes de la télévision, des chanteurs, des chansonniers, etc. Des gars comme Jacques Normand, par exemple, Gilles Pellerin, Paul Berval, Normand Hudon, Dominique Michel, Denyse Filiatrault, Olivier Guimond, Denis Drouin, Paul Desmarteaux et *tutti quanti*. Le fameux *Café Saint-Jacques* et le *Casa Loma* faisaient autant de monde que les églises! Faut dire aussi qu'on s'y amusait ferme. C'était drôle. On y racontait et jouait des histoires légères et court-vêtues qui eussent été indécentes à la télé mais qui faisaient les délices, prolongées jusqu'aux petites heures du matin, d'un public friand de joyeuses égrillardises.

Le roi Jacques

Mon ami Jacques Normand exerçait à ce moment-là sur cette faune nocturne et soiffarde une monarchie incontestée. Vous connaissez l'homme, il en était digne. Je crois que Jacques Normand a été un des plus grands chansonniers de son temps. Je dis bien un des plus grands, incluant des noms aussi prestigieux que ceux de Jean Rigaux, le grand maître des boîtes parisiennes avec Robert Rocca, Pierre-Jean Vaillard, Pierre Dac, Francis Blanche, Champi et plusieurs autres animaux du même déraisonnable. Il était aussi fort que les monstres sacrés qui sévissaient aux États. Bob Hope et compagnie, ils étaient drôles, bien sûr, personne ne discute ça, mais ils avaient à leur service une armée de scripteurs à gages qui leur trouvaient des bonnes blagues parmi lesquelles ces vedettes n'avaient qu'à choisir pour faire rigoler le public. Je ne dis pas que ces gars-là n'étaient pas de grands bonshommes, je dis seulement qu'il leur était plus facile de l'être qu'aux nôtres, ici, qui devaient inventer eux-mêmes leur matériel comique (... ou le piquer ailleurs!)

Je pourrais dire la même chose, *mutatis mutandis*, d'un gars comme Olivier Guimond. Dans un autre genre, bien sûr, mais pas si éloigné au fond parce que les oiseaux de nuit sont tous un peu parents — en tout cas ils ont tous des airs de famille —, Olivier, c'était de la dynamite comique. Il avait

Le père Gédéon, la plus grande gueule de la Beauce, offre à Jean Rigaux, la plus grande gueule de Paris, à charger une pipée de pet de saint Jude dans sa vessie de cochon. C'était en janvier 1957, dans la loge du vieux au *Trois Castors*.

autant de talent que de modestie. Mais sur scène, il pétait le feu. Moi, je le trouvais irrésistible. Rien que de le voir marcher, ça me faisait rire. Il avait du génie jusque dans les jambes. Pourtant il a fallu que tombe toute une forêt de tabous et de préjugés contre les acteurs de club qui, comparés à ceux du théâtre légitime, passaient dans l'esprit des bourgeois pour des comédiens de bas étage et des saltimbanques sans importance, pour qu'il trouvât sa juste place parmi les étoiles de notre firmament artistique. Olivier, c'était un maître, et il ne l'a jamais su. Il ne l'aurait d'ailleurs jamais cru: il était bien trop humble pour ça. Sacré Olivier, va!

La partie de pelote

Je suis entré dans le monde des clubs de nuit par la porte de *Chez Gérard, soda fontaine*, à Québec. Le grand Hudon devait aller y faire une semaine avec la délicieuse Fernande Giroux. Histoire d'ajouter un petit numéro à son programme — et aussi pour m'emmener faire un tour à Québec, mon village —, il me demande de l'accompagner. Pour la circonstance j'avais fignolé une histoire de baseball un peu canaille qui allait juste bien au personnage du père Gédéon. Le soir de la première, devant un parterre choisi de Québécois parmi lesquels se trouvaient plusieurs de mes anciens collègues de l'Université et mon ami Éloi de Grandmont, je me suis fait voler le *show*. Dès mon arrivée sur scène, un spectateur insolite s'est levé de son siège, s'est avancé vers moi en courant et m'a crié: «Papa, fais le fou!» C'était mon fils Jean, qui avait cinq ans et une petite face chafouine à croquer sur place. C'est lui qui a raflé les applaudissements… C'était charmant.

Un peu plus tard, un bon jeudi soir, chez moi, j'arpentais mon sous-sol de la rue Saint-Denis, mémorisant le texte anglais des *Plouffe* pour le lendemain. Mon ami André Lecomte, journaliste, m'appelle au téléphone et me dit: «Doris, il faut que tu nous dépannes. Le *Café Saint-Jacques* a absolument besoin de quelqu'un pour la fin de semaine: les artistes prévus au programme ne peuvent pas remplir leur contrat. François Pilon m'a demandé de t'appeler pour que tu viennes nous gédéonner quelque chose.» Comme je lui disais ma surprise (et ma crainte), il me rassura: «C'est pas compliqué. Tu raconteras des histoires de la Beauce pendant une vingtaine de minutes, avec ton costume du père Gédéon, c'est tout ce qu'on te demande. De toute façon, c'est provisoire, c'est juste en attendant qu'on puisse monter un autre spectacle.»

Pour rire (toujours!) j'accepte. En me disant au fond: «J'ai rien à perdre. Si je me casse la gueule, ça sera tout de même rien que devant 200 ou 300 personnes. C'est moins grave qu'à la télévision devant des millions!» Je pense à mon affaire. J'avais déjà ma partie de pelote sur la glace, j'y ajoute quelques hors-d'œuvre de la même farine et hop! comme un innocent qui s'en irait sans le savoir à la guillotine, je monte sur les planches du *Trois Castors* au troisième étage du *Café Saint-Jacques* — vous devez savoir où c'était, vous aussi! C'était un

En 1957, un homme ordinaire entre deux légendes: Maurice Richard et Yvon Robert.

samedi soir, la salle était bondée, et, chose curieuse, je n'éprouvais pas le moindre trac, convaincu que j'étais qu'il ne s'agissait que d'un joyeux *happening* qui n'engageait pas à autre chose qu'à m'amuser avec le monde un soir ou deux. Je m'amène sur scène, je balance mon truc avec une enthousiaste inconscience et... pouf... ça marche! Je devais faire deux soirs, j'y ai fait deux ans! Avec le même monologue. C'était parti, mon kiki!

La fosse aux lions

Vous dire les aventures rocambolesques, folkloriques et quelquefois proprement loufoques que m'a fait vivre le cabaret!... Il fallait être ignorant comme je l'étais des véritables difficultés du métier pour plonger dedans avec une aussi allègre ingénuité. Le monologue, c'est le plus difficile de tous les genres. Tout seul devant une foule avec son petit talent, c'est une situation dangereuse. Car le public, c'est la fosse aux lions: il faut que tu les tues ou bien c'est eux autres qui te mangent! Quand tu fais un monologue comique et que ça fait cinq minutes que tu parles et qu'ils n'ont pas encore ri... tu t'ennuies de la Beauce en maudit! Heureusement que le vieux, lui, n'avait pas trop de problèmes de ce côté-là. Il n'y avait pas grand mérite d'ailleurs car il jouait sur le velours. *La famille Plouffe* lui avait donné une si bonne publicité que le public l'a accueilli un peu comme on ferait d'un parent de la campagne. Mais il reste qu'il fallait être inconscient comme je l'étais pour oser ce que j'ai osé. Si c'était à refaire aujourd'hui, je me demande si, connaissant tout ce que je sais des embûches et des duretés du genre, j'aurais le courage d'oser l'aborder.

C'est pour le physique que le cabaret est le plus dur. Travailler le soir, donc après une journée faite, à la longueur c'est exténuant. Dans le temps je faisais deux spectacles par soir, trois le samedi, sans relâche le lundi, en plus de *La famille Plouffe* qu'il fallait apprendre par cœur et répéter et jouer toutes les semaines, en plus du *quizz Le point d'interrogation* que j'animais tous les samedis soir... Avouez que c'est un peu beaucoup. Il fallait vraiment avoir une santé de jarret-noir pour passer à travers une charge de travail pareille. J'ai pu le faire à cause, je pense, de l'hygiène sévère que je m'imposais. D'abord je ne bois pas. C'est déjà beaucoup. Je n'ai jamais bu. Je n'ai aucun mérite à être abstinent, j'ai toujours eu horreur de l'alcool. En général ça me pue au nez. Je trouve que ça goûte l'hôpital et que ça sent la pharmacie. Et puis, comme disait pépère Picard, «c'est de la poison!» Mon toubib me dit souvent que ce seul fait explique que je sois resté en plutôt bonne forme physique. Et puis aussi, je dors. Je dors tant que je veux. N'ayant pas le système empoisonné par toutes sortes de maudites cochonneries qui l'empêcheraient de fonctionner normalement, quand il est fatigué, je n'ai qu'à le coucher et il se repose tout seul. Je m'arrange pour dormir au moins huit heures par jour. C'est important pour la forme mentale. Quand on a les nerfs reposés, le travail ne pèse presque plus. Que dis-je, il devient un plaisir. Un jeu. Et quand on s'amuse en jouant, il y a de bonnes chances qu'on amuse aussi les autres!

L'école du cabaret

Le cabaret est une école d'art dramatique de la plus haute valeur. Il n'y a pas de professeurs, comme au conservatoire, mais il y a un public qui vous enseigne bien des choses que personne n'apprendra jamais sur les bancs des grandes écoles professionnelles. Et le meilleur professeur qu'un comédien peut avoir, c'est le public. C'est vrai partout et depuis toujours. Pour le cabaret en tout cas, c'est certain. Parce que là, le public est libre. Je veux dire qu'il n'y est pas paralysé par l'atmosphère, un peu guindée quand même, des salles de théâtre légitime. Il y est à son naturel, il se défoule sans vergogne, il exprime spontanément ce qu'il ressent. Il applaudit ou il siffle sans gêne ni remords... Je crois que quand un comédien a passé victorieusement l'épreuve du cabaret, il peut, s'il a la sagesse, bien sûr, d'ajouter à sa connaissance expérimentale des planches celle, théorique et technique, que donne la fréquentation soit des écoles d'art dramatique soit des professionnels qui en sortent, il peut, dis-je, aspirer aux sommets.

La peau des autres

L'expérience merveilleuse qu'a été ma vie professionnelle depuis 40 ans m'a permis de beaucoup réfléchir sur les grandeurs et les misères du métier de comédien. C'est un métier difficile, aléatoire, fragile, exigeant et total. Ce que le public en voit n'est que la face brillante de cet acte grave qu'est le jeu du comédien. Derrière le masque d'Arlequin il y a tout le mystère de l'être qui vit dans la peau d'un autre: son personnage. Cet homme ou cette femme est toujours une personne dont la sensibilité est aussi profonde que cachée. L'âme du comédien est une mer insondable où gisent virtuellement toutes les tempêtes, dont les eaux ne sont jamais tranquilles et dont les entrailles sont remuées par des courants intérieurs inconnus des profanes. Le comédien est un mystère. Pour les autres et souvent pour lui-même. Il est toujours un peu marginal. Il est inquiétant. Derrière ses rires ou ses larmes on se demande où est sa vérité.

La nature

Car le comédien est toujours un autre. C'est un aliéné professionnel. Son métier, c'est de faire passer dans et par sa personne des idées ou des sentiments qui sont ceux d'un personnage. Il lui est demandé de n'être jamais lui-même. Mais d'être un autre à la perfection. Cela exige une nature spéciale. Et des qualités d'âme et de corps bien particulières qui ne sont pas données à tout le monde. Il faut qu'il soit capable de presque tout. Qu'il soit intellectuellement assez vif pour saisir toutes les dimensions de son personnage et psychologiquement assez doué pour en exprimer la vérité et les nuances. Il lui faut avoir le physique et le psychique de ses emplois. Savoir trouver les intonations et les gestes qu'il faut pour cela, sans exagérer ni diminuer la réalité. Qui dira que c'est facile? Cela exige non seulement une acuité intellectuelle qui saisit les êtres et les textes en profondeur, mais aussi la souplesse mentale, la sensibilité affinée, l'aptitude corporelle et la justesse d'expression. Avoir cela, c'est avoir une nature de comédien.

...et la culture

Et de tout cela il faut faire une *culture*. La culture dramatique. Elle est la connaissance, théorique et expérimentale, du théâtre, de sa définition, de son histoire, de ses chefs-d'œuvre et de ses grands hommes. C'est cette culture qui donne les clartés qu'il faut pour porter un bon jugement critique sur les œuvres et les hommes. Mais un comédien aurait tout cela, il saurait tout sur le théâtre, qu'il ne serait rien s'il n'était d'abord poète. S'il ne possède pas le talent, le goût des planches, le feu sacré, il n'y a pas d'espoir. *Nascuntur poetae, fiunt ora-*

tores, dit l'adage latin: on *naît* poète, on devient orateur. En d'autres termes l'éloquence est fille de l'art, mais la poésie est fille de la nature. De même pour la comédie. Un vrai comédien, c'est d'abord un poète. Celui dont Boileau disait dans son *Art poétique*:

> *S'il ne sent point du ciel l'influence secrète,*
> *Si son astre en naissant ne l'a formé poète,*
> *Dans son esprit étroit il est toujours captif,*
> *Pour lui Phoebus est sourd et Pégase est rétif.*

Il y en a même pour qui le métier de comédien est plus qu'une poésie, c'est une mystique. Pour eux le théâtre est une religion. Sans aller jusque-là, qui est un extrême, on peut toujours croire, sans sortir du réalisme, que les comédiens font un métier sublime. Quel étrange destin que le leur! Hier la sainte Église les excommuniait et aujourd'hui ils sont les dieux du siècle. Adulés ou méprisés, artistes prodigieux ou simples cabotins, ils font partie de notre vie. La télévision fait de leurs visages le pain quotidien de nos yeux, leur popularité est vendue partout dans les gazettes qui s'arrachent leurs confidences et fouillent leur vie privée. Bref, le peuple les aime.

Pourquoi? Parce que le peuple ne vit pas seulement de pain mais aussi de rêve. Il a besoin d'évasion autant que de réalité. Et les comédiens apportent à sa vie la part de fantaisie dont il a besoin pour échapper à l'abrutissement qu'est souvent devenu le travail moderne. Ce sont les histoires qu'on invente qui nous consolent de celle qu'on vit. Le métier de comédien est devenu nécessaire à la santé mentale des sociétés. Aux citoyens blasés par la platitude de l'existence ou écrasés sous les problèmes qui stressent leur vie, les comédiens apportent une échappée vers l'azur de la poésie et la part de féerie qui fait oublier, ne serait-ce que quelques heures, la grisaille des jours. On les traitera tant qu'on voudra de broute-nuages, de marchands d'utopie, de trousseurs de chimères, ils sont un superflu qui nous est nécessaire. Leur mérite profond, c'est d'être, à notre époque déspiritualisée, ceux qui, avec les poètes, se battent pour «défendre le dernier carré de ciel bleu contre la noire fumée du progrès».

Qu'ils fassent rire ou qu'ils fassent pleurer, ils sont le miroir de nos âmes. Les gestes qu'ils font, les états d'âme qu'ils expriment et les situations qu'ils jouent sur la scène ne sont que le reflet, comique ou tragique, de notre vie à nous. Ils sont nos propres témoins: c'est pour cela qu'ils sont si près de nous.

En 1971, avec Tino Rossi. Quand je pense qu'un jeudi de 1935 j'avais risqué l'expulsion du Séminaire de Québec en sortant sans permission pour aller l'entendre au *Palais Montcalm*!

Essayez seulement d'imaginer ce que serait la vie de nos loisirs si les artistes n'étaient pas là pour nous aider à les embellir. L'art est une création et une récréation. L'artiste est un magicien. Avec l'instant qui fuit, il fait de l'éternité. Car nos émotions passent mais l'œuvre d'art reste. Avec nos idées, nos désirs, nos passions, nos rêves, les artistes font des merveilles d'intelligence, de sentiment ou de simple et gratuite beauté.

Sic transit gloria mundi

Je pense qu'il faut être aussi indulgent que sévère pour les artistes. Leur vie n'est pas aussi facile qu'on est parfois tenté de le croire. Ce sont des êtres brillants mais fragiles. La sensibilité exceptionnelle qui les rend capables de si bien exprimer sur scène toute la gamme des émotions humaines les rend par le fait même extrêmement vulnérables aux coups de la vie. C'est pour cela qu'ils ont besoin d'être aimés pour donner la pleine mesure de leur talent. La notoriété ne suffit pas. La gloire est une amoureuse inconstante dont les caresses ne sont que passagères. Elle grise un soir et elle s'enfuit dans les bras d'un autre. Personne ne sait mieux que les artistes combien elle est éphémère. C'est bien pour cela qu'il faut toujours être poli pour le public qui les voit monter... car c'est le même qui les verra descendre. Les vedettes de la scène ou de l'écran sont des étoiles filantes. Pour 10 d'entre elles qui laissent une trace au firmament de la gloire, il y en a 1 000 qui après avoir brillé un instant aux feux de la rampe s'éteignent aussitôt pour sombrer dans la nuit d'un universel oubli.

L'ivresse impénitente

Malgré cela, je ne connais pas de vrai comédien qui ne soit prêt à payer des misères de son métier les grandeurs qui le font si beau. Car jouer la comédie, c'est une ivresse. L'ivresse de laisser exploser l'instinct, cette animalité de l'intelligence. L'ivresse de dompter le public, «ce monstre qui a des milliers d'yeux et des milliers d'oreilles et qui nous attend dans l'ombre», comme disait Shakespeare. L'ivresse de l'amour du jeu, ce mystère joyeux des planches. Être un autre sans cesser d'être soi; laisser investir sa personne par l'âme d'un personnage; être le miroir vivant du reste du monde; vivre les vies qu'on veut à travers celles que nous offre la scène; épouser toutes les situations, traduire tous les états d'âme, fouiller le cœur humain et en projeter les splendeurs et les turpitudes à la face du peuple; donner l'illusion que tout cela est facile quand nous savons, nous, qu'il faut tordre jusqu'à la dernière de nos tripes et répéter jusqu'à saturation pour que la vérité des autres éclate par notre visage et notre voix... y a-t-il quelque chose de plus emballant au monde? Quel merveilleux, terrible, ingrat mais exaltant métier que le nôtre!

La vérité du mensonge

Et puis quelle douce folie que de faire profession de mensonge! Car jouer, c'est essentiellement mentir. Mentir d'abord à soi-même puisque notre personnage, ce n'est pas nous. Mentir aussi au public puisqu'il sait bien que ce personnage n'est pas nous. Et le plus extraordinaire, c'est que *mieux nous mentons, plus nous sommes vrais.* Le paradoxe du théâtre, c'est de dire la vérité par le mensonge!... Mais quelle joie aussi! Quelle joie riche que celle d'explorer toutes les voies de l'esprit, du cœur et des sens. De vivre par personnages interposés toutes les passions humaines. Joie de la liberté d'aller jusqu'au bout de soi sous le masque d'un autre. Joie de rire, joie de pleurer, joie de sentir que par notre art nous pouvons faire passer d'autres êtres par toute la gamme des sentiments possibles. Joie de recevoir les applaudissements comme des vagues d'amour qui, traversant la rampe, viennent nous envelopper et nous enivrer de chaleur. Joie nerveuse de sentir notre travail bien fait. Joie intime d'avoir peut-être fait du bien à ceux qui sont venus nous voir. Joie de la création, parce que tout acteur est un auteur: il crée un rôle. Joie du rêve: faire vivre le spectateur à l'image des rêves qu'il nourrit au fond de lui. Joie poétique, car par la magie du théâtre, la scène devient une tribune d'où les poètes chantent leur âme, proclament leurs idées, crient leurs passions, projettent les images qui ont illuminé leur esprit. Cette joie, nous ne la possédons jamais autant que lorsque nous la donnons.

Mes frères, je m'accuse...

Je m'accuse devant vous, amis lecteurs, d'avoir savouré cette joie avec la plus païenne volupté. J'ai goûté comme communion d'amour les heures que j'ai passées dans l'intimité chaude du public. Chaque fois que je me suis donné à lui, son plaisir était le mien. J'ai reçu ses rires en plein cœur, j'ai joui sans remords de sa complicité gaillarde et de son bonheur d'enfant. Chacune de mes rencontres avec lui fut une grâce, un cadeau des dieux, une récompense imméritée. Le spectacle terminé, l'éclat de sa joie me transportait de gratitude. J'ai goûté tous ces instants avec une fébrilité fervente et une passion impénitente. C'était de l'amour. Tu avais

Un soir, à *Porte ouverte*, animée par Jacques Normand, je me suis
retrouvé dans la peau d'un académicien français... qui ne l'a jamais su.

raison, Marmontel, de dire que «le sourire du peuple vaut
mieux que la faveur des rois». J'ai eu ce sentiment chaque fois
que j'ai vu le peuple heureux sous mes yeux. Aussi cabotin que
les autres — et pourquoi pas? — j'ai succombé au charme de la
griserie que me donnaient mes petits succès. Mais en me disant
aussi, parce que je ne suis pas con au point de me prendre
pour un grand comédien — au fond je n'ai été qu'un amuseur
ravi — que ce n'est pas moi qui ai du talent, c'est le public qui
est en santé! Le public, c'est lui qui est notre maître parce que
c'est lui qui juge. C'est à lui que nous devons des comptes et,
quoi qu'il en soit de tout le reste, c'est toujours lui qui a le
dernier mot. Pour la simple et excellente raison que si lui n'était
pas dans la salle, nous n'aurions pas d'affaire sur la scène. Il
est en même temps — amusant paradoxe — notre raison d'être,
notre client et notre patron.

Je le salue bien bas.

Deuxième partie

Un jarret-noir en liberté

AVERTISSEMENT

Le vieux m'a demandé de lui faire une petite place pour ses histoires. Comme je lui dois beaucoup, et que je l'aime autant, je n'ai pu lui refuser.

Seulement, je vous en avertis d'avance, je ne suis pas responsable de ses propos. Ses frasques m'ont déjà donné assez de misères, je ne suis pas pour épouser en plus la paternité de ses extravagances écrites. D'ailleurs je ne crois pas la moitié de ses gédéonnades. Il a l'habitude de conter des menteries et de les croire. Qu'il s'arrange avec sa conscience!

Vous connaissez sa passion, que je crois désordonnée, pour les créatures. J'ai la nette impression qu'à ce sujet ses vantardises ne sont que l'expression spectaculaire d'une impuissance dont il se refuse à admettre les avatars et qu'il cherche à cacher sous le couvert facile de la blague. Je comprends qu'à son âge... Ainsi l'autre jour, je faisais route avec lui vers Saint-Gérard-de-Beauce — dont il se croit le maire éternel parce que, dit-il prétentieusement, tous ses adversaires ont été «battus par acclamation!» — et je lui ai posé la question: «Dites donc, le père, ça fait 25 ans qu'on vous entend toujours parler des créatures; dites-moi franchement là, confidentiellement, êtes-vous encore capable de leur faire quelque chose?...» Il s'est gourmé un peu, il a pris son air de patriarche sentencieux comme s'il allait énoncer un dogme, et il m'a répondu: «Mon garçon, je vais te dire la vérité vraie. J'ai toujours eu un faible pour les créatures... mais jamais de faiblesses. Moi, je suis inoffensif. À mettre entre toutes les mains. Parce qu'à la clairté, j'ose pas, pis à la noirceur... je vois plus rien!»

J'ai souvent dû, par politesse respectueuse de son âge, subir en silence ses sarcasmes hautains et ses reproches acides. Ainsi après ma victorieuse défaite comme candidat péquiste dans Matapédia en 1970, il n'a rien trouvé d'autre pour me consoler que d'amers commentaires.

Ça m'a fait un peu de peine. Mais je lui ai pardonné son involontaire cruauté parce que je n'ai jamais pu malgré tout me défendre contre une incoercible affection pour sa bonne nature.

Je lui laisse le crachoir puiqu'il a toujours voulu le prendre.

P.-S.

Par acquit de conscience, à titre de secrétaire privé, j'ai timidement proposé au vieux de revoir son texte et de lui suggérer, au passage, quelques corrections possibles d'orthographe et de syntaxe.

Comme je lui faisais remarquer, avec d'infinies précautions et à grand renfort d'euphémismes doucereux et de mots couverts, que certaines de ses expressions, tout en gardant une saveur réelle, risquaient de gêner des âmes sensibles à la pureté de la langue, que leur goût de la qualité linguistique honorait — et dont je partageais d'ailleurs le noble instinct de l'orthodoxie grammaticale —, il en a été presque insulté. Il m'a proprement envoyé sur les roses en invoquant Jean Narrache (Quand j'parle tout seul qu'Ovide Plouffe, son intellectuel de filleul, lui avait déjà offert en cadeau) et le langage corsé des paysans de Molière (ô suave mariage de la culture et de l'agriculture!) qu'il avait entendu parler un soir que son neveu l'avait emmené au TNM voir Don Juan qui, lui aussi, aimait beaucoup les créatures...

Il m'a même rappelé avec une éloquence triomphaliste une chose que j'avais oubliée: sa célèbre rencontre avec l'académicien français, le comte de la Fontaine, qui, venu chez Ovide lui-même, au pied de la pente douce, décorer le jeune écrivain de la médaille de l'Académie pour son roman Le soleil chez les pauvres, *avait hautement complimenté le maire de Saint-Gérard-de-Beauce au sujet de sa parlure verte et drue.*

Devant cette avalanche imprévue de références aux autorités littéraires les plus manifestement intouchables, je me suis poliment tu et je n'ai pas osé insister. Voilà pourquoi je vous livre son verbe dans sa vérité toute nue, laissant le vieux seul responsable, devant les pontifes de notre culture, de la forme comme du fond de ses délirantes abracadabrances et de ses bucoliques menteries.

D. L.

Une paire de maires. Comme disait Victor Hugo: «Quand un maire se déplace, c'est l'État qui fonctionne.»

Ma Beauce

Ah! la Beauce! la Beauce...

Pour moi... la Beauce... c'est ce que le bon Dieu a fait de mieux sur la Terre... après le Paradis terrestre...

Y a pas de plus beau coin dans le monde... que toutes ces terres pis ces forêts qui s'étendent au soleil tout le long de la rivière Chaudière... pis qui font vivre le peuple le plus joyeux de la Terre...

Parce que la Beauce, c'est pas rien que le sirop d'érable... c'est la beauté, la tranquillité, la paix pis la joie...

Le printemps, elle est juteuse, elle nous donne son sucre... Même des fois qu'elle se fâche, pis ça fait des débâcles terribles...

L'été, elle est chaude pis vivante comme nos créatures...

Pis l'automne... l'automne, la Beauce, c'est plus qu'un pays, c'est un tableau de peinture. L'automne, on dirait que toutes les couleurs de la nature sont venues en congrès chez nous. Y a de l'or, y a du sang... y a du cuivre dans les feuilles... pis le soleil joue à la cachette là-dedans... Ah! ça se dit pas: faut le voir...

Pis ça sent bon, donc... Tu renifles ça, là, c'est du parfum. Je te dis que ça goûte pas la même chose que la ville. Je veux pas dire du mal du monde qui reste en ville, mais je les plains d'être obligés de vivre dans la boucane pis dans le vacarme...

Sur l'asphalte des villes, ça pousse pas... Mais dans la terre de la campagne, ça pousse. C'est pour ça qu'on a plus de misère à partir de la campagne qu'à partir de la ville...

Il y a rien qu'une chose de plus plaisante que d'aller en ville: c'est d'en revenir.

Quand un Beauceron sort de la Beauce, il peut aller n'importe où dans le monde, il emmène la Beauce avec lui. Parce que t'auras beau dire pis beau faire, tu peux sortir un gars de la Beauce, mais tu peux pas sortir la Beauce du gars...

C'est pour ça que dans le monde, y a deux sortes de monde: les Beaucerons... pis ceux qui voudraient ben l'être!

Le pompeux d'orgue

Quand je suis entré dans le chœur de chant, moi, à Saint-Gérard (j'étais jeunesse dans ce temps-là), j'avais pas plus qu'une vingtaine d'années. C'était le père Jos Picard qui était maître-chantre. C'est lui qui m'a montré à solfier... pis chanter à la note... Parce que moi... avant... je chantais par cœur... à l'oreille... Mais pour chanter à l'église, fallait savoir lire la note...

Ça fait que... dans ce temps-là, à part de ça... on avait des orgues à bras... Parce que... on n'avait pas l'électricité dans les églises dans ce temps-là... Aujourd'hui, ils ont toutes sortes d'affaires dans les églises... ils ont des micros, ils ont jusqu'à des organophones! C'est ben juste si il y aura pas des confessionnaux électriques betôt!

Toujours que... suffit qu'il y avait pas d'électricité... fallait pomper l'orgue à bras... Il y avait un pompeux d'orgue pour ça... Pis c'était pas n'importe quel homme qui pouvait être pompeux d'orgue. Ça prenait un gars qui avait du souffle à plein... Parce qu'une fois que t'as commencé à pomper faut pus que tu lâches avant la fin... Parce que si tu lâches, ou ben si tu diminues... ça fait des trous dans la musique... l'orgue manque d'air pis il foire. Ça, ça met l'organiste en maudit... parce que lui, il est pas intéressé à vêler devant tout le monde... surtout dans l'église.

Ça fait que... chez nous à Saint-Gérard, c'était Absalon Veilleux qui était pompeux d'orgue. Ça faisait 20 ans qu'il pompait l'orgue, lui.

Pis quand on a changé de curé, c'est le curé Julien qui avait remplacé le curé Belleau dans l'année. Absalon est allé le voir pour lui demander une augmentation. Tu comprends, les syndicats pis les unions, il y avait rien de ça dans ce temps-là. Tu discutais ton affaire avec le curé direct. Pis fallait pas que tu discutes trop fort à part de ça, t'aurais eu l'impression d'engueuler le bon Dieu!

Ça fait que... Absalon va voir le curé au presbytère. Il était craintif un peu tu comprends. Il savait pas comment ce que le curé Julien allait prendre ça...

Toujours qu'il lui dit: «Monsieur le curé... ça fait 20 ans que je suis pompeux d'orgue icite, moi... pis je pompe pour 50 cennes par semaine, c'est toujours pas cher! Pis... je voudrais par aucunement ambitionner sur vous comme de raison... mais si c'était un effet de votre bonté, là... j'haïrais pas

Le curé Grondin (J. Léo Gagnon) et son marguillier en charge lors d'une scène du *Ranch à Willie* en 1970.

ça avoir une petite augmentation... 75 cennes par semaine, par exemple, ça serait-il trop cher pour le bon Dieu?»

Pis il dit: «À part de ça, monsieur le curé, soit dit sans me vanter... moi, je carcule que je suis un des meilleurs pompeux d'orgue qu'il y a dans la Beauce, icite, dans ben grand... En tous les cas, pour vous dire, monsieur le curé, de comment ce que c'est que c'est que je connais mon métier à plein... je vais vous dire une affaire... J'ai déjà vu des fois que j'ai pompé des morceaux que l'organiste pouvait même pas jouer!»

Les grosses familles

Aujourd'hui, ça se voit pus, ça...

Mais, dans mon temps, c'était pas rare... Des grosses familles, de 15, 20 enfants, tu voyais ça partout.

Nous autres, dans la Beauce, les habitants, on avait pas peur d'élever... Chez nous, on était 15, c'est moi qui étais le plus vieux... Pis on a même pris un petit gars en élève en plus parce que son père pis sa mère s'étaient fait tuer en machine... Pis ça faisait pas de différence à la maison... Papa disait: «Quand il y en a pour 15, il y en a pour 16»...

J'ai pas besoin de vous dire qu'on s'ennuyait pas dans la maison aux repas... J'ai pas besoin de vous dire non plus que une douzaine de jeunesses en santé, ça abat de l'ouvrage en peau d'chien sur une terre, ça...

À part de ça, ça tient une nation en vie... Si les Québécois sont au-dessus de cinq millions aujourd'hui, c'est parce que les habitants ont pas fafiné sur le sacrement!... Justement, l'autre jour, il y a un Français qui est venu dans la paroisse chez nous avec des étudiants pour faire une enquête sur... je me rappelle pus quoi... sur le monde qui vient au monde... quelque chose comme ça... Comme maire, je les ai reçus dans la salle du Conseil, pis après avoir signé dans le livre d'honneur, il m'a demandé comment ça se faisait que dans la Beauce, il y avait de si grosses familles. Je lui ai répondu: «Monsieur, les jarrets-noirs, c'est du monde en santé; quand ils sèment en quelque part, ça pousse!... Parce que ils font pas rien que semer... ils arrosent!»

Pis c'est rien, ça... Je vous parlais des familles de 15, 20 enfants betôt... Mathias Tanguay, lui, il en a eu 24... Du même lit... Avec la même mère... Pis quand le nouveau curé est arrivé à Saint-Gérard, il a fait sa visite paroissiale... Pis rendu chez Mathias, il a dit à Desneiges, sa femme: «Mon Dieu, madame Tanguay, que c'est beau... 24 enfants!... Que le bon Dieu doit être content de vous!... Quelle belle couronne vous vous êtes préparée pour le ciel!...»

Mathias lui a dit: «C'est rien ça, monsieur le curé... on en aurait plus que ça: la mère en a écrasé trois!...»

Les femmes en culottes

Il y a personne qui ose en parler... ben moi, j'ai pas peur, je vas en parler.

Ça fait un an que ça me chicote, c't'affaire-là, c'est le boutte du boutte, j'attends pus, je me prononce.

Je me prononce sur la maudite mode de fou qu'ils ont sortie pour les créatures, là, pis qui les oblige toutes à se promener en grandes culottes...

Peau d'chien que je trouve ça laid, moi!

Si je connaissais le niochon qui a inventé c'te mode-là, moi, je pense que j'irais lui casser la gueule... Voir si ç'a du bon sens abîmer nos femmes comme ça...

Pour moi le gars qui a sorti ça, il haïssait les créatures... Il devait être jaloux de leur beauté... C'est comme rien!

Non mais, c'est vrai... Avant, c'était-il beau de voir les créatures... Elles avaient des belles petites minijupes, là... Tu les regardais marcher sur le trottoir... leurs belles pattes à la vue... pis quand elles décidaient de s'asseoir délicatement, t'avais un beau coup d'œil sur une belle cuisse qui s'allongeait... C'était quasiment une vision du Paradis terrestre... C'est ben simple, quand une belle fille passait, rien qu'à la voir, on lui aurait dit merci...

Pis tout d'un coup... bang... ils changent tout ça... Ils leur ôtent leurs petites minijupes, pis ils leur font cacher leurs belles jambettes dans des grandes culottes ballantes, là... elles ont l'air des *gypsies* là-dedans... C'est pus des filles, c'est des garçonnes!

Ça fait que... les créatures, écoutez-moi ben, là... Vous savez comment ce que je vous aime, hein? C'est pas d'aujourd'hui... Ben à matin, au nom des hommes qui sont pas tapettes, pis qui ont le droit de pouvoir se régaler des beautés que le bon Dieu vous a données, je vous lance publiquement un appel solennel: «*Ôtez vos culottes... pis remettez vos jupes!*»

Dans *Le petit monde du père Gédéon*, à Radio-Canada, en 1959, le sultan Gédéon en compagnie du plus beau morceau de son harem, Dominique Michel! Tout est permis quand on rêve!...

Les pic-bois

Savez-vous, je pense à ça, moi des fois... nous autres, les hommes, on se pense ben fins, mais on l'est pas toujours tant que ça. Il y a des créatures qui sont plus fines que nous autres.

On se fait boucher des fois par les créatures, pis on s'en vante pas trop… Ça m'est arrivé à moi souvent, pis j'en ai pas parlé à personne.

J'en ai pas parlé… pas parce que je suis plus orgueilleux qu'un autre… mais c'est parce que… suffit que je suis dans la politique municipale… ça pourrait me nuire comme maire… Pis ça, moi, c'est un risque que je veux pas prendre. Un maire, ça a le droit de perdre une élection, mais ça a pas le droit de perdre la face!

Remarquez qu'il y a des maires que je connais, moi, pis qui pourraient ben la perdre, la face… parce que, avec la face qu'ils ont, ils perdraient rien en la perdant!…

Mais dans le général des choses, là… c'est toujours mieux qu'un maire fasse pas trop rire de lui… parce que ça lui ôte de l'autorité à plein…

C'est important, un maire… Ça en mène large dans la vie d'une municipalité… L'ancien ministre des Affaires municipales l'a déjà dit: «Quand un maire se déplace, c'est l'État qui fonctionne…» Je te dis que sur ce rapport-là… la Beauce fonctionne en peau d'chien, parce que moi, je me déplace souvent!

Ça fait que… pour revenir aux créatures qui ont la parole en bouche, là… la fille à Phirin Després, par chez nous, c'était une fille chaude à plein… Elle aimait les hommes pis l'agrément.

Pis par malchance elle sortait avec Ti-Louis Fanette… Ti-Louis, c'était un bon gars, mais on aurait dit qu'il manquait de sève… Il avait pas d'entreprenance… La fille à Phirin, elle aurait aimé ça se faire serrer un peu, des fois, à la fin de la veillée, toujours, peau d'chien… Pis Ti-Louis, lui, au lieu d'agir quand c'était le temps… il passait sa veillée à parler… Parle, parle, parle… jase, jase, jase… jusqu'à des minuit, une heure… Assez que la fille à Phirin, ça a fini par lui énerver le système… Ça fait que, un bon soir qu'elle aurait filé pour se faire tasser un peu… pis que Ti-Louis parlait encore, pis faisait rien… elle lui a dit en pleine face: «Vous autres, les hommes, vous êtes comme les pic-bois: vous avez toute la force dans le bec.»

La belle France Castel ne savait pas qu'il y a des risques qu'on ne doit pas prendre avec un jarret-noir en santé... Si elle savait à quoi le vieux pensait! C'était au joli vers d'Edmond Rostand: «France, France, toi sans qui le monde serait seul!»

Le travail et le plaisir

À la télévision, des fois, l'après-midi, ils nous montrent des vues de l'ancien temps...

C'est rare qu'un habitant est à la maison, l'après-midi, mais hier, je me suis foulé une cheville en descendant de sur le fenil, pis j'ai été contraint de rester à la maison tout l'après-midi...

C'est arrivé bêtement, ça... J'étais monté sur la tasserie pour haler un peu de foin pour donner à mes vaches... pis en descendant l'échelle, je sais pas comment que j'ai fait mon compte... rendu au barreau d'en bas, comme j'allais mettre le pied à terre... j'ai voulu réparer une chaudière qui était là, j'ai glissé sur une bouse de vache... pis je me suis tordu la cheville.

Pis ça fait mal, maudit! J'ai le pied enflé... je boite comme un quêteux... A fallu que la femme à Engelbert me mette des compresses... pis qu'elle aille chercher les béquilles à Pantaléon Veilleux... Je peux pus me porter sur mon pied...

Pis comme courir les érables en béquilles, c'est pas d'avance à plein... je suis resté à la maison.

J'ai ouvert ma télévision, pis c'était une vue de Fernandel qu'il y avait...

Peau d'chien, j'ai eu de l'agrément!

Il est-il drôle, un peu, ce grand fanal-là...

C'est quand je le vois avec sa grande face de cheval. Il ressemble à l'étalon d'Alphée Proteau, par chez nous...

Il est laid... mais il est fin...

Fin fou... mais fin.

Dans la vue, là, il était assis sur un banc avec un autre gars... Il était à Marseille... Ça se trouve à se trouver en France, ça... Pis d'après ce que j'ai pu comprendre, le monde, par là... ils ont une tendance à être paresseux un peu.

Par rapport à la chaleur, manquable... Il paraît qu'il fait chaud à plein, là-bas... On sait ben, ça se trouve dans le sud pas mal.

Pis le gars qui était assis avec Fernandel, il lui faisait la remarque... que le travail avait pas l'air de l'étouffer. Il s'est fait répondre: ... «Monsieur, ici, à Marseille, le travail, c'est un plaisir... Et le plaisir... c'est tout un travail!»

Les souliers de Carméline

C'est trop drôle, faut que je vous conte ça...

Quand j'étais petit gars, moi, avant de faire notre communion solennelle, on allait suivre des leçons de catéchisme pendant un mois à l'église. C'était le vicaire Turgeon qui nous les donnait. On appelait ça marcher au catéchisme. Tous les enfants de la paroisse étaient là, pis on s'amusait ensemble pendant les récréations.

Je l'aimais à plein, moi, le vicaire Turgeon, parce qu'il me prêtait son bicycle. Je m'en rappelle, j'ai manqué me casser la gueule deux fois en descendant la côte sur Fred Royer, dans le haut du Premier Rang.

Ça fait que... pendant le catéchisme... je m'étais fait une blonde! Elle s'appelait Carméline... Elle était fine... Elle avait des beaux yeux noirs qui me faisaient fondre le cœur. Ces amours-là, ça avait commencé dans le chemin des vaches.

À tous les matins, avant l'école, j'allais mener mes vaches dans le clos de pacage, à la sucrerie, pis je me dépêchais pour pouvoir redescendre avec Carméline qui allait conduire les siennes à la petite rivière aux truites du long de chez Juvénal Lacroix... Pis en descendant, on se prenait par le petit doigt tous les deux... On se regardait... pis on était heureux.

Pis Carméline, elle, pour sa communion solennelle, il lui fallait des souliers neufs... pour aller avec sa petite robe blanche... Elle voulait avoir des souliers en cuir patent... des beaux souliers qui reluisent, là...

Ça fait que son père l'a amenée au magasin chez Joséphat Roy, juste en face du presbytère, pis il lui en a acheté une paire... Ils étaient flambant neufs...

Elle s'en va à la maison avec... pis à force de les essayer — tu comprends, elle était fière, hein! — pis de marcher avec dans la maison, elle s'est fait des ampoules aux talons... Ça lui faisait mal.

Ça fait qu'elle retourne au magasin chez Joséphat Roy, pis elle dit à Joséphat: «Monsieur Roy, mes beaux souliers, là, ils me font mal. Qu'est-ce que je vas faire?»

Joséphat lui a répondu: «C'est ben simple, ma petite, les premières fois, mets-les pas!»

Les derniers sacrements

Dans une paroisse... c'est comme dans un parti politique: il y a toutes sortes de monde...

Y en a qui sont dévotieux... y en a d'autres qui le sont moins... pis y en a qui le sont pas pantoute...

Archille Pélanquin, lui, par chez nous, il l'était pas pantoute... C'était pas parce que c'était un méchant garçon... seulement c'était pas un rongeux de balustre... Il faisait ses Pâques ben juste pis c'est tout... Pis le plus souvent, c'était des Pâques de renard...

Ça fait que... v'là une dizaine d'années... il avait eu des mots avec l'ancien curé du temps... il s'était chicané avec pour une affaire de dîme, je le diable pus trop... En t'cas... il a arrêté d'aller à la messe...

Moi, je suis certain que le bon Dieu va le prendre pareil dans le ciel... il en a pris des ben pires que lui...

Pis, Archille, à part de ça, il était malin à plein. La rancune le lâchait pas vite... Il avait eu un procès avec son voisin, Ti-Fi Couture, pis il l'avait perdu... Pis ça lui avait resté sur l'estomac... Ça fait que... ils se parlaient pus depuis 10 ans...

Un moment donné... Archille tombe malade... Pis malade pour vrai... une grosse inflammation de poumons...

Pis dans ce temps-là, tu comprends, y avait pas les remèdes qu'ils ont aujourd'hui... Une inflammation de poumons, ça virait en enterrement que c'était pas long dans ce temps-là...

Toujours que le docteur Chabot est allé le voir... pis il s'est aperçu que c'était grave à plein... Il râlait... il étouffait quasiment... Ça fait qu'il lui a dit: «Écoute, Archille, je veux pas te faire peur pour rien, mais si j'étais à ta place, moi, je prendrais mes précautions, on sait jamais ce qui peut arriver, des fois.»

Pis... sans en parler à Archille, il avertit le curé Grondin d'aller le voir... au cas où des fois... ça serait sa dernière maladie.

Ça fait que le curé Grondin (qui était un bon vieux curé, pis qui l'aimait Archille, malgré tout, même si il allait pas à la messe) s'en va lui faire une visite d'amitié... Pis tout en parlant doucement, il lui dit: «Archille... je sais ben que tu vas revenir en santé, mais par précaution, là, voudrais-tu que je vienne te porter les derniers sacrements?»

Archille lui a dit: «Monsieur le curé, si c'est les derniers que vous avez, allez les porter à Ti-Fi Couture, il en a plus besoin que moi!»

Le débauché innocent

Ils disent que l'instruction, c'est comme la boisson: y en a qui portent pas ça...

Ça se peut, mais des fois c'est commode en peau d'chien. Prenez le garçon à Valère Vallières, par chez nous; si il avait su lire, sa vie aurait été changée... Parce qu'il lui est arrivé une affaire... faut que je vous conte ça, c'est trop drôle... Il lui est arrivé une affaire... rare à plein.

Phéméus — parce que il s'appelait Phéméus — c'est vrai qu'il savait pas lire, mais c'était le plus beau garçon de la Beauce. Toutes les filles de la Beauce se l'arrachaient. Jusqu'à Hélène Désilets qui était folle de lui... Pis pourtant, Hélène, elle était malaisée à impressionner parce qu'elle... elle en avait vu des mâles dans sa vie... Sa couchette, c'était pas un lit, c'était un champ de bataille!

Un jour il reçoit une lettre. Pis comme il savait pas lire, il dit à sa mère: «Mouman, lis-moi-la donc!» Ça fait qu'elle se met à lire la lettre tout bas. Pis tout d'un coup, elle arrête pis elle dit: «Espèce de salaud! T'as pas honte! Laisse faire, je vas montrer ça à ton père, pis tu vas voir!»

Le soir, son père lit la lettre, il se fâche ben raide lui itou, pis il dit à Phéméus: «Grand cochon, sors d'icite, je veux pus te voir à la maison.»

Ça fait que Phéméus s'en va chez le voisin, Fred Royer, pis il lui fait lire la lettre. Fred la lit à son tour pis il lui dit: «Ça prend un écœurant faire des affaires de même, prends la porte pis remets pus les pieds ici dedans!» Ce pauvre Phéméus, il s'est dit: «Y a pus rien qu'une place où ce que je peux aller, c'est au presbytère.»

Toujours qu'il va voir le curé.

Le curé lit la lettre... Il a pas aussitôt fini qu'il tombe à son tour sur la couenne de Phéméus... «Mais t'as pas honte, Phéméus... c'est effrayant... grand salaud!...»

Le curé déchire la lettre, pis il la sacre dans le poêle.

Ça fait que Phéméus a jamais su ce qu'il y avait dedans. Pis vous autres non plus vous le saurez jamais!

Un gars au courant

Le printemps, c'est le printemps... ça, tu peux pas empêcher ça... y a rien à faire contre ça...

Pis pour un jarret-noir en santé, j'ai pas besoin de vous dire que ça veut dire encore plus que pour n'importe qui d'autre.

Parce que nous autres, dans la Beauce, la sève... on connaît ça. C'est même notre spécialité...

Y a pas de place ailleurs dans le monde où ce que la sève est plus belle, pis plus généreuse... pis plus riche...

C'est pas pour rien que le meilleur sirop d'érable qui se fait dans le monde, il se fait dans la Beauce...

Le sirop d'érable de la Beauce, il est assez bon que le président de la Coopérative des producteurs a pas honte d'en envoyer un gallon à notre Saint-Père le pape tous les ans...

«*Ego te absolvo a peccatis tuis...*» *Le fils du bedeau* de Robert Choquette en 1958.

Là, je vous parle de la sève de nos érables...

Je vous ai pas parlé de la sève des Beaucerons...

Elle est aussi bonne...

La seule différence, c'est que le printemps... elle force!

Elle force assez, que des fois elle nous mène jusqu'au confessionnal!

C'est arrivé à Wilbrod Paquette, l'année passée.

Wilbrod, il est électricien, chez nous à Saint-Gérard... C'est un gars au courant... Il était même au courant que Hélène Désilets, la deuxième voisine de ma tante Clara, l'haïssait pas pantoute.

Pis lui, Wilbrod, il avait un gros penchant pour Hélène. En t'cas, son penchant était assez fort, qu'à force de pencher, il a tombé dessus...

Pis comme la belle Hélène était pas farouche, pis que ça lui faisait pas peur de tirer de la jambette avec les gars, un bon soir que la sève était trop pesante... pis le printemps trop vlimeux... ça été plus fort que lui... il a été la voir... pis il a fait le péché contre le sixième pis le neuvième commandements.

Ça fait que... quand il a été à confesse pour ses Pâques... il s'est accusé au curé Grondin... d'avoir fait des œuvres de miséricorde corporelle... un peu avancées... Le curé lui a fait des remontrances sérieuses... pis il lui a dit: «Comment ça se fait, Wilbrod, un électricien comme toi, tu devais être au courant de quoi faire pour résister au mal?»

Il dit: «Monsieur le curé, vous savez, en amour, c'est comme en électricité: la résistance diminue à mesure que le courant augmente.»

Le golf d'hiver

Je le sais, vous allez rire de moi, vous allez dire: «Quoi ce qui le prend, le vieux, de venir nous parler du golf!»

Ça, je le sais aussi ben que vous autres... Mais ça oppose pas qu'y a des gars qui jouent au golf l'hiver... Beau dommage!... Dans le Sud... ils jouent au golf à l'année, par là...

Bande de peau d'chien de chanceux!

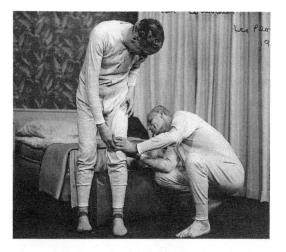

Lors du fameux voyage en Floride des deux Plouffe,
la scène du coupage de caneçons dans la chambre
du motel. Eh! qu'on avait ri!...

Pendant que nous autres, icite, on gèle comme des gri-
gnons, ou ben qu'on patauge dans la sloche, y en a qui se font
griller la couenne au soleil pis qui jouent au golf tous les
jours... Y a pas de justice!...

Maudit Jacques Cartier, va!

Quand je pense que sur son bateau, il avait rien qu'à
donner un petit coup de barre à dia au lieu de s'en aller à
hue... pis il nous fondait en Floride... On aurait mangé des
belles grosses oranges toutes neuves, pis on aurait été se
baigner tous les jours dans le jus du bon Dieu!

Pis le général de Gaulle, lui, il aurait crié: «Vive la Floride
libre!»

Mais non... Fallait qu'y vienne nous fonder dans la glace...
Il a attrapé le scorbut itou. C'est quasiment bon pour lui!

Quoi c'est que je dis là, moi?... J'y pense tout d'un coup...
Si Jacques Cartier nous avait fondés dans le Sud... j'aurais
jamais connu la Beauce! J'aurais jamais fait de sirop d'érable...
Y aurait pas eu de jarrets-noirs...

Non... non... non... À ben y penser, là, on est encore
mieux d'être des Québécois...

Vive nous autres, peau d'chien, on est les plus beaux!

Mes Habitants

Êtes-vous comme ça, vous autres?

Moi, quand ça arrive le temps du détail dans le hockey... c'est bien simple je viens nerveux comme un écureuil... Je pense rien qu'à ça... Je passe mon temps à en parler. J'ai toujours envie de gager avec tout le monde... ou bien de partir pour le *Forum* aller voir jouer mes Habitants sur leur glace. Mon ami Jean Béliveau m'emmène même voir les journalistes à la galerie de la presse.

Que c'est-il beau de voir jouer mes Habitants!... Moi, ce que j'aime d'eux autres, c'est la vitesse... Ils se déplacent assez vite, pis ils viraillent assez dru que les adversaires viennent tout étourdis... Quand ils arrivent autour des buts, c'est ben simple, on dirait un nid de guêpes... Ça passe... zmmm... zmmm... c'est une vraie beauté de voir ça. Lafleur, lui, il patine pas, il vole... On dirait un oiseau-mouche!

Ah! pis tous les autres itou.

Pis mon Ti-Ken[1]!... le mur. Il paraît qu'aux États, les Américains l'appellent la pieuvre... Ah! Ti-Ken, moi, je l'aime assez que je pense que si il était de mon âge, je donnerais ma plus vieille à son plus vieux! Vous savez que c'est un avocat, hein! En tous les cas, si à la Cour il suit les points de loi aussi bien qu'il suit la rondelle sur la glace, manquable que ça va être malaisé de lui passer des sapins...

Avez-vous remarqué, à part de ça, que dans le grand *C* qu'il y a sur le chandail des Canadiens, il y a un gros *H* majuscule de dessiné? Ça, vous savez ce que ça veut dire?... Si vous le savez pas, j'ai le plaisir de vous l'apprendre... ça veut dire Habitants. Pis des habitants en santé, ça perd pas, ça gagne. T'avales pas ça comme de la soupe aux pois sans que ça pète en quelque part!...

Pour revenir au petit Lafleur, là, ça, c'est du bon bois franc... Je vas dire comme Trefflé Bellavance disait l'autre

---

1. Note du secrétaire privé du maire: ce texte a été fait quand Ken Dryden gardait les buts du Canadien.

jour au curé Coulombe: «Si les cochons le mangent pas, lui, il va aller loin!...»

J'ai deux amours

J'aurais jamais cru que ça aurait pu m'arriver... Surtout à mon âge...

Ben me v'là pogné!... Me v'là pogné avec deux amours!...

Pis c'est pas des farces; je les aime tous les deux, hein!... Autant l'un que l'autre... L'un, parce que ça fait longtemps que je le connais, pis l'autre, parce qu'il est plus jeune pis plus proche de chez nous...

Ah je suis malheureux... Je sais pus où donner du cœur!... Entre les deux mon cœur fendu entre deux cavaliers... Ah c'est pas drôle... C'est pas drôle pantoute...

Une chance qu'ils sont pas dans la même famille...

Je vas-t-y vous le déclarer?... Je sais pas si je devrais... Savoir que vous en parleriez pas... Ah je vas vous le dire, tiens... Mais parlez-en pas à personne: ça pourrait me nuire en politique municipale... Non, mais tu sais ce que c'est, hein?... Les amours d'un maire, ç'a beau être personnel et confidentiel, il y a toujours des adversaires politiques malhonnêtes qui peuvent se servir de ça dans le temps des élections... Ça s'est déjà vu ça...

Ouais...

Pourtant je les aime tous les deux...

Un samedi je vais en voir un... pis l'autre samedi je vais voir l'autre... Pis ils se doutent pas ni l'un ni l'autre que j'aime l'autre...

Ah ça me tiraille la conscience à plein!...

Pis le pire, c'est que tous les deux me donnent du plaisir à plein... Assez que des fois, c'est trop... Ils me rendent trop heureux... Je fais des indigestions de bonheur...

Ah je peux pus garder mon secret, faut que je vous le dise!...

Mes deux amours, c'est les Canadiens de Montréal pis les Nordiques de Québec!...

Le hockey à la cabane

L'autre jour, j'ai fait une affaire que j'avais jamais faite encore. Savez-vous où c'est que j'ai vu la partie de hockey? Divinez... Dans ma cabane à sucre!

J'ai pas pu faire autrement parce que j'ai été obligé de faire bouillir toute la journée. Les érables ont pissé sucré toute la semaine. Assez qu'a fallu passer tout le dimanche à ma sucrerie.

Mais j'étais pas pour manquer ma partie à cause de ça. Ça fait que... pendant qu'Engelbert pis Ti-Mé couraient les érables, moi je faisais le sirop à la cabane. Mais j'étais pas tout seul. J'avais amené ma télévision en couleurs. Le curé Delphis Coulombe, Pète-dans-le-trèfle pis Pantaléon Veilleux étaient avec moi. Peau d'chien qu'on a eu de l'agrément!

Entre les périodes, on prenait du réduit. Je versais un clou de p'tit blanc là-dedans, pis on s'envoyait ça dans le trou du cou... Je sais pas si vous le savez, mais ça colle au paquet en peau d'chien ce petit jus-là. Ça vous met un jarret-noir en gaîté que c'est pas une traînerie... Pour rire, j'avais mis la portion du curé plus forte que celle des autres. Je te dis qu'au troisième 20, il avait le verbe haut!...

On a soupé à la cabane avec des œufs cuits dans le sucre, pis après le souper, Trefflé Bellavance pis Juvénal Bolduc, qui avaient été tirer mes vaches à ma place pour me rendre service, sont montés nous rejoindre à la cabane. On a passé la soirée à fêter la victoire de mes Habitants.

J'étais heureux comme à mon voyage de noces. On a pris un coup... pis deux coups... pis on a décidé ensemble comment ce que le monde devrait marcher! On s'est engueulés comme des vrais amis. On a parlé de la partie jusqu'à minuit passé. Il s'est pèté de la broue, là, mes enfants... on se serait cru en temps d'élections!

Ça fait que... vers minuit et demi, les gars sont repartis. Je te dis que Pète-dans-le-trèfle pis Juvénal Bolduc avaient le poil des yeux pesant pis le dessous des pieds rond!

En les voyant chambranler un peu, Pantaléon Veilleux s'est penché vers moi pis il m'a dit à l'oreille: «Tu trouves pas, Gédéon, que pour un gars qui a même pas de terre à bois, Juvénal a un sacré voyage!...»

Magnificat[2]!

Saint Gédéon, merci...
Magnificat, magnificat anima mea Dominum!
Attaboy!

Hein... je vous l'avais bien dit que des Habitants, ça se laisse pas manger par n'importe qui.

Peau de chien que je suis heureux! Si la joie pouvait tuer, je serais mort raide le soir de la coupe Stanley. Entre les bras du curé Coulombe pis de Pantaléon Veilleux qui étaient chez nous ce soir-là. Pète-dans-le-trèfle pis Trefflé Bellavance ont pas voulu venir nous voir gagner en couleurs; ils ont aimé mieux perdre en noir et blanc dans le soubassement à Juvénal Bolduc. Le plus triste, c'est qu'ils ont pas perdu rien que la partie pis leurs gageures; ils ont perdu la chance de se rincer la dalle... Parce que j'ai pas besoin de vous dire que pendant que les Habitants s'envoyaient le champagne de la victoire dans le gorgoton, nous autres, les Habitants de Saint-Georges-de-Beauce, on s'est glissé un maudit bon coup de p'tit blanc dans la boîte à ragoût... C'est ben simple, il a fait soleil toute la nuit...

Me semble de revoir les jeunesses patiner comme des démons d'un bord à l'autre de la patinoire, pis bousculer les adversaires sur toutes les bandes... Pis revenir... toujours revenir... pis ho donc, pis tiens ben, pis lâche pas. Jusqu'à temps que ça rentre! C'était une vraie jouissance de voir ça.

Lafleur qui volait sur ses patins. Il me fait penser à une guêpe sur la glace. Il arrive en trombe, tu sais jamais d'où, pis il zigonne assez ben son affaire que la première nouvelle que tu sais: elle est dedans. Ma foi Dieu, il serait capable de passer une rondelle dans le chas d'une aiguille...

Pis Lemaire, qui serait capable d'en remontrer à tricoter à n'importe quelle grand-mère de chez nous...

---

2. Écrit en 1975, après que le Canadien eut gagné la coupe Stanley.

Pis le petit Jarvis qui a toujours le cœur plus gros que le corps...

Pis surtout mon Ti-Ken... Ah mon cher Ti-Ken... Lui, je l'aime à plein. Avec ses cannes fines pis ses grands plumats, il a même pas besoin de médailles pour garder les buts.

Faut que je vous conte quelque chose à son sujet. Quand ils ont fait le défilé de la victoire, j'étais sur la Catherine avec le curé Coulombe amont moi. Pis quand son char a passé devant nous autres, le curé me tasse du coude en me disant: «As-tu vu, Gédéon, Ti-Ken porte des lunettes? Imagine-toi ce que ça serait à c't'heure si il voyait clair!...»

Le candidat de la veuve

Vous vous rappelez, au congrès des créditistes, le gars qui a perdu son dentier à la télévision... Peau d'chien que c'était drôle!...

Ça m'a rappelé qu'une fois... ça fait longtemps de ça... c'était dans le temps de Taschereau, ça, pis de Sir Lomer Gouin... Quand y avait une élection provinciale, la coutume c'était qu'il y ait des assemblées contradictoires...

Pis il y en avait des fois qui étaient chaudes à plein.

Ça allait jusqu'aux claques sur la gueule...

Ah! peau d'chien oui... C'était du sérieux...

Pis je m'en souviendrai toujours, moi, une fois... quand Pit Phaneuf s'était présenté candidat...

Il avait fait un parlement, après la grand-messe... Il faisait ça sur la galerie chez Noré Mercier... Après la grand-messe c'était le meilleur temps... tout de suite après la criée des âmes, là...

Parce que dans ce temps-là, après la grand-messe, ils donnaient la paie de la beurrerie pis après, ils vendaient des graines, des poules pis des fesses de cochon pour les âmes du purgatoire... Aujourd'hui, ils en vendent plus... Faut croire que les âmes sont toutes sauvées...

Ça fait que... il faisait son discours... pis, il s'était fâché... Il disait: «Mon adversaire se vante... qu'il a été le premier icite dans la Beauce à faire bâtir des écoles... qu'il a été le premier à faire bâtir des ponts... le premier à faire bâtir un bureau de poste... le premier à faire ci... pis le premier à faire ça... pis il a marié une veuve!»

Les vues parlantes

Aimez-vous ça aller aux vues, vous autres?

Eh! peau d'chien, moi, j'aime ça comme un petit gars!

Moi, j'y vas depuis que... depuis qu'il y en a, quoi. Depuis le temps des vues de Charlie Chaplin. C'était pas des vues parlantes, dans ce temps-là. C'était des vues écrites. Ils écrivaient les paroles sur l'image. Mais c'était beau pareil.

C'était tout neuf, tu comprends. On allait voir ça, je m'en souviens, moi, quand j'étais jeunesse. Le dimanche au soir, après les Vêpres, on partait, ma blonde pis moi, pis on allait se prendre les mains à la noirceur... Ils faisaient ça dans la sacristie, dans ce temps-là, parce que on avait pas encore de salle paroissiale. C'était dans le temps du curé Julien, ça.

Depuis ce temps-là, ça a ben changé. Ils nous montrent toutes sortes d'affaires aux vues aujourd'hui. Assez que c'est quasiment gênant d'aller voir ça avec une créature!

C'est drôle des fois ce qui arrive. L'année passée, j'ai été voir une vue avec mon voisin, Pantaléon Veilleux, à la salle sur Philippe-Roy. La vue s'appelait *La femme au rodéo*. C'était une vue de cow-boys. Peau d'chien qu'il y avait des beaux chevaux là-dedans! J'aime ça des vues avec des chevaux, moi.

Pis à un moment donné... c'était dans le bois, ça, il y avait un lac (c'était une vue en couleurs, à part de ça), pis tout d'un coup il resoud une belle créature, toi... À cheval... Elle saute à terre... Elle commence à se déshabiller... J'ai dit à Pantaléon: «Peau d'chien, dis-moi pas qu'elle va ôter tout son grément!» Non, mais c'est vrai, elle se pensait toute seule dans le bois elle là, elle nous voyait pas...

Ôte sa jupe... Ôte son jupon... Pantaléon pis moi on commençait à avoir les yeux pas mal affilés... Pis juste comme elle allait ôter les derniers morceaux... le train passe, peau d'chien, pis on a rien vu...

L'autre, c'est Walter Pidgeon. C'était pendant le tournage du film *Big Red* de Walt Disney, dans les années soixante.

Pantaléon est allé voir c'te vue-là quatre fois, lui... Je lui ai dit: «Es-tu fou, Pantaléon pourquoi?» Il m'a dit: «C'est parce que j'avais toujours espérance à chaque fois que le train serait en retard!»

La chique à Pète

Je regardais ça, l'autre jour, là, les jeunesses d'aujourd'hui, ça sait pas fumer...

Ils fument pas, ils s'empoisonnent. Ils s'empoisonnent à la boucane...

Au lieu de fumer une bonne pipe... ils fument des maudites cigarettes, là... pis ils avalent la boucane jusqu'au nombril... Ils s'abîment tous les poumons avec ça... Ils ont rien que 20 ans pis ils toussent tous comme des consomptions... Allez-vous dire que c'est bon pour la santé, ça?

Pis la cigarette, c'est encore un demi-mal... Il paraît qu'il y en a qui fument une sorte de cochonnerie, là... le pot qu'ils appellent. Il paraît qu'ils se saoulent avec c'te boucane-là... Ils viennent fous... Faut-il être cave, un peu?... Ça va faire une génération de dopés, ça... Ils se brûlent la cervelle avec ces saloperies-là...

En t'cas... moi, je sais fumer...

Je sais quoi fumer, pis je sais comment fumer...

Du bon tabac canayen, peau d'chien...

Pas du tabac à 12 $ la tonne, comme celui-là de Pète-dans-le-trèfle... Je le diable pas ce qu'il a eu Pète, c't'année... Il a pas eu de réussi avec son tabac... Il avait des beaux plants dans son jardin, pourtant. Il avait semé ça du long du fossé de ligne qui sépare sa terre de la mienne. Je crois ben que son tabac a dû geler, quelque chose...

À part de ça, il a été faire sécher ça dans le fenil dans la grange... Les matous ont pissé là-dedans tout l'hiver... Ça sentait le quêteux fatigué quand il mettait le feu dans son brûlot... Ça puait assez que ça faisait tomber les mouches du plafond...

Assez que... il resoud amont moi, le printemps passé, pis il me dit: «Gédéon, je le diable pas quoi c'est que mon tabac a... il est pas fumable... je vas être obligé de le chiquer!»

Le petit sauvage

Le monde d'aujourd'hui sait pus ce que c'est qu'un chantre...

Je parle pas d'un chanceux, là... Un chantre... C'est pas pareil pantoute, ça... C'est le jour pis la nuit...

Les gars qui chantent ben à la télévision aujourd'hui, ils sont rares.

Ou ben ils ont pas de voix, pis ça fait des petits chanteux feluettes qui ont l'air de téter de la musique, ou ben ils crient à tue-tête comme des gars qui tombent dans un mal...

Mais les vrais chantres, là, ceux que tu comprends leurs mots quand ils chantent, pis qui ont du verbe à plein, là, t'en entends pas souvent.

On en avait un nous autres, dans la Beauce, qui avait un verbe dépareillé... Il s'appelait Absalon Giguère... Il chantait assez ben lui, que quand il y avait une grosse circonstance, là, dans une paroisse (pis loin à la ronde, hein... jusque dans Wolfe, Dorchester pis Mégangic), tout le monde voulait avoir Absalon.

Il m'avait déjà dit une fois, moi — parce que, en tant que maître-chantre à Saint-Gérard, je l'avais invité pour chanter le *libera* au service du défunt Télesphore Belleau (Télesphore, c'est un des plus gros morts qu'on a eus dans la Beauce) —, Absalon m'avait dit: «Gédéon, si tu veux faire un bon chantre, il faut que tu t'exerces la parole en chantant souvent... (dans le clos par exemple, quand t'es après labourer... ou ben quand t'es sur le grand rateau), des paroles qui sont malaisées à dire vite».

Pis il m'avait montré la chanson du petit sauvage. Je vous écris les mots, là, pis essayez de les dire vite... Essayez, essayez...

> *C'était un petit sauvage*
> *Tout noir tout barbouillé, ouichté.*
> *S'en va-t-à la rivière*
> *C'était pour s'y baigner, ouichté*

Tominagat et atinaté
Ouichta minagate
Et atinaté, ouichté.

Avez-vous été capable? Ben si vous êtes pas capable, vous ferez jamais un maître-chantre!

Les gauchers

Je dis pas ça pour me vanter, mais moi, la politique municipale, je connais ça à plein.

Je suis le seul maire dans la Beauce à être au pouvoir depuis 42 ans sans arrêter. Le seul. J'ai été élu en trente-six, la même année que Duplessis. Lui il est mort, mais moi, je suis encore en vie pis encore maire. Pis c'est toujours pas Phirin Després ni Grichet Latulippe qui vont être capables de me battre encore la prochaine fois. Quoi veux-tu, le monde m'aime à Saint-Gérard, faut ben que je réponde présent!

L'autre jour je m'adonne à aller à Montréal pour l'assemblée de l'Association des municipalités. J'ai justement rencontré le maire Drapeau à c't'occasion-là. On jasait ensemble quand tout d'un coup, qui ce qui resoud amont moi? Un grand fanal de journaliste à barbe, maigre comme un chapelet, le coffre rentré entre les épaules. Il avait l'air d'une grande slape de bois mou. Pis il me demande derrière ses grosses lunettes noires: «Quarante-deux ans maire de Saint-Gérard, père Gédéon, vous avez ben dû voler une élection ou deux?»

Je lui ai répondu — j'étais choqué — : «Comment ça, voler une élection? Me prends-tu pour un avocat? Tu sauras mon grand cave, pour ton information — parce que tu m'as l'air d'être ignorant comme un député — tu sauras que j'ai jamais volé d'élection. Mieux que ça, j'ai même jamais eu besoin de les gagner: tous mes adversaires ont été battus par acclamation!»

Le maire Drapeau qui était amont moi s'est mis à rire. Pis il m'a demandé: «Coudonc, père Gédéon, Saint-Gérard, c'est-il ben grand ça?»

Je lui ai répondu: «Monsieur le maire, Saint-Gérard, c'est aussi grand que Montréal; la seule différence c'est que c'est pas tout bâti!»

Il m'a dit: «Vos conseillers vous donnent pas trop de misère, toujours?»

J'ai dit: «Non... mais il y en a des fois qui ont des drôles d'idées. V'là deux ans, Pamphile Poulin est arrivé au Conseil avec une proposition: il voulait que la municipalité fasse planter des poteaux de téléphone des deux côtés de la rue principale. Je lui ai demandé pourquoi? Il m'a répondu: «C'est parce que dans la paroisse, il y a des chiens qui sont gauchers!»

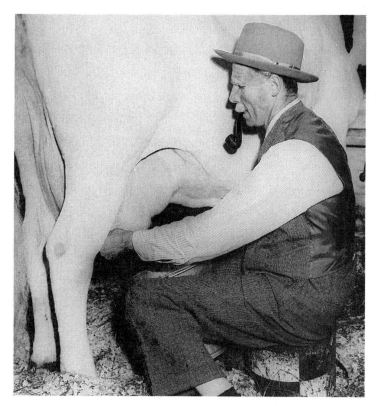

L'heure des vaches.

L'affaire des cure-dents

Y a des fois, je me demande, moi, si les gars les plus drôles, c'est pas ceux qui font rire les autres sans le faire exprès...

Prenez Pète-dans-le-trèfle, par exemple... Mon voisin... Lui, il se trouve à rester passé la petite rivière aux truites, là, en gagnant dans le sud... Vers le village...

Pète, c'est du bon monde à plein... Un voisin dépareillé... généreux... toujours prêt à rendre service... On se connaît nous autres depuis... ah! depuis... au moins... ah! plus que ça... depuis... ben on a marché au catéchisme ensemble pis on a fait notre première communion la même journée... Depuis... au-delà de 50 ans...

Seulement Pète, lui, — pis je dis pas ça pour lui faire de la peine: je l'aime ben que trop pour ça —, Pète, c'est un gars qui a pas sorti beaucoup après neuf heures, tu comprends. Ça, on sait ben, ça lui ôte rien... mais ça lui en donne pas beaucoup non plus...

Ça fait que... le printemps passé... Arrête un peu, là, c'est-il le printemps passé ou ben l'automne passé? Oui, c'est le printemps passé, c'était après mes sumences, ça... C'est ça, je m'en rappelle, là, j'avais été de cérémonie chez Tanase Baillargeon cette semaine-là...

En t'cas... j'emmène Pète avec moi à Saint-Joseph au palais de justice parce que fallait que je voie mon avocat... pour une consulte... Mon avocat, c'était mon meilleur... j'ai pas perdu une cause avec lui... Faut dire que j'ai toujours été dans mon droit, itou... Ça aide un avocat en peau d'chien...

Ça fait que... pour revenir à Pète-dans-le-trèfle, là... quand je suis sorti de chez mon avocat, il était passé une heure.... Moi, j'avais la fringale dans la boîte à ragoût... Mon avocat avait faim lui itou... Pis mon Pète, lui, qui avait tiré ses vaches à cinq heures ce matin-là, je te dis que sa soupane du matin était rendue loin...

Toujours que mon avocat nous emmène au restaurant pour luncher... On a mangé comme des cochons: ç'a duré deux heures... Rendu après le dessert, on s'en va au comptoir pour payer... Pis là, il y avait un petit pot avec des cure-dents dedans... Pète en prend un... il s'écure les dents avec... pis après, il le remet dans le petit pot... Pis en le remettant, il dit à la petite fille qui était à la caisse: «Vous devez vous en faire voler souvent, hein, mademoiselle!»

Serait-ce la ficelle de la politique?...

La ficelle de la politique

Ça prend toutes sortes de monde pour faire un monde... Même du monde des fois qui sont pas du monde...

Qu'est-ce que tu veux? C'est comme ça... c'est comme ça!

Pis ça c'est vrai surtout en politique...

Fiez-vous sur moi, ça fait 36 ans que j'suis maire; je sais de quoi c'est que je dis quand je parle. Moi, j'ai de l'expérience là-dedans, pis je dis la vérité, à part de ça... Toute la vérité, pis rien que la vérité... Comme devant le juge... Croyez-moi, la vérité, y a rien que ça de vrai!

Ça fait que... m'as dire comme c't'homme... pour piquer au plus court... je reviens à betôt là... Quoi ce que je disais donc, déjà... Ah! oui! La politique...

La politique, c'est comme le sport, ça... Faut être souple... Faut plier pis se relever vite... Pour parer les coups, c'est commode...

En 1978, au Salon de l'agriculture. La rondeur d'un ministre et le sérieux d'un habitant.

Jean Chrétien et moi on s'entendait parfaitement... autour des trous!

Pis faut que tu sois avenant avec tout le monde... Si t'es maire d'une paroisse, pis qu'un citoyen resoud amont toi pour se faire rendre service, là, faut que tu commences par l'écouter comme il faut... Laisse-le parler, laisse-le parler aussi longtemps qu'il voudra... Pis toi pendant ce temps-là, jongle... Pense à ce que tu vas lui dire... Pis surtout à ce que tu lui diras pas! Parce que c'est important de savoir quoi *pas* dire...

Parce que la politique c'est comme l'amour: faut savoir jusqu'où on peut aller trop loin!

C'est ça qu'ils appellent les ficelles de la politique. Ficeler, c'est exactement le mot qu'il faut... Je vas vous donner un exemple, tiens. Je prends une ficelle... je la mets sur la table... je l'allonge à sa longueur, un bout devers moi pis l'autre bout à l'autre bout... Si je veux la pousser, quoi ce qu'elle fait? Elle se racotille toute comme un serpent, pis elle avance pas d'un pouce. Mais si je la tire devers moi... je la mène exactement où c'est ce que je veux la mener.

Ben c'est ça, la politique. Si tu pousses le monde, ils vont se rebuter, ils vont ruer dans les brancards, ils vont s'assire sur le bacul pis ils vont boquer.

Mais si tu les tires vers toi, finement, là... tranquillement... tu vas les amener où ce que tu vas vouloir. La ficelle de la politique, c'est ça!

Ça fait que... demandez-vous pas pourquoi ce que je suis maire de Saint-Gérard depuis 36 ans!

La musique d'aujourd'hui

Je sais pas quoi c'est que les jeunesses ont dans le corps aujourd'hui, mais la maudite musique de fou qu'ils nous jouent, moi, je suis pas capable d'endurer ça... Tu peux pas rouvrir ta radio ou ben ta télévision, ni aller entendre des chansons dans les théâtres, sans te faire ahurir avec leur peau d'chien de musique électrique.

Moi j'appelle ça de la musique de fer-blanc... C'est pas de la musique, c'est du vacarme! Ça te mène un train d'enfer à vous défoncer les ouïes... Ça t'a un son de ferraille, à part de ça... Quand ils chantent là-dessus, t'entends pas un mot... Quoi ça donne de chanter une chanson si tu comprends pas les paroles?... Ça se dit tout seul ça!

Pis à part de ça, qu'ils appellent pas ça des chansons: y a pas d'air là-dedans... C'est pas de la chanson, c'est de la maladie mentale... La moitié du temps ils chantent pas, ils hurlent. Vous me ferez toujours pas accroire que c'est beau, peau d'chien!

Moi j'aime ça voir les jeunesses s'amuser, danser, se faire aller le croupion pis s'envoyer les plumats en l'air: c'est beau, c'est plaisant, c'est en vie, c'est de santé. Les jeunesses, faut que ça grouille, pis que ça saute... Mais tu peux danser le vite, pis t'envoyer les quatre fers au soleil, pis avoir de l'agrément sans mettre le volume de la musique au coton pis risquer de venir sourd, désespoir!... Aujourd'hui si t'as le malheur d'aller en quelque part où ce qu'il y a de la musique, quand ça serait-il rien qu'au restaurant, tu peux pus parler au gars qui est en face de toi sans être obligé de lui crier dans les oreilles... Allez-vous me dire que c'est de santé, ça, vous autres?

J'en ai vu un dans un club de nuit, l'autre jour. Ma grande foi du bon Dieu, si il avait été dans mon clos de sarrazin, emmanché comme il était, il aurait fait peur aux corneilles... La barbe longue comme six mois de chantier... des *overalls* avec des pièces sur les fesses... la crigne dans la face: il me faisait penser à l'étalon d'Alphée Proteau par chez nous... Une tignasse huileuse à écœurer les filles de toute une paroisse... Il ressemblait à Barabbas dans la Passion, c'est ben simple...

Il avait un vieux *sweater* rase-trou que j'aurais même pas mis pour aller à l'étable, moi... Avec ça, il avait tout un attirail de bébelles qui lui pendaient dans le cou; il lui manquait rien qu'une clochette à vache... Un échappé d'asile, si vous voulez savoir... À part de ça il était laid... à faire faner les fleurs...

Pis là il s'est mis à crier, pis à râler, pis à se contorsionner... Il se roulait à terre... J'ai dit à Delphis Bellegarde qui était à côté de moi: «Vite, va quérir une ambulance, il tombe dans le mal.»

Vous pensez ce que vous voudrez, vous autres, mais moi je carcule que si c'te maudite mode d'énervés-là se passe pas ben vite... c'est pas du monde qu'on se prépare pour demain, c'est une génération de fous furieux.

J'ai assez hâte que la musique revienne à la mode moi...

Le Vendredi saint

Ouais... toujours qu'ils ont fini par le tuer... C'est ben peau d'chien pareil...

Pis il s'est même pas défendu...

Dire qu'il aurait pu les étriper là d'un coup sec s'il avait rien que voulu... Mais non... il s'est laissé faire...

Ouais, ils l'ont tué...

Pourtant il avait pas fait grand mal...

Il a ben engueulé les Pharisiens quelques fois... pis il a donné quelques coups de fouet aux vendeurs du temple... mais ça, c'était rien que de la justice parce qu'ils le méritaient depuis longtemps.

Mais à part de ça... il a toujours été doux comme un agneau... Il était toujours prêt à pardonner à tout le monde... Quand les vieux voulaient lapider la femme adultère... il leur a dit: «Que celui qui est sans péché lui jette la première pierre!»

Quand il passait dans le chemin du roi pis qu'il voyait du monde malade, il les guérissait...

Pis pourtant ils lui ont mis une couronne d'épines... Ils lui ont craché dans le visage... Ils l'ont flagellé... à part de ça... Ils ont ri de lui devant le monde parce qu'il disait la vérité...

La plus grande vérité qu'il a dit, c'est: «Je vous donne rien qu'un commandement: aimez-vous les uns les autres.»

Ça fait 1 950 ans qu'il a dit ça... pis il y a encore des hommes qui se disent chrétiens pis qui prennent des bombes pour régler des problèmes de la politique...

C'est ben maudit pareil, hein... Les hommes ont rien compris... Bande de caves!...

Plus que ça... je suis certain, moi, que si Notre-Seigneur revenait sur la Terre, là, aujourd'hui, en 1980... notre bon monde se trouverait des bonnes raisons pour le crucifier une autre fois...

Vous avez raison, mon Dieu... pardonnez-leur... ils savent pas ce qu'ils font...

Dehors le pot

Les étudiants, je sais pas si vous êtes comme moi, mais moi, je les aime! Pis je les aime comme ils sont!

Ils sont en vie, ils ont le diable au corps, ils mènent du train des fois, mais au moins ils grouillent, peau d'chien! Parlez-moi d'une jeunesse qui est pas endormie, vous autres!

Il y a assez de nous autres, les vieux, qui ont pas pu faire d'études... Eux autres, ils étudient, pis ils s'amusent, pis ils sont heureux...

Moi je dis: «Vive la jeunesse!» Il y a rien que ça de vrai! Moi, si je suis heureux, c'est parce que je suis encore jeune!

Mais des fois, ils nous jouent des tours, les petits vlimeux! Ils m'en ont joué un peau d'chien, v'là deux ans.

J'étais allé au Carnaval, à Québec... pis Rosaire Cormier m'avait engagé pour conter des histoires de la Beauce au monde qui était venu veiller chez eux à l'hôtel *Neptune*... Pis tout d'un coup, qui c'est qui resoud amont moi? Une dizaine de jeunesses... C'était des étudiants... Des étudiants en génie forestier! Ça fait que... ils m'ont dit: «Le père, on vous enlève... Vous êtes notre prise!»

J'ai dit: «Moi, je peux pas... Faut que je reste icite... J'ai du monde à voir betôt, moi, là.»

Ils m'ont dit: «Les étudiants veulent vous voir absolument à l'université, à soir. Ça sera pas long... On va vous ramener tout de suite après.»

Ça fait qu'ils m'emmènent... Ils me couchent dans un cercueil... Ils vissent le couvert... Ils m'embarquent dans un corbillard... pis on part...

Aïe... je sais pas si vous avez déjà été couché dans un cercueil, pendant une demi-heure... à la noirceur... Je te dis qu'il te passe des idées noires dans la tête...

Ça fait qu'on resoud à l'université... Ils m'emmènent sur la scène en chantant le *de profundis*, pis là j'ai ressuscité comme le défunt Lazare dans le temps de Notre-Seigneur.

Je leur ai conté quelques histoires de chantiers... Ils trouvaient ça drôle à plein, les jeunesses...

Mais je trouvais donc que ça sentait curieux dans la salle... Ça sentait la boucane forte à plein...

Pis un moment donné il y en a un qui m'apostrophe. Il dit:

— Coudonc, père Gédéon, les jeunesses, dans votre temps, là, c'était-il comme aujourd'hui?

J'ai dit:

— Les jeunesses, dans mon temps, c'était pareil comme aujourd'hui. Y a rien qu'une différence. J'ai l'impression qu'on fumait pas le même tabac! Je trouve que votre tabac sent fort à plein!

Ils ont dit:

— C'est le pot!

J'ai dit:

— Quoi?

Ils ont dit:

— C'est le pot qui sent ça!

J'ai dit:

— Ça peut bien sentir le diable, peau d'chien. Sortez-moi le pot dehors, sans ça on va mourir empestés!

Devant mon feu

Hier soir, j'étais tout seul à la maison, chez nous...

Dehors il faisait un froid noir, sec, cassant... Un froid d'acier... Même la lune était gelée... Le zéro courait dans la neige pour se réchauffer...

Plus que ça, il faisait en bas de zéro... Mais moi j'étais ben habillé... J'avais mes gros bas de laine... Je vas dire comme Jean-Claude, le garçon à Vila: «On est mieux en bas de laine qu'en bas de zéro!...»

Toujours que je fais une grosse attisée de quatre, cinq belles grosses bûches d'érable sec, là, dans mon foyer de pierre... Pis je m'assieds devant le feu pendant des heures en fumant mon vieux brûlot...

Pis je pense... Je lâche mes idées libres de courir où ce qu'elles veulent dans ma tête...

C'est curieux tout ce qui peut te passer par la tête quand t'es tout seul devant un feu de foyer pis que tu le regardes brûler...

Le feu, c'est un mystère...

Dire que c'est si beau à voir pis à écouter le bois qui craque, qui fume, qui sille, qui chante pis qui ronronne comme une chatte heureuse... On dirait une musique... Pis que c'est si effrayant quand le même feu se met à détruire une maison ou ben une belle grange que t'as mis des années à gagner... Le feu, c'est un mystère!

Le feu, c'est la lumière itou.

Le feu, c'est la chaleur...

J'étais là, hier, devant mon feu... pis je jonglais... Je pensais tout bas...

Je pensais qu'un feu de foyer, ça ressemble à la vie... un peu.

Quand il commence, c'est une belle flamme rouge, vive, généreuse, vigoureuse, qui éclaire pis qui réchauffe... C'est la jeunesse...

Après, c'est de la braise... plus tranquille un peu, mais pas moins chaude... C'est l'âge mûr.

Ensuite c'est des tisons qui s'éteignent tranquillement en ayant l'air de regretter le temps où ce qu'ils flambaient d'énergie... C'est la vieillesse.

Pis à la fin, tout ça ça fait de la cendre qu'on retourne jeter à la terre pis qu'on reverra plus jamais... C'est la mort.

Je pensais à tout ça, hier, devant mon feu...

Pis je me sentais assez ben à sa lueur pis à sa chaleur que j'avais envie de dire, comme saint François d'Assise qui savait si ben parler à la nature: «Sois béni, mon frère le feu... parce que tu témoignes de la gloire de Dieu.»

Les bessons

Les coups de deux, ça arrive souvent chez nous dans la Beauce. Des jumeaux, il y en a à plein... Quand les jarrets-noirs vont au bat, c'est pas pour passer dans le vent... c'est pour frapper un coup sûr. Pis souvent ils frappent des doubles! Ça fait que... ça fait des bessons.

Il y en a qui carculent que des bessons, c'est des enfants plus feluettes que les autres... Moi, je crois pas ça. Les bessons Arguin, chez nous, pis les bessons Coulombe, c'est des peau d'chien de bons hommes. Résolus... bien bâtis... pis vigoureux. Je te dis qu'il y en avait pas beaucoup pour les accoter. Il y a personne dans la paroisse qui pouvait les renverser au poignet. Même pas Alphé Roy qui pesait 240 pis qui pouvait colleter avec les boulés de n'importe où...

Ma défunte mère carculait, elle, que la force des enfants, ça dépendait de la lune... Ouais... Elle disait qu'un enfant qui vient au monde dans le croissant de la lune, il est toujours plus fort. Pis si il vient au monde dans le décourt, il est plus feluette. Moi, quand je suis venu au monde, la lune était cachée... ça fait qu'on a jamais pu savoir!

Ça fait que... je reviens aux bessons, là... j'en parlais l'autre jour à Hermance, la fille à Prosper Magnan. Elle, Hermance, je te dis qu'elle a pas froid aux yeux... Ah! pis elle a pas froid ailleurs non plus... Belle fille à part ça... Elle a du poitrail pis de l'encolure... pis tout ce qu'il faut pour empêcher un homme de dormir... même couché!... C'était plus qu'une fille, c'était un appel direct à la paternité!

Elle aurait pu se marier bien des fois si elle avait voulu. Mais elle voulait pas... Elle disait, elle: «Le mariage, c'est comme une boîte de chocolats: faut acheter toute la boîte pour avoir un morceau!» Ça fait qu'elle est restée fille... Elle aime pas assez le chocolat, manquable!...

Je la rencontre l'autre jour, au bureau de poste, juste comme la femme à Philias Marceau rentrait elle itou avec ses deux petits jumeaux dans son carrosse. J'ai demandé à Hermance, comme ça:

— Qu'est-ce que tu ferais, toi, Hermance, si t'avais des jumeaux?

— Ben, elle dit, d'abord je les aimerais autant l'un que l'autre; ensuite je les habillerais pareil tous les deux, pis... je pense ben que je me marierais!...

L'impôt et la prostitution

Les gars de l'impôt, c'est comme qui dirait les curés des gouvernements: faut se confesser à eux autres au moins une fois par année. Pis même si t'as pas péché, t'attrapes toujours une pénitence de quelques cents piastres. Moi, l'année passée, ça été 4 000 $.

Les bandits, eux autres, c'est le crime organisé; pis les impôts, c'est la vertu organisée. Pis ça coûte aussi cher dans un cas comme dans l'autre.

Je dis vertu organisée... c'est une manière de parler. Parce que l'impôt, qui a toujours le nez fourré partout, se le met des fois dans des affaires qui ont rien à voir avec la vertu.

Prenez la semaine passée, à Toronto par-dessus le marché, Toronto-la-pure, il y a une guidoune qui s'est fait poigner par la sacoche, c'est le cas de le dire.

C'est arrivé curieusement, ça... Elle, c'est une Hollandaise... Elle s'appelle Xaviera... Avant, elle restait aux États, elle. Pis aux États, ça m'a l'air qu'elle faisait un métier... comment ce que je dirais ben ça, donc, pour pas faire choquer les créatures? En t'cas elle avait la jambe légerte pis elle tirait de la jambette avec les hommes. Ç'a tout l'air qu'elle s'est fait pas mal d'argent à ce jeu-là, parce qu'elle a décidé de passer les lignes pour venir en cacher un peu icite au Canada.

Mais les Américains ont pas aimé ça pantoute... Faut croire qu'ils voulaient la garder avec eux autres. Ils la trouvaient de leur goût, manquable...

Toujours qu'elle s'est retrouvée devant le juge. Pis là le représentant du gouvernement américain lui a dit: «Mademoiselle — parce qu'elle est encore fille (de joie, comme de raison) — mademoiselle, le gouvernement des États vous réclame 34 000 $ d'impôt sur votre revenu.»

Pis savez-vous ce qu'elle lui a répondu (il y a des filles qui ont l'esprit présent)? Elle lui a dit: «C'est un bel exemple à donner, ça! Un gouvernement qui veut vivre des fruits de la prostitution!...»

Pète-dans-le-trèfle

Je pense pas qu'il y ait de place dans le Québec où ce qu'il y a plus de sobriquets que dans la Beauce.

Je parlais de ça avec le notaire Guertin, l'autre jour, après une séance du Conseil. Pis le notaire m'a donné une explication que je carcule avoir du bon sens à plein...

C'est parce que, vois-tu, nous autres, dans la Beauce, il y a eu des familles qui ont eu assez d'enfants... qu'on pouvait quasiment pas les reconnaître par leur nom de famille: c'était le même. Ni par leurs noms de baptême: souvent c'étaient encore les mêmes...

Ça fait que... comme les noms, c'était pas assez, ils se sont donné des surnoms...

Prends mon avocat, par exemple, l'avocat Cliche, de Saint-Joseph... Lui, sa lignée, c'est les Catoche... Pourquoi? Je le sais pas... Mais ce que je sais, c'est que c'est pour les différencier d'une autre lignée de Cliche.

C'est comme les Poulin, dans la Beauce... Il y en a assez qu'ils sont obligés pour se reconnaître de se référer à une génération avant — pis des fois deux. Sans ça ils se mêlaient entre eux autres... C'est comme ça, par exemple, qu'à Saint-Georges, t'as Ti-Louis Poulin, le frère à Taupin. Lui, on l'appelle Ti-Louis à Ti-Bé à Jo-David... Ça veut dire que Ti-Louis, c'est le garçon à Ti-Bé, qui lui était le gars à Jos-David...

Pis faut que tu fasses de même, sans ça tu te trompes de Poulin... Je vas dire comme Ti-Louis me disait l'été passé au golf: «Si tu te trompes de Poulin, t'es pus attelé avec le même cheval!...»

Un sobriquet, c'est pareil; ça se transmet d'une génération à l'autre... Il y a un gars qui m'a demandé l'autre jour: «Votre voisin, Pète-dans-le-trèfle, là, pourquoi est-ce qu'ils l'appellent de même? D'où ça vient ce sobriquet-là?...» C'est parce que Juvénal (son vrai nom, c'est Juvénal), c'est un gars qui est bas sur pattes à plein, pis il était versant sur un bord. Ça le faisait marcher quasiment comme un canard. Ça fait que... quand il fauchait à la petite faux, l'été, il avait toujours le derrière à la hauteur du foin. Son père l'a appelé «Pète-dans-le-trèfle»... pis ça lui est resté.

Pis il est heureux comme ça...

Ma première partie de golf

Ça parle au peau d'chien! J'aurais jamais cru qu'à mon âge (parce que je vas avoir 69 betôt, moi, là: c'est un gros chiffre à passer, ça, pour un vieux!), j'aurais jamais cru que je serais poigné avec un autre vice... Ben ça y est. Faut que je vous conte ça. C'était en 1970.

Au *Ranch*, Willie m'avait dit: «Le père, venez donc faire un tour au Club de golf de Saint-Hyacinthe, on va aller voir les gars du Canadien.» Aïe... tu parles si j'étais pas pour manquer ça.

Ça fait que... je resouds là, pis ils m'ont fait mettre des souliers à clous, ils m'ont donné un grand sac plein de mailloches pis de ferraille, 3 petites boules blanches (j'ai été contraint d'en emprunter 10 autres en cours de route...), pis là on est partis.

Rendu à mon tour de fesser, j'ai mis la balle sur un petit piquet, pis j'ai jeté un coup d'œil sur le pacage pour voir où ce qu'était le drapeau. J'étais énervé un peu, suffit que c'était plein de monde autour, pis surtout que j'avais en face de moi une belle jeune créature qui avait tout ce qu'il faut dans sa petite robe pour me faire perdre mes mires... Là, Jean Béliveau, qui était devant moi, pis qui s'était aperçu, manquable, que je la trouvais belle à plein, est venu me dire à l'oreille: «Gardez vos yeux dessus, le père.» J'y ai répondu: «Si je garde les yeux dessus, qui c'est qui va frapper la balle?»

Pis là, je me suis essayé pour vrai. J'ai pris un élan du maudit, pis j'ai fessé à ma force. Ç'a fait «whizzzzzz»... pis je suis tombé sur le derrière. La petite boule blanche, elle... elle avait pas grouillé. Je me suis élancé une autre fois, pis ce coup-là, elle a fait 15 pieds. J'étais content, on avait décollé.

On a fait tout le clos de pacage comme ça, pis rendu au neuvième trou, j'avais déjà 90 coups de joués. Ils m'ont dit après que j'avais battu le record du Club, pour le premier neuf.

Là, on s'est envoyé un petit boire dans le trou d'un coup, pis on est repartis dans la prairie. Savez-vous que ça a l'air de rien ces petites boules-là, mais c'est bête: ça sait jamais où aller. La mienne, à chaque fois qu'elle voyait du bois, elle allait se cacher dedans. À la fin du compte on est arrivés au dix-huitième pis il paraît que j'étais rendu au-dessus de 175. Pis j'ai eu de la malchance, sans ça je finissais avec un beau 173. Mais ça fait rien. À c't'heure j'ai la piqûre, pis c'est pas fini. Mais ç'a été une journée fatigante. À la fin, le grand Jean m'a dit: «J'ai jamais vu un habitant labourer autant de terrain dans une demi-journée...» Si j'avais rien que labouré, encore... mais j'ai hersé!

Après ça les gars ont été prendre un coup au «dépôt-camp», comme disait Ti-Louis à Ti-Bé à Jos-David, pis ils se sont donné des trophées pis des cadeaux entre eux autres.

Mais le plus beau cadeau de la journée, c'est moi qui l'a eu: on m'a présenté la belle petite créature qui m'avait fait manquer ma première drive. Mireille, qu'elle s'appelle. Elle est hôtesse de l'air. Ça fait que j'ai rien perdu. Si j'ai pas de réussi dans le golf, je pourrai toujours voyager en aéroplane. Je m'arrangerai pour prendre le sien, parce que... c'est elle qui a la plus belle ligne!

Aveux

Ç'est par une indiscrétion que je l'ai su.

Et je n'ai jamais osé l'ébruiter de peur d'être l'objet des représailles de l'intéressé. Mais aujourd'hui, c'est plus fort que moi, il faut que je vous le dise: c'est trop drôle.

Vous savez tous que je suis, depuis déjà 38 ans, le secrétaire privé (de tout) du maire éternel de Saint-Gérard-de-Beauce. À ce titre, je suis au courant de bien des choses au sujet desquelles le vieux compte sur ma discrétion absolue. Mais je sais aussi des choses qu'il croit que je ne sais pas. Par exemple, l'affaire du Club de golf de Saint-Georges. Je vous la raconte à la cachette, mais ne dites pas que ça vient de moi. Je suis sûr que c'est véridique: c'est Taupin à Ti-Bé à Jos David Poulin qui me l'a contée. Son

Avec Claude Raymond, Jean Béliveau et Jacques Traban... Nous autres les athlètes.

gendre, Paul Jolin, qui était là lui itou, peut vous le certifier. Paul Jolin est avocat; et un avocat, ça ne conte pas des menteries à moins que ça ne soit absolument nécessaire pour gagner un procès. D'ailleurs aujourd'hui il est rendu sur le banc. Les menteries, il ne les conte plus, il les juge...

Figurez-vous qu'un beau jour du mois de juillet, l'été dernier, le père Gédéon est invité par le maire de Saint-Georges pour une partie de golf. Fou de joie comme un petit gars, le vieux accepte, s'imaginant naïvement qu'il allait accomplir des prouesses qui rendraient les Beaucerons fiers de lui. Mais il oubliait une chose: au golf, on est quatre à jouer ensemble. Ce qui fait que c'est pas facile de tricher: il y a toujours trois gars qui t'on vu. Et c'est justement un de ces trois gars-là — Paul Jolin, pour ne pas le nommer — qui m'a dit ce qui s'est passé. Vous allez voir que ça n'a rien à voir avec la vantardise et la jactance habituelles du maire de Saint-Gérard.

Après avoir fait un double bogey au premier trou, un triple au deuxième, le vieux, voulant se rattraper, a forcé (et calotté) trois balles de suite au troisième, si bien que sa balle a fait en tout et partout... à peu près 30 verges! Humilié par une si piètre performance, le père se retourne, penaud, vers maître Jolin et lui dit, tout déconfit:

— Tu sais, mon petit gars, rendu à mon âge, on en arrache bien plus qu'on en plante!

Mieux, avant la partie, Taupin lui a demandé:

— Qu'est-ce qu'on fait, le père? On fait-il nos 18 trous debout ou ben si on prend une chaise roulante?

Le père Gédéon répondit:

— Dix-huit trous debout? Es-tu fou? Je peux même plus en faire un couché!

Le bazou à Caouette

Je fouillais dans mes vieilles affaires, l'autre jour — j'ai quasiment autant de paperasses dans mon office, moi, que si j'étais ministre de l'Agriculture —, pis tout d'un coup, qu'est-ce qui me tombe sous les yeux?... Une caricature de LaPalme que l'avocat Cliche m'avait donnée... justement, tiens, la journée que j'avais gagné mon procès à Saint-Joseph contre le défunt Thomas à Ignace à Alphonse pour mon affaire de trécarré...

Dans c'te caricature-là, il montrait Caouette qui était après parler de politique avec un vieux qui s'appelait Baptiste Canayen. Ils étaient tous les deux amont un vieux char tout écrianché... monté sur deux blocs de bois... les roues carrées en avant pis rondes en arrière... la carrosserie pleine de trous icite et là... des bouts de tuyau attachés avec de la laine... le moteur avec des morceaux qui s'ajustaient pas l'un dans l'autre... une machine toute raboudinée qui avait pas l'air en santé pantoute...

Pis dans la caricature de LaPalme, elle était emmanchée d'une manière que le tuyau d'échappement en arrière était connecté avec un boyau qui ramenait tout le gaz brûlé dans le carburateur,... voulant dire par là, manquable, que le moteur se nourrissait avec son propre gaz brûlé.

Pis sur la porte c'était écrit: «Le Crédit social s'en vient.» Pis là, Baptiste Canayen demandait à Caouette — parce qu'il connaît ça à plein les autos, Caouette, lui, il en vend en Abitibi depuis nombre d'années — ... il demandait à Caouette: «Coudonc, Réal, ça marche-t-il c't'affaire-là, toujours?» Pis Réal répondait: «Ça marche pas, mais c'est une maudite bonne idée!...»

Je contais ça à Philémon Hallé l'autre jour, pis il m'a dit: «Gédéon, sais-tu pourquoi je vote pour Caouette, moi?» J'ai dit: «Non.» Il dit: «C'est parce que dans tous les politiciens que je connais, c'est le seul qui me fait rire!...»

La richesse

Il y a des gens qui pensent qu'ils sont riches parce qu'ils ont de l'argent. À mon dire, à moi, ils se trompent en peau d'chien!

Moi, je carcule que l'argent, ça veut rien dire pantoute... si t'es pas heureux.

Pis le bonheur, ils diront ce qu'ils voudront, ça s'achète pas. La preuve c'est que c'est ceux qui ont le plus d'argent qui sont les moins tranquilles... Je connais un gars à Montréal, moi, qui est millionnaire pis qui est malheureux comme un tas de roches... Il a passé la moitié de sa vie à se faire mourir pour ramasser de l'argent... pis il passe l'autre moitié à mourir de peur de le perdre... Allez-vous me dire que c'est le bonheur, ça?...

En t'cas si c'en est moi, j'en veux pas.

J'aime mieux être simplement à l'aise sur ma terre... après avoir élevé une belle famille que j'aime pis qui m'aime... que de passer ma vie à m'inquiéter de savoir si je vas faire de l'argent... pis encore plus... pis toujours plus...

Ma richesse à moi, c'est mes enfants que j'ai faits... pis le bonheur que j'ai essayé de leur donner.

Avez-vous remarqué ça, vous autres que... dans la vie, on n'est pas riche de ce qu'on possède; on est riche de ce qu'on donne!... C'est vrai: t'as toujours le cœur plus joyeux quand tu donnes quelque chose que quand t'en prends.

À part de ça, si tu fais pas attention, à force de faire de l'argent tu deviens avare... L'avare, c'est le gars qui possède pas ses biens, mais qui est possédé par eux autres... Pis ça, ça durcit le cœur.

Pis en plus la plupart du temps, les riches, ça s'ennuie... C'est toujours comme ça: quand les plus forts ont dévoré les plus faibles, ils s'ennuient... Un riche, c'est un pauvre homme qui a de l'argent!

J'ai pour mon dire, moi, que l'homme le plus riche, c'est pas celui qui a le plus d'argent, c'est celui qui a le moins de besoin... Parce que plus t'en as, plus t'en veux... pis il y a pus de bout à l'ambition.

Ils diront ce qu'ils voudront, moi, j'aime mieux être un habitant heureux sur sa terre qu'un millionnaire qui se morfond à avoir peur de pus l'être du jour au lendemain.

À part de ça, à quoi ça sert, voulez-vous ben me dire, d'être le mort le plus riche du cimetière?... Je vas dire comme le défunt Alcide Tardif, de Causapscal, qui était un vieux sage pis qui a tout donné son bien de son vivant: «T'emmènes pas ton coffre-fort derrière ton corbillard!...»

Ça me fait penser à Jos Allaire, de Montréal. Il était dans la finance, lui. Pis il est mort d'une crise cardiaque à 60 ans. Le lendemain, à son bureau, quand les financiers ont appris la nouvelle, il y en a un qui a demandé à l'autre — parce qu'ils pensent rien qu'à ça, ces gars-là: «Combien est-ce qu'il a laissé, Jos?» Il s'est fait répondre par la petite secrétaire qui était là pis qui était pas bête: «Il a tout laissé, monsieur!...»

Je vas dire comme Jean-Claude Lisée, le gars à Vila: «L'argent fait pas le bonheur... faut se débarrasser de ça!»

Le jars

Il y en a qui se vantent...

Il y a des gars qui font du vent avec leur gueule.

C'est le vent qui fait marcher leur moulin à paroles.

Chez nous, dans la Beauce, on appelle ça des jars.

Faire le jars, ça veut dire parler... pis rien faire.

Les jars sont toujours des grands parleux pis des petits faiseux.

Surtout sur le rapport des créatures!...

Parce que... on dira ce qu'on voudra... mais il y a une affaire certaine: c'est qu'en ce qui concerne le sacrement du plaisir... ça se peut pas que t'en reprennes en vieillissant...

Non mais, c'est vrai... Parle, pis jase tant que tu voudras... à 70 ans, t'as beau être en santé, tu peux pas avoir autant de vigueur qu'à 35 ans. T'as pas autant de verdeur dans le membre joyeux... Ça se dit tout seul, ça... Pas nécessaire d'avoir fait des grosses études pour savoir ça...

Pis ça peut pas se faire autrement, c'est la nature. Quand même qu'un gars se vantera sur tous les toits... il vient toujours un temps où ce qu'il commence à y avoir du mou dans la corde à nœuds...

Mais remarquez une affaire: quand ce temps-là est venu, moins les gars le font... plus ils en parlent! C'est à remarquer, ça.

Ça fait que... quand tu commences à prendre de l'âge, là... pis que tu peux pas honorer les créatures avec autant d'élan que quand t'étais jeunesse... t'as rien qu'une chose à faire: ferme ta gueule!... Parles-en pas!... Tiens ça mort!...

Ou ben si t'en parles, parles-en d'une manière drôle... avec de l'humour. Comme ça ailleurs de rire de toi, le monde rira avec toi... Fais comme le père Odina Campeau, qui restait dans le premier rang de Saint-Romain, voisin de chez Ernest Roy qui avait marié une petite Bourque de Stratford. Il était veuf, le bonhomme. Pis quand les gars, pour le faire étriver un peu, lui demandaient des nouvelles de sa santé d'amour... le père Odina leur répondait, avec un petit sourire dans la moustache: «Ah! moi, je file comme une rose qui a la queue dans l'eau... Je suis encore capable de coucher avec une créature tous les soirs... à condition qu'elle me laisse dormir tranquille!»

Le dentier de ma tante Clara

C'est bien pour dire, hein, on sait jamais jusqu'où la politique peut aller!

Prenez ma tante Clara, par exemple. Elle, elle savait rien. Elle était ignorante comme une roche. La politique, elle connaissait rien là-dedans. Non mais, vrai vrai, là, elle en savait pas plus que son député du temps, qui avait jamais été à l'école de sa vie. Ça fait que... hein!

Puis pourtant elle a été poignée dedans malgré elle.

C'est arrivé curieusement. Faut que je vous conte ça.

Ma tante Clara, elle avait pas de dents. Pis comme de raison, quand elle venait pour parler — ça lui arrivait pas souvent, mais elle avait quand même une demi-idée de temps en temps — quand elle venait pour parler, elle avait de la misère à articuler. C'est vrai qu'elle mâchait pas ses mots, mais fallait toujours qu'on la comprenne. Elle parlait comme ça, tiens: «Gédéon, va me quérir du snuff au restaurant chez Phonse Vallée.» Parce qu'elle prisait, la vieille peau d'chien. Thophile Campeau la faisait étriver, il lui disait qu'elle chiquait par le nez!...

Ça fait que... fallait quasiment être parent avec elle pour savoir quoi ce qu'elle disait.

Toujours que... elle était venue me voir — c'était la première année que j'étais maire de Saint-Gérard — pour avoir un octroi du fédéral pour son dentier d'en haut. Je lui en ai obtenu un parce que je connaissais intimement Édouard Lacroix: j'avais fait chantier pour lui dans le temps.

Mais trois ans plus tard, la v'là qui resoud encore amont moi. Pis c'te fois-là, elle voulait avoir un octroi du provincial pour son dentier d'en bas.

Le bon vieux temps du *Ranch à Willie*.

Ça fait que j'essaie encore. J'écris au député pis au gars qui avait le patronage dans le comté. C'était l'année des élections, ça. Je me suis dit: «Je vas avoir une chance.» Pis comme de fait, après que je lui eusse promis de la faire voter pour lui, il m'a dit: «C'est correct, je vas lui en faire avoir un octroi.»

Mais juste au moment où ce qu'elle était sur le point de l'avoir, peau d'chien, le gouvernement a changé!

Ç'a été son coup de mort à ma tante. Elle est partie pour le ciel un mois après les élections. Je me demande même si saint Pierre a pu la comprendre quand elle a dit son nom en arrivant!…

L'amour des créatures

Il paraît qu'il y a un Français qui a déjà dit: «La punition de ceux qui ont trop aimé les femmes… c'est de les aimer toujours!»

Tu parles d'une punition, toi…

J'en prendrais ben une douzaine comme ça, moi.

Non… 12, ça serait trop. Je serais trop puni. Je mourrais au bout de mon plaisir!…

Non mais sans farces, là… Quoi c'est qui nous resterait d'agrément sur la Terre si on n'avait pas les créatures?…

429

Il les a toujours aimées... rondes!

Hein?... Quoi c'est qui nous resterait?

La boisson? Ça magane la santé.

La cigarette? T'attrapes le cancer des pomons.

La drogue? Ça tue ou ben ça rend fou. T'as qu'à voir les caves qui mangent des pilules pour voir des couleurs.

La politique? C'est encore pire, ça rend vlimeux.

L'argent? Plus t'en as, plus t'as peur d'en perdre.

Rien.

Y a rien...

Y a rien de mieux que l'amour.

En tous les cas, si le bon Dieu a fait mieux que ça, il l'a gardé pour lui...

À part de ça, faut les aimer toutes.

On peut pas toutes les marier, comme de raison, mais faut les aimer toutes. C'est un commandement de Dieu. C'est une obligation. Si on le fait pas, c'est un péché. Un péché d'omission. Autant d'acquets de le faire! Hein, les gars, qu'est-ce que vous en pensez?...

L'amour... l'amour, peau d'chien, il y a rien que ça de vrai...

Si il y en a qui sont contre ça, ça doit être parce qu'ils manquent de sève...

Pis ça, ça s'est jamais vu dans la Beauce!

Le concours de fidélité

L'autre jour, Delphis Ouellette, le garçon à Herménégilde, qui reste voisin de Cyrinus Gaulin, s'est joué un tour sans le vouloir. Il en a assez joué à tout le monde, des tours, que c'était pas méchant que ça lui arrive à lui.

Je sais pas si c'est vrai... j'ai jamais eu l'occasion de vérifier personnellement... mais d'après les gars... il paraîtrait que Delphis aurait... une tendance à sauter les clôtures, un peu! Pas parce qu'il aime pas Janette, sa femme, qui est fine comme une soie, mais parce que sur le rapport du plaisir de la chair... il aurait, comme qui dirait... une santé trop forte.

Ça fait que... des fois... tu comprends... l'occasion étant vlimeuse... pis suffit qu'en amour, comme je l'ai déjà dit, la

Les grandes orgues de la chambre nuptiale...

résistance diminue à mesure que le courant augmente... il lui est déjà arrivé que son courant à lui était assez fort qu'il avait pus de résistance pantoute! Pis dans ce temps-là, ben, il tombait dans le péché contre le neuvième commandement: «L'œuvre de chair ne mangeras... (voyons, peau d'chien, je me mêle avec les commandements de l'Église, moi, là... j'étais rendu avec le poisson le vendredi!)... l'œuvre de chair ne désireras qu'en mariage seulement.» C'est ça... Je l'ai...

Moi, je l'ai... mais lui, il l'avait pas. Ça fait que... une bonne fois... il était allé à Montréal... pis ses amis l'ont emmené dans un club de nuit. Pis ce soir-là il y avait un concours. Un concours de fidélité... Avec un beau prix à part de ça: ils donnaient un beau capot de poil de 400 $ à l'homme qui avait jamais trompé sa femme...

Ça fait que... quand Delphis a vu ça... il s'en est vite allé dans la boîte de téléphone, pis là il a appelé sa femme, longue distance... Il lui a dit: «Janette, vite, vite, donne-moi le numéro de téléphone de mon frère Josaphat... Vite!» Janette, elle dit: «Mon Dieu Seigneur, pourquoi est-ce que t'es si pressé?» Delphis dit: «On est dans un club de nuit icite, là, pis il y a un concours de fidélité, avec un capot de chat de 400 $ au gars qui a jamais trompé sa femme... Mon frère Josaphat va gagner ça certain, il est marié depuis deux jours!» Ça fait que Janette lui demande: «Pis toi, Delphis, tu concours pas?...»

Ah! ben là, Delphis était pogné... Il dit... il dit... il dit: «Non... vois-tu... Janette... Je l'ai essayé, le capot, pis les manches sont trop courtes!»

La guerre

Il y a du monde dans le monde, c'est quasiment pas du monde.

Les tueurs, par exemple. Les gars qui tuent leurs semblables... Mettons qu'il y en a les trois quarts là-dessus qui sont fous, mais les autres?...

Pis les gouvernements, à c't'heure... Les gouvernements qui organisent la guerre pour tuer le monde par millions... Moi, je carcule qu'ils sont pires que fous, ils sont vicieux...

Non mais, c'est-il bête, le monde, des fois! Tu tues un homme, t'es un meurtrier, pis ils te sacrent en prison... T'en tues 1 000, si t'as un uniforme sur le dos, t'es un héros pis ils te donnent des médailles...

Pour moi l'homme descend pas du singe, il y remonte.

Qu'ils ne viennent pas nous faire accroire qu'on meurt pour la patrie, c'est pas vrai. On meurt pour les fabricants de fusils pis la finance qui organise tout ça. C'est les riches qui décident la guerre, pis c'est les pauvres qui la font. Ça fait que c'est toujours les mêmes qui se font tuer... La guerre, ceux qui la déclarent, ils s'en sacrent, ils la font avec la peau des autres! Les soldats, c'est des Caïn en uniforme, c'est tout.

Pis ceux qui font de l'argent avec la guerre, d'un bord comme de l'autre, ils se tiennent entre eux autres, ayez pas peur. Je vas dire comme c't'homme: «La guerre, c'est des gars qui sont envoyés se massacrer sans se connaître par d'autres qui se connaissent sans se massacrer...» Mais pour les marchands de canons, c'est toujours une bonne affaire. Pendant que les pauvres soldats se font tuer sur les champs de bataille, les financiers pis les généraux, eux autres, meurent dans leur lit...

Allez-vous me dire qu'il y a de la justice là-dedans?

Moi, j'aurais une suggestion pour arrêter c'te follerie-là. On devrait la faire faire rien que par les députés pis les ministres qui la votent. Comme ça, on aurait des grosses chances de pas en avoir pantoute... Vous pensez pas?

Parce que je suis certain, moi, que les écœurants qui la décident pis qui l'organisent, ils seraient ben trop pisseux pour la faire entre eux autres...

Les grosses créatures

Comment est-ce que vous les aimez, les créatures, vous autres?

Je parle sous le rapport de la corporence, là.

Les aimez-vous mieux grosses ou ben petites?

Moi, je vas vous dire franchement, je les aime grossettes un peu. Les fluettes, j'aime pas trop ça. Moi, pour qu'une créature soit de mon goût, faut qu'elle ait plus que les quatre poteaux pis la musique... Parlez-moi pas de ces pauvres mannequins par exemple que tu vois des fois sur la gazette ou ben à la télévision, là... Elles sont pâles, ces pauvres petites filles, maigres comme des échalotes à part de ça... Ça a pas de fesses... Tu vois que c'est pas des éleveuses... Y font pitié... Si j'en rencontrais une sur la rue, moi, je pense que je l'emmènerais manger...

Non... non... non... moi, j'aime une créature qui a de la corporence... Pis qui a des jambes... pas des allumettes! Je dis ça, mais... à ben y penser, là... les jambes des femmes, ça nous allume toujours un peu quelque chose!...

J'aime itou une créature qui a du poitrail pis de l'encolure... Parlez-moi pas des estomacs plates que t'es obligé de chercher avec les yeux... Il y en a, ma foi du bon Dieu, on dirait qu'elles ont été passées au tordeur... C'est pas une poitrine qu'elles ont, c'est une devinette!

Seulement il faut pas qu'une créature soit trop grosse non plus... Il y a corporente pis corporente... Faut qu'une créature ait quelque chose pour s'asseoir, mais faut pas que ça prenne tout un banc d'église!

Grosse comme la femme à Arsène Philippon, ça c'est trop. C'est pas des farces, elle, elle pesait quasiment 300... Pas de corset... Si elle avait eu des roues, c'aurait été un autobus...

Non mais, c'est vrai... Trop, c'est trop... Je comprends que ça en fait plus à aimer, mais y a toujours un bout, peau d'chien!

Je la regardais revenir de la sainte table, l'autre jour, à l'église... Elle marchait vite un peu... Je te dis qu'elle avait des richesses naturelles qui sautaient aux yeux!... Elle s'en venait sur le pouvoir flottant... Tu voyais ça sauter, toi, flic à flac... flac à flic... on aurait dit deux plats de jello qui a pas pris!...

Rendus sur le perron de l'église, après la messe, Delphis Bellegarde pis moi, on la regardait aller... Tout d'un coup Delphis me dit: «Sais-tu, Gédéon... t'invites ça chez vous... ça fait tout de suite une grosse veillée!»

Les niochons

Y a niochon pis niochon.

Y a les niochons bêtes... pis les niochons drôles.

Les niochons bêtes, tu les trouves surtout en politique. Tu sais, les gars qui raisonnent comme des tambours, qui comprennent rien ni du cul ni de la tête... qui veulent rien savoir... qui ostinent tout le monde... qui se prennent pour le nombril de l'Univers... pis qui voudraient décider comment ce que le monde doit marcher. Une maudite chance qu'ils sont jamais au pouvoir... parce que je te dis qu'on irait pas loin avant de prendre le fossé.

Mais y en a une autre sorte que je trouve sympathique, moi: c'est les niochons drôles. Au moins eux autres, ils sont inoffensifs... Ils font pas de mal à personne... Au contraire, ils font sourire... Prenez Bézette Grondin, il était comme ça, lui. C'était un bon diable. Il était resté... comme on dirait... avec une intelligence un peu versante... mais pas assez pour que ça soit une infirmité... Autrement dit, il était pas assez fou pour mettre le feu... mais je me demande s'il aurait été assez fin pour l'éteindre!

Ça fait que... tout le monde l'aimait à plein dans le village. Pis personne l'aurait laissé avoir de la misère. Moi-même quand je suis rentré maire, en 1936, je lui ai fait avoir une petite *job*. C'est lui qui frotte le canon... Parce que chez nous, à Saint-Gérard, depuis la première grande guerre, il y a un vieux canon qu'ils ont donné à la municipalité en souvenir... Pis c'est Bézette qui le tient en ordre... Il le frotte tous les jours... La municipalité lui donne 30 $ par mois pour ça.

L'autre jour justement, Bézette était après frotter son canon, pis Lucien Coulombe, qui passait, s'est arrêté lui parler... Il lui demande: «Pis, Bézette, les affaires, comment ça va?» Bézette lui a répondu: «Ah! ça va ben, Lucien... Ça va extra... Là, la municipalité me donne 30 $ par mois pour frotter le canon... Mais j'ai une bonne idée pour faire un peu d'argent... Je m'achète un canon, pis je pars à mon compte!»

Dieu le Père et Ottawa

Nésime Lacasse, lui, il est sur le bien-être social depuis... ah! depuis que ça existe.

Pas parce qu'il est paresseux... mais parce qu'il est infirme de naissance pis qu'il peut pas travailler normalement. Ça fait qu'il reste avec sa vieille mère, chez eux, tranquille... pis il mène pas de train. Il varnousse autour de la maison, il fait des petits ouvrages pas trop durs... il vivote.

Mais ça lui rapporte pas beaucoup d'argent, tout ça. Pis comme il aime ça prendre une petite bière de temps en temps... il est pris de court souvent. Ça fait que... v'là quelques années, avec les fêtes, il voyait venir un jour de l'An pas mal sec. Toujours qu'il dit à sa mère: «Coudonc, mouman, j'ai une idée... Qu'est-ce que tu dirais, toi, si on demandait de l'argent au bon Dieu?...» Elle dit: «Mon pauvre enfant, j'ai pas d'objection... T'as rien qu'à lui en demander tous les soirs, en faisant ta prière... On sait jamais... des fois... le bon Dieu peut tout faire, lui.» «Non, non, non, m'man, j'ai mieux que ça, dit Nésime... Je vas lui écrire au bon Dieu... Je vas lui envoyer une lettre pour pas qu'il m'oublie...»

Ça fait qu'il écrit sa lettre... Il demandait au bon Dieu, dans sa lettre, de lui envoyer 100 $ pour les fêtes. Il cachète la lettre, il met un timbre de la reine dessus pis il écrit sur l'enveloppe: «Au bon Dieu». Pis il va la porter au bureau de poste.

Tout ça s'est rendu à Ottawa... Quand le maître de poste d'Ottawa a vu ça... il s'est mis à rire. Il trouvait ça assez drôle qu'il a montré ça au premier ministre, qui était le père Saint-Laurent dans ce temps-là. Le père Saint-Laurent a trouvé ça drôle lui itou... Pis il dit au maître de poste... «Envoie-lui donc 50 $, tiens, c'est un pauvre diable... Pis c'est pas ça qui va appauvrir le pays.»

Ça fait qu'il envoie un mandat de 50 $ à Nésime. Ah ben il était content à plein. Il s'est acheté deux douzaines de bières, du candy, il a consommé ça tranquille. Il était heureux.

Pis à Noël de l'année suivante, il dit encore à sa mère: «M'man, je vas encore écrire une lettre au bon Dieu pour lui demander 100 $ pour les fêtes.» Il écrit sa lettre, il signe «Nésime Lacasse», pis il écrit en *post-scriptum*: «S'il vous plaît, cette année, mon Dieu, faites pas passer ça par Ottawa... ils gardent 50 %...»

Les vaches noires

J'ai beau avoir de l'expérience pis prétendre que je suis pas tombé de l'avant-dernière pluie, je me fais poigner pareil, des fois.

J'aurais dû m'en douter pourtant parce que le beau Valmore Duquette, ç'a toujours été un faiseux de plans... Mais quoi veux-tu, quand tu t'y attends pas...

L'autre jour, je m'en vas chez Valmore emprunter sa cage à truie — parce que la mienne est en saison, là, va falloir que j'aille la faire insulter ben vite —, pis on jasait tout les deux. Sérieusement. On faisait pas de farces, on parlait de la maudite inflation... De ce que c'est rendu que ça coûte aujourd'hui pour nourrir nos vaches... Ç'a pus d'allure, peau d'chien! Si ça continue comme c'est parti là, on va être betôt contraints d'élever les vaches pour la viande ailleurs de leur faire donner du lait... Parce que, au prix que ça rapporte, le lait, j'aime mieux faire téter mes vaches par mes veaux que de les voir téter par le Gouvernement... C'est rendu, peau d'chien, que le Gouvernement prend la crème pis il nous laisse le petit lait... Comment veux-tu que les habitants rejoignent les deux bouts avec ça?... Ben vite, on n'aura même pus de bouts à rejoindre!

Ça fait que... on jasait tous les deux, Valmore pis moi, pis on sacrait après le prix de la moulée. Valmore me dit: «Sais-tu, Gédéon, que mes vaches noires me coûtent plus cher à nourrir que mes vaches blanches!...» «Ben, j'ai dit, ça parle au peau d'chien... Pourtant elles sont toutes de la même grosseur... Pis de la même race... Me semble que ça devrait pas faire de différence dans le prix de la mangeaille...» «J'te dis, Gédéon, c'est la pure vérité... mes vaches noires mangent plus que mes vaches blanches.» «En as-tu parlé à l'agronome? que je lui demande... ou ben au vétérinaire?» Il me dit: «Non, je connais la raison...» J'ai dit: «Qu'est-ce que c'est?» Il me dit: «C'est parce que j'ai deux fois plus de vaches noires que de vaches blanches!»

Beau fin!

Les noces de Zéphir Campeau

Toujours que le père Zéphir Campeau, lui, il pouvait pas vivre sans créature... Il était pas question qu'il reste tout seul dans la maison chez lui... Il avait beau être rendu à 84 ans, le bonhomme, il carculait, lui, qu'un jarret-noir normal, ça a tout ce qu'il faut pour rendre une femme heureuse jusqu'au dernier soupir!

Ça fait que... à 84 ans... il a décidé de se remarier.

En quatrièmes noces, à part de ça... Il avait déjà usé trois femmes, le père...

Entre vous pis moi pis la boîte à bois, là, ça prend un vieux qui a du chien dans le coffre en étoile pour passer à travers tant de monde que ça!... Ben, il l'a fait.

Quand son garçon, le plus vieux, Alexandre, qui a 63 ans, a appris ça, il est allé voir son père pis il lui a dit: «Poupa, êtes-vous fou?... Qu'est-ce que vous pensez?... Ça

Ti-Blanc Richard itou, c'est un gars du bout.

pas de bon sens... Aïe! 84 ans, on rit pas... Vous avez déjà traversé 3 femmes, vous trouvez pas que c'est assez?... À votre âge... 84 ans... marier une vieille fille de 50 ans... Vous avez pas peur que ça soit fatal?...» Le vieux lui a répondu: «Si elle meurt, elle mourra!...»

Pis Alexandre a continué: «À part de ça, poupa, pourquoi aller marier une vieille fille d'une paroisse étrangère, quand il y a trois ou quatre veuves icite dans la paroisse qui haïraient pas ça se faire réchauffer les cannes, la nuit, par un bon vieux en santé comme vous, là?...»

«Non... non... non... bon... Veux-tu ben me lâcher tranquille! C'est de mes affaires, ça! C'est moi qui se marie, c'est pas toi! Pis à part de ça, c'est pas toi qui vas élever les enfants!...»

Alexandre dit: «Poupa, riez pas des sacrements!»

«Je ris pas des sacrements, je ris de toi, grand fanal...» répond Zéphir. Pis il continue: «Tu veux savoir la raison pourquoi je marie une vieille fille de 50 ans?... Je m'en vas te dire... C'est parce que rendu à mon âge... j'aime mieux contenter une vieille fille que décevoir une veuve!...»

Les maladies de vieux

J'étais sur le perron de l'église, l'autre jour, avec Thodore Biron, pis les deux on regardait les créatures sortir de la grand-messe... Tout d'un coup Thodore me sacre un coup de coude dans les côtes pis il me dit: «Regarde-moi ça, Gédéon, la belle enfant qui descend les marches... Elle a des richesses naturelles qui sautent aux yeux!» Je regarde... C'était Rose-Hélène, la fille à Alphée Turcotte.

Rose-Hélène, c'est pas une fille ordinaire. Elle est belle comme un fruit défendu... Pomphile Bureau me disait l'autre jour en la regardant: «Gédéon, un homme qui aime pas ça, il aime pas le lait de sa mère!...»

Thodore la trouvait de son goût à plein. Il me dit: «C'est ben simple, moi, plus je regarde... plus mes mains sont jalouses de mes yeux!... C'est pas drôle de vieillir quand on voit des belles jeunesses de même... Seigneur! pourquoi est-ce que vous nous ôtez pas le vouloir quand vous nous ôtez le pouvoir?...»

J'ai dit: «Sacrégué, Thodore, je te regarde, là... Sais-tu que t'as perdu du poil à plein!... T'as la tête complètement déshabillée... Tu pleumes... tu pleumes... La caboche est après te passer à travers les cheveux... Ben vite, tu vas te faire faire les cheveux sans ôter ton chapeau... pis tu vas te peigner avec une serviette!... Remarque que je les comprends tes cheveux: quand ils ont vu ce qui se passait en dessous d'eux autres, ils se sont dit: ‹Sacrons le camp d'icite!›... Non mais... laisse-toi pousser de la fourrure un peu, désespoir, sans ça, tu vas finir le crâne lisse comme les fesses à ma tante Clara!... Pis tes idées, là, garde-les pas dans ta tête... fais-les descendre un peu... C'est meilleur pour la santé!»

«Ah!... il dit... je suis pus capable!... Trop vieux!... Je commence à être pas mal débiffé de la carriole, tu sais, Gédéon... Je file pas ben, ben... La tête me fait mal... Le cœur pompe de travers... Les rognons filtrent pus... J'ai des cors aux pieds... À part de ça, je suis poigné de la prostratre... C'est effrayant, Gédéon, c'est pus une pissette que j'ai, c'est un compte-gouttes!... Pis je te parle pas de mes jambes... Les maudits rhumatismes! Je vois l'heure de me lever, le matin... Non mais il y a-t-il quelque chose de plus sacrant que de se réveiller, le matin, avec un membre enflé... pis raide comme une barre?... Tu vois l'heure de sortir de la couchette avec ça... C'est curieux, la vie, hein, Gédéon... Quand j'étais jeune marié, c'est ma femme qui me retenait dans la couchette, le matin... pis aujourd'hui, c'est mes rhumatismes!...»

La lune de miel d'Absalon

Pour un jarret-noir en santé, l'âge, c'est pas une question d'âge, c'est une question de cœur.

La preuve, c'est qu'Absalon Veilleux, lui, il avait 78 ans... pis ça l'a pas empêché de se marier avec la veuve Beauchesne qui restait dans le 4, reboutant de chez Ferriol Royer, pis qui arrachait les dents...

Ça faisait une escousse que ça se parlait au restaurant chez Phonse Vallée pis à la boutique de forge à Cyrinus Bureau... Parce que à tous les soirs, après souper, les vieux se ramassaient tous au restaurant chez Phonse... Ils fumaient leur pipe tranquillement... ils jasaient de politique... pis ils réglaient les problèmes internationaux en trois coups de mâchoires... Il y avait là Pantaléon Gaulin, Trefflé Bellavance, Adolphe Gagnon, Delphis Bellegarde, Philémon Hallé, Grichet Lapointe, le curé Julien venait souvent avec nous autres...

441

On était tous à peu près du même âge, nous autres... de 70 à 72 ans... pis le père Absalon nous appelait «les jeunesses», parce que lui, il avait 78!...

Ça fait qu'un bon soir, il resoud chez Phonse Vallée, pis il nous déclare solennellement avec un air de triomphe: «Les jeunesses, je marie la veuve Beauchesne la semaine prochaine...»

Ah ben! les gars se sont mis à dire (en se regardant entre eux autres avec un petit sourire entendu): «Tant mieux, Absalon... On va aller prendre un coup à tes noces... Pis ça va nous faire une place pour aller veiller!...»

Pis le père Absalon continue: «Je pars en lune de miel à Courcelles pour deux semaines!» «Ah ben!... on va te souhaiter un beau voyage, Absalon... Pis tâche de nous faire des beaux enfants!...»

Ça fait que le bonhomme part en lune de miel. Pour deux semaines. À Courcelles, la paroisse voisine... Il voulait pas s'éloigner trop trop, parce que c'était le temps des foins, tu comprends... La couchette, c'est ben beau, mais le foin, c'est le foin, faut le faire quand c'est le temps... Quand il y a du mil à faucher, faut sortir du lit!...

Tout d'un coup, au bout de deux jours, qui est-ce qui resoud après souper au restaurant chez Phonse Vallée?... Absalon. Ah ben maudit! là les gars se sont mis à le faire étriver... Ils ont dit: «Quoi c'est ça, Absalon?... Quoi c'est qui t'arrive?... Tu nous avais menacés de nous faire une lune de miel de deux semaines... pis ça fait pas trois jours que t'es parti que t'es déjà revenu... Ç'a pas marché comme tu voulais, donc?... quoi?... Y a-t-il eu du mou dans la corde à nœuds, quelque chose?... Ta moyenne au bâton est-elle après baisser?...»

Absalon dit: «Les jeunesses... ça a pas été tout à fait comme j'avais carculé, ma lune de miel... La lune était toujours là... mais j'ai manqué de miel!...»

De l'audace... mais pas trop!

Pour avoir de l'agrément dans la vie, faut avoir de l'audace un peu.

Si tu fonces pas en avant... si tu tasses pas les branches devant toi... si tu te bûches pas un chemin parmi le monde... tu passes ta vie à traîner le lunch des autres... pis t'avances à rien.

C'est ce que j'ai toujours dit à mon garçon Alexandre qui est dominicain... Je lui ai dit: «Écoute, Alexandre, peau d'chien, à ton âge, là, avec les grosses études que t'as... t'as même été étudier à Rome, on rit pas... t'es docteur en toutes sortes d'affaires... même en droit canon... pis avec tout ça... t'es même pas encore évêque.»

Je lui ai dit: «Tu t'occupes pas assez de ton avancement... tu tasses pas les branches devant toi... tu niaises pis les autres passent en avant de toi... Prends le garçon d'Anthime Paquette, qui est plus jeune que toi pis qui est moins savant que toi — t'as toujours eu des meilleures notes que lui au Séminaire —... il est déjà évêque auxiliaire, lui, pis toi, t'es encore rien que père... Tu me diras toujours pas qu'il y a pas d'injustice là-dedans... À ton âge... tu devrais être au moins évêque... peut-être même cardinal!...»

«Pourquoi pas pape, tant qu'à y être!» qu'il me répond.

«Beau dommage, que je lui ai dit. Jean XXIII, son père, c'était un habitant!... Les jeunes curés, aujourd'hui, ça pense pus rien qu'aux âmes, ça s'occupe pas de leur avancement!...»

Faut de l'audace.

Pas trop mais il en faut.

J'ai dit «pas trop» parce qu'il y en a qui en ont trop. Tu prends chose, là... Odina Galipeau, le garçon à Cyrille, il en avait trop, lui.

Lui, c'était les créatures... Il a mené une vie de garçon du diable... Trop... Je te dis qu'il a administré le sacrement du plaisir à plusieurs créatures avant d'en marier une... Mais ça lui a joué des maudits tours parce que, l'autre jour, il était après faire son train dans l'étable. Son garçon Alphée, qui est dans la jeune vingtaine, arrive pis il lui annonce qu'il voulait se marier avec Thérèse, la fille à Vénérent Bourque.

Odina lui dit: «Tu peux pas, t'as pas le droit.»

Son garçon dit: «Comment ça!...»

Odina dit: «C'est ta sœur!... Ouais... Un péché de jeunesse...»

Son garçon reprend: «Bon, ben, comme ça, je vas marier Hermance, la fille à Phirin Després. Elle est prête à me dire oui, j'ai rien qu'à lui demander...»

Odina dit: «Tu peux pas la marier elle non plus: c'est ta sœur elle itou!» Là, il était décarculé à plein, le pauvre garçon.

Toujours qu'il s'en va à la maison... pis il conte tout ça à sa mère qui lui dit: «Fais ce que tu veux, mon garçon, pis laisse parler le bonhomme... C'est même pas ton père!...»

L'habitant pêcheur

On a beau aimer travailler la terre, nous autres, les habitants... ça veut pas dire qu'on passe toute notre vie dans le clos.

On se distrait de temps en temps... Pis un des plus grands plaisirs qu'on a, nous autres, à Saint-Gérard, c'est d'aller à la pêche. Pis pas rien que la pêche à la petite truite de ruisseau, là... On va à la grosse pêche... Au brochet pis au doré... À la rivière sauvage pis au lac Saint-François... Eh! peau d'chien, qu'on en a halé du gibier dans ce lac-là, nous autres...

Quand on partait avec Conrad Roy pis le père Félix Labrecque dans la chaloupe à moteur à Janvier Coderre, je te dis qu'on avait pas besoin d'acheter de poisson à la tête du lac pour faire croire aux créatures qu'on en avait pris... C'était de la vraie pêche qu'on faisait, nous autres, c'était pas des menteries pis des histoires.

Janvier faisait des farces, lui, quand il entendait les gars conter leurs bons coups de pêcheurs. Il disait: «Les poissons, c'est comme les becs qu'on donne aux créatures: les plus longs, c'est toujours ceux qu'on a jamais pris!...»

Ça fait que... on avait beau en prendre pas mal, c'était toujours le sacré Conrad qui en poignait le plus... Je le diable pas quelle trique qu'il pouvait avoir... je sais pas si il avait un don... ou ben si il connaissait les talles mieux que nous autres... mais ce peau d'chien-là, il prenait du poisson comme il voulait...

Un bon dimanche après-midi, on pêchait en dessous du pont... Gabriel Boucher était avec nous autres avec la belle Marie-Laure au père Félix... pis Conrad te hale-t-il pas un maudit beau gibier de brochet... dans les 35 à 36 pouces de long, toujours, certain... J'ai dit: «Peau d'chien, Conrad, tu vas toujours me dire, toi, quoi ce que t'as qu'on a pas, nous autres, pour avoir du réussi comme ça tout le temps!...»

Conrad dit: «Gédéon, je l'avoue, j'ai un secret!...»

«Vite, dis-nous-le, désespoir, qu'on sorte quelques gros animaux de l'eau, nous autres itou!...»

«Mon secret, il est ben simple, dit Conrad, c'est ma femme!...»

«Comment ça, ta femme, que je lui dis, elle est même pas icite?»

«C'est ma femme que je vous dis... Le jour que je vas à la pêche, là, quand je me lève le matin, je regarde comment ce que ma femme est couchée... Si elle est couchée sur le côté gauche, je jette toujours ma ligne sur le côté gauche de la chaloupe... Pis si elle est couchée sur le côté droit, je la jette sur le côté droit.»

«Pis quand elle est couchée sur le dos? que je lui demande.»

Il dit: «Quand elle est couchée sur le dos... je vais pas à la pêche!...»

Le mariage double

Pour sauver de l'argent... parce que les sacrements, c'est comme le reste, ça devient hors prix... Ferriol Royer pis Tommy Rosa, eux autres, ils avaient décidé de faire un mariage double. Ils ont fendu le sacrement en deux: ils se sont mariés la même journée à la même messe... Ils ont carculé qu'à leur deux comme ça, ils sauvaient 40, 75 $...

Pis à part de ça, Tommy, lui, il avait pas un jeu pour attendre trop longtemps... Fallait qu'il se marie absolument... Parce que... pressé comme il l'a toujours été, il avait pris de l'avance un peu... ce qui fait que le jour de ses noces, sa fiancée avait déjà un petit en chantier!... Ça fait qu'il s'est marié pour abrier le péché...

Mais il disait au curé l'autre jour: «C'est curieux, notre religion, vous trouvez pas, monsieur le curé?... Avant le mariage, si on le fait, c'est péché... Pis après le mariage, si on le fait pas, c'est encore péché!... Comment voulez-vous qu'un gars ait la conscience tranquille avec tout ça?... Elle est toujours poignée en sandwich entre deux péchés!...»

Mais il a réparé tout ça par la suite parce que, en 19 ans de mariage, il a eu 19 enfants!... Pendant ce temps-là Ferriol Royer, lui, qui s'était marié le même jour que lui, il en avait rien que 18... Ça fait que... quand le curé est passé pour récolter sa dîme, l'autre jour, il a dit à Ferriol: «Coudonc, Ferriol, je vois icite dans mes régistres que Tommy Rosa pis toi, vous vous êtes mariés la même journée... Comment ça se fait que Tommy a déjà 19 enfants pis que toi, t'en as rien que 18?... As-tu refusé le sacrement à ta femme, quelque chose?... Quoi c'est qui est arrivé au juste?...»

Ferriol dit: «Je vas vous expliquer, monsieur le curé... C'est parce que moi, ma femme, elle est ben farouche... il y a rien que moi pour l'approcher!...»

Le jeu de dames

J'aime ça, après souper, moi, quand je suis pas trop fatigué, là, jouer aux dames.

Je vas jouer avec Trefflé Bellavance. Pas rien que parce qu'il est un bon joueur de dames, mais parce que, itou... il a une femme qui est ragoûtante à plein!... C'est une créature qui fait plaisir à voir... Elle a tout ce qui faut... où ce qu'il en faut... En arrière pour s'assire... pis en avant pour tenir le ballant... Elle a une croupe à part de ça... qui a des idées derrière la tête... Elle a assez de courbes, ma foi Dieu, que des fois j'ai peur qu'elle s'enfarge dans sa ligne!... Mais ça me fait pas peur: j'ai toujours aimé les virages dangereux!...

Pis elle est ricaneuse à part de ça... Une femme déparéillée, quoi! Dimanche passé, après déjeuner, je m'en vas chez Trefflé pour lui remettre la barouette que je lui avais empruntée, pis Trefflé était après se faire la barbe avant de partir pour la grand-messe. Quand il eut fini, il s'est passé la main dans le visage en disant : «Moi, chaque fois que je me rase... je me sens rajeuni de 20 ans!...» Sa femme lui a répondu: «Tu devrais ben te raser tous les soirs!...»

Ça fait que... pour revenir aux dames, là, c'est un jeu plaisant à plein. Tu pars... t'as un pion dans la main... pis à force de le zigonner d'un bord et de l'autre... tu viens à la dame!

C'est là que le plaisir commence... Je te mange... pis tu me manges... pis ho donc pis tiens ben... tant qu'il reste quelque chose à manger!...

Ah! pis il y a des triques compliquées à ce jeu-là... Faut que tu saches où te mettre les mains... pis quand avancer pis reculer. Prends la trique du ricolé par exemple... Si tu fais pas attention à toi... tu peux t'en faire poigner deux par en arrière d'un coup sec!... Tu vas me dire: «C'est pas grave»... mais... jouer aux dames avec deux en moins... t'es pas mal plus faible!...

L'autre jour, on a joué toute la veillée, Trefflé pis moi. Une partie... un petit blanc! Une autre partie... un autre petit blanc! Ce qui fait qu'à la fin de la veillée, Trefflé commençait à avoir de la suie dans les idées... Le petit blanc, c'est bon, mais si tu t'en verses trop dans la boîte à ragoût... tu viens la tête plus pesante que le corps pis le dessous des pieds ronds!...

Ça fait que... dans la bonne chaleur du petit blanc... Trefflé s'est laissé aller aux confidences sur le rapport du sacrement avec sa femme la belle Rosanna. À un moment donné il s'est mis à me dire: «Gédéon, c'est rendu, moi, que le sacrement... ça me fatigue!...»

Je lui ai répondu par le dicton du défunt Zacharie Lacombe: «Quand on aime ça, ça fatigue pas... Pis quand ça fatigue... c'est le temps de pus aimer ça!...»

Ma pipe

C'est curieux... ça fait plusieurs fois que je me le fais dire.

Tout le monde trouve que j'en ai une belle... Les créatures surtout...

L'autre jour, je suis allé veiller chez l'agronome Poulin — qui se trouve le neveu à Ti-Louis à Ti-Bé à Jos-David —, pis il y avait des créatures de la ville, là. Il y en a une qui a voulu y toucher... Je lui ai dit: «Madame, envoyez... gênez-vous pas... vous en avez jamais pris une belle de même dans votre main!... Regardez à part de ça comme elle a une belle tête intelligente... Pis elle est dure... on sent que c'est du solide... Des fois elle tombe... mais elle casse jamais!... Pis elle est ben culottée à plein... Ça se comprend, voyez-vous ça fait 50 ans que je m'en sers... Depuis l'âge de 15 ans, pour ben dire, je l'ai quasiment toujours à la main...

Elle a rien qu'un défaut: des fois, elle bouche. Dans ce temps-là, je te dis qu'il faut la pomper en peau d'chien pour en sortir quelque chose...

Mais quand elle a le feu dans le corps, là, c'est ben simple madame, elle travaille comme un engin!...

En tout cas, madame, si vous en trouvez une plus belle que ça en ville, dites-moi-le... je suis paré à faire une gageure!...

Ah! pis elle m'a fait des compliments... Elle m'a dit que j'avais l'air jeune pis en forme pis tout... Je lui ai répondu: «Madame, un jarret-noir en santé, c'est comme le bon vin: ça vieillit pas, ça fermente!...»

Elle s'est mise à rire... Elle était assez belle quand elle riait.

Mais elle était belle itou quand elle s'assoyait... Elle avait une belle petite minijupe... pis des jambes qui avaient pas froid aux yeux... ni ailleurs! Ah! il y a pas à dire, les jambes des femmes, c'est pour faire marcher... les hommes!...

Elle s'est ben aperçue qu'elle me faisait loucher un peu... Ça fait qu'elle s'est approchée de moi pis elle m'a demandé: «Aimez-vous ça, les minijupes, vous, père Gédéon?...» Je lui aurais dit «non», elle m'aurait pas cru... ça fait que je lui ai dit: «Oui, moi, je trouve ça beau à plein... une belle ligne de jambe qui se perd dans l'inconnu... Mais si vous voulez que notre plaisir dure, vous autres, les créatures, va falloir que vous avertissiez les faiseux de mode d'arrêter de raccourcir les jupes...»

«Pourquoi?» qu'elle me demande.

«Parce que s'ils les raccourcissent trop, les femmes voudront pus s'assire... pis les hommes pourront pus se lever!...»

Le docteur Chabot

J e vous ai pas parlé du docteur Chabot, chez nous.

Je le regrette quasiment.

Parce que c'est un sacré bon diable.

Dévoué comme lui, ça se voit pas souvent.

Je pense même que ça se voit pus...

Aujourd'hui, avec les règlements qu'ils ont, là, on a quasiment pus le droit d'être malade en dehors des heures de bureau... pis encore!

C'est vrai... Si tu tombes malade la nuit... tu peux pus avoir le docteur à la maison... il va te soigner par téléphone.

On était mieux servis que ça dans l'ancien temps. Au moins quand t'étais malade, le docteur venait te voir, peau d'chien... Tu payais pour, mais au moins il venait te voir. Tandis qu'aujourd'hui, c'est pus les docteurs qui vont aux malades, c'est les malades qui vont aux docteurs... Quand un gars est après mourir, c'est pas d'avance à plein, ça!...

À part de ça, les docteurs, c'est pus une profession pour soigner le monde en besoin, c'est une machine à faire de l'argent... C'est vrai... Dans le système qu'on a, plus le monde est malade, plus ça les paie!...

Si j'étais le Gouvernement, moi, je virerais tout ça comme c'était en Chine anciennement, qu'il paraît. Dans une paroisse, là, le docteur était payé... pas suivant le degré de maladie mais suivant le degré de santé des paroissiens... Plus le monde de sa place était en santé, plus le docteur était payé... Ça fait que comme ça, je te dis qu'il travaillait pour que son monde reste debout!...

Pour revenir au docteur Chabot, chez nous, il est quasiment comme ça, lui. J'ai pas besoin de vous dire que tout le monde l'aime à Saint-Gérard. Pis c'est un gars de plaisir à part de ça. Il aime ça rire... Pis il nous fait rire itou.

L'autre jour, il nous contait qu'un de ses confrères, à Québec, qui était spécialisé dans les accouchements, était assez populaire auprès des créatures qu'il était sur l'ouvrage jour et nuit... Il arrêtait, pour ben dire, pas...

Une fois il a été à une conférence-midi au club Richelieu. Pis comme de raison il est arrivé en retard au dîner parce qu'il avait été retardé par un accouchement. Quand il s'est levé pour faire son discours, ses premiers mots ont été: «Enfin... des visages!...»

Le taureau cocu

Ben ça parle au peau d'chien, c'est quasiment pas croyable!

Je lis ça sur la gazette, là (je l'ai devant moi, tiens, attendez que je mette mon infirmité pour lire... je peux pas voir sans ça: les mots sont trop proches du papier!)... Écoutez ça... Un orignal mâle de 900 livres (c'est un orignal américain, ça... ça s'est passé dans le clos de pacage d'un habitant du Mass... du Massachusetts, aux États... là où ce que mon oncle Ferdina Biron reste).

Bon, je reviens à mon *buck*, là... Un orignal mâle de 900 livres a quitté la vie sauvage des forêts pour se joindre à un troupeau de vaches. Il a décidé de protéger les vaches et il refusait de laisser le fermier les ramener à l'étable pour les traire...

Tu parles d'une maudite affaire, toi!...

Ça doit être rare en peau d'chien, ça.

Mais j'y pense tout d'un coup... Ça doit pas faire l'affaire du taureau, ça... Il doit être jaloux, certain... Pis un taureau jaloux, c'est mauvais à plein. Parce que quand un taureau est cocu, j'ai pas besoin de vous dire qu'il a des cornes!... Pis des cornes sensibles à part de ça...

Non, mais mettez-vous à sa place... Un taureau qui a un peu d'orgueil peut pas laisser un orignal venir faire ses ravages parmi ses vaches sans voir rouge tout de suite... Non, mais c'est vrai: un taureau qui a de la fierté aime pas perdre la face devant ses vaches!

Il y a déjà ben assez qu'avec toutes les histoires d'insémination artificielle qu'il y a aujourd'hui, ces pauvres taureaux perdent pas rien que la face... ils perdent tout le reste itou... Ça, ça va finir par faire des taureaux sans dessein, gagez-vous!

Pis ces pauvres vaches, à c't'heure... Y avez-vous pensé?... C'est pas drôle ce qui leur arrive avec toutes ces inventions-là. Ailleurs d'avoir la visite d'un beau taureau plein d'affection, tout ce qui va leur rester pour tout partage, c'est une petite piqûre... donnée par un vétérinaire à part de ça!... Ça fait que... soyez pas surpris si la face des vaches rallonge de quelques pouces ces années-ci... Il y a de quoi être déçues en effet!...

Tout ça mis ensemble... les pauvres taureaux, cocus dans leur propre pacage... pis frustrés dans leur vie sentimentale... vont finir par être enragés à l'année... Ou ben ils vont faire des dépressions nerveuses pis ils pourront pus faire leur devoir... On va être ben avancés avec ça...

Sans compter à part de ça qu'un taureau qui est pas heureux, ça fait jamais un bon steak!

Moi, je carcule qu'on serait mieux de revenir à l'ancienne méthode. Abandonner l'insémination artificielle pis laisser à ces pauvres bêtes les agréments de la nature.

Je vas en parler au ministre de l'Agriculture de cette affaire-là, moi. Je le connais personnellement, il va être sensible à ça, lui. Y a toujours un maudit bout! On donne des responsabilités aux taureaux... ben qu'on leur laisse le plaisir qui va avec, c'est tout... Sans ça, il y a pus de justice.

Mieux que ça, si ça continue, moi je me présente à l'Union des producteurs agricoles, pis je fonde le MLT... le Mouvement de libération des taureaux!

On va toujours ben voir, peau d'chien!

Mon omnium à moi...

En lisant sur la gazette l'autre jour un écrit sur l'Omnium canadien, ça m'a fait penser à celui où ce que j'étais allé, v'là quelques années, à la vallée du Richelieu. Faut que je vous conte ça.

Il faisait beau, j'avais huit gros voyages de foin à serrer dans mon clos, à reboutant de sur Tanase Baillargeon (juste en deçà de ma sucrerie, là, amont le trécarré), mais j'avais pas le cœur à l'ouvrage pantoute. Je pensais rien qu'à l'Omnium canadien.

Ça fait que... j'ai appelé mon voisin, Pantaléon Veilleux, au téléphone, pis je lui ai dit: «Pantaléon, on va changer du temps tous les deux, veux-tu? Tu vas serrer mon foin, pis c't'automne, je t'aiderai à rentrer ton grain. La follerie du golf m'a poigné, pis je tiens pus en place, faut que j'y aille. Tu comprends, je suis seul maire de la Beauce à être journaliste de sport[3]... j'ai pas le droit de manquer ça!» Il a dit oui.

Ça fait que... j'ai pris mon sac à mailloches, j'ai fourré ça dans le char, j'ai fait un détour par Saint-Georges pour prendre Ti-Louis à Ti-Bé à Jos-David (un des plus beaux golfeurs de la Beauce), pis on est partis en grande pour la vallée du Richelieu.

On a été reçus là comme des princes. Les gars de la vallée, c'est des messieurs. Ils avaient habillé des belles titites en bleu pour nous recevoir... assez belles qu'on avait plus le goût de les regarder que de jouer au golf. Je m'en suis pas privé non plus...

On n'a pas pu se servir de nos outils comme on avait carculé, Ti-Louis pis moi, par rapport que, comme Ronald Corey m'a expliqué, c'est les professionnels des États qui avaient pris le clos, c'te journée-là.

Peau d'chien qu'ils fessent, ces gars-là... Je te dis qu'ils ont la mailloche légerte pis la mire juste. Pis honnêtes à part de ça.

---

3. Note du secrétaire: À cette époque-là, le vieux écrivait dans la page des sports du défunt journal *Le Jour*.

Je les ai suivis jusqu'au bout, pis j'en ai pas vu un tricher. Pas de bataille non plus. Des vrais *sports*.

Le gars qui a gagné, là, c'est un nommé Trevino. Ça doit être un Italien, manquable. Ronald nous l'a introduit. Quand il m'a donné la main, j'y ai regardé les poignes, pis j'ai pas pu m'empêcher de lui dire: «Ça me surprend pas que t'aies gagné, mon garçon, t'as des mains d'habitant.» Quand Ronald lui a traduit ça en anglais, il a éclaté de rire pis il m'a demandé si je voulais tirer au poignet...

Après ça, on a été prendre un coup au «dépôt-camp», pis on est redescendus dans la Beauce, j'ai couché chez Ti-Louis à Ti-Bé à Jos-David, pis le lendemain matin, comme je me greyais pour partir, Ti-Louis m'a dit: «Gédéon, tu te rappelles, le trou numéro neuf que t'étais venu labourer à Saint-Georges l'année passée, là... ben il est prêt à sumer, viens-tu?» Ça fait qu'on est repartis pour le club, comme deux petits gars, pis on a passé la journée dans le clos... pis dans le lac.

Je vous dirai pas mon *score*... Vous me croiriez pas!

Tout est dans les fesses!

Ça parle au peau d'chien... me v'là poigné.

Ouais... Me v'là rendu que j'aime autant le golf que le hockey pis le baseball. Faut dire itou que c'est moins fatigant, pis y a plus de trous!... Depuis que j'ai joué l'autre jour avec les petits gars du Canadien, je suis fou de ça. Je m'ambitionne assez que, ben vite, je pense que je vas commencer à gager.

C'est pour ça que je prends des leçons, là. J'ai pris ma première la semaine passée avec Jean-Paul. C'est lui qui est professeur à Belœil, le club à Doris.

Il m'a tout montré, là, de quoi c'est qu'il faut faire avec mes mailloches pis ma ferraille pour rentrer c'te petite peau d'chien de balle-là dans le petit trou du vert, dans le moins de coups possible. Parce que c'est un curieux de jeu, le golf: moins ils fessent de coups, plus les gars sont contents...

Là, Jean-Paul m'a appris des affaires... que j'aurais jamais crues si ç'avait pas été lui qui l'avait dit. Je l'ai écouté comme il faut, pis hier, je suis descendu dans la Beauce pour montrer ce que je savais à Pantaléon Veilleux, mon voisin. Je l'ai emmené à Saint-Georges, au club à Ti-Louis à Ti-Bé à Jos-David. Là, rendu au «dépôt-camp», Ti-Louis lui a prêté des agrès de droitier. Parce que les miens, à moi, ils sont gauchers. Il y a même un gars qui m'a traité d'infirme à cause de ça, l'autre jour au club. Je lui ai répondu: «Il y a assez de droitiers qui sont gauches, qu'ils sont jaloux des gauchers qui sont adroites.»

Ça fait que... Qu'est-ce que je disais, donc?... Ah! oui... Là, j'ai donné une démonstration à Pantaléon, devant Taupin, le frère à Ti-Louis, pis le gros Bill Martin qui était là itou avec l'avocat Cliche. J'ai dit à Pantaléon: «Le golf, c'est ben simple. C'est une question de fesses... Tout est là... Si tes fesses passent pas, tu fais des veaux à hue pis à dia, tu *slices* comme un niochon, tu te retrouves dans le bois (pis le plus souvent tu te retrouves pas pantoute), pis t'apprends à sacrer en deux parties.»

Une chance que Pantaléon est pas malin, parce que lui, il aurait appris à sacrer rien qu'en une partie... Il a envoyé ses quatre premières balles de départ dans le petit maudit lac du un, à Saint-Georges. Moi, j'avais pas d'affaire à rire parce que si j'en avais parlé, ça aurait pu me nuire en politique...

Mais la meilleure de la journée, c'est le gros Bill qui l'a eue. Après la partie, on était après s'emplir le dix-neuvième trou avec un bon petit boire, pis Bill s'est penché vers Pantaléon pour lui dire: «T'as rien qu'un défaut; t'es trop proche de ta balle... une fois que tu l'as frappée!»

Je me suis étouffé dans ma bière, pis Pantaléon pense encore que c'était parce que je savais pas boire!...

Le rêve passe...

Faut que je vous conte ça, c'est trop beau.

Ça a commencé curieusement... C'est toujours comme ça dans ce temps-là.

D'abord je devais pas y aller pantoute. J'avais de l'ouvrage à plein à faire dans le haut du clos chez nous, en deçà de la sucrerie, à reboutant de sur Tanase Baillargeon, juste passé le trécarré, là, voisin de la butte aux siffleux, en gagnant Saint-Sébastien... Fallait que je rammanche la clôture pour pas que mes taurailles aillent pacager dans le champ à Tanase.

Pis tout d'un coup, qui ce qui retontit à la maison? Jean-Claude le gars à Vila. Il arrivait de Thetford-mon-Mine. Il a un gros magasin là, lui. Il s'est mis après moé, pis c'est ci, pis c'est ça, pis ho donc, pis tiens ben, pis lâche pas, pis «Viens donc avec nous autres, Gédéon, Ti-Louis à Ti-Bé à Jos-David va y être, Taupin itou, le grand fanal à Rhéo Poulin, Maurice Laflamme, Ti-Rouge, pis on va n'avoir de l'agrément mouman!...»

Ça fait que je me suis laissé gagner comme une fille, pis je suis parti avec les gars pour le Club de golf de Saint-Georges-de-Beauce. Peau d'chien le beau club! Ce clos-là, c'est du beau velours vert.

Ce soir-là on fêtait l'anniversaire de Fred Barry. Entre deux spectacles au *Trois Castors* du *Café Saint-Jacques*, le père Gédéon était venu le féliciter. Il y avait aussi René Lecavalier et Johnny Rougeau.

On resoud là, Ti-Louis à Ti-Bé à Jos-David m'attendait au soleil dans sa belle *suit* jaune. Il avait l'air d'un vrai *sport* des États.

Il m'attendait avec ses mailloches pis toute sa quincaillerie qui reluisait dans son sac. Il était accoté amont sa pouliche électrique.

Pis là on est partis tous les quatre, le jarret souple pis la queue sur le dos comme des poulains du printemps. J'avais le golf dans le bras.

Au premier trou (justement celui où ce que j'avais noyé neuf balles l'année passée) j'ai fait un *birdie*. Au deuxième, j'ai fait un trou d'un coup. Au troisième j'ai fessé une *drive* assez fort qu'elle est allée s'assire 300 verges plus loin. Quand je suis venu pour la frapper pour mon deuxième coup, je me suis aperçu qu'elle saignait du nez... Aux quatrième, cinquième, sixième pis septième, ç'a été du par tout le long. Ti-Louis en r'venait pas, le grand Lisée avait jamais vu ça, le docteur Poulin voulait m'examiner, pis moi je flottais dans un nuage d'orgueil...

Sur le deuxième neuf, même peau d'chien d'affaire. Assez, que rendu au dix-huitième trou, j'étais en bas du par. J'avais poigné le vert en deux, pis il me restait un *putt* de 23 pieds. J'ai frappé ma balle... elle s'en allait en riant droit dans le trou... pis 6 pouces avant de rentrer dans la sacoche... drrrring!... mon réveille-matin a sonné... pis je me suis réveillé en sursaut dans mon lit!

Ça fait que... la seule fois dans ma vie que j'ai joué en bas du par, ç'a été dans ma couchette.

Excuse-moi, Ti-Louis mais c'était la seule manière que je pouvais prendre pour te battre... sans tricher.

Pis après tout... tout est permis quand on rêve! C'est le curé Coulombe qui me l'a dit.

Les menaces de Séraphin

C'est pas parce que les menaces de Séraphin me font peur, mais pour l'empêcher de brailler, j'ai décidé de vous montrer la lettre qu'il a eu le front de bœuf de m'envoyer. Vous allez voir comment ce qu'il peut être croche.

«Lettre enregistrée

M. Gédéon Plouffe,
Maire de Saint-Gérard-de-Beauce, P.Q.
Gédéon,

Je mets la main à la plume, pis je t'écris lentement parce que je sais que tu lis pas vite.

Je te connais depuis ben longtemps. Rapport que va pas penser qu'on reçoit pas les gazettes dans les pays d'en haut. T'es comme les *doudes* de la ville: fort en gueule, mais faible en esprit.

Les écrits que t'as écrits dans *Le Jour*, c'est du libeulle difflamatoire. Pis tu le sais à part d'ça. Ça prend un jarret-noir malhonnête pis perverti comme toi pour écrire des affaires comme ça sur mon compte. T'es pire qu'un jarret-noir, t'es un cœur noir, viande à chien!

En seulement, rapport que j'ai le cœur sensible, pis que c'est plus fort que mon vouloir, je suis prêt à passer l'efface sur tes menteries, en autant que tu sois consentant à retirer tes paroles publiquement, dans la même gazette, à la même place, à la même page, pis avec la même grosseur d'écriture.

Va pas jouer au fin finaud à part de ça, pis dire des affaires qu'ont l'air des excuses pis qui en sont pas. Tu connais assez la politique pis la LOI pour savoir que des insinuations comme celles que t'as faites à ma face même nuisent à la bonne réputation d'un homme qui, comme moi, est maire de Sainte-Adèle, agent des terres pis commissaire à la Commission scolaire.

La présente est une mise en demeure officielle de ma part. Ton avocat Cliche me fait pas peur. Tu sauras que moi, j'ai pas besoin d'avocat pour faire éclater la justice au grand jour.

457

Pis agis, parce que ça peut te coûter des bidous. Compte-toi chanceux que je te demande pas encore d'argent. C'est parce que je carcule que le pire des arrangements vaut mieux que le meilleur des procès.

À l'avenir contente-toi donc comme par le passé de faire le faraud avec les créatures... pis de gaspiller de la belle argent à faire des folleries icite et là. Mais viens pus te frotter à un homme de ma trempe pis de mon calibre. Comme disent les Anglais, qui s'y frotte s'y pique.

Ben à toi.

(signé) *Séraphin Poudrier*

P.-S.: À part de ça je te battrai n'importe quand sur n'importe quel clos de golf. Là itou, ma mailloche est meilleure que la tienne. Pis j'ai pas besoin comme toi d'un frère Manuel pour savoir comment m'en servir...»

* * *

Réponse du père Gédéon à Séraphin

«**M**onsieur Séraphin Poudrier,
Maire de Sainte-Adèle,
Les pays d'en haut.

Mon cher vieux peigne de corne,

Lettre enregistrée

J'ai pensé à mon affaire. J'aurais pu te répondre par une lettre d'avocat, mais pour te montrer que j'ai assez de jarnigoine pour régler mes affaires moi-même, c'est moi-même, en personne, qui te réponds.

T'as remarqué itou que j'ai pas eu peur non plus de publier ta lettre dans ma gazette. Je carcule qu'elle est assez bête qu'elle se détruit d'elle-même. Les *sports* qui l'ont lue ont dû s'apercevoir dré la dixième ligne que c'est pas

dans l'encre que t'as trempé ta plume, c'est dans le fiel...
Ta menace de libeulle difflamatoire, comme tu dis, tu me
permettras de m'en servir comme suppositoire... Viens
avec moi devant la Cour n'importe quand: je t'attends
avec une brique pis un fanal. C'est pas à un vieux jarret-
noir comme Gédéon que tu vas apprendre à plaider.

T'as pas l'air de savoir que c'est dans la Beauce que se
trouvent les meilleurs plaideurs. Notre meilleur, c'était
Prosper Latulippe. Lui, il plaidait pour une bouse de vache
qui était sur le méchant bord de la clôture! Quand il
passait un an sans procès, il venait malade. Assez qu'une
fois, il est arrivé sur l'avocat Cliche avec une affaire
pendante. Une histoire de trécarré. Pis quand l'avocat lui a
conseillé de régler ça en dehors de la Cour, il était quasiment insulté. Il a dit: «Monsieur Cliche, non seulement
je veux absolument plaider, mais plus que ça... gagne ou
perd, je monte en Cour suprême!» C'est-y assez fort, ça?

Ça fait que... mon beau Séraphin, mon cher baise-la-piastre
pis suce-la-cenne, tu peux entrevoir d'icite ce qui t'attend
si tu veux trop faire le jars. J'ai des maudits bons pièges,
j'attends rien que tu mettes tes grosses pattes dedans.

Je passe par-dessus les crachats que t'essaies à jeter sur
ma réputation. Ben plus que ça, ce que tu me reproches,
moi, je m'en vante... Sur le rapport des créatures, par
exemple. Rien qu'à voir on voit ben que t'es jaloux de
moi parce que je poigne plus que toi avec les femmes.
T'as assez magané la tienne, que les créatures te haïssent
toutes. Moi, j'aime mieux les flatter dans le sens du poil:
c'est pour ça que j'ai du réussi avec elles... Ce que je
dépense pour leur faire plaisir, moi, je carcule que c'est
un investissement. Seulement toi, t'es ben trop peigne
pour comprendre ça. Tu vas mourir sur ta paillasse pleine
de piasses, pendant que le maire de Saint-Gérard-de-
Beauce sera encore capable de s'envoyer des p'tits blancs
dans le trou du cou, de giguer dans la place pis de danser
quatre sets carrés le même soir aux bras des belles
créatures de la Beauce...

En par cas, pour régler notre affaire en hommes, je te propose quelque chose d'intelligent. Ailleurs de t'inviter à venir te battre à poings nus avec moi dans le chemin du roi, je te lance un défi sur n'importe quel clos de golf de la province. Je mets 20 $ au jeu. Il y aura deux arbitres neutres de Montréal avec nous autres.

Si t'as un peu de fierté, tu vas accepter. Si tu refuses, tout le monde va savoir que tu pisses dans ta couche.

Ça me surprendrait pas...

(signé) *Gédéon Plouffe*,
cultivateur, maître-chantre,
gagnant du trophée des
Producteurs de sirop d'érable, classe A.»

La pilule contre la parenté

C'est ben maudit comment est-ce que le monde peut changer vite, hein!

C'est effrayant!

Ah! c'est effrayant!

Moi, j'en reviens pas...

Pensez un peu à tout ce qui a changé dans les idées des Québécois depuis 10 à 12 ans, par exemple... C'est pus le même monde pantoute... Je suis certain, moi, que si Duplessis ressuscitait tout d'un coup pis qu'il voyait ça, là... il dirait: «Ça se peut pas, j'ai jamais gouverné ce pays-là, moi.» Il se reconnaîtrait pus pantoute.

Pis c'est pareil dans tous les domaines.

Prenez la mode... c'est tout viré à l'envers. C'est les hommes qui ont les cheveux longs comme des femmes pis les créatures portent des culottes d'hommes! C'est vrai!

Les vues, c'est pareil... Avant t'allais voir une vue pis si t'avais le bonheur de voir un petit bout de téton tout nu, c'était quasiment un scandale. Ils en parlaient dans la gazette... Pis aujourd'hui, c'est pus ça pantoute. Tu vois pus rien que des fesses à l'air pis des bousculages de créatures. Pis ça sacre là-dedans, c'est pire que dans les chantiers!

La religion, c'est pareil, c'est pus comme c'était v'là 15 ans. Les curés se promènent en civil comme des ministres protestants... pis ben vite les sœurs vont être en minijupe... Les vêpres ont revolé, pis ils ont mis le latin à la porte...

Pis à part de ça... depuis le Concile... y a pus de péché!

Anciennement, si t'empêchais la famille, t'allais sur le diable tout droit. Aujourd'hui, les créatures prennent la pilule contre la parenté, pis le curé les achale pus... C'est rendu que même les filles en mangent...

Moi, personnellement, je m'en sacre...

Seulement, je carcule que si ça continue sur ce train-là, on n'aura pus d'enfants, la race va s'éteindre... pis la nation va s'en aller les fesses en sang sur le trottoir...

Pis que j'en voie pas un peau d'chien qui vienne dire que ça dépend de nous autres, les hommes!

Je vas dire comme Phirin Després: «Nous autres, les hommes, on est encore prêts à semer, seulement, c'est les créatures qui veulent pas récolter.»

Le trémolo mécanique

Ah! si tu veux chanter n'importe comment... sans t'occuper de la qualité... comme quand tu chantes en tirant les vaches ou ben en virant les vailloches... c'est malaisé, ça... T'as rien qu'à faire comme Phirin Després: il chante pas, Phirin, il vêle... pis il fausse à part de ça, comme un tonneau!

Mais si tu veux chanter en chœur de chant, à l'église... ou ben dans les veillées, sans faire rire de toi... faut que t'aies deux choses. Premièrement, du verbe, pis deuxièmement, un trémolo.

Le verbe, c'est la voix, ça... Parce que faut que t'aies de la voix qui porte... Pas rien qu'un petit filet qui se rend pas plus loin que le bout de la gorge...

Faut que le monde t'entende... pis de loin... Parle-moi pas des jeunes chanteux que t'entends des fois aujourd'hui... Si ils ont pas un micro pour grossir leur voix, tu les entends pas... Non... non... non... pour faire un bon chantre, faut que t'aies du verbe!

Pis deuxièmement… il te faut un trémolo itou. Parce que t'as beau avoir du verbe à plein… si t'as une voix droite pis plate comme une planche… ça sera pas aussi beau. Pour que ça soit beau… faut que t'aies du tremblement dans la voix…

Ça fait que… Philémon Hallé, lui… il avait du verbe, mais il avait pas de trémolo. C'est pour ça que je lui donnais jamais de solo à la grand-messe… il avait une voix droite comme un coup de fusil. Il avait pas de tremblement dans la voix. Il a tout essayé pour en avoir un… Il a jusque écouté les records du défunt Caruso sur le graphophone… Pis il y arrivait pas… Il était pas capable. Pis ça l'humiliait à plein, ça… Il aurait voulu chanter comme moi (parce que moi, j'ai un trémolo naturel, moi).

Ça fait qu'une bonne fois… après un exercice qu'on avait eu après le souper au chœur de chant, la veille du service de notre défunt curé Belleau (on avait fait du spécial suffit que c'était le curé), j'ai dit à Philémon — après que les autres chantres eussent été partis, j'ai dit: «Philémon, veux-tu un bon conseil de ton maître-chantre?» Il dit: «Oui arjiboire» — c'était son patois, ça, arjiboire — il dit: «Je veux avoir un trémolo comme toi, Gédéon!»

J'ai dit: «Écoute-moi ben, là… Je vois rien qu'une manière, moi. Ailleurs de te mettre sur la première rangée en avant, icite dans le jubé, où c'est que tout le monde te voit à la longueur… je m'en vas te mettre en arrière de l'orgue. Là, ils te voiront pus les jambes… Ça fait que… là, quand tu chanteras ton solo… tu te branleras la jambe, comme ça, là… pis ça va te faire un trémolo… Ça va être un trémolo mécanique, mais ça va être un trémolo pareil.»

Il dit: «Oui, arjiboire, au point où ce que j'en suis, j'essaierais n'importe quoi.»

Ça fait que… mon Philémon essaie ça… Il s'installe en arrière de l'orgue pis il se fait aller la jambe droite pis il chante *Kyrie*. Pis il se met à crier: «Je l'ai, Gédéon!… Je l'ai!» Je lui ai dit: «Tais-toi, peau d'chien, crie pas comme ça, on est dans l'église… le bon Dieu est là… Pis il est pas tout seul, il y a les vieilles filles Coulombe qui sont après faire leur chemin de croix...»

Il dit: «Gédéon, Gédéon, je suis-t'y content... je vas le dire aux gars! Je vas leur dire: Les gars, j'ai poigné la trique du trémolo... Tout est dans la jambe, les gars... Si ton organe te donne pas satisfaction, branle-toi un peu, ça va venir!»

Le repêchage

J'ai eu beau lui expliquer l'affaire sur le long pis sur le large, Pète-dans-le-trèfle comprenait pas ça. Il me regardait, la bouche ouverte, avec sa grande face de cave pis ses yeux de poisson.

J'y ai dit: «C'est pourtant ben simple, peau d'chien! Quand la saison de hockey est finie, les gars partent pour la pêche. Ils appellent ça le repêchage. C'est une manière d'encan. Les clubs qui ont des joueurs de trop, ils les vendent, pis ceux qui en manquent, ils les achètent. Ça fait que, comme ça, les clubs qui sont feluettes peuvent se renforcir, pis venir en équipollent des autres.»

Pour ces marchés-là justement (mais faut pas le dire trop fort parce que ça peut se savoir aux États), nous autres, les Habitants, on a un étoile de bon maquignon. Sam[4]... lui connaît la gamique en peau d'chien! C'est pas un pedleur ordinaire. Quand il pense, il pense pésant. Il a l'air de rien, il a pas le nez long à le voir, mais il sait renifler le talent. Il carcule.

Ben vous avez vu de la manière qu'il s'est emmanché pour aller dénicher mon Ti-Ken, v'là quelques années, juste avant le détail?... Pis comment ce qu'il s'est pris pour aller repêcher Guy Lafleur dans le lac du Oakland?... Lui, c'est pas de la pêche à la ligne qu'il fait, c'est de la pisciculture! Avec un gars de même, les Habitants sont certains d'avoir une écurie ben garnie. Sam, il patine pas sur la glace, mais il patine en peau d'chien sur le papier par exemple!

---

4. Note du secrétaire. C'était dans le temps du grand magicien Sam Pollock.

Seulement il y a une affaire qui me chicote à plein. Va falloir que j'en parle à Sam de ça. Moi, je carcule que la saison de hockey est trop longue. Elle est trop longue pour les spectateurs, parce que du hockey dans le temps des sumences, ça a pus de bon sens. Pis elle est trop longue itou pour les joueurs. Ces pauvres petits gars, à la fin de la saison, ils sont rendus au bout de leur pouvoir.

Vous les avez vus, l'année passée, le soir de la coupe Stanley? Ils étaient quasiment pus reconnaissables. Ils étaient là, les yeux cernés jusqu'aux babines, vidés, écrémés, équeutés... Ils tenaient presquement pus debout. Y a toujours des maudites limites: t'as beau avoir des chevaux de race, si tu leur ôtes pas le harnois de sur le dos, ils vont poigner le souffle, pis ils vont finir pomoniques avant le temps.

Toi, Sam, qui es le meilleur maquignon de la Ligue nationale, tu devrais savoir ça... L'argent de ton *boss*, c'est ben beau, mais si nos poulains slaquent le bacul sur les derniers milles, le printemps prochain, on sera pas ben ben regagnants.

Parle-z-en donc à ton *boss*, tiens, mais que tu le voies. Dis-y que c'est moi qui t'en a parlé. Un bon Habitant ça comprend vite... quand on lui parle tranquillement.

Rose-Hélène et le taureau

Je suis venu voir mon petit frère, Thophile, samedi passé, pis il m'a emmené aux vues. Il m'a emmené voir la vue *Taureau*. Pour moi, c'est des menteries, c't'histoire-là. J'ai jamais vu de bœuf de même dans la Beauce, moi.

Mais ça m'a fait penser à un fait... à un vrai, celui-là, qui est arrivé chez nous, au premier rang.

C'était l'été passé, ça... faut que je vous conte ça.

Juvénal Bolduc, qui restait voisin de chez Elzéar Perreault, juste passé la rivière aux truites... il avait un beau gros taureau enregistré... Un Holstein... Un taureau de race... Ah! il pesait au-dessus d'une tonne... Bas sur pattes à plein, l'œil intelligent, le coffre bas, pis les valseuses ben accrochées à part de ça...

Ça fait que… tous les habitants allaient mener leurs vaches au taureau à Juvénal, pour les faire couvrir…

Pis l'été passé, dans le temps des foins, v'là-t-il pas qu'il y a une des vaches à Elzéar Perreault qui tombe en saison. Ça tombait mal, Elzéar avait une grosse serrée à faire, il avait pas le temps… Ça fait qu'après en avoir parlé à sa femme à l'heure du dîner, il décide d'envoyer sa petite fille, Rose-Hélène, qui avait sept ans, mener la vache au taureau de Juvénal pour lui faire la cérémonie…

Ça fait que la petite part… avec un bon licou pis une corde. Une vache, un enfant peut mener ça… Pis rendue sur le pont de la rivière aux truites, la petite rencontre le curé Grondin, qui était après pêcher avec le notaire Guertin…

Ça fait que… le curé demande à la petite Rose-Hélène: «Où c'est que tu vas avec ta vache, ma belle fille?… Vas-tu la mener au pacage?»

Elle dit: «Non, je vas la mener au taureau à monsieur Juvénal.»

Le curé dit: «Ben voyons donc, ton père aurait pas pu faire ça, lui?»

Rose-Hélène, elle dit: «Non, papa dit qu'il faut que ce soit le taureau!»

La visite de monsieur l'inspecteur

Moi, mes études, je les ai faites à l'école du rang.

C'était l'école de l'arrondissement numéro neuf. Notre maîtresse dans le temps, c'était Alma Bureau, la fille à Cyrinus. Elle était douce, pis fine… On l'aimait à plein.

Pis comme de raison, à tous les ans, il y avait la visite de monsieur l'inspecteur… Ah… c'était une fête, c'te journée-là. On était tous habillés en dimanche… La maîtresse nous avait fait pratiquer en chœur notre: «Bonjour, monsieur l'inspecteur…» On l'attendait… on avait hâte…

Tout d'un coup, on aperçoit un nuage de poussière sur le haut de la côte chez Dilon Fortin. J'ai dit: «C'est lui…» Il s'en venait avec Hilaire Pochu en voiture ouverte, un vieux Ford à coups de pied. Je te dis que quand il est arrivé à l'école, son

Dans *Procès pour meurtre*, en 1969, je faisais un regrattier de la rue Craig. Cette fois-là, c'est la maquilleuse qui avait du talent.

habillement de serge bleu marin était empoussiéré en peau d'chien.

Toujours qu'il rentre dans l'école... On fait nos cérémonies... Mais j'ai remarqué une affaire: il avait l'air de trouver la maîtresse de son goût à plein... Quand elle lui a donné la main, il a pas vu l'heure de la lâcher...

Ça fait que... on s'assit. Hilaire Pochu s'est écrasé dans une grande chaise qui était amont le pupitre de la maîtresse. Il était commissaire d'école, Hilaire, lui. C'était la première fois de sa vie qu'il rentrait dans une école... Sa journée de la veille l'avait fatigué un peu, manquable, parce que, en s'assisant, il s'est endormi tout de suite pis il a cogné des clous tout le temps de l'examen.

Toujours que... l'inspecteur nous a posé des questions sur le catéchisme, l'arithmétique... Il nous a fait faire une dictée... Pis un moment donné, il demande à Arsène Campeau, qui était en quatrième année, lui: «Mon petit garçon, peux-tu me dire ce que c'est que le recensement?»

Arsène, la gêne l'a pogné, il s'est mis à brailler... Ça fait que Léonie Poulin, qui était dans la même classe que lui, lève la main pis elle dit: «Je le sais, moi, monsieur l'inspecteur».

— Qu'est-ce que c'est ma petite fille?

— C'est un homme qui passe de maison en maison... en augmentant la population!

Les bécosses intérieures

Ça commencé avec la guerre, c't'affaire-là...

J'sais pas si vous vous rappelez ça, vous autres, les moins jeunes... mais dans ce temps-là, suffit que les hommes étaient dans l'armée, y avait pas assez de monde pour faire des munitions dans les usines... Ça fait qu'ils engageaient des filles pour faire l'ouvrage.

Une joyeuse soirée chez Nathalie Naubert où sévissait Pierre Brasseur.

Pis comme dans la Beauce, il y avait des grosses familles, il y a plusieurs jeunes créatures qui allaient travailler dans les munitions, à Québec. Chez Trefflé Bellavance, il y en avait trois..

Comme de raison, ça vidait la maison un peu, mais ça faisait l'affaire des petites filles à plein... Elles se faisaient de l'argent avec ça... Assez qu'ils ont fait des gros radoubs à la maison. Elles ont fait mettre du prélart dans la cuisine, elles ont acheté des sofas pour le salon... Elles ont changé de graphophone... Elles ont condamné la bécosse dans le jardin pour mettre les *closets* à l'eau dans la maison... Elles ont fait faire une pelouse pis un parterre devant la maison... Assez que quand Trefflé est revenu des chantiers, il reconnaissait quasiment pas sa cabane.

Un soir, après souper, il était au restaurant chez Phonse Vallée, pis il expliquait ça aux gars, tous les chambardements que ses filles avaient faits dans la maison. Il me disait: «Gédéon, à la maison, là, c'est pus le même règne de vie qu'avant pantoute. Les petites filles ont tout changé ça. Elles ont même changé des accoutumances. Elles prennent jusque le souper sur la pelouse. C'est pus comme dans mon temps. Anciennement on mangeait dans la maison pis on allait se salir dans la bécosse dehors... Mais, c'est pus ça, à c't'heure on mange dehors pis on va aux *closets* dans la maison!»

L'instruction

Ferdina Hallé, par chez nous, c'était un beau grand gars de six pieds, bâti comme une armoire, fort comme un bœuf, mais doux comme un agneau.

Les filles de la Beauce se l'arrachaient. J'en connais deux ou trois, moi, qui se seraient laissé parler du sincère en approchant si Ferdina s'en était mis en frais. Je pense même qu'elles auraient consenti à tirer de la jambette avec lui si il avait pas été si gêné.

Seulement, Ferdina, c'était un gars gêné à plein. Il avait pas d'instruction — il avait arrêté d'aller à l'école tout de suite après sa communion solennelle — pis quand il était à froid, il était pas bien bien entreprenant avec les créatures.

Mais quand il avait pris un coup, ah! là c'était une autre paire de manches! Là, le bon vieux jarret-noir reprenait le dessus, pis il était d'attaque à plein.

Il sortait avec Marie-Louise, la fille à Ti-Louis Lapointe. Une belle fille, donc, peau d'chien. Elle avait une poitrine à vous donner la soif. Pis des jambes qui avaient pas froid aux yeux ni au reste. Assez que Lucien Coulombe lui avait dit une fois: «Toi, Marie-Louise, avec des belles pattes comme les tiennes, si tu vas pas loin dans la vie, c'est parce que tu veux pas marcher avec!» Ça la faisait rire.

Ça faisait que Ferdina sortait avec elle tous les bons soirs: les mardis, les jeudis pis les samedis. Mais le garçon du notaire, Philémon Grondin, qui allait au collège au Séminaire de Québec dans le temps, avait un œil sur Marie-Louise lui itou. Suffit qu'il était instruit pis qu'il avait toujours des belles phrases dans la bouche, il a-t-il pas eu l'idée d'essayer de faire manger de l'avoine à Ferdina. Un soir, pendant une veillée à la salle paroissiale au village, il a voulu ôter la Marie-Louise à Ferdina pour danser.

Eh! peau d'chien, il aurait jamais dû faire ça! Surtout que Ferdina avait un petit coup dans le nez ce soir-là, pis ça s'adonne qu'il filait pas pour manger de l'avoine devant tout le monde. Il te poigne le grand Philémon par le chignon du cou, pis il lui administre une claque à main franche dans la face, c'est ben simple, l'autre a été s'étendre de tout son long sur le plancher de danse, il a glissé comme sur une patinoire.

Quand il s'est relevé, Ferdina lui a dit: «Tu vois, mon jeune, l'instruction, c'est comme la boisson: il y en a qui portent pas ça!»

Les dents en or

Quand je vous ai parlé du fameux dentier de ma tante Clara, l'autre jour, je pensais jamais de si ben tomber...

Le même soir je regardais le congrès des créditistes à la télévision, pis quand c'est venu le temps de présenter Armand

Bois, il arrive un gars, là, qui a dit qu'il était professeur d'éloquence. Ça fait que... il s'est mis à parler... Parle, parle, parle, jase, jase, jase, pis pendant ce temps-là, le temps passait...

Ça faisait un quart d'heure qu'il parlait, pis un moment donné, il s'est choqué, pis il a perdu son dentier... Maudit torrieu qu'on a eu du *fun*, là!

Philémon Hallé, Trefflé Bellavance pis moi, on était morts de rire! Pète-dans-le-trèfle était en maudit parce que on riait (il est créditiste, Pète). Trefflé le faisait étriver, il lui a dit: «Sais-tu, Pète, ton orateur, là, il aurait été mieux s'il avait été comme la tante Clara: il aurait été bien mieux de pas avoir de dents pantoute!...»

C'est bien pour dire, hein! il y a toutes sortes de dents comme y a toutes sortes de faces... Sur le grand rang, nous autres, chez nous, Ratatin Bureau, il avait fait mieux que ça... En revenant des chantiers un bon printemps, il est arrêté à Québec, pis il s'est fait poser toutes des dents en or... Quand Bezette Lapointe l'a aperçu avec ça après la grand-messe, sur le perron de l'église, il lui a dit: «Ratatin, c'est plus une gueule que t'as, c'est une mine d'or!»

Moi, c'est curieux, quand j'étais petit gars, je me rappelle, je les trouvais donc chanceux ceux qui avaient des dentiers ou ben des lunettes... Mais j'ai changé d'idée en vieillissant!

Des dents naturelles, c'est toujours mieux qu'un râtelier... Moi, il m'en manque rien qu'une... celle-là icite en avant, là... J'ai perdu ça en jouant à la pelote dans le clos chez Ti-Mon Bureau, un dimanche après-midi. On jouait contre le club des frères des Écoles chrétiennes... J'étais au bat... Je te le diable pas comment ce que ça a pu se faire, mais je me suis élancé avant le temps, la pelote a touché à mon bat, pis elle m'est arrivée en pleine face. C'est là que j'ai pété ma dent... Ça a fait mal en peau d'chien, j'ai pas besoin de te le dire.

Le dentiste Jolicœur, de Saint-Georges, m'a offert de m'en faire une neuve... J'ai dit: «Non.»

Il dit: «Pourquoi?»

J'ai dit: «Ça crache mieux avec une brèche!»

La verte vieillesse

Le père Ferréol Royer, par chez nous, c'était pas un moine ordinaire.

Je te dis qu'il avait du chien dans le coffre, le bonhomme.

Quatre-vingt-dix ans, bon pied, bon œil, droit comme un piquet, solide comme un érable. Pis à part de ça, il avait les yeux longs... Sur le rapport des créatures, lui, il était comme moi: il avait pas besoin de lunettes pour les voir. Si il avait eu les mains au bout des yeux, les créatures auraient rien eu sur le dos!

Ça fait que... tout le monde l'aimait à plein, tu comprends, à Saint-Gérard. Un bon vieux vert comme lui, c'est une bénédiction dans une paroisse. Le curé Grondin disait de lui: «Le père Ferréol, c'est le paratonnerre de la paroisse!» Faut dire qu'il avait eu le coup de foudre souvent, le bonhomme... parce que dans son temps, il passait pour un ravageux de créatures!

En t'cas pour ses 90 ans, la paroisse a décidé de le fêter publiquement. Ah! ça été une grosse réjouissance. Monseigneur est venu, le député était là, les anciens, les jeunesses (qui l'aimaient comme s'il avait été leur père), ses anciennes blondes, toute la paroisse était là. Pis la radio itou. Pis la télévision. Les journalistes ont pris des portraits. Moi, en tant que maire, j'ai lu une adresse. Ah! c'était émouvant à plein.

Mais le père Ferréol, lui, tout ce tintamarre-là, ça l'énervait pas pantoute. Il prenait tout ça avec le sourire. Avec son petit sourire narquois. Me semble de le voir encore, le vieux snoreau, quand les journalistes l'ont interviewé. Il y en a un qui lui a demandé:

— Quatre-vingt-dix ans, monsieur Royer, c'est un bel âge, ça. À 90 ans, avez-vous encore des désirs?

— Eh! joual vert — c'était son patois, ça — je pense rien qu'à ça!

— À 90 ans, là, qu'est-ce que c'est que ça serait votre plus cher désir?

Le père Ferréol s'est plissé les yeux un peu... il avait un petit sourire fin qui se cachait sous sa moustache... pis il lui a répondu: «Mon jeune, mon plus cher désir, moi, ça serait de mourir jeune... à 100 ans... tué par un mari jaloux!»

Les plaideurs

Un de mes plus grands plaisirs moi, c'est d'aller entendre plaider les avocats. J'aime assez ça que je suis certain que si poupa avait eu assez d'argent pour m'envoyer au collège quand j'étais jeune, j'en aurais fait un moi itou. Pis un bon, soit dit sans me vanter. Parce que moi j'ai du verbe, pis je suis pas gêné devant les juges.

Seulement quoi veux-tu, j'ai pas eu d'instruction... Ça fait que au lieu de faire un avocat, j'ai fait un maître-chantre! Ça crie aussi fort qu'un avocat, mais ça gagne moins cher!

Ça fait que... je reviens à betôt là... quoi ce que je disais donc? Ah! oui, les procès. Faut vous dire d'abord que nous autres dans la Beauce, la loi, on a ça dans le sang. Par chez nous un habitant en santé, là, il a un procès à tous les deux ou trois ans. Les gars aiment ça. C'est du sport.

Seulement, après que c'est fini, c'est fini. Pas pires amis. J'ai vu une fois Trefflé, moi, faire un procès de clôture à Juvénal Bolduc qui était voisin de lui... perdre son procès... puis le dimanche d'ensuite organiser une quête dans la paroisse pour Juvénal qui avait perdu son cheval dans la semaine. C'est ça, les vrais jarrets-noirs: ordilleux sur la loi, mais charitables dans le cœur. Ils s'engueulent tout le temps, mais ils s'aiment pareil.

Ça fait que... je monte à Québec avec l'avocat Cliche voir une séance d'un procès au criminel. L'accusé était accusé par la couronne d'avoir envoyé sa femme au ciel avant le temps. Aïe, c'était grave... Un meurtre... Mais malgré que l'affaire était pas drôle, j'ai jamais tant ri de ma vie rien qu'à entendre les avocats s'escrimer.

Un moment donné, l'avocat de la couronne poigne un revolver sur la table, il sacre un coup de sa toge pour qu'elle fasse du vent, puis il s'avance vers les jurés en criant: «La preuve, messieurs, c'est qu'il avait ce revolver-là chargé dans ses poches!» L'avocat de la défense se lève, fâché ben dur, puis il dit: «Ça prouve rien, ça messieurs les jurés. Prenez, moi, je porte bien sur moi tout ce qu'il faut pour violer une femme, mais ça veut pas dire que je vais le faire!»

La salle s'est mise à applaudir. Le fou rire a poigné. Les jurés se prenaient les côtes... pis le juge a levé la séance.

Maudits avocats! Si il y en avait pas, faudrait en inventer...

Au Carnaval de Québec... une manière de «Je vous ai compris!»

Le football

C'est un jeu malaisé à comprendre en peau d'chien pour un habitant... Moi, la première fois que j'ai regardé ça à la télévision avec Trefflé Bellevance, Zéphir Campeau pis Absalon Veilleux, j'ai rien compris pantoute.

J'ai dit à Absalon: «C'est un maudit jeu de fou, ça. Tu vois des gars de 250 livres courir à hue pis à dia sans savoir où ce qu'ils vont, pis ils finissent toujours par s'empiler les uns par-dessus les autres tout d'un tas. T'en reconnais pas un: ils sont tous pareils. À part de ça, ils passent leur temps à se donner des jambettes pis à s'enfarger... Des plans pour se casser des membres. Moi, je peux pas voir ce qu'il peut y avoir de drôle là-dedans...»

Ma défunte Démerise, elle, c'tait pire encore. Suffit qu'elle était un peu plus scrupuleuse que moi, elle carculait que c'était un vrai scandale de montrer des affaires de même aux enfants. Elle, ce qui la choquait le plus, c'était quand ils mettaient le ballon au jeu. Elle pouvait pas endurer de voir le quart-arrière se mettre les mains où ce qu'il se les met pour partir l'affaire. Elle en a même parlé au curé Delphis Coulombe. Delphis s'est mis à rire, pis il lui a expliqué que quand c'est pour jouer, c'est pas péché... Mais ça fait rien, Démerise a jamais voulu revoir une partie de football à la télévision.

Je suis resté sous cette impression-là jusqu'au jour où ce que mon garçon, le père Alexandre, qui est dominicain, m'a conté qu'un nommé François Mauriac, qui avait une grosse instruction, pis qui écrivait lui itou dans la gazette, avait déclaré que c'était ce qu'il avait vu de plus beau à la télévision.

Ça fait que là je me suis dit: «Gédéon, t'es pas plus bête que les Français; il doit y avoir un plaisir caché là-dedans que t'as pas encore diviné. Tu vas t'informer à des gars qui connaissent ça, pis tu vas essayer de comprendre.»

Ç'a ben adonné par rapport que sur les entrefaites, j'ai rencontré le gros Brisebois. Il a sorti son crayon, il m'a fait des dessins, pis j'ai tout compris le même soir. Depuis ce temps-là, j'en manque pas une partie.

Mais reste que c'est un jeu dangereux. Même pour des grosses jeunesses comme ceux qui jouent dans les grands clubs. En tout cas, moi, j'aurais jamais joué à ça. Une minute sur le terrain, moi, pis je me ramasserais à l'hôpital pour trois mois...

Le boxeur à lunettes

Ça m'arrive pas souvent d'aller voir la boxe à Montréal, parce que tu comprends, moi... partir de Saint-Gérard, dans la Beauce... ça fait un peau d'chien de bout à trotter ça... 200 milles, tu fais pas ça dans un avant-déjeuner...

Ça fait que j'ai changé du temps avec Pète-dans-le-trèfle pour qu'il vienne tirer mes vaches ce soir-là, pis je suis parti avec Phirin Després... Fallait qu'on aime ça la boxe en maudit pour faire ce qu'on a fait... J'ai même fait déplacer une assemblée du Conseil municipal c'te journée-là pour pouvoir aller à Montréal... Mais ça, j'aimerais autant que vous en parliez pas à personne parce que ça pourrait me nuire aux élections. Il y a toujours quelque maudit jaloux dans la paroisse qui pourrait dire... rien que pour mal faire... que le maire aime mieux son plaisir que son devoir... À part de ça, ça serait pas vrai parce que, pour moi le devoir, c'est un plaisir... Plus que ça, je carcule que le plaisir... c'est un devoir!

Ça fait que... je reviens à la boxe, là... (on s'est écartés un peu avec la politique)... on part, Phirin pis moi, pis on monte à Montréal... voir Paduano... Il se battait contre un gars des États ce soir-là. J'y avais une grosse confiance, moi, ce petit gars-là... C'est une belle jeunesse... pis il m'a toujours fait l'effet d'un gars qui sait se tenir sur ses pattes pis quoi faire avec ses mains.

J'avais gagé deux piastres sur lui... Mais je me suis fait fourrer, il s'est fait donner la volée, peau d'chien... Lui, il a perdu la face, pis moi j'ai perdu ma gageure.

En le voyant boxer, je pensais au gars à Archille Proteau, qui restait dans le quatre, par chez nous. C'était un batailleur du maudit, le gars à Archille... un «boulé». Tout le monde en avait peur dans les chantiers. Il était connu dans ben grand...

Pis Archille s'était mis dans la tête de faire un boxeur professionnel avec. Il carculait de faire une piastre avec ça...

Mais ça a pas marché pantoute. Le gérant qu'il a été voir pour ça à Québec l'a déconseillé. J'y ai demandé pourquoi... Il m'a dit: «Tu comprends, Gédéon, mon gars il a toutes les qualités pour faire un boxeur champion... Il y a rien qu'un défaut: il peut pas boxer sans lunettes!»

La mémoire

La santé, moi, je carcule que y a rien que ça de vrai!

Tant qu'un homme est en santé, il est heureux...

Pis il y a pas d'âge pour être en santé. On peut même mourir en parfaite santé... Ça s'est vu, ça... C'est arrivé souvent chez nous dans la Beauce, ça... Mourir de vieillesse... La mère Jos Belleau, c'est pareil... Elle avait 98, la bonne femme, pis un bon soir, après son chapelet, elle s'est couchée, pis le lendemain matin elle s'est réveillée morte!... Ça lui a pas fait mal pantoute... Ephrem Hallé, lui, ça été un peu plus long, mais ça été sans douleur lui itou... Son garçon avait dit: «Il est mort du baissement: il baissait, il baissait, il baissait... pis il est mort.»

Mais Prosper Latulippe lui, c'était un peu drôle...

Il était rendu à 85, le bonhomme, pis il avait jamais été malade de sa vie. Une bonne fois, il resoud chez le docteur Chabot, pis en le voyant arriver, le docteur lui dit: «Sacrégué, le père... qu'est-ce que vous faites icite? C'est la première fois que je vous vois dans mon bureau... Êtes-vous malade?»

Ah! le bonhomme, il dit:

— Non... je suis pas malade... Je file ben ben... Je mange à ma faim... je digère ben... je pisse comme un jeune homme... je fais mon train matin et soir... je file ben ben.

— Ben oui, mais, si vous filez ben... pourquoi ce que vous venez me voir? Avez-vous de l'argent à prêter?

— Non... c'est pas ça... C'est parce que... je file ben, mais... depuis quelque temps... il m'arrive des drôles d'affaires...

Le docteur, il dit:

— Contez-moi ça!

Prosper dit:

— Vous allez me jurer, docteur, que vous parlerez pas de ça à personne, hein?... Ça va rester entre vous pis moi, hein?

Le docteur dit:

— Oui, oui, oui... ayez pas peur... Icite, c'est le secret professionnel!

Ça fait que le bonhomme il dit:

— C'est par rapport au sacrement!... Avant-hier, je resouds à la maison vers cinq heures... La mère était après fricasser son souper... Je me suis approché amont elle, pis je lui ai dit: «Coudonc, sa mère... on est tout seuls dans la maison, quoi ce que tu dirais si on allait jouer au père pis à la mère un peu... avant le souper, là?» La bonne femme, elle dit: «Es-tu fou, Prosper?... Voyons... il y a toujours des limites... Ça fait cinq fois, aujourd'hui!»

Le bonhomme, il dit:

— Moi, c'est la mémoire!

Les anciennes modes

Non mais... y a toujours un bout... peau d'chien... Pis le bout, c'est le bout...

Y en a qui exagèrent... Y a scrupuleux pis scrupuleux...

Mais scrupuleux comme la femme à Agenor Lachance, par chez nous, là, c'est un peu fort en catsup...

Elle, elle était assez... D'abord, elle était laide... elle était laide à recommander aux prières. À faire faner les fleurs... Elle était assez laide que quand elle faisait des grimaces, on aurait dit qu'elle l'était moins... Elle avait le nez assez long, ma foi du bon Dieu, qu'au jour de l'An, quand on voulait l'embrasser sur les deux joues, c'était plus court de passer par en arrière...

C'était sur le rapport de la religion qu'elle était le pire. D'abord les prières, le soir, avec elle, ça finissait pus... Après le chapelet, c'était la prière... Après la prière, c'était les oraisons jaculatoires... Elle achevait pus... Agenor s'endormait à tout coup accoté sur sa chaise berçante...

Sur le rapport de l'habillement, c'était pareil... Si vous l'aviez vue dans ses hardes... Toujours attriquée comme la chienne à Jacques... Elle avait une robe des dimanches... ma foi du bon Dieu, quand on la voyait à la grand-messe, avec ça, elle faisait penser à la défunte reine Victoria. Le cou dans le col de six pouces de haut... le ventre emprisonné dans un corset... pis une grande jupe qui traînait à terre en balayant le plancher...

J'ai pas besoin de te dire que ses filles en arrachent à la maison pour rester à la mode avec une mère pareille... La bonne femme est toujours sur leur dos... elle piaille tout le temps...

— C'est effrayant, les filles, aujourd'hui, ça s'habille pus... Tu vois ça se promener sur la rue... elles en ont moins sur le dos que leurs mères en ont dans leur couchette... Tu vois ça sur la plage, l'été... la fale à l'air pis les cuisses au vent... avec des petits bikunus... des petites affaires de rien... ça commence à nulle part pis ça finit tout de suite!... Pis l'hiver, c'est pareil... Les filles se promènent par des froids noirs avec des petits bas de soie pis un mors de bride entre les jambes... Comment veux-tu que les créatures d'aujourd'hui soient pas pleines de rhumatismes à 40 ans avec ça?... Nous autres, dans notre temps, on portait des grandes jupes...

Il y a une de ses filles qui l'a arrêtée en disant:

— Nos grands-mères avaient peut-être des grandes jupes... mais nos grands-pères avaient des grandes mains!

Les fanfares de club

Je sais pas si vous êtes comme moi, vous autres, mais moi, les veillées, j'aime ça à plein...

Nous autres, les jarrets-noirs, on est en santé pis on aime le plaisir. Rendu au samedi soir, un Beauceron normal a rien qu'une idée en tête, il se cherche une place pour aller veiller...

Pour être ben, faut aimer l'agrément... Moi, j'ai 69 ans, pis j'aime encore ça aller veiller avec les amis... chanter des chansons... faire virer les créatures... m'envoyer les plumats en l'air un peu... me vider un petit blanc dans le trou du cou... pis conter des histoires...

L'autre jour, j'ai été dans un club de nuit... à Québec. C'était pendant le Carnaval, ça... Je te dis qu'il y avait des Québécois joyeux, ce soir-là, toi... Tout le monde était en fête, pis ça marchait les quatre fers en l'air, j'ai pas besoin de te dire... Je regardais ça, là — j'étais avec Philémon Hallé — pis je me disais: «Si le bon Dieu voit ça, assis sur un nuage dans le ciel, il doit se dire: ‹C'est à peu près comme ça que je les veux, mes Québécois!»

Ça fait que... y en a qui m'ont reconnu dans le club... Pis comme ils savaient que j'étais maire de Saint-Gérard, pis maître-chantre, ils m'ont demandé d'aller chanter une chanson.

Ça me faisait plaisir à plein... j'ai toujours aimé ça chanter dans les veillées.

Je monte dans le jubé du club, où c'est que la fanfare était jouquée... C'était tous des jeunesses. Il y avait un organiste... le visage pâle comme une vesse de loup... J'lui ai dit: «Ma foi Dieu, mon petit gars, t'es pâle comme de la pâte à tarte... As-tu déjà essayé les pilules rouges pour les hommes drabes?»

Il en avait un autre, amont lui, avec une grande pipe en or... Ils appellent ça un «sexe-au-phone», eux autres... Pour moi, il arrivait des chantiers celui-là, il avait la barbe longue... Je lui ai dit: «Fais attention, mon garçon, c'est dangereux une barbe longue de même: quand la vermine se met là-dedans, ça part pus!» Il s'est mis à rire...

Je les regardais tous... pis je me disais en moi-même: «Ça a pas de bon sens, être pâles de même... Pour moi, ces jeunesses-là, ils se ruinent la santé à quelque chose pis ils veulent pas nous le dire.»

J'ai l'impression, moi, que dans ce métier-là, les jeunesses, ça se couche trop... pis ça dort pas assez!

Agenor et la boisson

Quand j'étais jeunesse... en 1929... dans notre club de baseball «Les Jarrets-Noirs de Saint-Gérard», c'était moi qui étais le capitaine... C'est moi qui décidais où ce que les gars devaient jouer... Pis j'avais décidé de faire jouer Agenor Vallières au deuxième... par considération... parce qu'il était mon voisin.

Mais je me suis vite aperçu que j'avais fait une grosse erreur... Il était bon à rien pantoute... Il a jamais su tenir une pelote dans sa main... Il échappait tout...

Il peut ben être resté vieux garçon, va!... Il est assez sans dessein...

Il y a rien qu'une affaire qui pouvait tenir dans ses mains, lui: c'est un verre de whisky... Il a toujours eu un faible pour le fort... Il prenait ça — qu'il disait — pour se mettre du soleil dans la boîte à ragoût... Mais trop bête pour s'apercevoir que c'est traître, ce petit boire-là... Ça colle au paquet pis c'est pas long... À force de t'en vider dans le trou du cou, c'est pas long que tu viens le poil des yeux pesant pis le dessous des pieds rond... C'est là que tu t'aperçois que la Terre est ronde pis que c'est vrai en peau d'chien qu'elle vire autour du Soleil, parce qu'il y a des fois que ça t'étourdit.

Pis le pire, c'est que ce sacré Agenor-là, il avait pris la méchante accoutumance de se paqueter la fiole à tous les dimanches...

Assez que des fois, il me faisait honte...

V'là trois ans, par exemple, je sortais de l'office du Vendredi saint avec le curé Elzéar Grondin... pis, en passant devant chez Josephat Roy, qui c'est qu'on voit là... accoté amont un poteau... paqueté comme un quart de clous... les yeux dans la graisse de binnes pis les jambes molles?... Agenor... Ah ben! peau d'chien...

Elzéar pis moi on s'approche (Elzéar, c'est le nom du curé Grondin, ça) pis je dis à Agenor:

— Es-tu fou, Agenor... quoi c'est qui te prend? T'as pas honte?... Le Vendredi saint... T'as pas raison de te mettre chaud comme ça!

Il me dit comme ça:

— Tu te trompes, Gédéon, j'ai une maudite bonne raison pour être paqueté!

— Laquelle? que je lui demande.

— J'ai pris un coup toute la journée, qu'il me répond.

Pis là, il se retourne vers Elzéar:

— Monsieur le curé, faut pas que vous m'en vouliez... Après tout, c'est normal que l'humanité chancelle le jour où la divinité succombe!...

Le fait et le faire

Moi, quand j'étais petit gars, à l'école du rang, j'aimais ça faire des déclamations. Quand monsieur le curé venait faire sa visite à l'école, c'était toujours moi qui déclamais un petit morceau que la maîtresse me faisait apprendre.

Ça fait que l'autre jour, Ovide, le garçon à Thophile, qui se trouve à se trouver mon filleul — pis qui est un gars instruit à plein: il a fait des grosses études, lui, pis il écrit des lettres au *Devoir* souvent —, Ovide m'a donné pour ma fête un livre de poésies drôles.

Pis ça m'a donné l'idée de vous en lire une que j'ai aimée à plein. Je l'ai icite, tiens... Je vas vous la lire parce que je peux pas vous la déclamer. Je l'ai pas appris par cœur...

Ça s'appelle: *Le fait et le faire*. C'est des petites rimettes, vous allez voir.

> *Sexe charmant à qui l'on fait*
> *Ce qu'il est si plaisant de faire,*
> *Je voudrais vous avoir au fait*
> *Pour vous montrer mon savoir-faire.*
>
> *Car avec vous quand on le fait,*
> *On a tant de plaisir à le faire*
> *Qu'on voudrait ne pas l'avoir fait*
> *Pour pouvoir encore le faire.*

L'époux qui jamais ne le fait
À sa femme défend de le faire.
Mais si l'épouse aime le fait,
Il aura beau dire et beau faire,

Dût-il la prendre sur le fait,
Elle trouve toujours moyen de le faire...
De sorte que l'époux est fait,
Pour n'avoir pas voulu le faire.

Mais vous, monsieur, venons au fait,
J'aimerais bien ça vous voir faire.
C'est vrai que vous parlez bien du fait,
Mais pouvez-vous encore le faire?

Je vous réponds, monsieur, qu'en fait,
C'est plus facile à dire qu'à faire
Mais que si je parle bien du fait
Je sais encore bien mieux... le faire.

Les vieilles filles

Les vieux garçons, c'est tel que tel... le monde en rit pas trop... Y en a même qui seraient portés à les trouver plus chanceux que les autres parce qu'ils ont pas eu l'épreuve du mariage... Mais les vieilles filles, c'est pas pareil.

Je ne sais pas pourquoi, mais on dirait que c'est pire... C'est un dicton, j'crois ben... Dans le fond, c'est pas juste... parce qu'il y a des créatures qui sont pas mariées pis qui sont du bon monde à plein... Prenez les religieuses... Il y en a qui sont fines en peau d'chien... C'est des mères qui n'ont pas d'enfants...

Il y a ben des vieilles filles itou qui sont de service en grand... J'en connais, moi... Ah! je parle pas des vieilles chipies, là, qui moisissent dans le vinaigre... pis qui surissent dans le scrupule... qui sont enragées de religion... qui vont manger le bon Dieu tous les matins pour ensuite manger du prochain le reste de la journée... Ça c'est des créatures surannées, des roses effeuillées à qui il reste rien que les épines... Approchez-vous-en pas trop, vous allez vous faire piquer!

Il y a un père dominicain, que j'avais rencontré une fois quand j'étais allé au monastère à Québec, voir mon garçon Alexandre qui logeait là... pis qui m'avait conté qu'il en avait confessé une, une fois, qui s'était accusée d'avoir eu des mauvaises pensées. Le père lui avait demandé: «Vous êtes-vous arrêtée, mademoiselle, à ces mauvaises pensées-là?» Elle dit: «Non... je me suis pas arrêtée, mais... je passais pas vite!»

J'en ai connu une, dans la Beauce, qui portait toujours un corset Spencer... parce que c'était la seule chance qu'elle avait dans la vie de se faire serrer un peu!... J'ai l'impression que les petites filles d'aujourd'hui, elles ont trouvé d'autres moyens que celui-là!

En t'cas, faut pas en rire trop... trop... Ces pauvres vieilles filles... C'est encore de valeur... Après tout, c'est des veuves blanches. Elles sont en deuil de quelque chose... pis c'est déjà assez souffrant comme ça... de passer sa vie à rancir entre son chat, son serin, son tricotage pis ses tentations.

Ça me fait penser justement, il y en avait une qui disait son Notre-Père pis qui finissait en disant: «Ne nous dérangez pas dans nos tentations et délivrez-nous du mâle, ainsi soit-il!»

Elle disait: «Moi, je me marierai jamais: le jeu en vaut pas la chandelle!»

Le jeune homme épuisé

Moi, l'agriculture, c'est ma spécialité, pis je connais ça à plein. C'est pas pour rien que j'ai été président de la Coopérative agricole pendant cinq ans, pis que j'ai gagné la médaille de bronze du Mérite agricole à l'Exposition provinciale de Québec en 1945. Mon taureau Holstein a même eu un prix, c'te fois-là. Il a gagné parce qu'il avait la fale deux pouces plus basse que le bœuf de Philémon Hallé... Le bœuf à Philémon, il avait pas de chance: il louchait. Un taureau qui louche c'est bon à rien: ça manque son coup, la moitié du temps!

Mais je suis pas rien qu'en faveur de l'agriculture... j'ai de la culture itou. C'est moi, comme maire de Saint-Gérard, qui a fait bâtir une bibliothèque municipale pour instruire le monde pis faire lire la jeunesse... J'ai eu assez de misère à avoir un octroi du Gouvernement que je carcule que je mérite une plume pour l'avoir décroché pareil. En t'cas, c'est pas Phirin Després qui aurait été capable d'aller chercher cet argent-là à ma place... Le député peut pas le sentir... C'est vrai qu'il sent pas toujours bon non plus!

En t'cas...

Ça fait que... une fois la bibliothèque bâtie pis remplie de livres... fallait engager une bibliothécaire... Ah! pis ça pas été que la petite histoire... Il y avait trois anciennes maîtresses d'école pis deux vieilles filles qui voulaient avoir la *job*... Pis des créatures, quand ça se met à vouloir quelque chose, ça lâche pas tout de suite... A fallu que j'use de mon autorité pis de diplomatie pour leur faire comprendre qu'il y avait de la place rien que pour une. Je te dis que... je marchais sur des œufs par boutte... À la fin du compte, j'ai décidé que, pour pas faire de passe-droit, on tirerait au sort... Pis c'est Violette Giguère qui a eu la place. Elle fait ben ça à plein, pis tout le monde l'aime...

L'autre jour... c'était... c'était mercredi passé, ça... y a une étudiante du cégep qui est allée au comptoir pis elle a demandé:

«Mademoiselle, je voudrais avoir *Le jeune homme* de François Mauriac, pour deux jours...»

Violette lui répond: «Il est épuisé, mademoiselle!»

La fidélité

Rien qu'à lire la gazette, tous les jours, je suis rendu à me demander si le mariage va tenir le coup encore ben longtemps... C'est rendu, à c't'heure, que... il y a quasiment autant de monde qui divorcent qu'il y en a qui se marient...

Sans compter tous ceux qui sont accotés à part de ça...

Si ça continue comme ça... ben vite ça va être le divorce qui va être la règle, pis ça va être le mariage qui va être

Avec Juju, Olivette et Gratien.

Landré a toujours été le plus fou.

l'exception... Je vas dire comme le gars: «On sait jamais, si le divorce se faisait à l'église, avec un curé pis des cierges, ça serait peut-être ben un sacrement!»

C'est rendu que même les curés veulent se marier... Vous avez vu ça, ça défroque à la douzaine depuis quelques années... Je parlais de ça au curé Grondin, l'autre jour, au presbytère — j'étais allé voir la partie de hockey en couleurs avec lui — pis j'y ai dit: «Coudonc, Elzéar, il y a une affaire qui me rentre pas dans le crâne, moi... Les curés, me semble, c'est du monde de bon sens... Se marier... c'est la dernière affaire qui devrait leur passer par la tête.» (À moins que ça leur passe par ailleurs...) Non, mais c'est vrai... Ça fait 2 000 ans qu'ils confessent les créatures, pis ils ont pas encore compris!

En t'cas...

Lucien Coulombe, lui, il a compris... Il est célibataire... comme notre père Adam avant sa première opération... Ça l'empêche pas de galvauder les créatures pareil... Ce peau d'chien-là, il part en voyage de noces à toutes les fins de semaine... Pis jamais avec la même femme. Vous me direz toujours pas que y a pas d'injustice là-dedans.

Pis comme je le vois fréquenter Hélène Désilets assez souvent, je lui ai demandé, l'autre jour: « Pourquoi ce que tu la maries pas?» Il m'a répondu: «Es-tu fou, Gédéon? Je l'aime ben trop pour lui faire un coup pareil!»

Pis l'autre jour, au bureau de poste, j'ai demandé la même question à Hélène... Elle m'a répondu: «Le père... un homme, c'est pas assez pour une femme... ou ben c'est trop!»

Ça fait que, pour en avoir le cœur net, j'ai été voir Euclide Fortin, qui s'est marié en secondes noces, il y a trois ans. Il m'a dit: «Gédéon, je me suis marié deux fois, pis j'ai manqué mon coup les deux fois: ma première femme est partie, pis ma deuxième est restée!» Il dit: «Tu sauras, Gédéon, que j'ai appris une affaire: la fidélité, c'est comme la virginité, on l'a ou ben on l'a pas... Pis quand on l'a, c'est pas pour longtemps!»

La faiblesse du mâle

Je parlais l'autre jour des créatures qui sont scrupuleuses. Remarquez que il n'y en a plus beaucoup qui le sont, mais celles qui le sont encore, elles le sont bêtement.

Non mais c'est vrai, y a toujours des maudites limites! Être scrupuleuse, encore, ça s'endure (malgré que ça doit être fatigant en peau d'chien pour une femme aujourd'hui)... mais être cave comme la femme à Narcisse Labbé par chez nous, là, ça a pus de bon sens.

Elle, elle était assez scrupuleuse qu'elle a élevé ses enfants dans l'ignorance complètement. L'éducation pour elle, c'était pas de dire la vérité aux enfants, c'était de la cacher autant qu'elle pouvait. C'est comme ça que sa fille, Hortense, savait pas encore, à l'âge de 25 ans, pourquoi ce qu'elle était pas faite comme son petit frère.

Pis ça lui a joué des tours dans la vie... Une fois, v'là trois ans de ça, Narcisse pis sa vieille décident d'aller en pèlerinage pour la fête de sainte Anne de Beaupré. Comme un pèlerinage de même, c'est une affaire d'au moins deux jours, fallait que quelqu'un reste à la maison pour faire le train, tirer les vaches, pis tout.

Ça fait que la femme à Narcisse dit: «Hortense, tu vas faire ça toi.»

Toujours qu'elle part. Hortense va quérir les vaches, elle les tire pis elle va les remettre dans le pacage.

Ça fait que au bout de deux jours la bonne femme resoud. Elle dit à Hortense:

— Comment-ce que ça été le train, t'as pas eu trop de misère?

Hortense, elle dit:

— Non... j'ai fait le train, comme vous m'avez dit...

Sa mère dit:

— Il s'est rien passé de spécial?

Hortense dit:

— Ben, non... Ah, oui, tiens.

— Quoi?

— Je pense que le taureau a eu une faiblesse hier.

— Une faiblesse?

— Oui, il a eu une faiblesse, certain, parce que quand j'ai rentré le troupeau dans l'étable, il y a une vache qui l'a transporté sur son dos!

Les cours de préparation au mariage

Dans mon jeune temps, moi, le mariage, on décidait ça tout seul. Tu sortais avec une fille pis si tu la trouvais de ton goût, tu la mariais pis tu lui faisais une douzaine d'enfants... Pis c'était une affaire faite... t'avais pas besoin de suivre des cours pour faire ça...

Aujourd'hui, c'est pus ça pantoute... Ils suivent des cours de préparation au mariage... Je sais ben pas quoi ce qu'ils peuvent leur montrer à cette école-là...

C'est toujours pas pour leur montrer comment faire des enfants... Ils doivent le savoir, manquable... à leur âge... À moins que ça soit pour leur montrer comment pas en faire... On sait jamais... empêcher la famille aujourd'hui, c'est même pus péché... Dire que dans notre temps, nous autres, si t'empêchais la famille, les curés t'envoyaient droit chez le diable...

Je pense à tous ceux qui sont en enfer depuis des centaines d'années pour ça pis parce qu'ils ont mangé de la viande le vendredi... Ils doivent-ils être en peau d'chien après nous autres, un peu!...

En t'cas...

Ça fait que... je reviens aux cours de préparation au mariage, là... Après les cours l'autre soir, ils ont fait une séance... Les garçons pis les filles jouaient des petits sketches comiques sur le mariage... C'était assez drôle!...

Dans un de ces sketches-là, c'était le professeur qui demandait aux élèves: «Quand est-ce que le sacrement de mariage a été institué?» Pis le gars répondait: «Le Vendredi saint, quand Notre-Seigneur a dit à ses apôtres: ‹Pardonnez-leur, mon pére, car ils ne savent ce qu'ils font.»

Pis il demande à un autre: «Qu'est-ce que le mariage?» Il s'est fait répondre: «Le mariage est l'union de l'homme chrétien à la femme chrétienne... à laquelle on peut ajouter une légère collation.»

Pis ensuite il demande: «Quel est le neuvième commandement de Dieu?» L'autre répond: «L'œuvre de chair ne mangeras qu'en mariage seulement.»

Pis tout le long comme ça... Ça fait que je me suis dit: «Ces cours-là ont du bon. Si les jeunesses d'aujourd'hui apprennent pas grand-chose qu'on savait pas nous autres, au moins ils apprennent à rire...»

Mais ces affaires-là, ça faisait choquer Zénaïde, la plus vieille fille du village. Elle carculait que c'était manquer de respect au sacrement. Elle avait dit à Philias Bolduc: «Le mariage, c'est une chose sacrée, faut pas en rire.» Philias, qu'était fin comme une mouche, lui a répondu: «Vous avez raison, mademoiselle, faut pas en rire, c'est pas drôle!»

Les belles assemblées

Ç'est de valeur qu'il y en ait pus aujourd'hui...
Ça manque... ça manque à plein.

Je m'en ennuie, moi...

Je parle des bonnes vieilles assemblées politiques qu'on avait dans l'ancien temps...

Quand je dis l'ancien temps... là... c'est le vrai ancien temps... Le temps d'Henri Bourassa... pis de Sir Wilfrid... pis du sénateur Béland... Là on en avait des vraies assemblées.

Y avait pas de radio... ni télévision, ni même de micro dans ce temps-là. Je te dis que pour être un orateur politique, fallait avoir du verbe... Quasiment autant qu'un maître-chantre...

Le monde se déplaçait de loin pour aller entendre Henri Bourassa... Je me rappelle, moi — j'étais jeunesse dans ce temps-là — j'étais allé jusqu'à Québec, dans le train du Québec Central, pour aller l'entendre au marché Saint-Roch. Je te dis que le bonhomme... il avait la parole en bouche... Pis il perdait pas son dentier quand il faisait un discours, lui!

En parlant des assemblées d'autrefois, je me rappelle qu'il y en avait eu une dans la Beauce, une fois... c'était

Avec Jean Duceppe, au Centre Paul-Sauvé... deux petits gars heureux!

Le soir du 15 novembre 1976... Je n'étais pas peu fier de présenter un René victorieux.

dans le temps de Sir Lomer Gouin, ça... avant Duplessis pis Taschereau.

C'était après la grand-messe... un beau dimanche de mois d'août... C'étaient les rouges qui étaient au pouvoir dans ce temps-là (parce que fallait que tu sois rouge dans ce temps-là, sans ça tu foirais aux élections)... Pis Alcide Fontaine s'était présenté à l'abattoir... Les curés avaient beau dire en chaire, le dimanche d'avant les élections, que l'enfer était rouge pis que le ciel était bleu... tout le monde votait comme si ils avaient voulu aller chez le diable!

Ça fait que... Alcide faisait son parlement... Pis comme il avait pas une grosse instruction, pis qu'il voulait pas dire de folleries, il lisait un discours qu'il avait fait écrire par le notaire. Veilleux qui était d'une famille de vieux bleus qui remontait jusqu'à Sir John McDonald... Il y a des grands bouts qu'il savait pas trop de quoi c'est qu'il lisait...

Pis un moment donné, il est parti dans une envolée contre les gros péchés politiques... Il disait — il disait pas, il criait —: «Mes chers électeurs, quand je serai élu, je vous débarrasserai du capitalisse. Je vous débarrasserai du socialisse... Je vous débarrasserai du communisse!» Ernest Poulin était dans le fond de la salle, pis il y crie: «Alcide, vas-tu pouvoir itou me débarrasser de mes rhumatisses?»

Le boulé...

J'ai pas besoin de vous dire qu'avec une nation saine comme la nôtre, surtout dans les campagnes, où ce que l'air est bon pis la nourriture soutenante, c'est pas surprenant qu'on ait élevé des hommes forts. Parce que c'est pas de l'air de seconde main qu'on respire dans la Beauce, nous autres, c'est de la fraîche. Pis les jarrets-noirs ont la réputation d'avoir les valseuses bien accrochées.

Ça fait que dans toutes les paroisses, il y a toujours un gars qui est malaisé à battre aux poings. C'est le boulé de la place. Je sais pas d'où ça vient ce nom-là. Ça vient peut-être de *bull*: le bœuf. En t'cas...

Chez nous à Saint-Gérard, le boulé, c'était Cyrinus Veilleux, le garçon à Pantaléon, mon voisin. Eh! peau d'chien qu'il était emmanché ce garçon-là! Il prenait 19 de collet pour son habit des dimanches, pis il t'avait une paire de battoirs, ma foi du bon Dieu, assez grosse que quand il agrafait un gars avec ça, il pouvait te l'écrapoutir d'un coup sec. Ah! pis il avait des mocelles après les plumats, c'est ben simple, c'était épeurant de voir tout ça fâché...

Un gars tranquille, pourtant, pas malin pantoute, doux comme un agneau. Mais fallait pas lui piler sur l'orgueil par exemple. Ah! peau d'chien, là, il venait dangereux. Quand un gars voulait faire le jars devant lui, le sang lui chauffait vite, pis il venait comme avec des frémilles dans le tempérament. Ça le chatouillait!

Ça fait que une fois, je m'en rappelle, moi — c'était le printemps que la femme d'Odilon Campeau avait eu ses trois bessons —, on revenait du chantier d'Édouard Lacroix. On était une gang de bûcherons sur le train du Québec Central. Les gars étaient chaudasses un peu, on sait ben, ils chantaient pis ils s'amusaient. Cyrinus pis moi, on jouait aux cartes, tranquilles. Pis tout d'un coup, il resoud un gros gars d'un autre char, habillé en *lumberjack* comme nous autres, l'air fantasque. Il se promenait dans l'allée en se faisant péter les bretelles, pis il disait, à haute voix pour que tout le monde l'entende: «Il y a un bon homme dans le char!...»

Au bout de cinq minutes de ce fanfaronnage-là, nos gars commençaient à être tannés de le voir faire le jars. Même moi, je sentais la moutarde me monter au nez. Pis le gars continuait à arpenter l'allée avec son maudit refrain: «Il y a un bon homme dans le char!»

Ça fait que je me penche vers Cyrinus pis je lui dis: «Va donc le moucher, ce morveux-là. Étripe-le pas, mais mouche-le...»

Cyrinus déplie ses six pieds et cinq tranquillement, il s'amène en face du gars. Là, t'entendais pus un maudit mot dans le char; c'était comme à l'église. Cyrinus dit à l'étranger: «Va donc faire le frais-chié dans ton char, toi!» L'autre se

493

gourme pis il répète: «Y a un bon homme dans le char!»
Cyrinus lui dit: «Sais-tu qu'en ce moment, tu joues avec les
poignées de ta tombe?» L'autre gars continue: «Y a un bon
homme dans le char!»

Cyrinus fait ni un ni deux, il lui crucifie une claque sur la
margoulette. Le gars va s'effoirer sur les genoux de Philémon
Hallé, deux bancs plus loin. Il saignait comme un cochon de
boucherie. Il se relève. Il sacre un coup d'œil vers Cyrinus,
pis il s'en retourne en disant: «Y a deux bons hommes dans
le char!»

Les quêteux

Ailleurs ça existe quasiment pus ça.

Mais chez nous dans la Beauce, il y en a encore. Mais des
vrais quêteux, là, des quêteux professionnels. Des gars que
c'est leur métier de quêter. C'est leur ouvrage, ça, eux autres.
Comme un habitant part le matin pour aller labourer ou ben
sumer, le quêteux, lui, il part pour aller quêter.

Il y en a même quelques-uns qui étaient quasiment devenus
des traditions. Qui est-ce qui se souvient pas dans la
Beauce de Marie Rancourt? Elle, c'était pas le trottoir qu'elle
faisait, c'était le chemin du roi! Il y en avait qui faisaient leur
ronde tous les ans... à peu près vers le même temps de
l'année. On était assez accoutumés à eux autres qu'on les
attendait.

Pis du bon monde, hein! Pas des voleurs. Du monde
fiable. Je me rappelle, quand j'étais petit gars, il y en avait un
qui venait chez nous à tous les ans. Il venait toujours souper
avec nous autres pis coucher à la maison. C'est lui qui m'a
montré à jouer aux dames, un soir, sur le coin de la table où
ce que je faisais mes devoirs à la lumière de la grosse lampe
à l'huile. Il était fin. Je l'aimais à plein.

Me semble de le voir encore. Il avait une grande barbe
noire, des vieilles culottes d'étoffe pleines de pièces (maman
lui en avait même raccommodé une paire une fois), des bretelles attachées avec des épingles à couches. Il se promenait
dans une vieille voiture tout écrianchée: on aurait dit que les

roues étaient carrées. Lucien Coulombe appelait ça un casse-pissette! Pis il avait tout un bric-à-brac là-dedans: des vieux manches de hache, des morceaux de sciotte, des bouts de tuyau, de la laine cardée, n'importe quoi qui s'emportait dans une charrette. Parce que le monde était généreux. Mais ils donnaient pas d'argent; rien que des effets. Il ramassait ça pis il revendait ça à hue pis à dia icite et là. Pis ça lui coûtait pas cher de mangeaille, ni de logement: il était toujours ailleurs, en visite! En t'cas, ils étaient heureux, nos bons quêteux...

Aujourd'hui t'en vois quasiment pus. Ça me surprend pas, tout est reviré à l'envers de nos jours. La preuve: c'est le Gouvernement qui est rendu quêteux! Pis quêteux dangereux, lui. Quand il décide de quêter dans le pays, c'est lui qui fixe le montant de ce qu'il veut avoir pis qu'on est obligés de donner. Pis quand il va quêter de l'argent à l'étranger, c'est lui qui décide le montant, pis c'est nous autres qui paient les intérêts.

Ah! il y a des grandes escousses que je m'ennuie du temps de mes vieux quêteux...

L'avocat Cliche

Aujourd'hui il est mort, pis ça me fait de la peine en grand.

C'est de valeur en peau d'chien parce que c'était un sacré bon avocat!

C'est surtout de valeur pour moi parce que c'était le mien.

L'avocat Cliche, ça, ça plaidait!... Et peau d'chien que c'était beau de le voir!... Quand il poignait ta cause, lui, c'était immanquable, tu la gagnais... Me semble de le voir encore, là, dans la salle du palais de justice, à Saint-Joseph... Toujours plaisant, toujours le sourire aux lèvres... Mais dré qu'il avait la toge sur le dos, il devenait dangereux comme un tigre. Assez que les autres avocats en avaient peur...

Mais c'est quand il se choquait qu'il était le meilleur... Je l'ai vu se fâcher une fois, moi, dans un procès au criminel... Ah! c'était une beauté de voir ça. Il était en défense. Pis l'avocat de la couronne avait-il pas eu le malheur de faire un peu trop le jars devant lui, pis d'insinuer qu'il connaissait pas sa loi... Eh! peau d'chien qu'il aurait jamais dû faire ça... Ç'a été son coup de mort. L'avocat Cliche s'est levé comme une balle... les plumats en l'air pis la toge à l'équerre, toi... Pis là, il lui a donné ça sur la suce... Ah! moi, c'est ben simple, j'avais des frissons de plaisir qui me passaient sur la peau... Il a été assez éloquent en t'cas, que quand il s'est assis, le monde s'est mis à applaudir... les jurés sont restés la bouche ouverte... pis je voyais le juge qui riait dans sa barbe... À la fin du compte il a gagné sa cause sur un point de droit.

Ça fait que... après le procès — c'est lui qui m'a conté l'affaire par la suite —, il est allé luncher avec son client au restaurant. C'était un gars qui était accusé d'avoir volé 25 000 $. Aïe, 25 000 $, c'est un gros montant à plein, ça... Il y a un avocat qui m'a déjà dit, moi: «Jusqu'à 20 000 $, c'est du vol... mais passé 20 000 $, c'est pus du vol, c'est de la haute finance!... Ça regarde pus la justice, ça regarde la politique!...»

En t'cas... Pour revenir à l'avocat Cliche, là, après avoir pris un bon lunch, rendu au dessert, Robert dit à son client: «Écoutez, là, à c't'heure qu'on a gagné notre procès sur un vice de procédure, entre vous pis moi pis la boîte à bois, le 25 000 $... l'avez-vous volé?...»

Le gars répond: «Monsieur Cliche, franchement là... après vous avoir entendu plaider... je le sais pus!...»

Le chauffage au bois mou...

Non mais, farce à part, là, j'avais jamais vu Trefflé le caquet bas comme ça...

J'étais allé porter deux cordes de bois de fournaise au docteur Chabot dans son hangar, là, juste amont sa cuisine, pis fallait que je passe par son bureau pour me faire payer avant de partir... Pis en sortant du bureau, qui ce que je vois là, écrasé dans la salle d'attente? Trefflé Bellavance... Mon Trefflé, piteux, les yeux amortis, le dos rond, l'air tout déconfit...

«Mais, mais, mais, j'ai dit, Trefflé, quoi ce qui t'arrive tout d'un coup? T'as jamais eu la mine basse de même... Es-tu malade?»

«Ah! il me dit, je le diable pas de quoi c'est que j'ai depuis une escousse, je me sens casuel à plein... J'ai quasiment honte de te le dire Gédéon, mais je crois que je manque de capacité!»

J'ai dit: «Tais-toi, tu me fais peur...»

Ça fait que je l'ai emmené sur la galerie pour pas que la veuve Beauchesne qui était là nous entende (parce que c'est pas qu'une petite mâchoire, la mère!) pis je lui ai dit: «Écoute, Trefflé, je veux te parler en ami, là... Fais attention à toi, tu sais, t'es rendu à 75, là... Tu commences à avoir du mou dans la corde à nœuds... Surmonte pas la nature pour rien, là... Tu comprends ce que je veux dire?... La vie, c'est une longue procession; faut ménager nos chandelles! Faut pas brûler ça par les deux bouts... Surtout que nous autres, les hommes, on en a rien qu'une...

Il me dit: «Tu crois?» Ben, j'ai dit: «Voyons, ça se dit tout seul ça. Va falloir que tu ralentisses sur le sacrement parce que... Mais quand est-ce que tu t'es aperçu de ça que tu... que tu manquais de capacité comme ça?»

«Avant-hier, qu'il m'a dit... je m'en vas me coucher du long de la bonne femme comme de coutume, pis rendu en dessous de la couverte, je lui ai dit: «Coudonc, Frénésie (parce qu'elle s'appelle Frénésie...), me semble que depuis quelque temps, tu manques de chaleur avec moi!»

Elle m'a dit: «Je peux ben manquer de chaleur, ça fait assez longtemps que tu me chauffes au bois mou!»

Le péché de Pantaléon

Ç'était v'là quatre ans, ça... Arrête un peu... ça fait-il quatre ans ou ben cinq? Ça fait quatre ans, c'est l'année que j'avais été de cérémonie chez Tanase Baillargeon pour le baptême de son plus jeune...

C'était à l'automne, ça, après les récoltes... Toujours qu'un bon soir, Lucien Coulombe resoud chez Pantaléon Veilleux, mon voisin. Pantaléon était assis sur la galerie en pieds de bas, pis il était après jouer aux dames avec Cléophas Quirion...

Ça fait que... Lucien se met à le tourmenter, pis c'est ci, pis c'est ça, pis ho donc pis tiens bien... Il dit: «Écoute, Pantaléon, vieille volaille (c'était son patois), il dit, t'es toujours pas pour rester icite à niaiser tout l'hiver à tirer trois vaches «anneyères» pis à passer ton temps à t'écouter pousser la barbe, les pieds sur la bavette du poêle... pis à sauter la bonne femme une fois par mois: c'est pas une vie ça. Envoie, viens-t'en avec moi, on va aller aux chantiers.»

Toujours qu'ils partent... Ils s'en vont aux chantiers. Passent trois mois dans le bois. Ils s'étaient ramassé pas mal d'argent. Pis rendus au mois d'avril, fallait que Pantaléon revienne pour faire son sucre, lui, c'était le temps d'entailler. Ça fait qu'ils décident de s'en revenir.

Pis en s'en revenant, fallait qu'ils passent par Québec. Pis là, Lucien connaissait des adresses de maisons mal fermées... Il emmène Pantaléon avec lui... En arrivant dans le salon, Pantaléon voit tout un paquet de belles jeunes créatures... Ça fait qu'il demande à la femme qui leur avait ouvert la porte: «Ah! crégué, vous avez une belle famille, madame... Vous avez rien que des filles, pas de garçon?» Elle dit: «Oui, rien que des filles!» Pis des filles avenantes à part de ça... Pas gênées pantoute. Il y en a une qui s'est même assise amont Pantaléon, pis elle le prenait par le cou... Pantaléon était chaudasse un peu, il haïssait pas ça...

Un moment donné, elle dit: «Écoutez, monsieur Veilleux, venez donc vous coucher dans ma chambre, vous devez être fatigué, le voyage, tout ça»... Pantaléon dit: «Aller me coucher?... Es-tu folle? je m'endors pas pantoute, il est trois heures de l'après-midi.» Elle dit: «Venez pareil; on va jouer aux cartes...» Ça fait qu'il y va... Rendu là, ils prennent un coup... Parle, parle, parle, prend encore un coup, jase, jase, jase... pis de fil en aiguille, à force de se faire tourmenter... il lui est venu des idées... Toujours qu'il a fini par faire le péché contre le sixième et le neuvième commandements.

Pis rendu dans la Beauce, la bonne femme s'est mise après lui (pis ça s'adonne que c'est Claudia qui portait les culottes à part de ça dans la maison). Elle dit: «Écoute, Pantaléon, là... Ça fait six mois que t'es dans le bois... t'as dû sacrer... envoie, viens-t'en à confesse!» Elle emmène Pantaléon à confesse.

Ça le gênait un peu de se confesser au curé Grondin, tu comprends. Ils se connaissaient depuis l'âge de 10 ans tous les deux, ils avaient marché au catéchisme ensemble. Ils se tutoyaient... Ils fumaient le même tabac... ils allaient à la pêche pis au baseball ensemble... Ça fait que Pantaléon rentre dans le confessionnal... Pis là, il s'accuse d'avoir fait des œuvres de miséricorde corporelle un peu avancées...

Ah ben! peau d'chien! Le curé lui tombe sur la frippe... Il dit: «Mais es-tu fou, Pantaléon? Quoi c'est qui t'a pris? Un vieux de ton âge, 63 ans, père de famille, marguillier en charge à part de ça... aller galvauder des créatures de ville... Des plans pour attraper des maladies de fou! Le regrettes-tu, toujours?...»

Pantaléon dit: «Écoutez, Elzéar, demande-moi pas tout en même temps... D'abord j'ai eu assez de misère à le faire! Pis à part de ça, le bon Dieu est pus fâché, là... Tu m'as pardonné?...»

Le curé dit: «Oui, oui, oui, tu vas me promettre le ferme propos de pus le faire... pis on en parle pus. Tu diras un chapelet pis tu feras un chemin de croix!»

Pantaléon dit: «Au contraire, Elzéar, on va s'en parler. Ôte ton surplis, pis on va se parler d'homme à homme... Elzéar, regarde-moi ben dans les yeux, là... Arrange ta religion de la manière que tu voudras, moi je carcule que le plaisir, c'est la santé! C'est trop bon pour être méchant! Pis à part de ça, entre toi pis moi pis la boîte à bois, le bon Dieu nous a pas mis de la crème dans le corps pour qu'on laisse surir ça là.»

La sagesse de Salomon

Ç'est ben pour dire, hein!... t'apprends toutes sortes d'affaire dans les livres...

Même dans les livres saints...

Pis même à l'église... Dans le temps qu'on faisait notre religion en latin à l'église — parce que ils ont tout changé ça — ...quand on priait en latin, on chantait des affaires qui auraient scandalisé les créatures si on les avait chantées en français...

Tu prends quand on chantait les vêpres, il y a un morceau qu'on chantait pour la Sainte Vierge... C'était — arrête un peu que je m'en souvienne, là... ah! oui: «*Nigra sum sed for formosa, filiae Jerusalem, et introduxit me rex in cubiculo suo.*»

J'ai demandé à mon garçon Alexandre, l'autre jour, quoi c'est que ça voulait dire ça. Parce qu'il est père dominicain, lui, il connaît ça à plein le latin. Savez-vous ce que ça veut dire? En français, ça veut dire: «Je suis noire, mais je suis belle... et le roi m'a introduite dans son lit!»

Si on avait chanté ça en français dans mon temps, moi... les sœurs Grises seraient ben sorties de l'église!

C'est comme pour les mariages... Il paraît que l'apôtre saint Paul a déjà dit — il parlait en latin, lui itou, — il a dit: «*Melius est nubere quan uri.*» Alexandre m'a dit que ça voudrait dire: «Mieux vaut se marier que de brûler.» Autrement dit: «Quand le feu vous poigne, vaut mieux appeler une femme que les pompiers!»

Ça fait que... l'autre jour, j'étais assis dans la cuisine, après souper, je fumais ma pipe tranquillement... Pis la petite Louisette à Engelbert, mon plus vieux... elle a sept ans... était après apprendre sa leçon d'histoire sainte... Elle était rendue au chapitre du roi Salomon...

Saviez-vous que c'était pas un snoreau ordinaire, ce peau d'chien de Salomon-là... D'après les livres saints, là... il paraît qu'il a eu 300 femmes... Ça prenait un gars qui avait de la santé pis qui devait avoir les valseuses ben accrochées pour toffer ça...

Ça fait que... c'est-il pas tombé sous les yeux de la petite Louisette, cette histoire-là...

Elle va trouver sa mère, pis elle lui demande: «Maman... c'est-il vrai, ça, que le roi Salomon, il avait 300 femmes?» Sa mère... gênée un peu... elle dit: «Ça doit... si c'est écrit dans l'histoire sainte.»

Ça fait que la petite, elle dit: «Hé... Mosusse... ça devait lui prendre une grande couchette!...»

Le Salon de l'auto

J'ai été au Salon de l'auto v'là déjà quelque temps.

Peau d'chien que j'ai vu de la machine là!

Mais ce qui m'a impressionné le plus, c'est pas les Rolls Royce pis les Mercedes pis les machines expérimentales de l'an 2000... Ça, c'est rien que bon pour les millionnaires. J'ai demandé au gars qui vendait des Rolls Royce, là, comment ce que ça coûtait ces machines-là. Il m'a répondu: «50 000 $ pis la taxe!»

Aïe... c'est pas des farces... 50 000 piastres... Une maison... Avant de payer 50 000 tomates pour de la ferraille, moi, je m'achèterais une autre terre à bois...

Ce qui m'a fait le plus plaisir dans le Salon, c'est la vieille Fiat de dix-neuf cent quelque chose, là... Elle me faisait penser à la grosse voiture qu'Arthur Lisée avait par chez nous quand j'étais petit gars... C'était une grande maudite agrès à six sièges, avec des fanaux à l'huile pis des grandes strappes de cuir qui partaient du toit jusqu'aux ailes en avant. Je me demande si ça avait pas quelque chose comme 16 cylindres, c't'affaire-là... C'était fort comme 3 paires de chevaux. Mais rien que sur le planche... Quand t'arrivais dans une côte trop à pic avec ça, fallait que tu montes à reculons parce que le gaz se rendait pas jusqu'au carburateur...

Je m'en rappelle une fois, moi, un dimanche après-midi, on avait été en pèlerinage à une statue de la Sainte Vierge qu'ils avaient jouquée sur le haut de la côte, au ruisseau rouge, à Fontainebleau, pas loin de sur mon oncle Hector, en gagnant Linwick, là... On était ben une douzaine d'âmes dans la machine à Arthur... Il y avait mémère, y avait ma tante Albina, ma tante Eva, y avait Vila, Georges... ah! On était une *gang*...

Pis dans ce temps-là, c'était des chemins de terre... Pis comme le temps était mouillasseux à plein, la pluie avait détrempé le chemin... On était dans belle vase... Pas capables de monter la côte!...

Essaie de reculons... Motte!... pas plus... A fallu débarquer les créatures qui ont été obligées de monter la côte en auto-pattes!... Me semble de voir encore ma tante Eva, avec ses grandes bottines pointues, qui pataugeait dans la vase en disant des Avé pour que la Sainte Vierge pousse avec nous autres... Elle a dû passer quelques graines, manquable... parce la pauvre Vierge, elle poussait pas fort.

Arthur était en beau maudit... Il sacrait comme j'ai rarement entendu sacrer à un pèlerinage de la Sainte Vierge...

Ah pis c'était plus fort que moi, je me suis écrasé de rire quand son frère, Vila, qui était étriveux à plein, lui a dit: «Arthur, si j'étais à ta place, moi, plutôt que d'avoir une auto qui marche pas, j'aimerais mieux pas en avoir, pis qu'elle marche...»

La reproduction

Aïe les gars, va falloir arrêter...

Va falloir arrêter, ça a pus de bon sens...

Va falloir arrêter, sans ça on va tous crever...

Je viens de voir ça dans la gazette hier, là, pis la peur m'a pris...

D'après ce qu'il y avait d'écrit sur la gazette, là, il y a des savants qui carculent que betôt... il va y avoir trop de monde dans le monde... Saviez-vous ça vous autres?...

Les savants ont carculé ça... Pis quand je dis les savants, je parle des gars qui ont fait des grosses études, là... Je parle pas des petits Jos connaissant comme Télesphore Beaudoin, chez nous dans la Beauce, qui se prononçait sur tout comme si il avait été le pape, pis qui était ignorant comme un député...

Eux autres, ils ont étudié la situation avec des machines... Ça fait qu'ils peuvent pas se tromper... Toi, par exemple, tu vas faire une addition... rien qu'avec ta cervelle pis ton crayon... tu peux te tromper. Tu peux te tromper rien que d'un chiffre pis ça fourre toute l'affaire à l'envers...

Mais si t'as une machine à carculer... elle, elle se trompe pas... Elle est pas capable de se tromper... C'est mécanique, ça... Ça peut pas manquer...

Ça fait que... pour revenir à mon affaire, là... les savants ont compté le monde qu'il y a sur la Terre... pis ils ont trouvé qu'il y en a trop... Pis pas mal trop... Assez en tous les cas que si on continue à faire des petits comme des lapins, il y aura plus de quoi manger pour tout le monde ben vite...

Comme c'est là, là, aujourd'hui en 1980, on est 3 600 000 000 de monde dans le monde... Pis il y a déjà pas assez d'habitants pour produire à manger à tout ça...

Pis plus que ça... ils carculent — toujours avec leur maudite machine qui se trompe jamais, c'est ça qui est effrayant — ils carculent qu'en l'an 2000 (pis c'est pas loin ça, c'est rien que dans 20 ans d'icite), il va y avoir 8 000 000 000 d'âmes sur la Terre... Aïe, avez-vous pensé à ça vous autres? Pis les âmes, c'est encore rien; c'est les corps qui vont se piler sur les pieds...

Quand j'ai dit ça à Philémon Hallé, l'autre jour, sur le perron de la messe, il m'a dit: «C'est de valeur, Gédéon, parce que moi, j'aime assez les enfants que si je m'écoutais, je passerais tout mon temps à en faire!...»

La partie de pelote

À c't'heure qu'on a recommencé à parler de baseball dans les journaux... moi, c'est ben simple, j'ai l'impression que on est en plein été...

Eh ce que j'aime-t-il ça le baseball!

Moi, c'est mon jeu national...

Pis depuis qu'on a un club professionnel avec nous autres, c'est encore plus passionnant.

Mais j'ai vu du jeu professionnel avant ça.

J'ai déjà été à Boston... avec mon beau-frère Caïus... voir une partie...

Eh peau d'chien qu'on a vu de l'action, là...

On était assis tous les deux, Caïus pis moi, dans les estrades, là... pis on attendait que la partie commence...

Au parc Jarry, le lanceur de la balle flèche et son receveur de circonstance, Gary Carter.

Parce qu'ils commencent jamais la partie tout de suite, là-bas, aux États... Ils s'exercent avant...

Eh ce que c'était beau de les voir...!

Toutes des belles grandes jeunesses... dans les six pieds et quelque... Je les regardais... pis je disais à Caïus... «Pense pas que ça ferait pas des bons habitants sur une terre, des beaux grands garçons forts pis résolus comme ça, toi!»

Ils étaient là qui se garrochaient la pelote d'un bord à l'autre du clos... Elle touchait pas à terre... Ils s'envoyaient ça assez raide qu'à tout coup ça pétait dans les gants.

Pis quand ils ont eu fini de pratiquer, là... ils se sont mis à jouer pour vrai. Je te dis qu'on a vu du voyage là!

Un moment donné, il resoud un gars au bat... Un grand fanal de six pieds passés... Un nommé Williams... Ted Williams... C'était le meilleur des Boston, c'était un gros fesseux... Il claquait comme un démon, lui...

Il arrive au marbre... Il se faisait aller le bat sur tous les sens, pis j'ai remarqué (parce que j'avais la longue-vue à

Le jour de la fête nationale, le 24 juin 1975, c'était le maire de Saint-Gérard-de-Beauce qui lançait la première balle.

Caïus) qu'il avait la poigne du frère Manuel... Ah ben, peau d'chien, là, j'ai dit: «Caïus, espère un peu, tu vas voir une pelote qui va aller pacager loin dans le clos, tu vas voir...»

Pis là, le lanceur lui en a envoyé une «tire-bouchon». Ça s'en venait tout croche, ça... comme une queue de cochon...

Mon Williams s'élance à corps perdu là-dessus... pis il a passé dans le beurre... il est tombé à terre... J'ai dit à Caïus: «Il s'est donné un coup de poignet!»... Mais non... Il s'est relevé, il s'est escoué la poussière... pis il s'est installé dans la boîte... Pis il était en maudit de l'avoir manquée, tu comprends... Tout le monde l'avait vu, y avait au-dessus de 40 000 personnes, là...

Pis là, le lanceur lui envoie-t-il pas une balle droite. Il aurait jamais dû faire ça... Williams l'a connectée, elle est partie dans le haut du clos... J'ai dit à Caïus: «Il va la perdre.» Pis il l'a perdue itou. Il a fait un court-circuit... pis il a gagné la partie... Pis en m'en retournant avec Caïus, je lui ai demandé: «D'après toi, comment ce qu'ils peuvent gagner ces gars-là, en équipollent de nous autres, les habitants?»

«Lui, Williams, que m'a répondu Caïus, c'est 75 000 $ par année.»

Ben, j'ai dit: «Ça prend ben des Américains pour payer des prix de fou de même... Moi je connais ben des gars de la Beauce qui fesseraient sur une pelote pour moins cher que ça!»

Le ministre et l'habitant

T'as beau être instruit à plein, pis avoir fait des grosses études, pis avoir monté haut dans la société, il arrive toujours un moment donné où ce que tu trouves ton homme pis tu te fais rabattre le caquet quand t'as fait le jars un peu trop...

C'est ce qui est arrivé à un ministre du Gouvernement, v'là quelques années, dans la Beauce. Ce ministre-là, c'était un gars intelligent, mais menteur... menteur... assez menteur qu'on pouvait même pas croire le contraire de ce qu'il disait. C'est pour ça qu'il est devenu ministre, manquable!

Pis à part de ça il passait pour avoir la conscience à peu près droite comme un tire-bouchon... C'est un paqueteux d'élections, il s'arrangeait toujours pour fourrer tout le monde. En t'cas en un mot comme en cent, c'était un maudit croche.

Pis ça, ça se savait dans la Beauce...

Pis non seulement les jarrets-noirs savaient ça, mais ils le digéraient pas.

Ça fait qu'une fois... v'là le ministre qui resoud dans la Beauce faire une assemblée politique. C'était dans le temps des élections, ça... Pis avant son assemblée, dans l'après-midi, il voulait rencontrer un organisateur de son parti qui restait dans un rang, à reboutant du grand cordon, là, en gagnant Saint-Sébastien, passé la fourche à Cléophas...

Rendu au coin de la route chez Omer Dion, il s'est trouvé écarté. Il était perdu... Ça fait qu'il s'est approché d'Omer qui fauchait à la petite faux amont la clôture du chemin... pis il lui a demandé:

— Pouvez-vous me dire le chemin pour me rendre chez Télesphore Lagueux?

Omer l'avait reconnu, il dit:

— Vous êtes le ministre «un tel» (je veux pas le nommer pour pas lui faire de publicité)?

Le ministre dit:

— Oui.

Omer lui dit:

— Je vous dirais ben le chemin, mais ça me surprendrait que vous soyez capable de le suivre...

Le ministre dit:

— Pourquoi?

Omer répond:

— Parce qu'il est tout droit!

La mort des seins

Ç'est ben simple, quand j'ai lu ça, la peur m'a pris.

Aïe, c'est pas des farces, les créatures, là... Va falloir que vous y voyiez... Pis sérieusement... Sans ça, ça va être la catastrophe. Pis quand ça va arriver, vous allez toutes brailler, mais il va être trop tard.

C'est vous autres qui êtes les premières intéressées, pis je gage que ça vous a passé sous le nez sans que vous en ayez connaissance.

Je viens de lire ça sur la gazette, moi, là... C'était écrit — écoutez ben ça, là, c'est grave — c'était écrit sur la gazette:

«Les savants bi-o-lo-gistes prétendent que si les femmes re-
fusent systématiquement de nourrir leurs enfants au sein, elles
risquent, à la limite, de voir disparaître cet attribut de leur féminité. Il est prouvé que dans l'évolution des espèces, le
besoin crée l'organe, et que lorsqu'un organe ne sert plus à sa
fonction naturelle, il tend à disparaître. De sorte qu'on peut
craindre que si les femmes ne nourrissent plus leurs enfants,
leurs seins risquent de disparaître.»

Aïe, les créatures, c'est pas des farces, là! Faites-nous pas
ce coup-là...

Je sais pas si vous voyez ça comme je le vois, moi, mais
ça serait effrayant!

Vous voyez-vous, pus d'estomac? Ça a pas de bon
sens!...

Pis nous autres, les mâles, qu'est-ce qui va nous rester à
prendre, hein? Avez-vous pensé à ça?

Ça fait que va falloir faire quelque chose pour prévenir
c'te catastrophe-là. Parce que nous autres, on aura pus de
raison de vivre si les femmes sont pus des femmes.

Pensez-y bien, vous tenez tout notre bonheur dans vos
mains... je veux dire dans vos seins... Lâchez-nous pas!... Pis je
vous le promets, nous autres non plus, on vous lâchera pas!...

La pelote professionnelle

Mes Expos, je les aime à plein.

Pis ça me fait autant de plaisir quand ils gagnent que ça
me fait de peine quand ils perdent.

Comme de raison, ils peuvent pas gagner tout le temps.
Je m'attends même pas à ce qu'ils gagnent la moitié du
temps. Ils sont tout jeunes encore: il faut leur laisser le temps
de se forger une équipe. Faut être patients avec eux autres,
pis surtout pas les lâcher parce qu'ils perdent plus souvent
qu'à leur tour. C'est justement quand ils perdent qu'il faut
leur montrer le plus d'affection.

Mais ce qui me choque le plus, c'est de leur voir perdre
des parties gagnées. Pis ça, ça dépend pas d'eux autres, ça
dépend de Dick Williams.

Je me suis retenu de le dire jusqu'icite, mais là, peau d'chien, j'ai mon voyage. Faut que je parle. Quand t'es rendu aux dernières manches, pis que t'as une avance de quatre à cinq points, pis que ton lanceur se fait tapocher des coups sûrs à la pochetée, tu le changes, désespoir!

Moi, quand j'étais instructeur de notre club «Les Jarrets-Noirs de Saint-Gérard», dans la Beauce, pis que je m'apercevais que Juvénal Bolduc, mon meilleur lanceur, se faisait fesser trop dru, je le sortais de l'eau bouillante tout de suite avant qu'il fonde, pis j'embarquais Philémon Hallé. Parce que Philémon, lui, il pouvait pas durer neuf manches, mais il avait une *drop* effrayante. Pis quand ça chauffait, là, sur les derniers milles, il s'énervait jamais. On aurait dit qu'il avait du sang de poisson dans les veines.

Je me rappelle, une fois — c'était le jour de la Saint-Jean-Baptiste, en 1920 —, on jouait contre le club des frères qui était dirigé par le frère Manuel. On menait un à zéro, pis à la huitième manche, Juvénal, qui lançait pour mes Jarrets-Noirs, a foiré sur le bacul pis il a mis trois hommes sur les buts. J'ai pas attendu une minute de plus, je l'ai remplacé par Philémon dré là. Ç'a pas été une traînerie, mon Philémon a flambé six frères en ligne, pis ç'a fini là.

Je carcule pas d'en remontrer à Dic Williams, mais c'est comme ça qu'il faut faire. Le baseball, je connais ça à plein. C'est un jeu traître. Le frère Manuel me l'a toujours dit — parce qu'on était bons amis en dehors du terrain: «Gédéon, si tu veux avoir du réussi dans ce jeu-là, rappelle-toi toujours que le secret de la victoire, il est dans la boîte du lanceur. C'est une question de poignet.»

Pis lui, il connaissait ça en peau d'chien...

Mes Jarrets-Noirs de Saint-Gérard

Dimanche passé, j'ai fait une grosse veillée chez nous à Saint-Gérard. On a fêté les 75 ans de mon voisin Juvénal Bolduc. Les gars sont tous venus avec leurs créatures à part de Philémon Hallé qui est veuf, pis Pète-dans-le-trèfle qui est vieux garçon depuis qu'il est au monde.

On a eu de l'agrément à plein. On s'est envoyé du p'tit blanc dans le trou du cou, on a fait swinger les créatures jusqu'à trois heures du matin, pis on s'est conté des histoires comme au camp, dans le temps qu'on faisait chantier dans le Maine pour Édouard Lacroix.

Ça fait que... un moment donné, le sujet est venu sur le baseball. Tout d'un coup, je me suis aperçu d'une affaire: tous les joueurs des fameux Jarrets-Noirs de Saint-Gérard, le club que je dirigeais quand on a gagné le championnat de la Beauce, en 1924, étaient là. J'ai dit aux gars: «Montez dans le grenier avec moi, j'ai quelque chose à vous montrer qui va vous faire plaisir.»

Toujours qu'on monte en haut, pis là, je leur ai sorti de mes paperasses le portrait qu'on avait pris le jour de la victoire. Le v'là justement.

Je vous les présente; vous en revoirez plus jamais de pareils.

Le premier à gauche, c'est Trefflé Bellavance. Trefflé c'était mon plus gros fesseux. Il a défoncé toutes les clôtures de la Beauce à coups de circuits.

Le deuxième debout, avec la grosse moustache, c'était mon receveur Juvénal Bolduc. On l'appelait «Ti-Ju-Bras-de-Fer». Il y en avait pas un peau d'chien qui pouvait voler le deuxième quand il était derrière le marbre. Pis c'est le seul gars qui pouvait attraper ma balle flèche sans tomber sur le cul...

Le troisième, les bras croisés pis droit comme un piquet, c'est Pantaléon Veilleux. Lui, il était mon premier but. Une mitaine dépareillée.

Le quatrième posé un peu de côté, ça c'est moi. Mais j'ai un meilleur portrait que ça de moi, posé tout seul. Je vas vous le montrer en gros plus tard.

Celui du bout à droite, c'est Prosper Latulippe. Lui il jouait à la vache, amont la clôture de droite.

Assis, le bat à la main, ça c'est Philémon Hallé. Philémon, c'était mon arrêt-court, un inter comme ils disent aujourd'hui à la télévision. On l'appelait le mur parce qu'il y avait pas un roulant qui pouvait le traverser.

L'autre qui est assis à sa droite, c'est Tanase Baillargeon qui reste à reboutant de chez nous. Tanase, il jouait au trois. C'était le voleur du club. Il courait comme un lièvre. Lou Brock à côté de lui, c'est une tortue...

Pis le barbu, qui a oublié de mettre sa casquette, c'est Absalon Grondin. C'est lui qui jouait à la vache dans le fond du clos.

Le dernier accroupi, c'est Delphis Coulombe. Aujourd'hui, il se trouve à être curé chez nous à Saint-Gérard. C'est le seul qui sacrait pas quand on perdait...

Entre moi pis vous pis la boîte à bois, ça fait-il pas une peau d'chien de belle équipe?

J'en souhaite une pareille à mes Expos.

Mon portrait de lanceur

Je vous avais dit que je vous montrerais mon portrait à longueur. Ben je l'ai trouvé, là. Le v'là.

C'est ma défunte Démerise qu'avait caché ça de son vivant dans ses affaires... de dévotion. Je l'ai trouvé en dessous d'une pile d'annales de la bonne sainte Anne.

Ça ç'a été posé avant que je me marie. Démerise me trouvait beau à mort là-dessus. La pauvre vieille, elle a jamais rien compris à la pelote professionnelle, mais toutes les fois qu'on jouait, dans le clos sur Ti-Mond Bureau, elle venait me regarder lancer. C'est même arrivé une fois qu'elle a manqué son mois de Marie pour

venir me voir jouer. C'était justement le dimanche où ce que
mes Jarrets-Noirs de Saint-Gérard avaient écrapouti les Merles
de Saint-Georges, qui étaient dirigés par Ti-Bé Poulin à Jos-
David, par le compte de 12 à 0... Dévotieuse comme elle était,
pour qu'elle fasse ça, fallait qu'elle m'aime en peau d'chien!
Mais je suis certain qu'au ciel où ce qu'elle est aujourd'hui, elle
doit rien regretter parce que je lui ai pas fait honte c'te journée-
là.

C'est c'te fois-là que j'avais passé 19 Merles dans la mite
avec ma fameuse balle flèche que le frère Manuel m'avait
montré à tirer.

Regardez le portrait comme il faut, là, pis vous allez remarquer que mon habillement est pas tout à fait pareil à ceux
qu'ils mettent aujourd'hui. Par exemple, vous voyez que mon
corps de laine dépasse. Ça, c'est parce que je mettais toujours
mes caneçons de laine pour lancer. Par rapport que la laine,
voyez-vous, ça boit la sueur... Pis à part de ça, ça gardait mon
bras gauche à la chaleur. Parce que moi, quand je lançais, je
transpirais à plein. Ah! c'est ben simple, je ressuais comme
une taure à son premier veau... Ça fait que pour pas que je
refroidisse entre les manches, je mettais mon corps de laine.
Sans ça j'aurais pu poigner les rhumatismes comme rien.

Vous remarquerez itou la longueur de mon poignet. Le
frère Manuel était quasiment en admiration devant mon
poignet. Il carculait, lui, que c'était un des plus forts qu'il
avait jamais vus. C'est ça qui lui a donné l'idée de me faire
travailler d'une manière spéciale. C'est comme ça qu'il m'a
fait développer ma balle flèche.

Il y a personne, à part le frère Manuel pis moi, qui a
jamais su mon truc. Pis je l'ai jamais donné à personne non
plus. Mais à c't'heure qu'on a notre club dans les grosses
ligues, j'ai envie de changer d'idée. Je vas aller voir Dick
Williams, pis je vas lui dire mon secret. Pis si il veut, je vas
aller au Stade olympique avec lui pis nos lanceurs des
Expos, pis je vas leur montrer.

Je suis certain que l'année prochaine, si mes Expos décident d'employer ma balle flèche (les Anglais de Scotstown,
par chez nous, appelaient ça le *Gédéon's pitch*), les gars

comme Stargell, le grand fanal à McCovey, pis tous les gros fesseux de la Ligue nationale, ils vont frapper de l'air à tout coup...

Pis on peut gagner le championnat comme rien.

Ça me surprendrait pas pantoute.

Pis quand, plus tard, Steve Rogers ou ben les autres anciens Expos entreront dans le Temple de la renommée du baseball, ils auront une pensée pour le père Gédéon, lanceur étoile des Jarrets-Noirs de Saint-Gérard-de-Beauce de 1924.

Le fruit défendu d'Hélène

Je vous parlais de la femme à Narcisse Coulombe, qui était scrupuleuse. C'est rien ça... Vous avez pas connu ma tante Zénaïde vous autres!

Eh peau d'chien! Ça, c'était un numéro!

Ah c'est ben simple... En t'cas... elle était assez scrupuleuse... elle était assez scrupuleuse... qu'elle était gênée d'avoir des fesses... parce que fallait qu'elle les traîne avec elle à l'église, à la grand-messe, le dimanche.

Je vas dire comme Stanfield: «C'est-il assez fort, ça?»

Ça fait que... elle, elle était contre le péché! Pis elle était contre le péché, pas parce que ça faisait de la peine au bon Dieu, c'est parce que ça faisait plaisir au diable! Elle haïssait le diable... pour s'en confesser!

Pis, elle était contre TOUS les péchés... Le péché de la chair, on sait ben... parce que c'était le plus vilain, le plus laid, le plus effrayant. — (Je te dis que l'affaire du sacrement, le soir, avec son vieux, c'était pas une maladie longue avec elle.)... Pis, elle était contre la médisance, la calomnie, tout...

Pis pour comble de malheur, ça le faisait quasiment exprès, sa deuxième voisine, Hélène Désilets, elle, c'était le contraire de ma tante Zénaïde. Hélène, elle, elle aimait le plaisir à plein... C'était une belle fille à part de ça... Elle avait du poitrail pis de l'encolure... Pis la cuisse légerte... Elle aimait ça tirer de la jambette avec les petits gars... Joyeuse... Saine... Heureuse... Elle était pleine de bonheur!... Pis tout le monde l'aimait dans la paroisse... Le curé jasait avec elle des demi-heures au bureau de poste... Le docteur allait la voir... même quand elle était pas malade... Je vous le dis: une créature dépareillée...

Pis ma tante Zénaïde, ça la mettait en maudit... de voir que le péché était en si bonne santé, à deux pas de chez elle...

Pis Lucien Coulombe savait ça lui... Lucien, c'était un vlimeux un peu... Vieux garçon... Prenait un coup... Bousculait les créatures un peu! Pis il aimait ça faire étriver ma tante Zénaïde...

Ça fait qu'une bonne fois, il va trouver ma tante... Il lui avait amené une annale de la bonne sainte Anne pour lui faire plaisir... Jase avec un peu... Pis il lui demande:

— Ma tante Zénaïde, d'après vous, là, croyez-vous que Hélène Désilets aurait déjà mangé du fruit défendu?

— Fais-moi pas dire ce que je veux pas dire... (parce que elle voulait pas faire de médisance, tu comprends, c'était péché ça itou!)

— Non, non, non, il est pas question de crier ça sur tous les toits dans la Beauce, mais entre vous pis moi pis la boîte à bois, croyez-vous... qu'Hélène Désilets aurait déjà mangé du fruit défendu?

— En t'cas... Elle en a p't'être pas mangé mais elle a escoué les branches en mosusse par exemple!

La politique

L'autre jour, je suis monté à Montréal par affaires. Je marchais sur la Catherine, puis tout d'un coup, je reçois une tape dans le dos avec un cri: «Salut, le père!» C'était-il pas Émile... Émile Genest...

Je le connais depuis longtemps, moi... Je l'ai connu petit gars... Ç'a été élevé à Québec, ça... Il allait au Séminaire en même temps que Doris... C'est là que je l'ai connu... Doris était pensionnaire, là, lui... C'est moi qui payais pour ses études... C'était un bon petit gars... Puis, suffit qu'il aimait les études à plein, mais qu'il avait pas d'argent, c'est moi qui l'a

Ce jour-là, René Lévesque, Denis Vaugeois, Jean Lapointe, Jacques Parizeau et moi étions venus fêter Félix.

fait instruire... Il voulait absolument aller à l'université pour étudier les... sciences politiques, qu'ils appellent.

Moi, dans le fond, j'aurais aimé mieux qu'il étudie pour faire un avocat... comme l'avovat Cliche, pas exemple... Je carculais que c'était plus payant pour lui... Puis moi, ça m'aurait rien coûté pour mes procès... Mais non... il avait rencontré le père Lévesque — qui se trouve à se trouver dominicain comme mon garçon Alexandre — puis il pensait rien qu'à étudier la politique...

Ça fait que... je l'ai laissé faire à son goût... Il était studieux à plein, puis il aimait ça...

Ah! il a eu du réussi... Il a été maître d'école à l'université pendant des années... Il enseignait la politique... Il en a même fait...

Je le fais souvent étriver avec ça quand il vient me voir dans la Beauce... Parce qu'il s'est présenté candidat aux élections provinciales de 1970... Quand il est venu me souhaiter la bonne année, le jour de l'An passé, je l'ai agacé un peu... Je lui ai dit: «Sais-tu, Doris, en politique, là, l'expérience, c'est pas mal mieux que les études. Moi, j'ai peur que l'instruction t'ait monté à la tête. Remarque que tant qu'à faire, c'est encore mieux qu'elle monte là... qu'elle descende ailleurs! Mais toi, on dirait que ça t'a donné une tendance à te prendre pour un autre. Dis pas non: tu t'es même déjà pris pour moi!... C'est beau la science, mais il y a mieux que ça. Tu prends, moi, j'ai été rien que 5 ans à l'école, pis ça fait 36 ans que je suis réélu maire de Saint-Gérard. Tandis que toi, t'as étudié la politique pendant 20 ans, pis tu t'es présenté rien que 1 fois... pis tu t'es fait fourrer par Bona!...»

La donaison

(Monologue fait à l'émission
Music-hall de Radio-Canada
le 2 janvier 1966)

Gédéon — (à la cantonnade) Salut, la compagnie!

Andrée — Mais si c'est pas notre père Gédéon!

Gédéon — Beau dommage... Enfin, ce qui en reste... un lendemain de jour de l'An!

Andrée — Mais quel bon vent vous amène à *Music-hall*?

Gédéon — Le vent du sud... J'arrive de la Beauce... Hier soir, on est allés défoncer le jour de l'An chez mon frère Thophile, puis en passant devant Radio-Canada, j'ai vu de la lumière, puis je me suis dit: «Tiens, j'arrête voir ma belle Andrée pour lui souhaiter la bonne année... puis lui donner un bec à pincettes au sirop d'érable!...»

Andrée — Ah!... Ça, c'est fin comme vous, père Gédéon.

Gédéon — (lui prenant la main) Ma belle Andrée, je te la souhaite ben heureuse... tout ce que tu désires...

une grosse santé à plein... ben du réussi dans toutes tes entreprises... pis du bonheur tant que tu pourras en endurer... Pis pour sucrer tout ça, un beau gros bec en pincettes au sirop d'érable... (Il lui donne.) Ah! pis au cas où je serais pas icite le jour de l'An prochain, je t'en donne un autre!... (Il lui en donne un autre.)

Andrée — Père Gédéon, voulez-vous je vais vous dire quelque chose de sincère pis de vrai?... Vous faites plaisir à voir... Vous êtes un beau vieux plein de santé... Vous êtes gai comme un pinson... Vos yeux pétillent comme du feu... Vous avez de l'humour plein la tête pis toujours des mots pour nous faire rire! Pis vous avez l'air heureux comme un roi...

Gédéon — Ah! ma petite fille, c'est vrai... Je suis un homme heureux.

Andrée — Joyeux comme vous l'êtes, vous devez avoir des beaux souvenirs dans votre vie?

Gédéon — Ah! oui, ma fille, j'en ai des beaux en effet.

Andrée — Voulez-vous me faire plaisir?

Gédéon — Qui c'est qui voudrait pas?...

Andrée — Racontez-moi votre plus beau souvenir.

Gédéon — (réfléchissant longuement) Ah! mon plus beau souvenir... Mon plus beau souvenir — pis c'est peut-être mon plus beau parce que c'est celui-là qui m'a coûté le plus —, je pense que c'est le jour où ce que j'ai fait la donaison de ma terre à mon plus vieux, Engelbert.

Tu sais, ma petite fille, quand un habitant comme moi, là, qui est venu au monde sur une terre, quasiment en bois debout, qui l'a bûchée, qui l'a essouchée, qui l'a labourée, qui l'a hersée pis sumée pis arrosée de sueurs d'une noirceur à l'autre... pis que cette terre-là l'a nourri tous les jours... lui pis sa femme pis ses enfants... pis nourri pas rien que le corps, avec de quoi manger, mais l'âme itou, avec de quoi penser... pis le cœur, avec de quoi aimer... quand un habitant a été — comment est-ce que je dirais ben ça, donc? — a été marié, c'est le mot, marié avec la terre... quand vient le jour de la donaison, même si c'est à son fils, c'est comme un arrachement, une déchirure, quelque chose qui fait mal mais qui est doux en même temps... Quelque chose qui doit être proche de ce que mouman a dû sentir quand elle m'a donné la vie... Parce que pour un habitant, tu sais, ma petite fille, donner sa terre, c'est quasiment comme donner sa vie.

(Un silence.) Ce matin-là — je m'en souviens comme si c'était hier—, je me suis levé, comme de coutume... j'ai fait ma prière... j'ai allumé ma pipe... j'ai été réveiller Engelbert... pis je lui ai demandé de venir quérir les vaches avec moi. Il a trouvé ça un peu curieux, suffit que, de coutume, c'est moi qui allais les quérir tout seul... Mais, vaillant comme toujours, il s'est levé sans dire un mot.

Puis là, on est partis tous les deux pour le clos de pacage... J'étais songeard à plein... Pis je me sentais le cœur pesant... Le soleil était beau comme le bon Dieu... pis ma terre sentait bon comme jamais... On aurait dit qu'elle s'était parfumée exprès pour moi... Elle avait une haleine de petit enfant...

Tout le long du chemin, je regardais ma terre... Pas comme je la regardais de coutume... Elle avait le visage tout humide de rosée... Comme si elle avait eu les larmes aux yeux de me voir la laisser, ce matin-là... Chemin faisant, je laissais traîner amoureusement ma main comme une caresse dans la chevelure blonde de ma belle avoine... pis je faisais pencher la tête pesante de mes épis de mil...

Rendu au trécarré, à reboutant de chez Tanase Baillargeon, juste sur la butte aux siffleux... je me suis arrêté... Je me suis reviré vers les bâtiments... pis là, ma petite fille, j'avais le plus beau coup d'œil qu'un habitant peut avoir en ce bas monde... Toute ma terre était là... étendue à mes pieds... belle comme la jeunesse... Elle disait pas un mot... Mais moi, je l'entendais chanter... C'était comme une chanson de Vigneault ou ben de Félix... C'était comme une musique... la musique de mon enfance... pis de ma jeunesse... pis des souvenirs de l'ancien temps où ce que j'étais jeune pis heureux...

Pis là... l'espace d'une minute... le cœur fendu par l'émotion... j'ai revécu 60 ans de ma vie... J'ai revu jusqu'au

Au *Salut* de Télé-Métropole en 1989, il y avait Guilda, la Poune, Charlotte Lapointe et Méo.

Avec la somptueuse Mitsou, j'avais l'impression d'être du côté de l'avenir.

commencement de mes souvenirs... Je me revoyais enfant...
quand pépère Plouffe me faisait sauter sur ses genoux pis qu'il
me piquait les joues avec sa grosse barbe... quand j'allais
labourer avec poupa pis que c'est moi qui touchais les
bœufs... Quand je tenais la queue des vaches pendant que
mouman les tirait en chantant des belles chansons d'autrefois... Quand j'allais à la pêche avec Thophile dans la petite
rivière aux truites... Nos agrès de pêche dans ce temps-là,
c'était une branche d'aulne, et pis une corde de magasin pis un
taraud au bout pour servir de pesée... Quand j'avais 20 ans...
pis qu'on jeunessait avec les filles de la Beauce, Trefflé
Bellavance, Juvénal Bolduc, Pantaléon Veilleux pis moi...
Quand je me sauvais dans le champ avec Démerise, le dimanche après-midi, pis que je me cachais derrière les vailloches de foin pour lui voler des becs... Pis plus tard, une fois
installé sur le bien paternel... quand mes jeunes enfants gam-
badaient autour de moi dans le champ comme des jeunes
chevreuils en liberté... Ti-Mé, qui passait son temps à jouer
des tours à Romana... le père Alexandre, qui laissait sa robe
blanche de dominicain à la maison pour venir fouler le foin
pendant ses vacances... Flore pis Agathe, qui râtelaient dans
le haut du clos pendant que ma défunte Démerise fanait le
long du ruisseau... Pauvre vieille Démerise, va... qui m'a
enduré toute sa vie en rouspétant, mais en m'aimant pareil...
qui a travaillé sur ma terre comme une acharnée... pis qui à
travers tout ça m'a donné 13 beaux enfants... pis du bonheur
en plus... Pauvre vieille, va... T'aurais ben dû m'attendre pour
partir... Me semble que si t'es pas amont moi quand je vas
arriver de l'autre bord... je vas me sentir comme un étranger
dans le ciel... Pauvre sa mère... T'es pus là... pis je t'aime encore à plein...

Je revoyais tout ça... ma jeunesse... ma femme... mes
enfants... mes voisins... ma vie... toutes mes joies... Tout ça
me remontait dans le cœur... C'était trop beau... Je me suis
mis à pleurer comme un enfant... (Il sanglote doucement.)

(Un silence.) Pourtant... pourtant j'étais heureux... J'avais
à côté de moi Engelbert... le meilleur garçon du monde... Toi,
tu l'aurais aimé, Andrée, mon Engelbert... Un beau grand gars,

solide, planté comme un érable, fort, vaillant... pis tendre comme une fleur... Ah! s'il y a un homme au monde qui la méritait, ma terre, c'est ben lui...

Je me suis retourné vers lui... pis je lui ai dit: «Mon garçon, tu vois ce beau royaume qui vit devant toi... Ben c'est quatre générations de Plouffe qui lui ont fait ce beau visage-là... C'te belle terre-là, aujourd'hui, je te la donne... (Silence ému.) (Et comme si Engelbert avait protesté d'un geste): Non, non Engelbert, dis pas un mot... Je te la donne... Avec plaisir... Pis avec un peu de tristesse en même temps... Ça me fait de la peine de la laisser parce que je suis trop vieux pour elle qui est restée jeune... Mais j'ai une grande joie itou en pensant qu'à c't'heure, c'est toi qui vas l'aimer à ma place...

C'est tout ce que je te demande, Engelbert... de l'aimer... De l'aimer autant que je l'aimée, moi... Je l'ai aimée comme si elle avait été ma femme... Parce que ma terre, ç'a été comme ma femme, en effet... Je l'ai ensemencée... pis elle m'a donné les plus beaux fruits de ses entrailles...

En 1989 encore, avec Hi-Ha Tremblay: le jarret-noir et le bleuet.

J'aurais voulu rester jeune... pis garder le cœur pis des bons bras comme les tiens, pour pouvoir rester avec elle... Mais quoi veux-tu, mon petit gars... vieillir c'est ça la vie...

Pis quand on a fini son ouvrage... faut s'en aller... sans regrets... Même quand on a le cœur un peu gros... (Il s'éloigne lentement, la tête basse, en pleurant doucement...)

La drogue

(Monologue de Noël 1970
à l'émission Le ranch à Willie)

La scène se passe au ranch. Le père Gédéon est assis dans sa berçante, les yeux lourdement fixés sur le feu de cheminée. Willie arrive avec sa guitare.

Willie — Qu'est-ce que vous avez donc, père Gédéon, vous avez l'air songeard à soir? Quand vous êtes pas grognard ou ben joyeux, le ranch a pas la même allure. On dirait que vous êtes pas dans votre assiette. On vous a-t-il fait de la peine?

Gédéon — Ah! non, jamais... Je suis assez ben avec vous autres, icite dans le ranch, que si je vous avais pas, j'aurais l'impression que j'ai pus de famille.

Je me sens l'âme pesante à soir... Depuis trois ans, tous les jours de Noël, c'est pareil... Je pense à ma famille... qui est tout éparpillée à hue pis à dia... À ma vieille Démerise qui est partie pour toujours... À mes enfants...

Quand on était tous ensemble à la maison, la veille de Noël, c'était la joie qui éclatait partout autour de moi... Le matin, Ti-Mé pis Engelbert allaient couper un beau sapin, pis dans la veillée, les petites filles le décoraient en chantonnant des airs de Noël... Pis à 11 heures, on attelait la grise sur la carriole, on mettait nos capots de poil pis nos crémones, pis on s'en allait à la messe de minuit au son des grelots sur la belle neige blanche de la Beauce... J'avais tous mes enfants autour de moi... comme une couronne... pis j'étais heureux... Eh! ce que j'étais heureux, Willie, je pourrais jamais te dire comment...

Noël, c'est la fête des enfants... qu'ils soient petits ou grands... Même le bon Dieu, c'est un enfant, ce jour-là... Pis quand je le regarde, couché dans sa crèche, tout petit bébé... je pense à mon petit gars, Dominique, le plus jeune de la famille... que j'ai pas vu depuis trois ans... pis que je reverrai peut-être pas avant de mourir...

Je vas te dire mon secret, Willie, parce qu'il est trop pesant pour moi tout seul... pis que je t'aime comme si t'étais mon plus vieux à moi... J'avais un petit gars dépareillé... c'était mon dernier... Il était beau... pis intelligent... pis affectueux... pis fin. C'était le diamant de la famille, comprends-tu? Tout le monde l'aimait... J'en étais fier jusqu'à en être quasiment orgueilleux... Je le voyais grandir, joyeux pis sain... pis je me disais: «Ça va être mon bâton de vieillesse...» Je me disais: «Me semble que je vas toujours rester jeune tant que je vas l'avoir avec moi.» Je l'ai envoyé au collège. Il avait du talent, pis il étudiait ben. Il était toujours premier. Je l'encourageais... en pensant: «Tout ce que j'ai pas pu avoir à son âge, parce que poupa était trop pauvre, je vas lui donner... pour qu'il soit encore plus heureux que moi...»

Pis tout d'un coup... quand il a eu 18 ans... il s'est mis à changer... Je le reconnaissais pus... Lui qui était si affectueux... pis si tendre pour sa mère... il a commencé à être dur... Il étudiait pus... Quand on voulait lui parler doucement, il restait fermé... On aurait dit qu'il était révolté contre tout... Il était blême, pis les yeux cernés... Je pensais qu'il était peut-être ben malade.

Un soir que j'étais tout seul avec lui pis sa vieille mère... qui l'aimait tant... je lui ai demandé si on lui avait fait de la peine... quelque chose... sans le vouloir... on sait jamais... Il m'a répondu: «Lâchez-moi tranquille, tous les deux... Vous comprendrez jamais rien. Je suis pas de votre monde!...»

Ces mots-là, Willie, ça m'a déchiré l'âme... C'est comme si il m'avait rentré un poignard dans le cœur...

Pourtant me semble que... Ah! je sais pas... Je sais pus... J'ai jamais compris pourquoi...

Pis un dimanche après-midi... il y a déjà trois ans de ça... il y a un gars de la ville qui était au collège avec lui qui est venu le chercher... Il est parti avec lui... Pis je l'ai jamais revu...

Je l'ai-t-il cherché, Willie, je l'ai-t-il cherché... Partout... J'ai su par après que le gars qui était venu le quérir... c'était un gars de la drogue...

Pauvre petit gars... Où c'est-ce qu'il est?... Où c'est-ce qu'il peut ben être? Si il m'écrivait un mot, toujours, pour que je lui envoie quelque chose... Il est peut-être dans la misère, pis il a peut-être honte de revenir... S'il savait, le pauvre petit, que sans le vouloir il a fait mourir sa mère... de chagrin... Elle est morte le jour où il a eu 20 ans...

Pauvre petit gars!... s'il savait pourtant comment ce que je l'aime tout le temps... Me semble qu'il va revenir... Où c'est-ce qu'il est?...

C'est curieux, hein, Willie... C'est lui qui m'a fait le plus mal... pis c'est lui que j'aime le plus... Quand je regarde l'Enfant-Jésus dans sa petite crèche, c'est lui que je vois... Ça se peut pas que ce soit un méchant petit gars! Ça se peut pas... Ça se peut pas...

Peut-être qu'à soir, vu que c'est Noël... il pense un peu à son vieux père... Ah! je demande au bon Dieu qu'il me le ramène avant que je meure... comme l'enfant prodigue...

Dominique! Mon petit Dominique!... Viens-t'en, mon petit gars... J'ai besoin de ta jeunesse pour vieillir...

Dominique!

Joue-moi de la guitare, veux-tu Willie... en attendant la messe de minuit...

(Willie joue et chante très doucement «*Sainte nuit... belle nuit...*»)

ÉPILOGUE

Tout ça pour vous prouver que si les peuples heureux n'ont pas d'histoire, les hommes heureux, eux, en ont une. Une vie, c'est une volonté multipliée par les circonstances. La plus grande partie de la mienne a été beaucoup moins le fruit de ma préméditation que celui d'une favorable conjoncture.

Il m'a été donné de pouvoir faire deux carrières: l'une scientifique, et l'autre, artistique. Bien que la modestie de ma condition originelle ne me destinât vraisemblablement pas à un tel bonheur, j'ai pu goûter aux joies de la connaissance scientifique et à celles, si différentes mais non moins gratifiantes, de l'expérience artistique. Cela me ramène tout à coup à la vérité de la bonne vieille philosophie qui m'a appris que l'art et la science sont deux vertus intellectuelles. Et cela me fait encore mieux apprécier la chance que j'ai eue de communier aux deux. Car enfin, ce n'est pas un bonheur courant que de pouvoir abreuver son âme à des sources aussi riches d'humanisme. Jeune, j'étais pauvre comme Job sur son fumier bénissant le Seigneur... et je me retrouve, à 60 ans, riche d'une expérience humaine qui m'a donné une sorte de plénitude, relative mais réelle, de la connaissance et de l'amour. Et tout ça toujours à cause des autres.

Comment voulez-vous que je ne ressente pas aujourd'hui, à la veille de mon crépuscule, le besoin de dire merci à l'existence d'avoir conduit mes pas dans ces chemins de lumière et ces foyers de chaleur qui ont fait de moi un homme heureux? Et pourquoi pas aussi, qui sait après tout — et peut-être avant tout — à Dieu?

LE PÈRE GÉDÉON

Vérités et sourires de la politique

(Recueil de citations de 600 auteurs)

Note: *Seuls les textes signés par Doris Lussier sont reproduits ici.*

AVANT-PROPOS

Il m'est arrivé dans ma vie un bonheur imprévu: ma carrière politique s'est terminée par son commencement. Napoléon a eu son Waterloo, moi, j'ai eu mon Matapédia!

Le peuple souverain m'ayant poliment renvoyé à mes chères études, j'en ai profité pour parfaire ma formation en me jetant à âme perdue dans mon vice préféré — et le seul impuni, paraît-il —, la lecture. La politique, maîtresse ingrate, a eu beau m'interdire son «salon de la race», moi, cocu magnifique, je continuais à l'aimer. Au point de vouloir tout savoir sur elle qui ne voulait rien savoir de moi. Alors j'ai cherché, j'ai fouiné partout dans son passé, et j'y ai trouvé des perles. Ayant une conscience délicate, je m'estimerais coupable d'avarice intellectuelle si je ne les livrais pas à mes disciples pour qu'à défaut de mon exemple ils puissent au moins profiter de mon plaisir. Car c'en fut un grand de cueillir dans le champ de l'histoire, des fleurs et des épis, des parfums et des froments: ce sont les pensées des hommes que la politique a occupés, préoccupés, fait réfléchir ou simplement rigoler.

Ma nature perverse — à moins que ce ne soit une déformation professionnelle — m'a toujours porté à prendre sérieusement les choses légères et légèrement les choses sérieuses. Pour moi, l'humour est, après l'amour et la connaissance, la plus grande valeur humaine. Il est non seulement le couronnement de la culture mais aussi un des noms de la sagesse. Une sagesse qui est un humanisme... politique.

Voilà la raison de ce livre où cohabitent comme en moi le drôle et le vrai.

D. L.

La politique

Tout débouche sur le politique.

Je vais énoncer une énormité: la première valeur terrestre, c'est le bonheur des hommes. Mais parce que les hommes ne peuvent être heureux seuls, les plus hautes valeurs politiques sont celles qui contribuent le mieux à leur bien commun. C'est-à-dire à les nourrir d'abord, à les éduquer ensuite et enfin à les unir dans un sentiment de solidarité humaine où toutes les cultures nationales trouvent l'achèvement de leur beauté dans la symphonie universelle de la fraternité inspirée par l'amour, organisée par la prudence, réglée par la justice et vécue dans la paix. La raison d'être de la politique, c'est cela.

Qu'on en pense du mal ou du bien, la politique est là. Elle est là depuis toujours et pour toujours. Et c'est bien ainsi. Science de l'idéal et art du possible, la politique est en soi une valeur première. Les hommes, êtres imparfaits, l'ont souvent salie en en faisant l'instrument de leurs vices ou de leurs intérêts, mais cela ne lui enlève pas sa noblesse originelle. Car la politique reste l'effort de l'intelligence et de la volonté humaines pour faire vivre les hommes ensemble malgré leur nature et avec elle. Ce qui est aussi beau que malaisé. Car «quoi qu'en disent Aristote et sa docte cabale», l'homme est un animal qui n'est pas si raisonnable que ça. En tout cas, il est plus souvent animal que raisonnable. La preuve: ses violences bêtes dont l'Histoire est l'histoire.

Or justement, pour que la société humaine soit autre chose qu'une foire d'empoigne où des larrons impunis traficotent, prévariquent et concussionnent pour finir régulièrement dans l'entre-tuerie universelle, il faut un pouvoir politique qui organise la paix. La paix qui est la tranquillité de l'ordre. L'ordre qui est l'organisation fonctionnelle de la liberté, de la justice et de la fraternité.

Grands mots? Non, grandes choses. Brocardons à l'envi les creux rhéteurs qui se gargarisent des mots et les ministres impuissants qui «s'enfargent» dans les choses; dénonçons leurs contrefaçons et leurs avortements; mais gardons toujours l'idée de la paix dans la tête et son idéal dans le cœur. Car c'est faute d'y penser constamment que les hommes se font tant de mal. Si tout se passe comme s'ils n'étaient pas encore sortis de leur animalité primitive, c'est parce que, au lieu de «tenter de donner conscience aux hommes de la grandeur qu'ils ignorent en eux», comme dit Malraux, on les a entraînés à s'entre-tuer à propos de tout et de rien. La politique est une noblesse et une responsabilité.

L'équation du pouvoir

Savoir + vouloir = pouvoir. Le pouvoir est une équation; gouverner, c'est en résoudre les inconnues. C'est-à-dire prévoir et faire à temps les choses nécessaires pour éviter qu'elles ne se fassent à contretemps. La sagesse, en politique, c'est de faire les révolutions avant qu'elles n'éclatent. C'est faire en sorte que chaque société accouche sans douleur de son héritière. Pour cela, cultiver la liberté et chercher à harnacher la justice. Les grands politiques sont les ingénieurs de l'Histoire. Ceux qui savent édifier les régimes à l'intérieur desquels les citoyens ont le sentiment d'être pleinement et d'*avoir* assez. Ceux qui savent inventer, greffer sur l'arbre de la tradition les branches nouvelles du progrès. Ceux qui savent garder la société clairvoyante et libre, respectueuse de ce qui a été et impatiente de ce qui sera. Ceux qui savent oser. En politique, le contraire du courage, ce n'est pas la peur, c'est le conformisme.

Le politique, à l'encontre du politicien, c'est celui qui a le sens du pouvoir efficace. C'est-à-dire de l'autorité, qui est une fonction et de la prudence qui est une vertu. Le politique, c'est «le prudent», au sens où les Romains l'entendaient. Celui qui a l'intelligence d'inspirer assez de confiance aux citoyens pour que son pouvoir ne devienne pas une tyrannie — car tout pouvoir porte en lui la tentation d'en abuser. Celui qui sait que la conscience du gouvernant est toujours menacée d'être pervertie par les conseils de l'ambition, les mirages de la vanité, l'habitude du mensonge et le vertige de la puissance. Celui qui a compris que la meilleure façon d'être un vrai maître, c'est d'être un bon serviteur, car l'homme politique le plus important dans un État, c'est le citoyen. Un citoyen dont il est sage de stimuler la participation maximale aux œuvres de la république. On sait que les gouvernements malhonnêtes sont le résultat des citoyens paresseux. Le politique, c'est aussi celui qui ne cesse de cultiver dans l'âme du peuple les idéaux nobles, conscient qu'en politique, il faut viser les sommets si on ne veut pas penser bas.

Le politique n'est pas un «chevaucheur» de chimères. C'est un idéaliste pragmatique. C'est-à-dire un homme qui a des idées mais qui au lieu de les laisser se dégrader en idéologie s'applique à les incarner dans le réel concret. Le politique est à la fois maître à penser et maître à agir. Il allie le regard froid de la lucidité à la ferveur stimulante de l'enthousiasme contrôlé. Pratique, il est conscient que la persistance à ne pas vouloir ajuster la stratégie et la tactique politiques aux mouvances de la réalité populaire et de la conjoncture générale est la voie royale vers l'échec permanent.

Enfin le politique, c'est celui qui sait tenir le juste milieu entre le confort pessimiste des conservateurs qui s'inquiètent toujours de se découvrir assis sur un volcan et l'optimisme apocalyptique des révolutionnaires qui attendent le grand soir de son éruption, pour qui «détruire, c'est créer». (Bakounine), qui croient que la marche vers le progrès doit faire un détour par le chaos, bref, que pour trouver l'être il faut passer par le néant.

Gouverner, c'est ordonner. Dans les deux sens du mot: mettre de l'ordre et donner des ordres. C'est aussi coordonner. C'est-à-dire établir un ordre dynamique et fonctionnel entre les éléments différents mais complémentaires de la société. Gouverner, c'est distinguer pour unir. Gouverner, c'est réconcilier.

Le crépuscule des idéologies

Un ami m'a dit un jour: «Quand j'étais célibataire, j'avais deux théories sur l'éducation des enfants; aujourd'hui j'ai deux enfants... et plus de théorie du tout.»

En politique, c'est pareil. Quand on est sincère, on y entre avec l'idée bien arrêtée d'y faire triompher sa conception de la société; et puis, rendu au pouvoir, on s'aperçoit que la nature des choses qu'on voulait changer au plus vite résiste à la volonté la plus ferme des transformations rapides. C'est le frustrant mystère de l'incarnation des idées dans la chair vivante du réel. C'est une donnée permanente de la politique. Et tous les gouvernements, qu'ils soient révolutionnaires ou conservateurs, sont obligés de composer avec elle. C'est ainsi qu'on a souvent vu dans l'Histoire des systèmes idéologiques, pourtant bien construits en chambre, se briser avec éclat sur le roc de la réalité.

Je m'en voudrais de jeter l'eau froide de l'éteignoir sur le feu sacré des nobles générosités qui animent les idéologues à la recherche des meilleures recettes de bonheur humain. C'est à eux que l'humanité doit certains de ses plus beaux projets de société. Et il serait aussi odieux que stupide de vouloir dévaluer les idées — qui mènent le monde — en dépréciant les intellectuels qui sont le sel de la terre et le ferment sans lequel la pâte humaine ne lèverait pas bien haut. C'est le beau métier des philosophes que de chercher la vérité — spéculative et pratique — des choses de la vie, et c'est souvent dans leurs études qu'on découvre les éléments les plus précieux de solution des problèmes que pose aux hommes leur vie en société.

À ce sujet, je veux seulement faire remarquer deux choses. La première, c'est que les idéologies ne sont pas des dogmes et qu'elles n'ont de valeur que celle que démontre l'expérience de leur application dans la réalité. La deuxième, c'est que les idéaux qu'elles proposent risquent de n'être que d'admirables illusions s'il ne se trouve des gestionnaires capables de les faire passer dans les faits. Alors que les idéologues nagent dans l'idéal, les politiques, eux, piochent dans le possible. C'est plus ingrat. C'est ce qui faisait dire au président Kennedy que pour être un bon politique, il faut savoir garder son idéal tout en perdant ses illusions.

Les débats idéologiques sont le luxe des périodes de prospérité. Mais quand les hommes sont pris à la gorge par l'urgence du pain quotidien, il faut leur pardonner d'en faire leur première préoccupation. *Primum vivere, deinde philosophari,* disaient les Anciens: «Commençons par gagner notre vie... ensuite on placotera!». Des idées, il en faut; des idéaux, c'est nécessaire; mais les idéologies, ça peut être dangereux. Parce que les idéologies ont une tendance congénitale à devenir des idées fixes, pour ensuite dégénérer en dogmes et finir en religions politiques. Alors elles relèvent de l'incantation magique plutôt que du projet réaliste. Pensons à ces grandes idéologies qui ont porté toute l'espérance des hommes au siècle dernier, et qui se sont finalement retournées contre eux par la plus tragique et monstrueuse méprise de tous les temps. Qui eût cru, par exemple, que la plus généreuse de toutes les philosophies politiques, celle qui proposait «de chacun ses capacités et à chacun selon ses besoins», aboutirait au goulag? Et que le communisme, si habile à détruire les cités, se serait révélé incapable d'en construire qui soient vivables par des hommes épris de liberté et de justice?

C'est pourquoi les sociétés évoluées ont aujourd'hui tendance à se méfier des idéologies. C'est ce qui explique que pour les citoyens de l'ère technologique, la gauche et la droite apparaissent comme des concepts réducteurs, simplistes et dépassés qui trahissent le réel plutôt qu'ils ne le traduisent. Les gouvernements de l'Occident qu'ils soient de gauche ou de droite, une fois au pouvoir, sont obligés de composer avec une réalité politique si complexe qu'ils sont forcés de gouverner au centre. Pourquoi? Parce que dans la pratique, on ne gouverne pas en fonction d'une idéologie mais en fonction des BESOINS d'une population. C'est pourquoi la plus grande vertu d'un gouvernement, ce n'est pas d'être de gauche ou de droite, capitaliste, social-démocrate ou communiste, c'est de réaliser le bien commun de la société politique telle qu'elle est, avec les moyens disponibles et compte tenu de la conjoncture mondiale dans laquelle s'inscrit toujours fatalement l'action d'un État. Le meilleur gouvernement, c'est celui qui est le plus FONCTIONNEL. Le fameux «art du possible» par lequel on déflnit souvent la politique, c'est le FONCTIONNALISME qui l'intègre le mieux. Le fonctionnalisme, c'est le triomphe du pragmatisme sur l'idéalisme; du concret sur l'abstrait; de la vie sur les concepts.

C'est tellement vrai qu'on a vu récemment des gouvernements dits «de gauche» obligés de pratiquer une politique «de droite» parce que la conjoncture intérieure et internationale les y forçait. Et vice-versa. Quand la réalité vivante — et toujours changeante — commande l'usage de tel moyen pour la solution d'un problème, le gouvernement ne se demande pas si ce moyen est de droite ou de gauche; il se demande s'il est juste et efficace, dussent les grands prêtres de l'église politique dont il sort déchirer leurs vêtements devant le temple... Parce que les impératifs de la vie passent avant la fidélité aux idéologies. Parce que la prudence, vertu des moyens, est la première qualité du gouvernant: c'est elle qui lui permet de bien lire la réalité, de saisir toutes les données des problèmes et d'appliquer avec justesse et justice les mesures exigées par les circonstances.

Au fond, en politique, la seule idéologie qui tienne, c'est de n'en pas avoir... Une bonne connaissance de la réalité, plus un idéal de justice servi par une prudence éclairée, c'est l'essentiel de ce qu'il faut à un gouvernement pour réaliser ce qu'il peut de bien commun. C'est déjà beaucoup.

Le peuple se fout de la droite et de la gauche. Ce qu'il veut, c'est qu'on lui assure la liberté et la prospérité. D'où qu'elles viennent. Et il sait qu'elles ne viennent pas des mots.

Vérités

J'avais quelques demi-idées dont mes contemporains ne m'auraient pas pardonné de cacher la lumière sous le boisseau d'une humilité coupable. Je les leur livre ici avec satisfaction du plaisir accompli!

L'explication des déboires et malheurs de l'humanité réside dans le fait que Dieu n'a pas donné assez d'intelligence à l'homme pour ce qu'il lui a laissé de liberté.

* * *

Entre la gauche et la gaucherie il n'y a qu'un pas — qu'elle a souvent franchi.

* * *

Le vrai révolutionnaire, c'est celui qui possède l'audace de la justice dans les limites de la prudence.

* * *

Je suis un révolutionnaire conservateur. Je suis prêt à changer tout ce qui doit être changé, mais je tiens à conserver tout ce qui mérite d'être gardé. Une révolution n'est souvent qu'une tradition qui change de forme sans changer de substance.

* * *

C'est l'injustice qui est la mère de la violence et de l'anarchie, et non la colère des exploités. C'est la violence du désordre établi qui provoque celle de ses victimes.

* * *

On peut changer d'idée sans changer d'idéal.

* * *

C'est normal que le cœur soit à gauche. Mais la tête, elle, est au centre et au-dessus.

* * *

Il y a des parasites de la révolution comme il y a ceux de l'ordre établi: en général ce sont les mêmes.

* * *

Il y a trop de gens dans le monde qui vivent sans travailler, et beaucoup trop qui travaillent sans vivre.

* * *

Quand la liberté conduit à la laideur, c'est une liberté laide. Quand la liberté conduit à la crasse, c'est une liberté sale. Quand la liberté conduit à la drogue, c'est une liberté polluante. Quand la liberté conduit à l'asservissement de la personne humaine par les puissances d'argent, c'est une liberté liberticide: celle du renard dans le poulailler.

* * *

Quand les peuples ont-ils réclamé la liberté si ce n'est pour changer de servitude?

* * *

Il y a deux façons de vouloir l'égalité: dans la liberté — et alors, c'est la démocratie —, et dans l'esclavage — et alors, c'est le totalitarisme.

* * *

Pour un peuple, la liberté, c'est plus qu'un droit, c'est un devoir.

* * *

La révolution, c'est l'impatience de la justice.

* * *

Il est beau de mourir pour une idée, mais on ne doit jamais tuer pour elle.

* * *

La plus grande victoire, c'est de sortir vainqueur d'une défaite.

* * *

Vendre l'avenir pour acheter le présent, c'est mauvaise politique.

* * *

Quand une révolution avorte, cela donne une irrévolution.

* * *

On a non seulement les idées de son âge, on a l'âge de ses idées. C'est pourquoi il y a en politique des octogénaires de vingt ans et des jeunes qui sont des croulants.

* * *

Il y a deux choses qui transforment les honnêtes gens en voleurs: l'extrême pauvreté et l'extrême richesse.

* * *

Quand l'injustice devient insupportable, il arrive que les victimes deviennent les bourreaux.

* * *

Il y a tant de vérités qui mentent; pourquoi n'y aurait-il pas des mensonges qui disent vrai?

* * *

Les partis politiques, comme les armées de Napoléon, ont leurs grognards. Et ce ne sont pas leurs moins bons soldats.

* * *

Une des preuves les plus fortes que la démocratie est naturelle à l'homme, c'est que tant de démocrates n'aient pas encore réussi à la tuer.

* * *

Toute révolution est une réaction violente contre la lenteur d'une évolution nécessaire.

* * *

Puisque gouverner, c'est prévoir, le réalisme, en politique, ça consiste à partir de l'avenir!

* * *

La démocratie existe quand les maîtres que se donnent les citoyens en sont aussi les serviteurs.

* * *

Il n'y a que le passé qui soit irréversible.

* * *

La plupart des gens veulent trop ce qu'ils ne peuvent pas, et pas assez ce qu'ils pourraient.

* * *

Il y a deux sortes de révolutionnaires: les positifs, qui cherchent des solutions aux difficultés; et les anarchistes, qui cherchent des difficultés aux solutions.

* * *

Toutes les révolutions commencent par la ferveur de la justice et finissent dans l'ennui de la bureaucratie.

* * *

Bien sûr, la liberté est la réalité centrale, l'«idée-horizon» de la démocratie. Mais la liberté, comme d'autres vertus, peut facilement devenir folle. Et alors le libéralisme devient «le despotisme de la liberté» ou se transforme en «tyrannie de la majorité».

* * *

Quand la politique ne se fait pas au gouvernement, elle se fait dans la rue.

* * *

Sans des règles qui en limitent l'usage, la liberté se tue elle-même.

* * *

Méfions-nous des démons de l'avant-garde; ils ont pour nous des tentations néfastes dont surtout celle de vouloir raccourcir le chemin qui mène à la justice en faisant de la révolution une violence. Le sang des hommes est plus précieux que les structures des cités.

* * *

En politique, c'est toujours le gouvernement qui a les problèmes et l'opposition qui a les solutions.

* * *

La tâche du politique prudent consiste, à la lumière du passé, à gérer le présent et à ensemencer le futur.

* * *

Quand le cœur monte à la tête, cela fait un intellectuel de gauche.

* * *

La gauche et la droite sont les ailes de la politique; sans elles, elle ne s'élèverait pas bien haut.

* * *

Le comédien, lui, n'a qu'à émouvoir; le politique doit, en plus, convaincre.

* * *

Il y a des idées avancées qui font reculer la société.

* * *

L'anarchisme des artistes, c'est inoffensif, mais les artistes de l'anarchisme, eux, sont dangereux: ils ne font pas que de la poésie révolutionnaire, ils posent des bombes.

* * *

Quand on a réussi à faire croire à l'esclave que ses chaînes sont disparues, il ne croit plus à la liberté.

* * *

La Confédération, c'est pas un dogme; la constitution, c'est pas un sacrement.

* * *

Une nation d'un million d'âmes a plus de chances de garder sa liberté si elle a un État souverain pour la protéger qu'une nation de cinq millions qui dépend d'un pouvoir qui ne lui appartient pas.

* * *

Une nation, c'est une famille de familles qui se ressemblent et se rassemblent dans la communion à la même culture.

* * *

À plus ou moins longue échéance, le choix du Québec est simple: c'est l'indépendance ou la Louisiane.

* * *

Rater l'indépendance la veille de sa réalité, après quatre cents ans d'attente, c'est traverser l'océan pour échouer dans le port.

* * *

Il arrive qu'absorbé par la digestion de son bien-être économique un peuple ne voie pas l'urgence de sa liberté politique. Le confort matériel anesthésie la volonté de la liberté.

* * *

L'indépendance, c'est toujours l'interdépendance.

* * *

La souveraineté, ce n'est pas seulement une bonne idée, c'est une bonne affaire.

* * *

Le pouvoir canadien invoque une raison *d'État* pour justifier son autorité légale sur le Québec. Nous, nous avons la raison *de nation* pour justifier son indépendance. L'État n'est qu'une structure juridique et la nation est une communauté de chair et de sang faite d'hommes et de femmes soudés ensemble par une culture, une histoire et une liberté à conquérir. Laquelle des deux raisons est la meilleure? Répondez, politiques!

* * *

C'est un paradoxe de l'histoire que notre nation se trouve aujourd'hui à la fois si proche de l'indépendance qui est sa vie et de l'assimilation qui est sa mort.

* * *

Sisyphe moderne, le Québec dans la Confédération canadienne est condamné par le système lui-même à toujours recommencer et à ne jamais réussir une libération que seule l'indépendance peut lui donner.

* * *

La souveraineté, c'est le contraire du droit des peuples à disposer des autres.

* * *

Mieux vaut être des amis séparés que des frères ennemis.

* * *

Si nous n'avons pas l'intelligence et le courage de notre liberté, nous ne la méritons pas.

* * *

Et dans le grand cimetière de l'histoire, on lira sur notre épitaphe: «Ci-gît la nation québécoise, morte de peur de sa liberté.»

Sourires

Vous pensez bien, vous aussi, j'en suis sûr, que si la politique ne prêtait pas aussi généreusement son flanc aux flèches dont elle est la cible depuis toujours, elle deviendrait d'un insupportable ennui.

C'est même sa vulnérabilité qui la rend sympathique malgré tout. Sa dimension comique ne fait qu'ajouter à son humanité.

Si vous voulez être toujours gagnant en politique, inscrivez-vous au parti... d'en rire!

Dans l'opposition, c'est comme dans le mariage: c'est pas drôle le devoir quand il n'y a pas le pouvoir!

* * *

Les réactionnaires n'ont qu'un horizon: l'arrière. Et rien qu'une façon de marcher: face au passé et... fesses à l'avenir.

* * *

Il y a aussi la «rétrovolution»!

* * *

Si la gauche continue à accumuler les bêtises, bientôt l'avant-garde et le progressisme, ce sera la droite!

* * *

Une tête, c'est comme un tambour: plus c'est vide, plus ça fait du bruit.

* * *

On a les gouvernements et les femmes qu'on mérite. C'est pourquoi nous sommes un peuple de taxés et de cocus.

À propos d'indépendance...

(Recueil de citations de 300 auteurs)

Note: *Seuls les textes signés par Doris Lussier sont reproduits ici.*

PLAIDOYER POUR LA NATURE DES CHOSES

L*e droit à la liberté pour les personnes individuelles, personne ne discute ça: c'est dans la nature des choses.*

Le droit à la souveraineté pour les personnes collectives que sont les nations qui ont la volonté et les moyens d'être libres, personne ne conteste ça non plus: c'est dans la nature des choses.

Sauf au Québec.

Ici, au risque d'avoir l'air d'enfoncer une porte ouverte ou d'apporter de l'eau à la mer, on est obligé de démontrer les évidences.

Par exemple, il saute aux yeux de n'importe quel citoyen d'ignorance moyenne qu'il est plus avantageux pour une nation de vivre dans un État qui lui appartient que dans un autre où elle ne se sent pas chez elle.

Mais ce qui ailleurs dans le monde est considéré comme normal, ici, au Québec, c'est révolutionnaire. Un Québécois de fine race et de grande culture a même pu proclamer du haut de la plus imposante tribune d'Amérique du Nord — le Congrès des États-Unis — que l'indépendance du Québec serait en quelque sorte le péché mortel du siècle et même «un crime contre l'humanité». Rejoignant en cela le mot charmant d'un autre Canadian qui a dit un jour où il se sentait en veine de candide épanchement: «Vous vous êtes fait battre sur les plaines d'Abraham en 1759... Vous vous êtes battus vous-mêmes en 1980... Il serait temps qu'on passe à autre chose!»

La plupart des Québécois ont cru au fédéralisme canadien comme les alouettes croient aux miroirs. C'était une illusion. En effet, croire que nous allons pouvoir nous épanouir et prospérer comme nation en acceptant d'être en minorité permanente dans un régime fédéral qui nous paralyse systématiquement, c'est une idée d'autruche. Demander au Canada anglais de protéger le Québec français, c'est demander au renard de protéger les poules. Et pour le Québec, accepter un régime fédéral où la majorité anglaise domine et dominera toujours, c'est ni plus ni moins qu'un autogénocide.

Le fédéralisme canadien, tout le monde sait ça maintenant, ça ne marche pas. Le Canada est un mariage de raison qui n'a plus de raison d'être un mariage. L'odieux coup de force constitutionnel que le gouvernement Trudeau a imposé au Québec en 1982 est un des bas faits de notre histoire. Ajoutons-y l'affront du Lac Meech et nous avons là deux impérieuses raisons de divorcer au plus vite. Ou alors nous ne sommes qu'un peuple de cocus contents...

Depuis des siècles que «nous avons revêtu la soumission comme une peau» (Michel Roy), il est temps que, au lieu de subir notre histoire, nous entreprenions de la faire.

Dans l'état actuel des choses, l'État québécois n'est qu'un demi-État qui se contente d'administrer sa dépendance. Car un gouvernement a beau être AU pouvoir, il n'a pas LE pouvoir s'il n'a pas TOUS LES POUVOIRS qu'il lui faut pour être vraiment maître chez lui. C'est pourquoi l'indépendance, aujourd'hui, c'est plus qu'un droit, c'est un devoir. Le temps de la délibération est fini, celui de la libération est arrivé.

D'autant plus que la plus élémentaire prudence politique nous y appelle. Autant que notre histoire. Nous sommes une nation démographiquement assez nombreuse, culturellement évoluée, politiquement organisée et économiquement riche; nous avons tout ce qu'il faut pour vivre souverains.

Et l'indépendance, ce n'est pas seulement une bonne idée, c'est une bonne affaire. La prospérité économique d'un peuple est toujours tributaire de sa liberté politique. On ne peut pas espérer le bien-être si on n'a pas d'abord l'être. Et l'être pour un peuple normal, c'est la souveraineté.

Et puis, quoi qu'en disent Ottawa et sa docte cabale, se libérer, ce n'est pas s'isoler. C'est tout le contraire. Étant souverain, le Québec pourra choisir les formes de son union avec les autres de qui cela fera l'affaire aussi. Mais D'ÉGAL À ÉGAL. Toute la différence est là. Selon le principe qui est la règle d'or de toutes les paix politiques: être unis en tout ce en quoi nous avons un intérêt commun à être unis, et être séparés en tout ce en quoi nous avons un intérêt commun à être séparés. Distinguer pour unir, comme disait Maritain. On ne fédère efficacement que des souverainetés consentantes.

Quand j'entends des politiciens essayer d'évaluer en dollars la liberté politique de notre patrie, j'ai honte. Il y a des choses dans la vie d'un peuple qui ont tellement de valeur qu'elles n'ont pas de prix. L'indépendance est de celles-là. La fierté d'être soi est aussi essentielle à une nation que le pain et le beurre.

Refuser l'indépendance, ce serait renier notre passé et insulter l'avenir.

Refuser l'indépendance, ce serait passer à côté de notre chance historique d'effacer la Conquête.

Refuser l'indépendance, ce serait dire adieu à notre espérance séculaire de vivre enfin libres.

Nous être battus pendant des siècles pour rester une nation française et refuser d'en devenir une qui serait incarnée dans son État souverain reconnu par le monde entier, ce serait avoir réussi une longue et difficile traversée de l'océan... pour échouer au port d'arrivée.

Refuser l'indépendance, ce serait nous opposer incompréhensiblement à la nature des choses qui nous l'offre aujourd'hui comme un cadeau de l'histoire.

Refuser l'indépendance, ce serait sacrifier bêtement la liberté à la peur.

C'est à nous qu'il appartient aujourd'hui de décider si l'histoire du Québec que liront demain nos enfants sera celle de notre lucidité et de notre courage ou celle de notre démission.

De décider si oui ou non nous voulons, avec la même ferveur que Félix, «un pays planté dans le cœur... à jamais».

D. L.

Pensées sur l'indépendance

La conclusion logique de la Révolution tranquille, c'est l'indépendance tranquille.

* * *

Le fédéralisme pour nous, c'est la reprise continuelle de la tapisserie de Pénélope.

* * *

En politique, la liberté pour une nation, ça porte un nom, toujours et partout le même depuis le commencement du monde, et ce nom, c'est souveraineté. La nation québécoise sera souveraine – par son État –, ou elle ne sera plus du tout.

* * *

Ce qui fait la force irrésistible de l'idée d'indépendance, c'est qu'elle est dans la nature des choses. De même qu'il est naturel qu'une personne individuelle aspire au maximum d'autonomie, il est aussi naturel que la personne collective qu'est la nation cherche et trouve dans sa souveraineté l'expression normale de sa liberté.

* * *

La splendeur torrentielle du discours mironnien...

* * *

Le drame fondamental de la nation québécoise, c'est d'être forcée par le système constitutionnel canadien de vivre divisée. Être minoritaire dans un pays, c'est déjà une faiblesse objective; mais être en plus obligé par le système de diviser ses forces vives en camps opposés, c'est vivre en portant en soi le germe de sa mort politique. La racine du «mal québécois», elle est là. La démocratie, ça peut être aussi quelquefois la liberté dans la servitude.

* * *

Les Québécois ont perdu la foi fédéraliste; ils continuent à la pratiquer plus ou moins hypocritement en attendant de pouvoir être ouvertement indépendantistes.

* * *

Même maison mais — peut-être — ...chambre à part.

* * *

Les Québécois et les Canadiens anglais ne seront moralement unis que lorsqu'ils seront politiquement séparés.

* * *

Indépendance, cela signifie cesser d'être locataires du Canada pour devenir propriétaires du Québec.

* * *

On dirait des fois que le tempérament politique de la nation québécoise est inconsciemment suicidaire. On lui dit et on lui prouve que pour vivre elle doit choisir d'être libre, et malgré cela, elle refuse. Et elle se regarde mourir avec délectation.

* * *

Pour un peuple, la liberté, c'est plus qu'un droit, c'est un devoir.

* * *

L'indépendance d'une nation saine et vigoureuse, ça fait partie de la nature des choses.

* * *

C'est un paradoxe de l'histoire que notre nation se trouve aujourd'hui à la fois si proche de l'indépendance qui est sa vie et de l'assimilation qui est sa mort.

Pourquoi?
La Vie, l'Amour, la Mort

(Ouvrage inachevé)

La mort apprivoisée*

Novembre nu et gris...

La lente mort des choses me parle discrètement de la mienne.

J'y pense. J'y pense sans trop d'effroi. Mourir, c'est aussi naturel que vivre. Je voudrais même que ma mort soit aussi joyeuse que le fut ma vie. Pourquoi pas, après tout? Comme disait Michel Audiard:

«La mort, on est faits pour ça!»

Une naissance, c'est une condamnation à mort. Le temps de vivre n'est qu'un sursis. On meurt un peu chaque jour, assassiné par la vie et «chaque instant de la vie est un pas vers la mort». Toutes les heures blessent, la dernière tue.

Mais faut-il vivre tristes pour ça? Au contraire, c'est justement parce que la vie est brève qu'il faut la goûter au maximum et à l'optimum. Il faut prendre la mort par le bon bout, c'est tout. Moi, j'y pense. Je ne pense pas qu'à elle, mais j'y pense. J'ai déjà vécu beaucoup plus que la moitié de ma vie; je sais que je suis sur l'autre versant des cimes et que j'ai plus de passé que d'avenir. Alors, j'ai sagement apprivoisé l'idée de ma mort. Je l'ai domestiquée et j'en ai fait ma compagne si quotidienne qu'elle ne m'effraie plus... ou presque. Au contraire, elle va jusqu'à m'inspirer des pensées de joie. On dirait que la mort m'apprend à vivre. Si bien que j'en suis venu à penser que la vraie mort, ce n'est pas mourir, c'est perdre sa raison de vivre. Et bientôt, quand

---

* Ce texte a été publié pour la première fois le 30 novembre 1992 dans *La Presse*.

ce sera mon tour de monter derrière les étoiles et de passer de l'autre côté du mystère, je saurai alors quelle était ma raison de vivre. Pas avant. Mourir, c'est savoir... enfin.

Car la mort n'est que la porte noire qui s'ouvre sur la lumière. La tombe est un berceau. Mourir au monde, c'est naître à l'éternité. C'est passer du monde des ombres qu'est notre séjour terrestre à celui des réalités. Un comédien a dit:

«La mort, ce n'est pas si tragique que ça: ce n'est que le premier rideau... Après, il y a le deuxième acte.»

Mais pour envisager la mort avec sérénité, il faut croire à quelque chose après. Tout est là. Ou, à tout le moins, espérer quelque chose. Car la mort n'a pas de sens si tout finit avec elle. Ça serait trop bête. On n'existe pas pour rien, ça me paraît absurde. Et l'absurde, ça n'existe pas ailleurs que dans nos petites têtes trop faibles pour comprendre. Il n'y a pas d'être sans raison d'être, ça, c'est certain. Voltaire lui-même ne pouvait pas voir une horloge sans penser à l'horloger. On peut ne pas avoir la foi – parce que c'est un mystère –, mais on ne peut pas ne pas avoir l'espérance. Sans l'espérance, non seulement la mort n'a plus de sens, mais la vie non plus n'en a pas.

La plus jolie chose que j'ai lue sur la mort, c'est Victor Hugo qui l'a écrite. C'est un admirable chant d'espérance en même temps qu'un poème d'immortalité:

«Je dis que le tombeau qui sur la mort se ferme
Ouvre le firmament,
Et que ce qu'ici-bas nous prenons pour le terme
Est le commencement.»

La sagesse du soir

Parvenu aux années septante de mon âge, au beau et gratifiant crépuscule de l'existence, célébrer la vie pour moi, c'est chanter la vieillesse.

Et pourquoi pas? La vieillesse n'est pas nécessairement ni toujours le naufrage qu'on a dit. Elle peut être aussi moisson, plénitude et joie.

Moi, j'aime ma sénescence. Je sens en moi ce merveilleux instinct de bonheur que l'âge, sans l'étouffer, transforme en sérénité. Car la sérénité, c'est la grâce de la vieillesse. C'est la tranquillité de l'esprit à qui l'expérience a donné le sens de la relativité des choses humaines, et qui, de ce fait, a acquis ce qu'on a appelé la «sagesse du soir».

J'ai dit «la relativité des choses humaines». Mais n'est-ce pas là exactement la définition du sens de l'humour? L'humour, le merveilleux humour, le nécessaire humour. L'humour, qui est l'état de grâce de l'intelligence. L'humour qui nous fait voir les choses et les gens dans la perspective du sourire avec et malgré tout. L'humour, valeur humaniste.

Je le crois tellement que si on me demandait quelles sont les plus grandes valeurs humaines de ce bas monde, je répondrais sans hésiter: l'amour et l'humour. L'amour universel et inconditionnel des êtres parce que sans lui rien d'humain n'est possible. Parce que l'amour est l'alpha et l'oméga et la condition *sine qua non* du bonheur. L'amour est la seule valeur terrestre absolument nécessaire. L'amour qui, avec l'âge, garde ses rayons tout en perdant ses flammes. On devrait mesurer le temps non en secondes mais en battements de cœur.

Et, deuxièmement, l'humour. Parce qu'il est l'achèvement de la culture et le couronnement de la sagesse. Humour, humain, humilité, trois mots qui ont la même racine parce qu'ils désignent des réalités sœurs. L'humour n'est que le nom profane de la vertu d'humilité.

Bien sûr, j'ai, comme tout le monde, la nostalgie de ma jeunesse. Et je me dis souvent: «Ah! si j'avais mon jeune corps d'hier pour servir ma vieille âme d'aujourd'hui... quelles merveilles n'accomplirions-nous pas tous les deux!» Car le succès d'une vie ne se mesure pas en années mais en actions. Et alors, je me souviens de la plainte si poétique qu'exhalait Victor Hugo, au soir de sa pourtant si riche vie, en regardant tomber les feuilles de son automne:

«Que vous ai-je donc fait, ô mes jeunes années
Pour m'avoir fui si vite et vous être envolées
Me croyant satisfait?
Hélas! pour revenir m'apparaître si belles
Quand vous ne pouvez plus me prendre sur vos ailes,
Que vous ai-je donc fait?»

À la réflexion, justement parce que la vie est brève et que nos corps et nos âmes n'ont plus beaucoup de temps à vivre ensemble, je crois que c'est pour moi un devoir d'en profiter au maximum et à l'optimum. «*Carpe diem!*», disait le vieil Horace. Et l'écho répond en Amérique: «*Enjoy yourself, it's later that you think!*» Mon Dieu que c'est vrai. C'est de l'hédonisme, me direz-vous. Je vous réponds qu'il y a un hédonisme spiritualiste qui est un des noms de la sagesse. Car enfin, dites-moi, pourquoi sommes-nous venus au monde si ce n'est pour essayer d'être heureux en faisant aussi le bonheur de son prochain?

Vieillir est un couronnement. C'est le soir de l'existence. Mais quand on y songe bien, vieillir, c'est aussi beau que naître. C'est même plus riche que naître. Naître, ce n'est qu'une promesse tandis que vieillir, c'est un accomplissement. La vieillesse est la saison des récoltes, des moissons dorées et des blés mûrs. Si bien qu'on peut dire sans se tromper que les feux du soleil couchant sont aussi beaux que ceux du soleil levant.

D'autant plus que ce sont eux qui éclairent nos derniers pas sur la Terre. C'est dans leur lueur qu'apparaît notre dernière vérité. Les dernières lumières du soleil couchant sont les premiers rayons de l'éternité. Et quand elles se projettent sur les dernières années de notre vie, alors on devient sage et on cesse d'être acteur... Nous cessons d'être des *personnages* de la «comédie aux cent actes divers» qu'est la vie pour redevenir des *personnes*. Des personnes responsables de la qualité de leur fin de route. Des personnes mises en face de leur devoir terminal. Des personnes dont le dernier défi sur la Terre est de transformer leur déclin physique en croissance morale.

Vieillir, c'est voir le monde par l'autre bout de la vie. Et alors, les perspectives ne sont plus les mêmes. Car à mesure qu'on s'approche de «l'autre monde», on se détache peu à peu des intérêts terrestres pour investir dans les valeurs éternelles.

Celles qui seules peuvent combler l'immensité de notre espérance.

La souffrance, mystère scandaleux

Paradoxe de l'histoire humaine: la valeur que les humains estiment être la plus grande, c'est la vie; et pourtant, la souffrance, bien plus universellement que la joie, est la condition de cette vie. Il y a plus de malheur que de bonheur sur cette Terre.

La douleur est la porte d'entrée des humains dans le monde et elle en est aussi la porte de sortie. Nous naissons dans la souffrance de nos mères et nous mourons dans notre souffrance à nous. Et entre notre naissance et notre mort, qui sont les deux pôles de notre existence, nous sommes en butte à des souffrances – physiques et morales – que la plupart de nos efforts dans la vie s'emploient à prévenir et à guérir. Et l'art de vivre, c'est d'essayer d'être heureux avec et malgré tout cela. L'optimiste, c'est celui qui réussit à garder le sourire au milieu des larmes dont cette Terre est, dit-on, une vallée.

Pourquoi en est-il ainsi? Mystère. La souffrance est un mystère. La vie est un mystère. La mort est un mystère. Toute l'existence spirituelle des humains est une aventure de leur âme dans une forêt de points d'interrogation. De questions sans réponses. D'êtres dont on cherche toujours la raison d'être.

Souffrir, c'est avoir mal à sa vie. J'entends Musset:
«L'homme est un apprenti, la douleur est son maître,
Et nul ne se connaît tant qu'il n'a pas souffert.»

La souffrance réfléchie mènerait-elle à une purification de soi? Peut-être. Car, a dit le poète:
«Il y a des choses qu'on ne voit bien qu'avec des
yeux qui ont pleuré.»

Les larmes lavent l'âme et purgent le cœur. Vérité qui arracha un jour au malheureux Baudelaire des accents presque mystiques:
«Soyez béni, mon Dieu, qui donnez la souffrance
Comme un divin remède à nos impuretés
Et comme la meilleure et la plus pure essence
Qui préparent les forts aux saintes voluptés.»

Toute cette poésie de la souffrance nous console peut-être de la subir, mais elle ne change rien au fait qu'elle est un mystère scandaleux. Scandaleux au sens étymologique du mot: qui fait trébucher l'intelligence. Car la souffrance, nul ne peut le contester, est une des formes du mal. Or le mal, le mal universel, le mal sous toutes ses formes et dans toute son insupportable horreur, le mal violent, le mal sournois, le mal immérité, le mal gratuit, le mal et son dénominateur commun la mort, tout cela interpelle brutalement Dieu. Avec une gravité tragique. Quelle que soit la réaction de l'intelligence humaine devant ce sombre mystère – révolte incoercible ou résignation mystique –, le mal reste le scandale absolu. Il met en question non seulement l'existence de Dieu mais aussi sa présumée infinie bonté, sa justice et sa toute-puissance. Est-il croyable, en effet, se demande logiquement l'homme, qu'un Être d'amour (pensez au *Deus caritas est* de saint Paul) puisse permettre toutes les horreurs dont témoigne l'histoire de l'humanité? Comment un père peut-il, pouvant l'empêcher, tolérer le malheur de ses enfants? Ne nous surprenons donc pas trop qu'il y ait des incroyants. Arthur Koestler écrit:

«Il est très difficile de croire à un Dieu qui aurait pu empêcher Auschwitz et qui l'a permis... L'existence d'un Dieu omniprésent, omnipotent et qui ferait de l'amour son principe essentiel est contredite par toute l'histoire de l'humanité.»

Avouez qu'il y a de quoi mettre à mal l'intelligence et la dialectique de n'importe quel croyant.

Tout le malheur des hommes est dans ce mystère affreux. Jean Rostand, le doux, le tendre, le si humain Jean Rostand a écrit à ce sujet une phrase terrible:

«Vous tuez un homme, vous êtes un assassin; vous en tuez des millions, vous êtes un conquérant; vous les tuez tous... vous êtes Dieu!»

C'est effrayant. C'est effrayant, mais c'est vrai. C'est assez pour ébranler la foi de n'importe quel honnête homme. Et c'est assez pour expliquer l'incroyance des athées. Moi, ça ne m'empêche pas de croire en Dieu – car je ne puis pas expliquer l'existence de l'Univers sans me référer à un Être qui en soit la cause première –, mais ça gêne ma courte intelligence dont le wattage intellectuel est si faible qu'il ne me permet pas de voir plus loin que ce qui est immédiatement compréhensible. Devant les mystères, nous ne sommes vraiment que peu de chose.

Et, malgré tout, nous aimons toujours la vie. Nous l'aimons même désespérément. Nous l'aimons au point de nous y cramponner par tous les moyens quand elle menace de nous quitter. Nous l'aimons au point de refuser de la perdre... même après notre mort.

Alors quoi? Qu'est-ce qui nous reste comme solution? Il nous reste deux choses qui nous justifient d'exister et de continuer à combattre pour le bonheur de l'humanité: l'espérance, rêve d'immortalité, et l'amour. On croit ce qu'on peut, mais on espère ce qu'on veut. Je comprends, moi, qu'un homme n'ait pas la foi, mais j'ai beaucoup de difficulté à comprendre qu'il n'ait pas d'espérance. Ça semble contrenature de ne pas souhaiter un meilleur sort que celui que nous avons. Et de ne pas espérer que ce soit possible.

L'espérance donc – qui au fond est une forme de foi – et l'amour qui, lui, résume toutes les vertus. Et j'ajoute, sans rire, l'humour. L'humour, fine fleur de la culture humaine et peut-être dernier mot de la sagesse. L'espérance malgré tout, l'amour malgré tous et l'humour à cause de tout. C'est cette espérance qui berçait l'âme si douce du poète indien Rabindranath Tagore:

«Je sais qu'un soir obscur d'un jour quelconque, le soleil me dira son dernier adieu. Et je fais cette prière: puissé-je savoir avant de la quitter pour quoi cette Terre m'a pris dans ses bras.»

Ma prière à moi, c'est celle-ci:

«Frères humains, qui que nous soyons, croyants, agnostiques ou athées, puisque la lumière de nos intelligences n'est pas assez forte pour nous permettre de voir clairement la vérité ici-bas, qu'au moins la chaleur de nos cœurs le soit assez pour nous permettre de cheminer ensemble sur cette Terre dans une fraternité qui, nous faisant surmonter nos divergences idéolo-

giques, nous rassemble dans l'amour universel et inconditionnel des humains fragiles que nous sommes tous. Nous ne sommes que nous et pour si peu de temps, pourquoi ne trouverions-nous pas dans la générosité de nos cœurs ce qui manque à la puissance de nos esprits? La seule solution à tous nos problèmes de foi, c'est l'amour.»
Je nous aime.

Philosophie de la mort

La mort étant, comme la vie, une chose naturelle, la première sagesse de l'intelligence, c'est de la considérer comme telle. C'est-à-dire de l'accepter comme une réalité qui fait partie de la nature des choses. Comme un événement incontournable. Comme une modalité de la vie qu'il faut absolument dédramatiser pour éviter l'angoisse que sa seule idée suggère à tout le monde.

Puisqu'elle est là, inévitable et universelle, il vaut mieux la penser avec le maximum de sérénité intellectuelle et émotive. Sans cela, on risque de sombrer dans des attitudes déraisonnables, voire pathologiques.

Il ne sert à rien, parce qu'elle est en elle-même désagréable, de la déclarer absurde et de faire un procès à l'Auteur de la nature. La mort est un mystère. Mais elle n'est pas le seul mystère de l'existence. La vérité aussi est un mystère. Le fait qu'elle soit difficile à trouver n'est pas une raison suffisante pour se suicider. Le mal aussi est un mystère. Et un mystère scandaleux, qui fait trébucher l'intelligence et qui interpelle dramatiquement la bonté et la justice du Dieu des croyants, Et pourtant, il faut vivre malgré le mal et avec lui. L'Univers est une forêt de mystères; faut-il refuser de l'habiter pour autant? La réponse à toutes nos questions, c'est... d'autres questions. Nous n'y pouvons rien, c'est comme ça. Puisque, donc, la réalité est ce qu'elle est, la sagesse, la sagesse pratique, c'est de se dire, comme les Américains: «*Let's make the best out of it!*»

De même qu'en pratique on ne peut harnacher les forces de la nature qu'en fonctionnant selon ses lois, ainsi on ne peut rendre la mort acceptable qu'en la situant dans sa perspective naturelle d'inévitabilité. Et d'espérance pour ceux qui croient. Il est donc bien plus sage de s'y préparer intelligemment que de la craindre maladivement.

Et s'y préparer intelligemment – quand on a la chance de la voir venir –, c'est, si c'est possible, la gérer. Ce qui inclut l'autoeuthanasie. Car quand il faut partir, pourquoi ne pas le faire avec élégance et dignité, en ouvrant soi-même la porte qui donne sur l'éternité? Dieu, qui est un père, ne peut punir son enfant parce qu'il avait un peu hâte de le voir... enfin!

*La mort vivante**

Paradoxe, croyez-vous.

Pourquoi pas vérité?

En tout cas, une chose est certaine – c'est même la plus certaine de toutes les choses –, la mort fait partie de la vie.

C'est justement pour ça que, de même qu'il est sage de se préoccuper de faire une bonne vie, il est aussi impérieux de penser à faire une bonne mort. C'est le sens étymologique du mot *euthanasie*, qui vient de deux mots grecs: *eu*, qui veut dire «bonne», et *thanatos*, qui veut dire «mort». Et qu'est-ce que ça veut dire, concrètement, faire une bonne mort? Ça veut dire mourir dans la dignité. Dans la dignité physique et morale.

Les philosophes, les théologiens, les médecins, les juristes et tous ceux qui se sont penchés sur le problème de l'euthanasie oublient quelquefois une chose fondamentale: celui qui a le droit absolu d'avoir le dernier mot là-dessus, c'est le mourant. Moi, je respecte toutes les opinions émises sur l'euthanasie parce que je n'ai pas la prétention d'être seul en possession tranquille de la vérité, mais je soutiens que le dernier acte humain de la vie terrestre relève exclusivement de la conscience de celui qui meurt.

---

* Conférence présentée à l'Agora, le 29 avril 1991.

De même que c'est la raison qui doit présider aux actes de la vie, c'est encore elle qui doit régler l'acte de la mort. Or, que dit la raison au sujet de la mort? La même chose qu'elle suggère au sujet de la vie: qu'elle soit la plus digne possible. Que s'il est raisonnable dans ma vie de chercher à faire ce qui me semble bien et d'éviter ce qui me semble mal, ce l'est autant dans ma mort.

Or, le mal à éviter quand vient le temps de mourir, comme ce l'était au temps de vivre, c'est la souffrance. La souffrance physique, bien sûr, puisqu'elle est la négation du bien-être auquel tout être aspire, mais aussi la souffrance morale. La souffrance de constater que tout est fini, que notre corps usé, perclus, ne peut plus répondre aux volontés de notre âme qui n'y voit plus qu'un habitacle désaffecté, indigne de sa qualité spirituelle. Car dans le processus de dégénérescence fatale qu'est la phase terminale d'une maladie, il vient un moment où l'être humain n'est pratiquement plus un être humain.

Quand un être humain n'est plus personne, quand il n'a plus rien de ce qui en fait une personne, ni raison, ni sentiment, ni sensation, ni conscience de qui ou de quoi que ce soit, quand il est totalement décérébré, quand il n'est plus qu'un végétal désensibilisé, la plus élémentaire logique, la plus évidente justice et la plus grande charité ne commandent-elles pas de le rendre à son destin de la façon la plus humaine qui soit, c'est-à-dire d'aider à ce que s'accomplisse dignement le dernier moment de sa vie? L'euthanasie, dans ce cas, n'est pas seulement le geste le plus raisonnable qui soit, c'est aussi le plus beau geste d'amour. Prolonger la souffrance, sous quelque prétexte que ce soit, religieux ou autre, c'est du pieux sadisme, rien d'autre. Quand on administre des mesures d'acharnement thérapeutique à un pauvre moribond en phase terminale, ce n'est pas sa vie qu'on prolonge, c'est sa mort.

D'ailleurs, quand j'entends les moralistes, les docteurs, les juristes et les savants de toutes farines énoncer de subtils distingos entre l'euthanasie passive et l'euthanasie active, je les sens en danger de glisser – involontairement, bien sûr, mais dangereusement – sur la pente de l'hypocrisie objective et inconsciente. En effet, quelle différence de nature y a-t-il, en fait, entre l'acte du médecin qui doit donner tellement de morphine à un mourant pour soulager sa souffrance que le patient en meurt... et l'acte d'un autre médecin qui lui donnerait exactement la même dose pour le faire mourir sans souffrance? Aucune, à mon sens. L'action est la même; il n'y a que l'intention qui diffère. Et le résultat est le même aussi: le patient meurt. Sauf que dans le premier cas, le docteur dit:

«Je ne veux pas le tuer, mais pour soulager ses souffrances je suis obligé de lui donner une dose mortelle.»

et que dans le deuxième cas, le docteur dit:

«Je lui donne une dose mortelle pour supprimer ses souffrances.»

Si ce n'est pas jouer sur les mots, ça, et fendre les cheveux en quatre, je ne sais pas ce que c'est. Et ça me paraît d'autant plus odieux que, pendant ce temps-là, de toute façon, grâce au même médicament mais administré avec une intention différente... le gars meurt.

Je n'ai jamais compris que la loi fasse un crime d'un acte de pure charité chrétienne ou simplement humaine. Les législateurs se croient plus catholiques que le pape quand ils criminalisent un acte bon. Pourquoi la loi qui exige qu'on respecte scrupuleusement les dernières volontés d'un homme après sa mort – quand il les a écrites dans un testament – ne permettrait-elle pas qu'on les respecte autant avant sa mort, s'il les exprime clairement? J'estime que la loi n'est plus «une ordonnance de la raison en vue du bien commun», comme la définit saint Thomas, quand elle interdit et condamne ce que la raison et la prudence (et la justice) demandent.

Pour les bonnes âmes dont le souci d'orthodoxie religieuse est plus grand que celui de la simple charité, voici un témoignage susceptible de dédouaner les plus délicates consciences. Il est du père Marcel Marcotte, jésuite (dans *Relations*, janvier 1974, p. 23), et il se lit comme suit:

«... au voisinage de la mort, tous les traitements analgésiques proportionnés aux souffrances à soulager, y compris ceux qui ont pour effet de précipiter, ou qui risquent même de provoquer la mort du patient...»

Il s'agit là, fondamentalement, d'un enseignement traditionnel de la morale catholique. Pie XII, en 1957, l'a formulé (en rapport avec la théorie classique du «volontaire indirect» et de «l'acte à double effet») en termes soigneusement mesurés:

«... et si l'administration actuelle des drogues produit deux effets distincts, l'allégement de la souffrance d'une part, et l'abrégement de la vie d'autre part, cette action est légitime.»

Je crois, moi, que la raison droite et la prudence nous permettent d'aller plus loin que ça dans certains cas. Exemple: si, consciente de l'imminence de sa mort et pour éviter le mal physique et moral qu'elle entraîne, une personne décide, lucidement et délibérément, de quitter une vie qui n'est plus une vie humaine, n'est-ce pas là le geste objectivement autant que subjectivement le plus raisonnable qu'elle puisse poser? Quand les raisons d'être n'existent plus, il devient raisonnable de ne plus être. Ça me paraît d'autant plus raisonnable qu'il y a une forte chance, nous dit-on depuis des millénaires, que ce que nous appelons la mort ne soit qu'une porte noire qui s'ouvre sur une autre vie de notre âme. Que la mort, au fond, ne soit qu'une renaissance.

Alors?

Alors, quoi qu'il en soit de notre destin, il reste que comme il faut savoir vivre il faut savoir mourir. La qualité de la mort, ça fait partie de la qualité de la vie. J'ai lu sous la plume d'un ami mien, philosophe aussi lucide que sage, le texte suivant que j'offre à votre méditation:

«Quand mon âme et mon corps ne seront plus d'accord que sur la rupture, comme le chante joliment Brassens... quand j'aurai assez longtemps cohabité pacifiquement avec l'aimable cancer qui me chatouille les entrailles depuis six mois, pensez-vous que je vais le laisser bousiller ma mort? Jamais de la vie! Quand j'aurai la certitude clinique que mon voyage est terminé, et quand ça commencera à me faire trop mal, j'espère que j'aurai l'intelligence et le temps de m'en aller comme un grand garçon. Je ne veux absolument pas imposer à ceux que j'aime le spectacle disgracieux d'une agonie inutile qui ne finit plus et qui embête tout le monde y compris la société à qui ça coûterait un prix fou pour m'entretenir comme un légume pendant des mois. Je ne veux pas non plus penser cent fois par jour que mes proches se disent sans le dire: ‹Pauvre vieux, s'il pouvait donc mourir!› Non. Quand mon heure sera venue, je demanderai à qui il faut de me fournir le viatique qu'il faudra pour accompagner mon voyage derrière les étoiles. Autrement, j'aurais honte d'arriver devant Dieu le Père avec des facultés spirituelles affaiblies! Et avant de poser le geste libérateur, je lui dirai, comme on le chante dans la superbe préface de la Messe des morts: ‹Seigneur, je ne m'enlève pas la vie... je change de vie: *vita mutatur non tollitur*.› Moi, j'appelle ça mourir en état de grâce.»

En somme, il y a deux remèdes contre la souffrance: contre la souffrance physique, la morphine, et contre la souffrance morale, la foi et l'espérance en l'immortalité.

Je vais vous faire une confidence. J'aimerais mourir comme j'ai vécu: avec humour. L'humour, c'est l'état de grâce de l'intelligence. C'est la conscience de la relativité des choses humaines. C'est le premier mot de la culture et le dernier de la sagesse. Humour, humilité, humain, trois mots qui ont la même racine parce qu'ils signifient des réalités de même famille. L'humour, c'est le frère laïque de l'humilité. Et souvent le fils de la charité.

Grâce à l'humour, je me suis habitué à voir ma mort dans une perspective de sérénité amusée comme les vieux philosophes stoïques de l'Antiquité. Je suis même allé l'autre jour faire graver d'avance mon épitaphe chez un monumenteur de ma paroisse. Si, si... c'est vrai! L'épitaphe étant la dernière vanité de l'homme, j'ai fait inscrire sur ma pierre tombale les mots suivants: «DORIS LUSSIER 1918 - ...» (j'ai laissé l'autre date en blanc, pour ne pas provoquer la Providence) puis j'ai fait écrire: «Je suis allé voir si mon âme est immortelle!»

Non mais, c'est vrai, il ne faut pas faire un drame avec un simple fait divers. Le jour où je mourrai, qu'est-ce qui va se passer? Mon ami Bernard Derome va prendre 14 secondes de son *Téléjournal* de 10 h 00 pour annoncer au monde qu'un bon diable est rendu chez le bon Dieu. Et ce sera tout. Après, ce sera les nouvelles du sport. Et si pas hasard ce soir-là les Canadiens remportent la coupe Stanley, mon maigre souvenir sera tout de suite enseveli sous le triomphe des Glorieux et les Québécois vibreront bien plus au rappel des exploits de la sainte Flanelle qu'à la nouvelle du départ définitif du joyeux cabotin que j'aurai pourtant été... *Sic transit gloria mundi!*

J'ai été un bon vivant, je veux être un bon mourant. Si bien que la mort ne me fait plus peur du tout. Quand je pense à combien elle m'effrayait quand, dans ma jeunesse, les prédicateurs rédemptoristes faisaient résonner à mes oreilles affolées le bruit affreux des chaînes que Belzébuth brasse dans son enfer, le grésillement des flammes de la géhenne léchant nos chairs tordues de douleur... et le tic-tac lugubre de la grande horloge – TOUJOURS SOUFFRIR – JAMAIS SORTIR... Eh bien! non, ce n'est plus ça du tout. Au contraire, la mort est devenue une compagne avec qui je converse quotidiennement et avec amitié le long de mon cheminement terrestre. Comme saint François d'Assise, je l'appelle «ma petite sœur». Je l'ai apprivoisée. J'ai même appris à l'aimer. Car je sais qu'un jour c'est elle qui va me délivrer quand mon mal de vivre sera plus grand que ma capacité de l'endurer.

D'ailleurs, permettez-moi de vous en faire l'aveu dans ma candeur naïve, je pressens que j'aurai d'autant moins de peine à m'absenter de la vie terrestre que j'ai le bonheur de croire à l'immortalité de mon âme. Je pense, comme le défunt Victor Hugo, que «si l'âme n'est pas immortelle, Dieu n'est pas un honnête homme», ce que je ne puis admettre. Je sais bien que là-dessus, *scinduntur doctores*, les opinions sont fendues, comme disait l'autre, mais moi, je crois. Je ne dis pas: «je sais», je dis: «je crois». Croire n'est pas savoir. Je saurai quand je verrai, comme vous autres. Si j'ai à savoir...

Et puis, après tout, comme je le disais un jour à un ami qui est incroyant:

— Tu sais, nos opinions respectives sur les mystères de l'au-delà n'ont pas grande importance. Que nous croyions ou que nous ne croyions pas, ça ne change absolument rien à la vérité de la réalité: ce qui est est... et ce qui n'est pas n'est pas, un point, c'est tout. Et il faudra bien nous en accommoder.

En attendant, je suis comme saint Voltaire:

«L'Univers m'embarrasse et je ne puis penser

Que cette horloge existe et n'ait point d'horloger.»

Je n'ai qu'une toute petite foi naturelle, fragile, vacillante, bougonneuse et toujours inquiète. Une foi qui ressemble bien plus à une espérance qu'à une certitude. Mais, voyez-vous, à la courte lumière de ma faible raison, il m'apparaît irrationnel, absurde, illogique, injuste, contradictoire et intellectuellement impensable que la vie humaine ne soit qu'un insignifiant passage de quelques centaines de jours sur cette Terre ingrate et somptueuse. Il me semble impensable que la vie, une fois commencée, se termine bêtement par une triste dissolution dans la matière, et que l'âme, comme une splendeur éphémère, sombre dans le néant après avoir inutilement été le lieu spirituel et sensible de si prodigieuses clartés, de si riches espérances et de si douces affections. Il me paraît répugner à la raison de l'homme autant qu'à la Providence de Dieu que l'existence ne soit que temporelle et qu'un être humain n'ait pas plus de valeur et d'autre destin qu'un caillou.

Ce que je trouve beau dans le destin humain, malgré son apparente cruauté, c'est que pour moi mourir, ce n'est pas finir, c'est continuer autrement. Un être humain qui s'éteint, ce n'est pas un mortel qui finit, c'est un immortel qui commence. La tombe est un berceau. Et le dernier soir de notre vie temporelle est le premier matin de notre éternité. «Ô mort si fraîche, ô seul matin», disait Bernanos. Car la mort, ce n'est pas une chute dans le noir, c'est une montée dans la lumière. Quand on a la vie, ce ne peut être que pour toujours. Comme dit le poète – parce que ce sont toujours les poètes qui voient le mieux le fond des choses:

«Ouverts à quelque immense aurore,
De l'autre côté des tombeaux,
Les yeux qu'on ferme voient encore.»

La mort ne peut pas tuer ce qui ne meurt pas. Or, notre âme est immortelle. Il n'y a qu'une chose qui peut justifier la mort… c'est l'immortalité.

Mourir, au fond, c'est peut-être aussi beau que naître. Est-ce que le soleil couchant n'est pas aussi beau que le soleil levant? Un bateau qui arrive à bon port, n'est-ce pas un événement heureux? Et si naître n'est qu'une façon douloureuse d'accéder au bonheur de la vie, pourquoi mourir ne serait-il pas qu'une façon douloureuse de devenir heureux? Victor Hugo, le plus grand de tous les poètes, a enfermé la beauté de la mort dans des vers magnifiques:

«Je dis que le tombeau qui sur la mort se ferme
Ouvre le firmament,
Et que ce qu'ici-bas nous prenons pour le terme
Est un commencement.
C'est le berceau de l'espérance,
C'est la fleur qui s'épanouit,
C'est le terme de la souffrance,
C'est le soleil après la nuit,
C'est le but auquel tout aspire,
C'est le retour après l'adieu,
C'est la libération suprême,
C'est après les pleurs, le sourire,
C'est rejoindre ceux qu'on aime,
C'est l'immortalité… c'est Dieu.»

Moi, j'appelle ça… la mort vivante.

Maintenant, papa, tu sais... peut-être!

Combien de parties de golf avons-nous passées, seuls tous les deux, à discuter de l'Univers et de son origine, de Darwin, Sagan et Hawking, de la remontée inductive de la chaîne de causes à effets qui inévitablement nous amenait à la Cause première, des hypothèses de l'existence ou de l'inexistence de Dieu, de la pauvre Église catholique avec ses dogmes insignifiants, ainsi que ses contradictions flagrantes comme celle de la ridicule réconciliation entre la bonté divine et infinie du parfait Tout-Puissant avec l'imparfait système dont il a accouché et qui tolère l'intolérable misère des plus démunis, et finalement, de la question la plus fondamentale, le pourquoi?

Maintenant, papa, tu sais... peut-être!

Ta mort t'aura permis d'assouvir ton insatiable soif de connaissances, et ainsi de te libérer de ce que tu te plaisais à appeler ton inestimable bagage d'ignorance... relative, j'ajouterai. Chanceux, va!

Les plus beaux souvenirs qui me resteront seront ceux des soirées passées dans ton sanctum à faire le tour de la belle bibliothèque dont tu étais si fier. Pas de tabous. Tout y était. La philosophie, qui t'a appris à penser; la politique, avec laquelle tu avais développé une relation intime, mais publique; la convergence des réflexions sur les filles, l'amour et l'érotisme, sans laquelle l'existence terrestre n'aurait aucune signification; les arts qui font subtilement jouir nos sens; et ta maîtresse préférée, celle avec laquelle tu te fusionnais le mieux et avec une complicité quasiment insidieuse pour produire les plus belles dentelles québécoises de la langue française, la littérature.

Je me souviens aussi quand j'étais petit garçon, alors que mes préférences fondamentales étaient beaucoup plus influencées par l'école de pensée valorisant la philosophie de la poursuite cow-boy—Indien ou par les belles fesses rondes de Jocelyne, tu m'attirais vers «ta» culture en me soudoyant de ces cinq «sous noirs» du vers appris par cœur. Que tu étais heureux quand je récitais naïvement, mais avec tellement d'enthousiasme, le *Vaisseau d'or*, Cyrano ou même des passages des *Travailleurs de la mer*, de ton plus grand, Hugo.

Je prostituais ainsi mon intelligence, mais ayant en tête un tout autre but que celui que tu recherchais. À neuf ans, les filles préfèrent un garçon possédant un gros cornet de crème glacée à la plume d'un poète en devenir, si vivace soit-elle. Tu le savais et tu trouvais cela mignon.

Et 30 ans plus tard, soit en juillet dernier, te sachant près de ta fin, tu as commencé à transférer tes trésors chez moi, comme un habitant qui, au terme de sa vie mais de son vivant, lègue sa terre à son fils. Tu manipulais alors tes incunables comme un avare ses sous et, malgré le cancer qui te rongeait la colonne vertébrale, tu tenais à placer toi-même tes livres dans ma bibliothèque. Je me rappelle encore ton petit sourire de cabotin quand, pour une dernière fois, tu «zieutais» ton enfer. Tu étais rassuré. Tu pouvais mourir en paix, ton bien le plus précieux, ta culture, était en sécurité chez ton descendant.

La mort, elle, n'était pas un problème. Tu n'en avais pas peur. Aristote, Platon, Napoléon et Félix étaient tous passés par là. Michael Jackson y passera aussi un jour. Cela allait dans la norme des choses. Dieu? Pascal et son pari s'en chargeaient. Avec maman et le père Lévesque, on avait tout rationalisé.

Quand, en ce bel après-midi d'automne du 26 septembre 1992, sur le dix-huitième vert de notre beau petit club de golf de campagne, tu m'avais annoncé si sereinement ton cancer et que je m'étais littéralement écrasé – jamais je ne t'avais autant aimé que ce jour-là –, tu m'avais rassuré. Tu ne connaîtrais pas la souffrance, ta seule crainte. La science était, selon toi, assez évoluée. Nous avions soigneusement tout préparé pour que la période entre ta vie terrestre et ta possible vie ultérieure se fasse calmement, sans douleur. Tu as fait un testament biologique et, dans un mandat dûment notarié, tu me donnais la responsabilité de faire en sorte que lorsque tu ne serais plus en mesure de prendre de décisions, j'exigerais qu'on t'administre tous les médicaments nécessaires de façon à ce que tu ne souffres pas physiquement ou moralement, que cela abrège ton existence ou non. Tu avais aussi clairement indiqué que tu désirais une accélération du processus en cas de non-conscience, l'euthanasie. Tout était donc prêt pour ton départ sans douleur, selon tes volontés. Même maman, dont les affinités religieuses sont plus évidentes que les nôtres, était d'accord.

Or, la réalité fut tout autre. Malgré l'extrême dévouement et l'amour que te manifestaient tous les spécialistes (médecins, infirmières et préposés aux bénéficiaires), malgré les «progrès» de la science, il demeure que tu as énormément souffert, beaucoup plus que nous ne l'avions prévu. Les médecins doivent se soumettre à la loi... Que les réactionnaires ne me fassent pas croire qu'un tuyau enfoncé dans le pénis – un organe symbolique pour toi – jusqu'à la prostate n'est pas le début d'une torture pour un cancéreux en phase terminale. Que l'extrême droite réformiste ne vienne pas me dire que restituer ses excréments, qui ne peuvent être évacués par la voie normale en raison du blocage intestinal que cause la morphine, est une façon religieusement digne de vivre ses derniers jours.

Que les politiciens, barbares par omission, ne me racontent pas que l'épouvantable cri de douleur mortelle que tu as poussé, même inconscient, la veille de ta mort et au moment où nous étions loin de ta chambre à l'autre bout du couloir, était le reflet d'un état médical de confort et, par conséquent, méritait l'étiquette *politically correct*. Non, tous ces petits politiciens de campagne qui, face à la mort, ont les couilles aussi bien accrochées que celles de l'autruche devant le danger qui s'en vient sont des lâches. Pauvres connards, va. Vous allez, avec vos brillants juges fondamentalistes aux idées aussi contemporaines que celles du Pape, permettre à Sue Rodriguez de mourir comme le souhaitent les provie – qui sont aussi contre le contrôle des armements –, c'est-à-dire en se noyant dans ses crachats que n'auront pu expulser ses poumons affaiblis par ses pectoraux rendus inaptes par la maladie de Lou Gehrig. Messieurs les politiciens et juges de tout acabit, je vous propose d'assister à cette douce et socialement acceptable mort. Vous allez voir, c'est très reposant. Moi, j'ai assisté à l'agonie d'un être charmant, joyeux, cultivé, rationnel, celui que j'aimais le plus au monde, sans pouvoir abréger sa souffrance comme il me l'avait si souvent demandé. Il était un farouche partisan d'une mort civilisée. Finalement, pour les intégristes, dont certains souffrent d'une ignorance encyclopédique, euthanasie vient de deux mots grecs: *eu*, qui veut dire «douce» et *thanatos*, qui signifie «mort». Si les minables barbares de salon que sont certains de nos politiciens ne comprennent pas l'importance de mourir doucement et sans douleur plutôt que dans la souffrance atroce, eh bien! tout ce que je leur souhaite, c'est de crever en vomissant leur merde… dans la dignité.

Mon papa d'amour, maintenant c'est fini. Tu n'es plus là. C'est tout le Québec qui est aujourd'hui en deuil d'un autre chêne que l'incontournable destin vient d'abattre. Tu étais le joyeux capitaine de notre navire familial. Ta mort fut une tempête qui, même si maman tient le gouvernail du mieux qu'elle peut, laisse notre bateau à la dérive. Je souffre atrocement.

Mais, éventuellement, je vais me relever, tu le sais. Je suis de la même graine que toi. Déjà, je perçois la fraîche brise orientale qui viendra gentiment souffler dans nos voiles pour nous ramener à la vie terrestre qui reprendra son cours. «*The show must go on*», tu m'avait dit ce 26 septembre. Et plus tard, la dernière fois que tu m'as parlé, alors que j'étais couché à tes côtés le soir des élections fédérales, dont tu n'as d'ailleurs jamais connu les résultats, fidèle à ton hédonisme, tu m'as répété le refrain de la simple mais philosophique chanson de Guy Lombardo: «*Enjoy yourself, it's later that you think.*»

Merci, papa, pour toute la présence que tu m'as donnée. Adieu. Peut-être.

TON FILS, PIERRE.

ŒUVRES DE DORIS LUSSIER

Le père Gédéon, son histoire et ses histoires
Les Quinze éditeur, 1980;
Les éditions internationales Alain Stanké, 1992

Viens faire l'humour
Éditions Quebecor, 1982;
Les éditions internationales Alain Stanké, 1993

Vérités et sourires de la politique
Les éditions internationales Alain Stanké, 1988

Philosofolies
Les éditions internationales Alain Stanké, 1990

À propos d'indépendance...
Les éditions internationales Alain Stanké, 1992

REPÈRES CHRONOLOGIQUES

1918   Le 15 juillet, naissance à Fontainebleau dans la paille.
1922   Décès de son père.
1923   Entrée à l'école primaire de Fontainebleau.
1924   Entrée à l'école primaire de Lambton.
1930   Entrée au Séminaire de Québec.
1940   Entrée à l'école des sciences sociales de l'Université Laval.
1943-1955   Secrétaire du père Georges-Henri Lévesque;
            Professeur de philosophie économique à la faculté des sciences sociales de l'Université Laval;
            Professeur de philosophie morale à l'Académie de Québec.
1944   Mariage avec Alice Gagnon.
1950   Naissance de Jean.
1952   Naissance de Pierre.
1954   Première apparition du père Gédéon à la télévision de Radio-Canada, à Québec, au *Monde vu de la terrasse*;
            Premier spectacle au cabaret *Chez Gérard* à Québec;
            Roger Lemelin intègre le personnage du père Gédéon dans son émission *La Famille Plouffe*. Cette collaboration durera 11 ans.
1955   Animateur du *Point d'interrogation*.
1957-1959   Spectacles au *Café Saint-Jacques* pendant six mois d'affilée, sept jours semaine, à raison de deux spectacles par soir et de trois le vendredi et le

579

samedi, en plus de *La Famille Plouffe* et du *Point d'interrogation*.

1966 Début d'une longue et fructueuse carrière au golf.

1968 Après avoir siégé à la commission politique du Parti libéral, il suit René Lévesque au Mouvement Souveraineté-Association.

1970 Sa carrière politique se termine par son commencement: il perd ses élections (PQ) par 280 voix dans Matapédia contre Bona Arsenault malgré le slogan: «Il faut que bonaparte».

1979 Mort de Jean.

1981 À 63 ans, il joue la normale (71) pour l'unique fois de sa carrière au club de golf de Belœil.

1993 Le 28 octobre, départ involontaire en direction du savoir absolu ou de l'ignorance perpétuelle.

1994 Enterrement de ses cendres au cimetière de Fontainebleau.

TABLE DES MATIÈRES

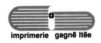

imprimerie gagné ltée

IMPRIMÉ AU CANADA